ASFALTO SELVAGEM

ASFALTO SELVAGEM

ENGRAÇADINHA

SEUS AMORES E SEUS PECADOS

Rio de Janeiro, 2021

Diretora editorial: *Raquel Cozer*

Editoras: *Diana Szylit e Livia Deorsola*

Notas: *Livia Deorsola*

Revisão: *Débora Donadel e Daniela Georgeto*

Capa: *Giovanna Cianelli*

Foto do autor: *J. Antônio/CPDoc JB/Futura Press*

Projeto gráfico e diagramação: *Abreu's System*

A HarperCollins agradece a grande ajuda do jornalista Pinheiro Júnior na identificação de alguns dos personagens reais citados por Nelson Rodrigues ao longo do romance.

Dados Internacionais de Catalogação na Publicação (CIP)
Angélica Ilacqua CRB-8/7057

R614a
Rodrigues, Nelson, 1912-1980
Asfalto selvagem: Engraçadinha, seus amores e seus pecados / Nelson Rodrigues. — Rio de Janeiro: HarperCollins, 2021.

512 p.
ISBN 978-65-5511-101-9

1. Ficção brasileira I. Título.

20-4476 CDD B869.3
CDU 82-3(81)

Rua da Quitanda, 86, sala 218 — Centro
Rio de Janeiro, RJ — cep 20091-005
Tel.: (21) 3175-1030
www.harpercollins.com.br

Sumário

Nota da editora

Asfalto selvagem. Engraçadinha, seus amores e seus pecados, romance mais importante de Nelson Rodrigues, foi publicado como folhetim — um capítulo por dia —, com enorme sucesso, de agosto de 1959 a fevereiro de 1960, no jornal carioca *Última Hora*. Já em 1961, a história, considerada "forte", "picante" e até mesmo "indecente", ganha sua primeira edição em livro, dividido em dois volumes, pela extinta editora J. Ozon. Anos depois, teve, ainda, mais duas edições: primeiro pela Companhia das Letras (o livro passa a ser editado em volume único e faz parte do conjunto das reedições de obras do escritor pela casa, sob curadoria de seu biógrafo, Ruy Castro); depois pela Agir, que também republica grande parte de sua obra.

Nelson Rodrigues tornou-se célebre e respeitado menos por seus romances e mais por sua criação dramatúrgica. *Asfalto selvagem*, no entanto, não deixa dúvidas sobre a enorme aptidão do autor para o gênero: Nelson parte da pequena burguesia brasileira urbana de meados do século XX e dela colhe personagens — principais e secundários — de complexas dimensões humanas; costura-as dentro de um enredo refinado, com idas e vindas no tempo; e as caracteriza por meio de sonhos, contradições, fantasias eróticas, limites morais e frustrações sociais e psíquicas que as colocam no mais alto patamar da ficção no Brasil.

Trata-se, portanto, de um clássico da literatura brasileira; e a HarperCollins tem o privilégio de publicar uma nova edição do romance quando essa assertiva, décadas depois de seu lançamento, está bem sedimentada. Nossa proposta é, então, contribuir com a renovação da leitura da obra, oferecendo ao leitor atual informações que podem ter ficado perdidas ou encobertas pela poeira do tempo. Nesse sentido, foram formuladas notas que ajudam a esclarecer — ou a relembrar o leitor — sobre personalidades e fatos históricos que permeiam a narrativa, matéria utilizada por Nelson como saboroso recheio dos acontecimentos ficcionais. Estão ali amigos íntimos e companheiros de trabalho no jornal, que o autor adorava transformar em personagens — o que desagradava a muitos deles. Também figuram nomes da cultura e do entretenimento e importantes personalidades da política nacional, além de episódios do calor da hora, que dão o tom do momento histórico retratado. Por ternura, gozação ou convicção, o fato é que Nelson punha na boca de seus personagens as próprias obsessões, críticas, preferências, alfinetadas e melindres, fazendo reverberar seu universo bem particular. Infelizmente, há casos em que não foi possível identificar nomes completos e outras informações sobre os citados.

Além de pessoas reais e fatos históricos, as notas também contemplam locais do Rio de Janeiro que já não existem mais. A segunda parte do romance registra, em tempo real, a transformação da cidade, que deixava de ser capital do país, além de fazer ecoar uma outra transformação, do início do século XX, quando o Rio sofreu uma revolução urbanística. Por outro lado, abrimos mão de redigir notas sobre personalidades de conhecimento incontestável, tanto no âmbito nacional (Juscelino Kubitschek, Getúlio Vargas, Guimarães Rosa) quanto no universal (Dostoiévski, Goethe).

O leitor atento perceberá, ainda, duas outras características do romance. A primeira diz respeito às questões sociológicas presentes, sobretudo de gênero, que, aos ouvidos de hoje, soam incômodas e anacrônicas. A segunda, estilística, se refere à pontuação: como dito, a forma original de publicação de *Asfalto selvagem* foi o folhetim, e a agilidade que o gênero pedia provavelmente justifica a ausência ou sobra de vírgulas em algumas passagens, bem como o uso por vezes excessivo dos travessões (que em diálogos, por exemplo, nem sempre marcam a alternância da voz entre narrador e personagem, e sim o próprio ritmo da fala). Não fizemos correções nesses casos, exceto quando a compreensão do texto, por causa da ambiguidade, ficava comprometida.

Boa leitura!

Ler NR hoje: encarar o espelho e ir adiante

Maria Ribeiro

Eu não lia *Asfalto selvagem* desde 1994, quando fiz um teste de vídeo para o papel de Engraçadinha, protagonista do romance — então prestes a ganhar uma adaptação para a TV. Na época, interpretar uma protagonista de Nelson Rodrigues era tudo o que uma jovem atriz, iniciando uma trajetória no teatro e diante das câmeras, poderia querer. Aliás, não só na época. O anjo pornográfico — como ele se autodenominava por, segundo ele, ser puro e obsceno ao mesmo tempo — segue, até hoje, desde o lançamento de sua segunda peça, *Vestido de noiva*, cuja estreia se deu em 1943, como o mais inventivo e revolucionário autor teatral brasileiro. Uma frase de Nelson é reconhecida a quilômetros de distância, sua pontuação é uma espécie de marca registrada do autor, e o passar do tempo, em vez de pesar sobre as diferenças de costumes que nos separam de sua época, só torna sua obra cada vez mais relevante, tanto como documento quanto como literatura.

Não é pouca coisa. O que difere um grande artista de um gênio é justamente a sua capacidade de reinventar o mundo, de produzir algo inédito, que não existia até então. Assim como João Guimarães Rosa e sua escrita única, ou Manoel de Barros, cuja subversão foi exatamente levar a "simplicidade" das palavras às últimas consequências, resgatando uma espécie de espanto infantil diante da descoberta da linguagem. Pois bem. Nelson Rodrigues, também ele, foi responsável por uma espécie de "desleitura do português", como se a língua fosse um rio que gerasse afluentes quando devidamente dominada. Isso sem falar no conteúdo, no discurso. Sempre tão ou mais importante que a forma.

O jornalista que ele foi dizia o que todos pensavam e não tinham sequer coragem de admitir que pensavam, misturando descrença política com máximas de futebol, religião com desejo, existencialismo com brasilidade, machismo com lirismo. Logo nas primeiras páginas de *Asfalto selvagem*, por exemplo,

Nelson escreve: "Todas as mulheres deviam ter catorze anos". Hoje, quarenta anos depois de sua morte e à luz do feminismo, essa frase significaria cancelamento instantâneo. Mas a beleza de Nelson reside exatamente em sentenças definitivas como esta, quase risíveis de tão absurdas. Nelson gostava de chocar, mas, ao colocar tintas fortes sobre temas, como infidelidade e inveja, abria espaço para se discutir o que até então só era dito à boca pequena: a fragilidade das relações humanas e, particularmente, o silêncio das contradições familiares.

Sua capacidade de absorver a alma do carioca e de radiografá-la em personagens tão marcantes quanto Boca de Ouro — inspirado em um taxista que se orgulhava de não ter nenhum dente "de fábrica" —, Alaíde, Doroteia, e mesmo Engraçadinha, escancararam a hipocrisia da classe média brasileira, tão católica quanto escravocrata, e tão cordial quanto cruel.

Foi curioso rever personagens desenhados em outro século à luz da era política sob a qual vivemos. Escrevo este texto em dezembro de 2020, um ano histórico por causa da pandemia mundial de covid-19 e momento em que não são poucos os que pedem a volta da moral e dos bons costumes do século passado, recolocando no centro o "homem de bem", figura invariavelmente desconstruída nas obras rodrigueanas. Quando de novo podemos voltar a Nelson, escritor cujo veneno era também a cura: "A maior desgraça da democracia é que ela traz à tona a força numérica dos idiotas, que são a maioria da humanidade". Ibsen já havia dito o mesmo em *Um inimigo do povo*, quando colocou na boca de seu protagonista, Thomas Stockmann, a fala "o direito não pertence à imbecilidade, o direito pertence à inteligência". As duas frases têm o mesmo sentido, mas a versão de Nelson Rodrigues soa infinitamente mais pessoal e ofensiva. E talvez seja este o ponto. Talvez venha precisamente daí, e de nenhum outro lugar, a sua potência como escritor: Nelson nos chama para a briga, primeiro com ele e, em seguida, se tivermos coragem de encarar o espelho e ir adiante, com nós mesmos, com nossas humanidades e desumanidades.

Vida longa à sua caneta aguda e sem véus, ainda que seja para problematizá-la.

Maria Ribeiro é atriz, diretora e escritora. É autora dos livros *Trinta e oito e meio* (com ilustrações de Rita Wainer), *Tudo o que eu sempre quis dizer, mas só consegui escrevendo* e, com Gregório Duvivier e Xico Sá, *Crônicas para ler em qualquer lugar*.

Um grego no asfalto

Adriana Armony

Em *Se um viajante numa noite de inverno*, o escritor italiano Italo Calvino esboça um projeto de história: dois escritores, um produtivo e outro atormentado, observam-se com suas lunetas. Enquanto o atormentado inveja a pilha de folhas que o outro produz furiosamente, o escritor produtivo, embora não aprecie as obras do outro, sente, ao observá-lo, que aquele procura algo obscuro, emaranhado e verdadeiro, e que seu próprio trabalho, tão popular e empolgante, é limitado e superficial. Ambos desejam escrever um romance como o que encanta uma mulher que lê absorta em um terraço, e, um ao modo do outro, se põem a escrevê-lo. Entre os vários finais imaginados, um deles é a expressão de uma utopia: uma rajada de vento embaralha as páginas dos dois livros, que a leitora tenta reorganizar, e o resultado é um único livro, belíssimo, que ambos os escritores sempre sonharam escrever.

São poucos os romances que conseguem se aproximar dessa utopia, a de uma obra que reúna virtudes aparentemente de difícil convivência. Gostaria de propor que *Asfalto selvagem* é um deles.

Nelson Rodrigues afirmava que sua verdadeira vocação era o gênero romanesco: ao jovem Nelson "interessava o romance e só o romance". E, quando uma vez lhe perguntaram que livros recomendaria, respondeu mil vezes com um único título, *Crime e castigo*: "Pode-se viver para um único romance de Dostoiévski".

Popular e sofisticado, profundo e superficial, trágico e folhetinesco como um romance dostoievskiano, o caudaloso *Asfalto selvagem* se mostra desde o princípio de forma dupla. De um lado, o subtítulo *Engraçadinha, seus amores e seus pecados* atrai o leitor com sedutoras promessas; de outro, o enigmático título, no qual perpassam referências mais sutis. O asfalto, metonímia da industrialização acelerada da época desenvolvimentista, ganha vida e violência, ao mesmo tempo que assume esta característica tão brasileira e ambígua da selvageria: a candura do bom selvagem, a violência brutal da civilização.

A inversão é semelhante à da peça *Otto Lara Resende, ou Bonitinha mas ordinária*. Enquanto o subtítulo, apelativo, costuma ser a referência principal da obra, o título expressa o seu fundamento: a suposta máxima do escritor e amigo Otto Lara Resende, de que "O mineiro só é solidário no câncer", em torno da qual gira o dilema moral de Edgar.

A imagem do asfalto reapareceria um ano depois da publicação de *Asfalto selvagem*, em *O beijo no asfalto*. Novamente o movimento duplo se produz: a ternura brotando da dureza do asfalto, o bom selvagem reclinado sobre o homem agonizante, a desafiar a incompreensão e hipocrisia da cidade com um beijo que o difamará até a morte.

O PRÓPRIO *ASFALTO SELVAGEM* se divide em dois diferentes livros. A primeira parte desenvolve uma linha narrativa principal, que remete à tragédia grega; a segunda tem a economia dispendiosa de um romance, com várias tramas paralelas enredadas e muito de crônica.

A trama do Livro I (*Dos doze aos dezoito*) se inicia quando um *flashback* mostra o enterro de dr. Arnaldo, o pai suicida. A gravidez e o boato do incesto entre Engraçadinha e o pai são ponto de partida para um novo *flashback*, a "confissão" de Engraçadinha ao irmão Fidélis.

O núcleo do enredo é um incesto, mas não o que supunham os boatos, entre pai e filha, mas entre irmã e irmão. Como em Édipo, o crime, fruto cego do destino, é ignorado ao ser cometido; como em Édipo, ocorrem a revelação e a mutilação — num caso, a dos olhos, no outro, a castração. Mas o verdadeiro crime expiado é o do pai, também de natureza incestuosa: ao desejar e possuir a "cunhada impossível", dr. Arnaldo trai o irmão adorado. É desse amor criminoso, desse "pecado original", que nasce Sílvio, que acabará pagando pelo crime paterno. Não por acaso tanto a traição quanto a mutilação ocorrem na mesma biblioteca.

Como entre os gregos, a falha é ancestral: o momento da queda se deu na geração anterior, responsável última pela desgraça. O cerne é a figura do pai incapaz de cumprir o papel que a tradição lhe reserva, "chefe da casa" que encarna ele próprio a transgressão da norma (ou *hybris*) que mina, do interior, a ordem familiar. "Homens de bem" geram filhos perversos. A hipocrisia cobra seu preço.

Nelson já havia rasgado o retrato desta hipocrisia em peças como *Álbum de família*, espalhando "o tifo e a malária na plateia" para despertar da letargia as "senhoras gordas comendo pipoca". No romance, essa denúncia assume novos matizes.

Enquanto o Livro I se imprime sob o signo do trágico, o Livro II (*Depois dos trinta*) se espoja no virtuosismo do cômico.

Desde o início, o cômico se revela numa "epopeia do ínfimo". Dr. Odorico, personagem que abre os dois livros, é um hiperbólico que encarna ele próprio o "Judiciário" inteiro. A simples subida dos degraus de uma escada, fonte de uma angústia a um tempo profunda e ridícula, assume uma dimensão comicamente grandiosa: Odorico arqueja de maneira *humilhante*, tem um esgar *miserável*, seu coração dá batidas *furiosas*, sua úlcera tem palpitações *desesperadas*, imagina chegar em cima de rabecão, considera a situação desrespeitosa para o Judiciário, sonha com um degrau *redentor*, sente-se *desfigurado, afogado, asfixiado*, o descanso faz-lhe um bem *desesperador*. O próprio nome dr. Odorico, com o diminutivo combinado ao tratamento de doutor, reflete essa ambiguidade.

As linhas narrativas proliferam e se cruzam: Engraçadinha, Luís Claudio e Durval, num simulacro de triângulo amoroso-incestuoso; o drama de dr. Odorico em busca do amor de Engraçadinha e as sagas da busca pelo soneto perfeito e pela compra da geladeira; Silene, Leleco e Janet e o assassinato de Cadelão.

Diferente da trama trágica do Livro I, temos aqui a frustração da tragédia. Em vez de Ésquilo, Dostoiévski, com sua galeria de personagens tragicômicos. O crime de Leleco é um *Crime e castigo* fora do lugar: ao matar Cadelão, ele repete todos os gestos e dramas de Raskólnikov. Mas se o personagem de Dostoiévski comete um crime para provar sua ideia e confirmar-se sobre-humano como um Napoleão, Leleco, menino frágil e inseguro, comete o crime para defender sua honra, "para provar que é homem". Janet quer aplicar o remédio de Sônia (o assassino tem que confessar-se, sofrer, pagar) não só de forma incompleta (não o acompanhará em sua via-crúcis), mas inadequada. E se lamenta: "Não sou Sônia, eis o que pensa, com uma angústia tão grande que a desfigurou". O embaraçoso sentimento de estarem fora do lugar é a tônica; o cômico se dá na incongruência e quebra de expectativa.

Mais produtivo ainda é o cômico dos clichês. Mestre da frase feita e do clichê, que elevou a gênero literário, Nelson os maneja como ninguém. São clichês do melodrama e do folhetim: os escândalos, os acontecimentos que se precipitam, as reviravoltas, exageradas até o ridículo. Clichês de papéis sociais: "Marido é assim! Camisa rubro-negra sem mangas, axilas abundantes e obscenas, de chinelos e sem meias". Clichês-pessoas: apelidos, como o de Cadelão e Cabeça de Ovo; e, numa versão carnavalizada do *roman à clef* em que os nomes não escondem as pessoas reais, mas as exibem, personagens que são seus amigos, desafetos, conhecidos do meio jornalístico, personalidades políticas e literárias que se tornam nomes-clichês (Alceu, Tinhorão), numa espécie de *mise-en-abyme* do próprio jornal — note-se que a própria palavra "clichê" provém do vocabulário da imprensa. Por fim, clichês sexuais — o incestuoso, o homossexual, o tarado —, ao mesmo tempo afirmados e negados, como no caso de Letícia ("não é tara, é amor"). Afinal, se "todo casto é um obsceno", o obsceno também pode ser casto.

Ao se utilizar de clichês e máximas para emitir conceitos insólitos e absurdos, Nelson Rodrigues permite ao leitor perceber como são geradas as ideias convencionais e instaura a dúvida com relação à sua validade, desarticulando a fixidez dos lugares e papéis tradicionais. O paradoxo quebra o limite que questiona a própria lógica que separa os elementos em conjuntos antagônicos, gerando um efeito de absurdo e de ridículo.

Mas só os imbecis têm medo do ridículo.

NA SUA EXPLORAÇÃO de recursos retóricos, Nelson parte de discursos bem presentes na realidade brasileira de então. Em agosto de 1959 e fevereiro de 1960, quando *Asfalto selvagem* foi publicado pela primeira vez, a "velha retórica" estava viva na política: discursos proferidos no rádio eram ouvidos por todo o Brasil, e figuras como Carlos Lacerda deviam sua popularidade às habilidades de orador afeito à antítese e à hipérbole. O paradoxo está em consonância com os hiperbólicos anos 1950 e expressa bem a posição de Nelson diante do desenvolvimento, *ao mesmo tempo*, de admiração e repulsa. Juscelino é visto por ele como um "cafajeste genial".

O grande golpe de Nelson foi transformar a si mesmo em clichê — ou clichês. Reacionário transgressor ou anjo pornográfico, ele soube usar esses clichês a seu favor, prefigurando a tendência contemporânea de tornar o autor um personagem. Depois de ter vestido, em seu "teatro desagradável", a máscara do tarado, ao se dedicar à crônica a partir da década de 1960, assumiria o papel do polemista. Nelson queria provocar o leitor, assim como fora provocado naqueles vinte anos em que o Brasil e o mundo mudaram tanto. *Asfalto selvagem*, escrito em 1959, parece representar um ponto de virada, síntese desses dois ímpetos.

Ambígua, polêmica e multifacetada, sua literatura se revela mais atual do que nunca. Se "clássicos são livros que nunca terminaram de dizer aquilo que tinham para dizer",[1] livros que contêm "certa juventude eterna e irreprimível",[2] *Asfalto selvagem* é certamente um deles.

Embora alguns ainda insistam em reduzi-lo apenas a um dos termos do paradoxo, Nelson é um autor (e personagem) que cresce e se atualiza a cada nova

---

[1] Italo Calvino, *Por que ler os clássicos*. São Paulo: Companhia das Letras, 2009, p. 11.

[2] Erza Pound, *ABC da literatura*. São Paulo: Cultrix, 2007, p. 22.

leitura: ao mesmo tempo popular e erudito, romântico e naturalista, circunstancial e universal, conservador e transgressor, moral e imoral, atormentado e produtivo, um grego trágico capaz de transmutar a selvageria do asfalto na imortal beleza de uma estrela mais clara.

Adriana Armony é escritora, professora do Colégio Pedro II, no Rio de Janeiro, e doutora em Literatura Comparada pela UFRJ, com pós-doutorado na Sorbonne Nouvelle (Paris 3). É autora de seis romances, entre eles *A fome de Nelson*, *Judite no país do futuro* e *Pagu no metrô*.

Livro I

Engraçadinha, seus amores e seus pecados

Dos 12 aos 18

CAPÍTULO 1

Era em Vaz Lobo, uma segunda-feira. De manhã, bem cedinho — seriam umas sete ou sete e meia, no máximo — apareceu a andorinha, com a mudança. O caminhão enorme, que entupia a rua, encostou no 78, que era, justamente, a última casa da Vasconcelos Graça, do lado esquerdo de quem vem. Prédio velho e triste, de um andar só, com a pintura descolando nas paredes. O último inquilino, um seu Felipe, saíra de lá em rabecão. A mulher o abandonara, levando os filhos, um menino e uma menina. Seu Felipe, sujeito caladão, sempre de cara amarrada, era sócio de uma casa de joias, na cidade. Traído e abandonado, tomou um corrosivo violento. Morreu junto ao rádio, que estava ligado para o programa do Jóquei, na *Jornal do Brasil*. Enquanto estrebuchava no chão, o Teófilo de Vasconcelos anunciava, ao microfone: — "Foi dada a saída!".

Pois bem: — atiraram o homem num caixão de alumínio e o rabecão levou o corpo para o Instituto Médico-Legal. De lá, veio para uma capelinha, junto do pronto-socorro. A esposa apareceu, no velório, de passagem. Chega, para, faz uma prece. Em seguida, suspende um filho de cada vez; e, emborcando a criança sobre o rosto do cadáver, dizia-lhe:

— Beija teu pai, beija.

Cada um dos filhos roçou com os lábios aquela testa úmida. E a menorzinha, a menina, sentiu na boca o suor do defunto. Fez uma caretinha de nojo e cuspiu nas costas da mão. Zózimo de Barros Guimarães veio morar, com a família, na mesma casa. Naturalmente, a senhoria aproveitou para aumentar o aluguel que, no tempo de seu Felipe, era quase de graça. Mas, como eu ia dizendo: — encostou o caminhão e, logo a seguir, veio o táxi, com os novos moradores. Seu Zózimo saltou na frente e pagou o automóvel. Desceram a mulher, d. Engraçadinha, bonita senhora, e os cinco filhos: — o rapaz, Durval, de dezenove anos, cujo perfil lembrava o do falecido John Barrymore;[1] e as meninas: — Matilde, a mais velha, com dezessete anos, Arlete, com dezesseis, Margarida (ou Guida), com quinze, e Silene, a caçula, com catorze. A mais velha emprestava à menor o lenço amarrotado:

— Limpa o nariz.

Resfriada, Silene estava, desde a véspera, com uma coriza inestancável. Vizinhas, das janelas próximas, viram a garota assoar-se. Entraram todos e Durval, que foi o último, ainda se virou e olhou uma morena robusta, que aparecia, no sobrado defronte, ao lado de uma velha e uma criança. A morena, cheia de corpo, seria a primeira amizade da família naquela rua. Chamava-se Altamira e era professora de acordeão.

Na sala de visitas, seu Zózimo trata de abrir as janelas, de par em par, para que o sol entrasse. Sabia que o último inquilino morrera ali. Não pôde evitar a reflexão: — "Será que eu vou também?". Viu-se morto, com os pés amarrados, com algodão nas narinas. Chama a mulher:

— Escuta aqui, Engraçadinha!

Eis a verdade: — era marido e tinha-lhe medo. Tudo na esposa o intimidava e o pior momento, sempre desagradável e ameaçador, era quando ficavam sozinhos, no quarto. Para seu Zózimo, a companhia da mulher era a solidão irremediável. Ele achava graça ao ouvir falar em "intimidade conjugal". Não havia, ali, nenhuma intimidade, nem quando estavam na cama, nem quando dormiam juntos, nem quando faziam os filhos. Não entendia nem aquele nome inesperado de Engraçadinha. Parecia mais um apelido de família e não um nome oficial, de batismo, de registro civil, de certidão de casamento e, futuramente, de atestado de óbito. De vez em quando, ele bebia — adquirira o vício da bebida — e, com uma insolente coragem alcoólica, fazia-lhe a pergunta:

— Quem é você?

Claro que, sóbrio, não teria jamais o desplante de interrogá-la. Andando de um lado para outro, d. Engraçadinha (era protestante) estava sempre fazendo alguma coisa — resmungava:

— "Vocês" não me entendem.

"Vocês" era o marido. Usava o plural para humilhá-lo, talvez. E com os filhos, a mesma coisa. Chamava cada um de "vocês". E o marido, quando sóbrio, perguntava de si para si: — "Como é que eu fiz filhos nessa cara?". Precisava repetir para si mesmo como se quisesse adquirir uma certeza impossível: — "Já foi minha! No escuro, mas já foi minha!". No escuro, sim. Sempre de noite, jamais de dia. Podia repetir de si para si ou anunciar para todo mundo: — "Eu nunca a vi nua!". Era verdade. Nunca, nunca!

ELE COSTUMAVA BEBER nos botecos mais inesperados e mais sórdidos. Evitava os bares de melhor aspecto e, sobretudo, os de luz fluorescente. Não tolerava a luz fluorescente e preferia as lâmpadas antigas, amareladas e tristes. Bebia até encharcar-se, ora cerveja, ora cachaça. Ensopando-se de álcool, em comunhão com bêbados desconhecidos, seu Zózimo pensava no seu amor. Aliás, no ônibus, no lotação ou no trabalho, ocorria-lhe comumente evocar sua primeira noite com d. Engraçadinha. Ouvia ainda a voz da mulher:

— Fecha a luz.

Esse amor nas trevas, como se fossem dois cegos, era o seu ódio. Nunca a vira nua, nunca. Ou, por outra: — já a vira, sim, uma única vez, por um segundo, uma fração de segundo. Ela estava no banheiro, tomando banho. Ah, esse corpo molhado! Levanta-se devagar, os pés descalços. Ele próprio se sentia abjeto. Fora de si, de cócoras, quase de gatinhas, colara o olho no buraco da fechadura. Era o tempo em que as portas ainda tinham buracos de fechadura. Vira aquela nudez molhada e total. Mas sentia uma tal pusilanimidade diante da mulher, que não teve coragem de prolongar aquilo. Voltou para a cama, o coração aos pinotes. Meteu-se debaixo da coberta — tiritando de febre. E esperou. D. Engraçadinha vem do banheiro. Está com um quimono azul, já esgarçado nos cotovelos. Seu Zózimo empurra o lençol; balbucia o apelo:

— Querida...

Afasta-se para dar-lhe espaço na cama. D. Engraçadinha estaca; olha-o, espantada; e recua, murmurando:

— Você olhou!

Protesta.

— Não!

Crispou-se como diante de um crime:

— Olhou, sim! Eu sei que olhou!

— Eu juro! Queres que eu jure? Dou-lhe minha palavra de honra!

Sentia-se mais abjeto do que nunca. Mas, d. Engraçadinha não o odeia mais. O ódio extinguira-se no seu coração, até o último vestígio.

Olha-o com um espanto sem piedade. Diz, lenta, sem desfitá-lo:

— Você é um canalha. Você se casou comigo porque é um canalha.

O pobre-diabo teve vontade de tapar os ouvidos. Pedia, por tudo, que ela parasse, que não dissesse uma palavra mais. O pior de tudo é que d. Engraçadinha falava sem paixão nenhuma, nenhuma. Estava com o quimono em cima da pele (e ele a vira sem nada, tão nua, pelo buraco da fechadura!). Com uma inconsciente graça feminina ela enxuga a nuca, por debaixo dos cabelos molhados. Disse, nada irritada:

— Saia.

Passou por ela, de cabeça baixa. Ela o enxotava como quem afasta uma barata com o lado do pé.

Agora estavam ali, em Vaz Lobo. Seu Zózimo foi espiar no corredor e especulava, calcando o assoalho gasto: — "Aqui deve ter escorpião". No banheiro e na cozinha, azulejos descolavam das paredes. D. Engraçadinha dá ordens aos sujeitos do caminhão:

— Olha: — põe isso aqui.

O homem, um crioulão, quase um King Kong, colocou num canto o sofá esburacado. "Forte pra chuchu", pensa Silene, passando as costas da mão na coriza. Seu Zózimo dá um pulo no quintal. Chão de cimento rachado, um pequeno tanque de lavar roupa, e, em cima, uma caixa d'água, onde iriam encontrar, mais tarde, uma ratazana morta boiando.

Bonita, sim, bem bonita. Assim era d. Engraçadinha. Pena é que não se cuidasse mais. "Para quê?", perguntava ela. "Sou uma velha", suspirava. Mas fora linda, linda, e já aos treze anos tinha um corpo de mulher.

Pertencia a uma das melhores famílias do Espírito Santo. Em Vitória, naquele tempo, quem não conhecia o dr. Arnaldo, ou seja, por extenso: dr. Arnaldo Pereira de Almeida, advogado e orador como poucos? Ganhara causas importantíssimas e acabou metendo-se na política. Na primeira eleição, venceu longe. Mais um pouco e era o presidente da Assembleia Legislativa. Já se falava no seu nome para governador do estado. Era, fisicamente, uma bela figura, com uma cabeleira meio heroica, que lembrava a de Pinheiro Machado ou de Carlos Gomes; e, num tempo em que não se usava mais bengalas, dr. Arnaldo tinha uma, de castão de prata, que não abandonava nunca. Esse homem era tão íntegro e emanava uma tal autoridade, que, certa feita, da própria tribuna da Câmara Estadual, não trepidou em declarar:

— Eu me casei virgem.

Era, não uma declaração de bens, mas, se assim se pode dizer, uma declaração de costumes. Suas palavras podiam dar margem a galhofas irresponsáveis. Mas, pelo contrário. Na própria Câmara, a primeira reação foi de surpresa. De fato, não se esperava essa confissão pessoal. Mas, em seguida, todos compreenderam o alcance do gesto. Quando dr. Arnaldo desceu da tribuna, ainda excitado, foi abraçado, em silêncio, pelos colegas. Só houve, a rigor, uma exceção. Um deputado, por sinal um bandalho, um inescrupuloso, foi visto, pouco depois, na sala de cafés, às gargalhadas; e dizia, então: — "Mas esse Arnaldo é uma besta! Ó, que animal!".

E, súbito, acontece o imprevisível. Uma tarde, o dr. Arnaldo chega em casa. Parecia mais satisfeito do que nunca. Entra na biblioteca, tranca-se lá dentro. Pouco depois, ouviu-se um barulho, um estouro, que parecia uma bombinha junina lá fora. Na hora do jantar, vão chamá-lo. Batem, e ninguém responde. Insistem, e nada. Acabam arrombando. Eis o que acontecera: — aquele homem, que era um bem-sucedido no lar, na sociedade, na religião, na política — metera uma bala na cabeça.

CAPÍTULO 2

— Amantes, nunca as teve!

Quem falava assim, com essa convicção profunda e mesmo agressiva, era o dr. Odorico Quintela, promotor ainda obscuro, mas rapaz de muito talento. Ele não ia pedir a palavra, porque achava o morto "um medíocre". Mas alguém não identificado o cutucara: — "Fala você agora! Fala, anda!". Esse cochicho, ao pé de um túmulo, criara o problema. Fora empurrado por um e, em seguida, por muitos. Ele, que sofria de asma e era um humilde — talvez sua humildade fosse de fundo asmático —, ele pulou, com inesperada agilidade, para a sepultura em frente. Chuviscava.

O caixão ia esperar mais um orador — o quinto — e uma senhora calcula: "Vem por aí um toró brabo!". Dr. Odorico estava no cemitério por acaso, ou, melhor: — não estava por acaso. Desde que soubera do suicídio, correu para ver o cadáver e ficou ao lado da família, sem arredar pé. Parecia um parente e foi, nessa falsa qualidade, que recebeu os pêsames do próprio governador, o qual acrescentou: — "Grande perda! Grande perda!". E ninguém podia imaginar que o dr. Odorico não era parente, não era nada. Conhecia o morto de nome, de vista, e sempre o abominara. De fato, olhava com ressentimento de promotor, de vago promotor de Vale das Almas, aquele sujeito que tinha tudo: — o poder, o dinheiro, a filha, e que filha!

Fizera quarto ao defunto, numa vigília de falso parente e de falso amigo. E, não satisfeito, acompanhara o enterro. No cemitério, continuavam a perguntar: — "O senhor é parente?". Resmungava: — "Mais ou menos". Solidamente desconhecido do morto, estava ali por causa da filha. Aquela menina o atraía como uma fatalidade. Vira Engraçadinha umas duas ou três vezes, ao lado do pai. Tanto bastara para a sua imaginação de inibido, de solitário. Ao chegar ao cemitério, colocara-se, imediatamente, atrás da pequena. O noivo, um tal de Zózimo, a enleava. O governador, que era outra nulidade, segurou numa das alças. Todos então — umas duas mil pessoas — foram caminhando. Aqui e ali, uns ciprestes meio tristes. Chegam junto à sepultura e começam os oradores.

Quando desceu o quarto orador, que devia ser o último, foi cutucado, inesperadamente. E como estava num cemitério, à beira de um túmulo, no meio de outros túmulos, o simples empurrão pareceu-lhe como que sobrenatural. Ouvira também uma voz desconhecida a incitá-lo. Houve um fluxo e refluxo de gente. Por um instante deixou de caminhar pelos próprios meios. Sentiu-se flutuar. No segundo em que o cutucaram, ele, sem tirar os olhos de Engraçadinha, imaginava, com uma dor surda: — "Mas que peitinhos!". Usava, para si mesmo, o diminutivo "peitinho" e começava a transpirar. Quando se viu em cima de uma sepultura e olhou aquela ondulação de caras à sua frente, teve um esgar de choro. Mas ah! Aquele homem que apodrecia virtualmente numa promotoria vagabunda agigantou-se. Era manso e deixou de sê-lo. Quem sabe se não estava ali a sonhada oportunidade de projetar-se? Tomou-se dessa agressividade que há no fundo de qualquer tímido. Abria os braços, dava berros ou cerrava os punhos. Estavam presentes, desde o governador, para quem um oficial de gabinete acabava de abrir o guarda-chuva; demais autoridades civis e militares, amigos, parentes, populares e a filha (a filha única, com a besta do noivo ao lado!). A princípio, houve uma irritação e quase um murmúrio contra esse orador inesperado e abusivo. Todo mundo queria ir para casa. Mas dr. Odorico acabou empolgando o auditório e a si mesmo. O governador baixa a voz: — "Quem é esse rapaz?". O oficial de gabinete sentiu-se um vencido, porque não sabia. O promotor, porém, só pensava em Engraçadinha. Ia no meio do discurso, quando lhe ocorre uma hipótese assustadora: — "E se, de repente, eu mudo de assunto e começo a elogiar os peitinhos dessa menina?". Imaginava o espanto da multidão, o terror das autoridades. Houve um instante em que lhe veio a tentação, quase diabólica, de parar tudo e recomeçar o discurso em termos de um erotismo hediondo. Diria, então: — "Meus senhores e minhas senhoras! Não é nada disso! O que interessa são os peitinhos da nossa Engraçadinha! Amigos, orai por esses dois seios pequeninos!".

Sentiu-se no limiar da loucura. Mas, coisa curiosa! Não teve medo de ficar louco, e, pelo contrário: — desejou a loucura como uma solução. Súbito, estaca. A menina começa a chorar com uma violência inesperada. O noivo, o tal Zózimo, aperta Engraçadinha de encontro ao peito. O orador já não se lembra do que dizia antes. Repete, furioso:

— Amantes, nunca as teve!

A consciência de que já dissera isso acabou de enfurecê-lo. Aponta para Engraçadinha:

— Vejam esta imagem! Guardem esta fisionomia!

Queria dizer, nos ardores de sua retórica, que Engraçadinha era o amor do morto. Amor puro, sublime. Com as feições contraídas num espasmo maior, vociferava:

— Nunca um pai amou tanto uma filha! Deus sabe que foi este o maior amor da Terra!

A eloquência tem suas ciladas imprevisíveis. É óbvio que o obscuro promotor de Vale das Almas falava num "amor elevado" ou, para repetir a sua expressão: “sublime”. Todavia, quarenta e oito horas depois, o povo queria interpretar um simples e irresponsável efeito retórico como uma lúgubre insinuação.

Caiu, finalmente, a tempestade. E, por um momento, a multidão não soube o que fazer. Olhava-se em torno como se pudessem existir, num cemitério, toldos, marquises. Surgiram, magicamente, alguns guarda-chuvas. Logo, porém, a ventania virou um deles pelo avesso. Risos. Corre-corre. Num mausoléu próximo, um anjo de mármore, flechado nas costas, recebia a chuva na cara e em todo o corpo nu. Houve uma debandada um tanto desrespeitosa. Parecia uma tempestade exagerada de fita de cinema, com relâmpagos de estúdio e jorros artificiais de mangueira. Senhoras corriam, torciam nas pedras os saltos altos. Está claro que a fuga não foi total. Parentes, amigos íntimos, os admiradores mais fanáticos permaneceram. Havia, agora, porém, uma certa urgência irritada. Colocaram o caixão nas correntes. O governador já se retirara, acompanhado das outras autoridades. Era o fim. Engraçadinha ainda sacudiu algumas pétalas do interior do túmulo. O noivo sussurrava-lhe:

— Você vai se resfriar!

Perto, o promotor pensava: — “O vestido colado nas coxas!”. Quando Engraçadinha saiu, levada pelo noivo (um cretino), pelos tios, primos, dr. Odorico disse para si mesmo, sem violência, olhando-a até sumir: — “Merece um crime sexual...”. Depois, enfiando o sapato nas poças d’água, veio caminhando, cada vez mais perdido. A chuva varrera a apoteose fúnebre nunca vista.

NADA MAIS COMPROMETIDO do que a memória dos suicidas. “Matou-se por quê?” é o que todos perguntam. Há os motivos conhecidos e, além desses, outros, mais outros, ainda outros. Acontece que, no caso do dr. Arnaldo, não havia motivos, nem conhecidos, nem desconhecidos. Diante de um fato brutal e sem explicação, o povo de Vitória e de todo o Espírito Santo ficou, a princípio, estatelado. Um dos amigos mais chegados do prócer pessedista[2] disse e repetiu:

— Foi um erro! Um erro!

Até o momento de estourar os miolos o dr. Arnaldo era o político mais popular do estado. Seria fatalmente governador e muitos arriscavam o vaticínio da presidência da República. Dizia-se, com certo humor respeitoso, que era popular até entre os vira-latas que, na rua, vinham lamber-lhe as botinas. É certo que não lhe conheciam atos, projetos ou medidas de bem público que justificassem tal projeção. Os descontentes rosnavam, com amarga objetividade: — “Nunca fez nada! Nunca tapou um buraco!”. E, por coincidência, havia na sua rua, bem na esquina, um buraco escandaloso, uma cratera imensa e eu quase dizia cínica. Mas o dr. Arnaldo — é preciso que se note — tinha, se assim posso dizer, o gênio do cumprimento.

Político nato, com uma sagacidade extraordinária, era o homem público que mais cumprimentava no Espírito Santo. Saudava conhecidos, desconhecidos, e, digo mesmo: — saudava, de preferência e com maior efusão, os desconhecidos. Tal cordialidade pode parecer apenas uma dessas virtudes médias. Mas não se faz uma sociedade com heroísmos e com heróis. Seria intolerável uma sociedade em que todos fossem heróis, em que o cobrador da luz o fosse, e assim o vizinho, o guarda-noturno, o literato, o ciclista, o padeiro. E, embora tivesse feito muito pouco ou mesmo nada, o fato é que o povo o amava.

Mas o povo tem seus abismos, que convém não mexer, nem açular. Aquele suicídio revolveu, justamente, essas profundezas escuras e vorazes. O curioso é que foi um incidente mínimo ou, por outra, uma indiscrição inocente que traumatizou a opinião pública. Eis o episódio: — na volta do cemitério, o médico da família teria dito a alguém:

— Imagina você o que eu descobri na cama do dr. Arnaldo, debaixo do travesseiro? Faz uma ideia?

O outro não fazia ideia nenhuma. Então o médico contou que encontrara, lá, o livro *Nossa vida sexual*, de um autor alemão.[3] Era uma confidência ou, se preferirem, uma inconfidência sem importância. Podia-se estranhar que, tendo na sua biblioteca os clássicos fabulosos, os Tito Lívios, os Horácios, os Calderóns, os Lope de Vegas, o suicida optasse por uma leitura mais moderna. A indiscrição soltou, na rua, os abismos da alma popular. Cada um de nós, individualmente, pode não ter o sexo na cabeça; mas o povo o tem. O pobre para sobreviver precisa da pornografia. De um momento para outro, aquele livro de divulgação, limpamente didático, nobremente científico, parecia mais uma parede rabiscada de privada.

Senhoras diziam entre si, num horror cochichado: — "*Nossa vida sexual*!". Então, aconteceu esta coisa atroz — uma cidade ou, mais do que isso, um estado inteiro passou a especular sobre o suicídio. Impossível discriminar o fato objetivo da maledicência fantasista e vil. O homem acabava de ser enterrado e já se improvisava todo um folclore erótico a respeito. Por exemplo: — uma criada veio dizer que o morto nunca mandara para a lavadeira a sua roupa interior. As suas peças íntimas, ele, em pessoa, as destruía ou pior: — as incinerava! No fundo da casa, e sem que ninguém visse, queimava, dia após dia, num rito abjeto, as camisas e ceroulas. Por quê, a troco de quê? Era o que ninguém saberia jamais. O povo não teve pena de nada. Até sua barbicha em ponta, evocativa de Pasteur, sugeriu a ideia de um bode, por assim dizer, sobrenatural. Eis a verdade: — o grande homem da véspera não está livre de ser o bode do dia seguinte, um bode de chifres anelados e ornamentais.

E, no entanto, havia uma falha nessa lenda sexual: — faltava uma mulher. Não se conhecia uma figura feminina na vida do dr. Arnaldo. Por onde andaria a amante ou, pluralizando, por onde andariam as amantes do ilustre pessedista? Foi então que surgiu, outra vez, o dr. Odorico Quintela.

Aliás, desde o suicídio que ele não deixava Vitória. Descurava da promotoria, não aparecia lá. Engraçadinha não lhe saía da cabeça. Às vezes, no seu quarto de solitário, resmungava para si mesmo: — "O único bode sou eu!". E, um dia, entrara numa farmácia para comprar um comprimido, viu uns sujeitos discutindo sobre o suicídio. Súbito, deu-lhe um ódio meio vesgo, uma dessas raivas obtusas. Atirava patadas no chão. — "Vocês são burros! O que é que vocês têm nessa cabeça? Pois eu sei, eu!" — e batia no próprio peito: — "Sei quem é a amante!". Percorreu, uma por uma, aquelas caras atônitas. E largou o berro triunfal:

— A filha!

CAPÍTULO 3

Repetia:

— A amante é a filha!

O som da própria voz deu-lhe medo. Houve um silêncio na farmácia. Chamara aqueles homens de burros e ninguém reagira. Estavam todos espantados e ele muito mais. Cercado de caras sôfregas, não se mexia. Teve vontade de gritar-lhes: — "Vocês estão radiantes com o incesto. Satisfeitíssimos. Assim é o povo: — tem fome de sangue e excremento". Mas não disse nada. Sentiu que, a partir daquele momento, não seria mais responsável nem pelas próprias palavras, nem pelos próprios atos. O farmacêutico, um feio esguio, com perfil violento de galo, o avental manchado de pomada, ainda perguntou-lhe:

— O senhor acha?

Olha em torno. Cata fósforos, cigarro. Ergue o rosto:

— Acho, perfeitamente, acho. E daí?

Acende o cigarro com a mão trêmula. Olhando aquelas caras próximas, ocorre-lhe a ideia de que não há nada mais obsceno do que o rosto humano. Continua, na sua violência contida, dirigindo-se a um sujeito de chinelos, que devia ser vizinho da farmácia:

— O senhor está espantado? Mas escuta: — eu sou promotor. Doutor Odorico Quintela — estou em Vale das Almas. Conhece Vale das Almas? Pois bem: — eu seria muito burro, creia, seria muito burro se ainda me espantasse. Eu não me espanto mais. Diga-me, que é um incesto?

Os outros já lhe faziam rapapés. Era tratado de doutor para cima. O farmacêutico arrisca: — "Não é normal, doutor!". Dr. Odorico deixa escapar um "Ora!" sarcástico:

— Isso de pai que se apaixona pela filha ou irmão pela irmã, isso é meu *métier*, minha rotina, meu ganha-pão. Perceberam?

Ri, pesadamente. Em seguida, passa as costas da mão na boca molhada. Ninguém diz nada. Num estado de tensão intolerável, começa a pensar absurdos: — "Só a cara é indecente. Do pescoço para baixo, podia-se andar nu!". Ideias, como se vê, sem nenhum cabimento. Ergue a voz, nítida, vibrante:

— Qualquer um — não faço exceção — qualquer um é capaz de coisas piores. Por exemplo: — eu! — e repete, furioso: — Eu sou capaz de coisas muito piores. Digamos que eu fosse pai dessa menina, sim, dessa Engraçadinha, eu...

Para. Olha um por um e balbucia: — "Passar bem". Muito olhado, abandona a farmácia. Todos ali acharam, textualmente, que ele estava "fraco da memória".

Foi assim, numa farmácia, entre remédios, que nasceu a fábula do incesto. O próprio dr. Odorico, num exagero irritado, afirmara que o povo precisa de "sangue e excremento". Nem tanto, nem tanto.

Havia, porém, um perigo óbvio. A notícia de um incesto não pode andar em todas as mãos. Cada família tem suas trevas interiores, que é preciso não provocar. De mais a mais, o amor abjeto atrai os espíritos fracos, as mentes não formadas. Por enquanto, havia uma só Engraçadinha. E se, de repente, por um impulso de imitação, começassem a aparecer outras, e mais outras, muitas Engraçadinhas? Coincidiu que, naquela altura, um funcionário do Tesouro, senhor já, dos seus quarenta e poucos, metesse uma bala na cabeça. Vejam bem: — uma bala na cabeça! Era pai também de uma filha única, cuja idade regulava com a de Engraçadinha. Houve uma relação entre os dois suicidas e as duas adolescentes? Quem poderá dizê-lo?

E, coisa curiosa ou lamentável, não sei: — as mulheres adoraram a fábula sórdida. Nos seus cochichos, as senhoras pareciam despir a menina e com que frívola crueldade! Dizia-se muito: — "Quase não tem seios. Os seios só agora estão nascendo!". Mentira, porque o busto de Engraçadinha fazia bastante volume. Parodiando o dr. Odorico, poder-se-ia dizer que esse mexerico universal era, justamente, a nostalgia de "sangue e excremento".

Quarenta e oito horas depois do episódio da farmácia, um senhor gordo entra num bar. Toma um refrigerante, encaminha-se para o reservado dos homens. Lá, descobre na parede, escrita a lápis, uma quadrinha ignóbil. O nome de Engraçadinha estava ali como uma rima fácil. A impropriedade do local e a miséria do poeta desconhecido assombraram aquele homem.

Como eu ia dizendo: — o senhor gordo teve a paciência de copiar a quadrinha, num papel que apanhou no bolso. Saindo dali, ele tomou um táxi. Durante o caminho ia lendo e relendo os versos miseráveis. Já lhe parecia que estava num mundo de canalhas de ambos os sexos. E concluía para si mesmo, com uma satisfação profunda e gratuita: "Inclusive eu! Eu também sou um canalha!". Ali, sozinho, teve um riso grosso, que fez o chofer virar-se. O passageiro lia mais uma vez o papelucho infame.

DISSE PARA O chofer:

— Aqui.

Saltou na residência do dr. Arnaldo. Era uma casa de 1900 — construída ao tempo da febre amarela e da vacina obrigatória (o falecido não admitia futurismos). As portas fechadas, as samambaias da varanda, as trepadeiras nas grades, tudo tinha um certo sabor de morte ou, digamos, um aroma de enterro recente. O caixão do eminente pessedista saíra dali.

O gordo já pagou ao chofer e sobe a escada de pedra. Naquela casa, o passado estava em toda a parte; as camas, os espelhos, os quartos conservavam a memória de partos, bodas e velórios. O homem entrou na sala grande de teto alto, com um quadro da Ceia numa parede e na outra, em frente, uma natureza-morta. No chão, uma escarradeira de louça, com flores desenhadas em relevo. Ninguém se lembrara de acender a luz. Estavam presentes umas cinco parentas; num canto, ao lado do noivo, Engraçadinha. Os vestidos pretos — a noite já caía — aumentavam a penumbra da sala. Uma das senhoras vira-se para o recém-chegado:

— Até que enfim!

Aquele homem de poderosa caixa torácica enche a sala com a sua voz de barítono: — "Tenho livro de ponto?". Saíra um momento, para comprar cigarros, e demorara-se quatro horas. Mas ele já anunciava:

— Tenho novidades.

Dá à mulher o papel dos versos — "Vê isso e passa adiante. Mas não deixa Engraçadinha ler". Neste momento, bate o telefone. Engraçadinha atende; chama:

— Tio Nonô.

O gordo vai atender. Estupefata, a tia Zezé lê aquilo e a princípio não entendia nada. Relê; pouco a pouco, vai compreendendo. A obscenidade a ofende como uma agressão física. Passa adiante. Agora é a vez de tia Ceci, uma velhinha miúda e nostálgica. Olha a quadrinha indecente e logo a enxota de si. Em seguida, apanha o rosário que lhe escorre dos joelhos e percorre as contas com os dedos febris. A tia Zezé espia o marido ao telefone na outra extremidade da sala: vira-se para as outras, num rompante:

— Eu odeio este homem! — e repete, trincando os dentes: — Odeio!

Já a quadrinha da privada andou de mão em mão. Engraçadinha ainda perguntou: — "Deixa eu ver?". Houve uma negativa assustada: — "Você, não!". Tia Ceci agarra-se, novamente, ao rosário, num pânico de mulher jamais tocada — virgem do berço ao túmulo. E, súbito, rompe, à entrada do corredor, um riso inesperado e selvagem, uma dessas gargalhadas vitais. Era tio Nonô que, no telefone, explodia na sua ferocidade jucunda. Tia Zezé ergue-se, fora de si:

— Eu não aguento mais! Não posso!

Com uma das mãos, cobre o rosto. Antes de desligar, tio Nonô ainda bramia, arredondando a voz de barítono, numa modéstia triunfal:

— Eu não como ninguém! Eu não como ninguém!

Tia Zezé senta-se: — "Não respeita nem a morte!". Tinha uma dilatação e as contrariedades a sufocavam. Já o gordo do pescoço grosso e bovino punha o fone no gancho. Por um momento, tira o lenço e enxuga na testa, em toda a cara e na nuca, o suor grosso como óleo. Enfia o lenço no bolso traseiro da calça. Ainda arquejava da gargalhada recente. Uma outra procurava aquietar tia Zezé: — "Não liga!". Mas, quando o marido se aproxima, fica, de novo, fora de si:

— Foi você que escreveu isso?

Ele perdeu paciência:

— Está de porre, mulher? — Pausa e vira-se para as demais; exagera: — Isso está em todas as paredes da cidade! E agora?

A própria tia Zezé está muda. Olha o marido com um esgar de nojo. Intimamente, porém, não consegue evitar diante desse homem uma certa sensação de deslumbramento. Ele é todo barriga ou mais: — tem uns quadris imensos. De vez em quando, precisa pôr-se de perfil para atravessar as portas. Os dois se olham. Tio Nonô aponta para Engraçadinha:

— Aquela menina. Ainda não tem nem alma. Mas até aí morreu o Neves. A alma vem com o tempo. O pior é que já está na boca do povo.

Engraçadinha não se move. Pelo contrário: — conserva um jeito, digamos, meio alado. O tio quer sacudi-la. — "Antigamente, eu só via em paredes de mictório nome de político, deputado. De menina de família, é a primeira vez!". Insistia: — "Nunca vi nome de menina de família!". Súbito, tia Zezé começa a gritar:

— E você acredita? Responde! Você acredita? — Esganiçava a voz: — Acredita nessa quadrinha?

Não deu resposta imediata. Andou de uma extremidade a outra da sala. Responde com outra pergunta:

— Quero que vocês me digam, ou me expliquem o seguinte: — por que é que, na véspera do pai morrer, Engraçadinha levou uma surra. De bengala. Não levou uma surra? De bengala? Pois é, levou? E por quê?

A mulher baixa a cabeça, chora. Tio Nonô aproxima-se de Engraçadinha. Inclina-se: — "Por quê? Apanhaste por quê?". Nenhuma resposta. O gordo olhou em torno: — "Tem muita gente aqui. Vamos conversar na biblioteca". Em silêncio, com inesperada docilidade, Engraçadinha o acompanha. Tio Nonô vai na frente, pensando: — "Essa menina não reage. É linda e parva. Mas, e a surra?". Um pai que nunca tinha batido e, súbito, a espanca de bengala! Na biblioteca, tio Nonô fecha a porta. Aquele gordo também a assustava. Ele ria de uma maneira total; havia, sim, na sua gargalhada uma plenitude quase obscena. Respira fundo e começa:

— Você quase não fala. Fala agora. Parece que esconde alguma coisa. O que é que você esconde?

Desviando a vista, e com enleio muito leve, disse:

— Estou grávida...

O tio inflama as narinas como se fosse ventar fogo.

CAPÍTULO 4

— Irmão, telefone!

Estremeceu:

— Pra mim?

Repetiram:

— Telefone.

Tudo assustava o irmão Fidélis, tudo o fazia sofrer. Vira-se para os demais:

— Com licença.

Tinha sempre o ar de quem pede perdão por uma falta imaginária. Abandonou a sala da reitoria; ia confuso e dilacerado. Há poucos instantes, conversando com os outros irmãos — inclusive o reitor —, deixara escapar, por um desses lapsos fatais, uma gafe abominável. O assunto era, ainda e sempre, a paixão incestuosa que, segundo o povo, teria levado o dr. Arnaldo ao suicídio.

Ninguém, ali, admitia a hipótese ou pelo menos: — não a admitia da boca para fora. Dr. Arnaldo sempre fora um homem de fé. Era visto, nas procissões, de cabeça descoberta, empunhando um círio.

Durante a conversa, alguém se lembra de dizer que o Jackson Figueiredo[4] estava fazendo falta ao Brasil — uma falta imensa e desesperadora. Então, entre uma fala e outra, o irmão Fidélis declara bruscamente:

— Acho o Jackson Figueiredo um pateta.

Foi só. Instantaneamente, sentiu a inconveniência brutal. Atônito, ainda fez um gesto, como se quisesse recolher a gafe, reavê-la, torná-la sem efeito. Cercado de silêncio por todos os lados, envolvido por aquelas batinas inapeláveis, chegou a pensar numa retratação suicida: — "O pateta sou eu", diria. Mas calou-se. Olhava para um, para outro — e, sobretudo, para o reitor — com um esgar de choro. Perguntava de si para si: — "Mas o que é que eu tenho com o Jackson Figueiredo?". O reitor, em voz baixa, com uma doçura alarmante, insinuando uma ironia muito tênue, e olhando para o teto, pergunta:

— O irmão acha isso? Tem certeza? E por que pateta? O irmão sabe o que está dizendo? Quem somos nós para julgar um Jackson Figueiredo?

Esgazeou os olhos para o reitor. Aquele homem podia enxotá-lo, escorraçá-lo. Irmão Fidélis estava, ali, no Colégio São Gregório — o mais importante do estado —, há dois meses, dando aulas. Quase não falava e só abria a boca para concordar. E, de repente, diz aquela coisa e sobre quem? O Jackson! O irmão Osmar põe mais lenha na fogueira:

— Ou o pateta é o irmão?

Irmão Fidélis decide: — "Haja o que houver, não direi nada! Nada!". Trincou os dentes e repetiu para si mesmo, na sua pusilanimidade feroz: — "Ninguém me arranca uma palavra!". Súbito, chamam-no ao telefone. Pede licença, retira-se quase correndo. Geralmente, tinha medo do telefone. Achava que um chamado telefônico é uma janela aberta para o infinito. Atravessando o corredor, ia pensando: — "Bonito, se me põem na rua!". Parecia-lhe, além do mais, que o afogado não é um morto comum; e o Jackson Figueiredo morrera no mar. "Deus prefere os afogados." Atende com voz estrangulada: — "Alô!". Do outro lado da linha, uma voz feminina se esganiça toda:

— Irmão Fidélis?

Balbucia:

— Quem fala?

E a mulher:

— Pelo amor de Deus, venha, irmão Fidélis! Olha: — apanha um táxi! Nós pagamos aqui. Mas venha! — E soluçava: — venha!

Irmão Fidélis a reconhecia, por fim: — era d. Zezé, a irmã do dr. Arnaldo, tia de Engraçadinha. Faz espanto: — "Mas que foi que houve?". E ela, fora de si:

— Só falando pessoalmente. Mas não demore! Estou esperando!

Ele desliga. Acha intolerável essa mulher que estava sempre a um milímetro da histeria. Caminhando lentamente, pensava na gafe: — "O Jackson é um blefe, um bobo. Não fez nada, não deixou nada. Escreveu um romance que é uma vergonha. Mas, e eu com isso?". Naquele momento, o suicídio do dr. Arnaldo doeu-lhe fisicamente como uma nevralgia. O velho prometera-lhe um lugar na chapa do partido para as próximas eleições: — "Indico seu nome". E, súbito, o homem mete uma bala na cabeça. Ao receber a notícia, irmão Fidélis cerrara os dentes para não explodir: — "Ah, cretino! Bestalhão! Palhaço!". Como diz o povo, a morte tirara-lhe o pão da boca.

Assim que o irmão Fidélis sai para atender o telefone, o irmão Osmar baixa a voz para o reitor:

— Pederasta.

— Quem?

— O irmão Fidélis.

O reitor, recostado na cadeira, as duas mãos entrelaçadas em cima do ventre, suspira:

— Eu desconfiava.

Irmão Osmar continua, enquanto o reitor volta o olhar para o teto. No momento em que o outro ia, talvez, citar fatos ou, pelo menos, apresentar testemunhos idôneos, o irmão Fidélis, de volta, aparece na porta. Calam-se e o recém-chegado, no seu desespero, deduz, com uma contração do estômago: — "Estavam falando de mim!". Mas sua indignação maior não era contra os dois, mas contra o outro, o cretino, que se matara. Abaixa-se para falar com o reitor:

— Da casa do doutor Arnaldo, telefonaram. Pedem com urgência a minha presença.

Com uma cintilação nos olhos azuis — era de origem alemã —, o reitor diz, sem desfitá-lo:

— Pode ir, mas cuidado, meu filho, cuidado! Você é muito impulsivo!

Gagueja:

— De fato, foi uma leviandade. E quem sou eu para julgar um homem...

O reitor interrompe, incisivo: — "Um espírito!". Rápido, confirma:

— Exato. Um espírito como Jackson Figueiredo? Não estou à altura e aquilo me escapou, nem sei como. Mas o senhor pode ficar certo e eu prometo...

Saiu de lá com o rosto em fogo. Ia, porém, mais aliviado, quase recuperado. Humilhara-se de uma maneira satisfatória e oportuna. Imagina: — "O homem gostou". Na porta do colégio, apanha o primeiro táxi e avisa ao chofer: — "Não precisa correr". Pouco adiante, quando o carro passava por um muro, teve uma surpresa: — via, lá, escrito a carvão, de ponta a ponta, o nome "Engraçadinha". Vira-se no assento, achando aquilo espantoso. Pela primeira vez, de fato, o nome de uma menina direita, de família, aparecia nas paredes como se fora propaganda eleitoral. E o irmão Fidélis achou graça numa hipótese que lhe ocorreu: — talvez, um dia, surgissem, no mesmo muro, dois nomes. De um lado, "Engraçadinha", de outro lado, "Prestes", ou seja: — o Sexo e a Revolução. Riu, baixinho, considerando que acabava de fazer um achado feliz, inteligente. Fosse como fosse ali estava, naquele muro, o apelo de uma colossal luxúria popular.

Sim, para o tio Nonô, aquilo foi o maior espanto de toda a sua vida. Engraçadinha sempre lhe parecera "linda e parva". Vivia repetindo a frase já referida: — "Essa menina ainda não tem alma", acrescentando a título de compensação: — "A alma vem depois". Intimamente, porém, achava que, daí a duzentos anos, ela continuaria sem alma do mesmo jeito e cada vez mais espessa. Com a sua expiração tumultuosa de gordo, repetia:

— Grávida?

Fez que sim com um movimento de cabeça.

Tio Nonô não diz, mas pensa: — "Estou besta! Com a minha cara no chão!". Passa a mão pela cabeça. Levanta-se, abre os braços:

— Mas não é possível! Eu não acredito! — Para diante da menina: — Mas escuta cá: — você sabe o que é isso? De mais a mais, eu não creio que teu noivo...

Interrompe:

— Não foi o meu noivo.

O desesperador era o jeitinho doce, era a leve, muito leve, quase imperceptível vaidade, com que ela falava. A princípio, o gordo não entendeu, ou, antes: — precisou realizar mentalmente o fato: — "Não foi teu noivo?". Ele começa a querer rir. A gargalhada estava se formando. Senta-se:

— Mas, se não foi teu noivo...

Os dois se olham. Engraçadinha perdeu a expressão da menina que ainda não é nem adolescente. Tem um olhar inesperado e duro, que o confunde ainda mais. Ele pensa, ao mesmo tempo que a olha, numa curiosidade atormentada: — "Está com um quê de prostituta". E, então, sua mente começa a ser trabalhada pela grande suspeita. Baixa a voz:

— Quem foi o cara?

Fez um ar de menininha (que cínica):

— Não sei.

Ao mesmo tempo que apanha o pulso da menina, o gordo arqueja no riso de angústia e de ódio:

— Conta pra mim: Foi teu pai? Diz! Foi?

Aperta o braço da sobrinha. E pensa: — "Eu não sou tão cínico, porque odeio. Não sei a quem, mas odeio". Ele achava que o ódio é próprio dos simples, dos puros.

CAPÍTULO 5

Quase grita:

— Meu pai?

Olha, de lado, a mão quente e fofa que ainda a segura. Repete, como se falasse para si mesma: — "Meu pai?". Súbito, desprende-se com violência. Tio Nonô ergue-se também. Engraçadinha recua diante do gordo. Este pergunta, de novo, avançando:

— Foi ou não foi teu pai?

Engraçadinha estaca. Põe as mãos para trás e olha o tio, agora sem medo. E, de repente, gira sobre si mesma, numa pirueta de ágil e alegre infantilidade. Soou falso aquele movimento frívolo, em princípio de gravidez. Desesperado, estrangula a voz (que vontade de dar-lhe um tapa na boca):

— Responde!

E ela:

— Quem sabe?

De perfil para ele, ergue o rosto. Foi a petulância, o desafio que o enfureceu. Balbucia, com os beiços tremendo: — "Sim ou não. Fala ou te arrebento!". Estão frente a frente. Ela começa a chorar:

— Pois foi meu pai, pronto!

Quase sem voz, o tio arqueja:

— Teu pai?

Não entende, ou, por outra: entende muito bem. Imaginava: — "Era um casto. Eis aí o resultado da castidade". Riu-se dos que são fisicamente puros. Repetia, agora exultante: — "O desejo do puro é hediondo". Vira-se para a sobrinha que, sentada, continua chorando:

— Te deu a surra por quê?

Levanta o olhar:

— Ciúmes.

E ele:

— Do teu noivo?

Corrigiu:

— De todos. Também do meu noivo e até do senhor.

Não entende:

— De mim? E por que de mim? A troco de quê? — Repetia a pergunta: — Ciúmes de mim?

Ciciou, como se alguém pudesse ouvi-los:

— Ele achava que o senhor queria alguma coisa comigo.

Sem tirar os olhos da menina, bradou:

— Mas então o homem estava louco! Maluco!

Ergueu-se, novamente furioso: e uma coisa o espanta: estava enojado! — "Eu não devo ser tão canalha, porque...". De fato, sofria como nunca e este sofrimento lhe fazia um certo bem. Repetia para si mesmo: — "Sou menos sórdido do que pensava". Não sabe o que fazer, o que pensar. "Essa pequena esconde o quê?". Perguntava a si mesmo. Fez-lhe a última pergunta (foi uma curiosidade vil):

— Ele usou violência?

E a pequena:

— Como?

Sacudiu a cabeça:

— Nada.

Enxugou o suor das mãos. De novo, sentiu no olhar da pequena, no sorriso e até na maneira de sentar-se, de separar os joelhos — sentiu o instinto da prostituta. Tinha uma boca de mulher que sabe beijar, que sabe molhar o beijo. Parecia amoral como uma planta ou como um bichinho de avenca. Ele passa as costas da mão nos beiços: — "Não sabe o que fez", conclui. Numa surda cólera, ergue-se:

— Tua tia precisa saber disso!

Encaminhou-se para a porta. Engraçadinha corre atrás, barra-lhe a passagem.

— Não!

Com uma energia selvagem, diz-lhe: — "Não meta mulher nisso!". Exasperado, empurrou-a. Ela bate com o pé, esganiçando a voz em grito: — "Não quero!". Mas ele já saía pelo corredor, numa alucinação. Ia buscar a mulher, a cretina da mulher. No meio do corredor, para um momento: — "Quando ela disse que o pai tinha ciúmes de mim — olhou como se... Tinha saliva nos cantos da boca...". Perguntava a si mesmo: — "Seria uma insinuação ou o quê?".

O IRMÃO FIDÉLIS ENTROU sem bater na casa de Engraçadinha. Vinha amargo, pegara o carro e resmungava: — "Não vou cobrar o táxi, claro". Ao vê-lo, tia Zezé arremessou-se:

— Até que enfim!

E ele, doce, ainda pensando em Jackson Figueiredo:

— Como vai a senhora, dona Maria José?

Tia Zezé respirou fundo:

— Vou me separar, irmão Fidélis! Desta vez, ah, vou!

Chorava. Em silêncio, ele a contemplava com a sua bondade compreensiva; suspira também: — "Virtude é sacrifício!". — Desde a morte do dr. Arnaldo que o irmão Fidélis se dedicava, com astuta obstinação, a dominar essa mulher. Sabia que uma histérica, uma desequilibrada, podia ser-lhe útil. As neuróticas espalham o terror e são militantes e irresistíveis. Antes de atendê-la, saiu cumprimentando as pessoas presentes, uma por uma, e parou com uma cordialidade especial e mesmo terna junto da tia Ceci: — "Ah, como está?". Ouvira dizer que a velhinha só tomava banho de bacia, banho de assento. Tia Ceci apanhou, sôfrega, a mão dele e a beijou. Cumprimentou Zózimo também. Este não retribuiu porque cochilava na cadeira. Finalmente, ele se encaminhou para a tia Zezé, que se assoava. Todas, ali, o consideravam uma espécie de santo. Ele falava manso, falava macio, e uma alegria muito pura parecia embelezar o seu rosto. Inclina-se diante de tia Zezé:

— Estou à sua inteira disposição.

Levou-o para a varanda. Abriu o coração: — "Tenho nojo desse homem, nojo. O senhor sabe o que é o nojo? Vou lhe dizer mais: Deus me perdoe, mas se meu marido morresse...". Irmão Fidélis interrompe: — "A senhora está exaltada. Mas isso passa, pode crer que passa". Pouco a pouco, ela foi-se acalmando. Suspira: — "Ah, irmão Fidélis, que seria de mim sem o senhor?". De fato, aquele homem dava-lhe uma sensação de presença consoladora e solidária. Disse mesmo: — "Só o senhor me compreende". Por fim, ele dá-lhe o conselho:

— Olha, faz o seguinte: — Quando a senhora estiver muito zangada com o seu marido, encha a boca de água. Mas não engula. Conserve a água na boca e deixe seu marido falar.

Meio aturdida, perguntou: — "Que mais?". Irmão Fidélis teve um riso bom: — "O resto é óbvio. Com a boca cheia, a senhora não pode responder e assim não haverá discussão. Entende agora? Nem discussão, nem briga, por falta de adversário". E insistia, com a voz velada em doçura: — "O seu marido não é perfeito. Ninguém é perfeito. Mas tem suas qualidades". Tia Zezé ouvia cada palavra com uma fisionomia atônita e com uma voluptuosidade, digamos assim, material. Sentia nascer ou renascer em si, no mais íntimo do seu ser, uma onda de indulgência para com o marido. Sussurra, como que o adorando:

— O senhor tem razão. Tem sempre razão.

Novo sorriso.

— "Não exageremos!" E pensava: — "Precisa estômago pra aguentar essa mulher!". Neste momento, ouve-se um barulho. Tio Nonô invadiu a sala, como se a inundasse com os seus quadris, a sua barriga. Aproximou-se com um riso ofegante. Estava certo de que a sobrinha era uma prostituta instintiva. Por um momento, mas só por um momento, o rosto do irmão Fidélis foi uma máscara cruel, de uma malignidade implacável. Também o tio Nonô vacilava, pois não esperava encontrá-lo. E pensa: — "Esse urubu aqui!". Sem o dar a perceber, irmão Fidélis tinha-lhe ódio. Mas já lhe estendia a mão, num exagero de cordialidade:

— O amigo vai bem?

Tio Nonô vira-lhe as costas e se dirige à mulher:

— Ele pode ouvir?

Replicou como uma fanática: — "Tudo!". Então, o gordo fala para os dois:

— Ouve essa! E também o senhor! Isso que andam dizendo pela cidade, e que você leu na quadrinha — é verdade, ouviu? É verdade! Foi aquele cachorro, o crápula do teu irmão! Engraçadinha me contou isso assim, assim!

Diante do gordo, a mulher não se mexia, petrificada de assombro. E outro que sofreu foi o irmão Fidélis. Aquilo doeu-lhe até nos maxilares. Teve vontade de soltar palavrões. Repetia para si mesmo: — "É então verdade e o cretino não me contou nada, nunca me fez uma insinuação! Gostava da filha e eu não sabia, nem podia imaginar. Ah, se eu soubesse! Teria sugerido com jeitinho, claro, com tato, uma autorização. Uma autorização não expressa, mas que a besta entendesse. Diria, por exemplo, que ninguém manda nos próprios sentimentos. Eu ficaria de posse do segredo, seríamos cúmplices, nós dois!". O irmão Fidélis só acreditava na fidelidade entre cúmplices; repetia, na sua frustração: — "Só o cúmplice é fiel!". Mas o dr. Arnaldo, em vez da cumplicidade, preferira uma bala na cabeça. "Perdi minha cadeira de deputado", era a sua fúria.

Naquele momento, tia Zezé voltava a si, murmurando: — "Não acredito, não pode ser". Então, o irmão Fidélis tem uma ardente inspiração; ergue a voz:

— Mas se isso é verdade, então mais do que nunca essa menina precisa de nós! Precisa de Deus! Vamos salvá-la!

O que aconteceu depois foi indescritível. O irmão Fidélis ia, na frente, a fronte alta de fanático, levando, de roldão, o gordo e tia Zezé.

CAPÍTULO 6

Caminhando no corredor — seguido do gordo e de tia Zezé — o irmão Fidélis imaginava a miséria do deputado morto. Parecia ver o velho sátiro, altas horas, andando pela casa: — descalço, as ceroulas de amarrar nas canelas, o lábio caído, a pupila ardente. E uma curiosidade o ralava: — teria havido luta, resistência, talvez um grito abafado? Admitia também que o político tivesse tapado com a mão a boca da pequena. Quando o irmão Fidélis, no fundo do corredor, torce o trinco e abre a porta da biblioteca, tem a surpresa: — não havia lá ninguém. Vira-se para o gordo e a tia Zezé:

— Quedê?

E o tio Nonô, espiando por cima do seu ombro:

— Ué!

Engraçadinha estava ali agora mesmo e já sumira? Tia Zezé volta para o corredor e chama, aflita:

— Engraçadinha! Engraçadinha!

Calado, o rosto bem erguido, o irmão Fidélis tinha na cabeça duas figuras dessemelhantes e mesmo contraditórias: — de um lado, o "fauno legislativo" (segundo outra expressão feliz e sarcástica que lhe ocorrera), e de outro lado, Jackson Figueiredo. Ora pensava num, ora noutro, ora no incesto, ora na gafe. No pânico de ficar mal junto ao reitor, já se contradizia frontalmente: — "O Jackson era um líder, afinal de contas. Tinha uma agressividade que falta ao Tristão". Enquanto tia Zezé procurava Engraçadinha, tio Nonô vira-se para o Irmão e o acomete, com a sua ferocidade jucunda:

— Lá no cemitério, disseram que o meu cunhado era um grande homem! Eis o grande homem! — Mostrava o riso bestial para o outro: — Por isso é que eu não acredito em herói, não acredito em ninguém!

Irmão Fidélis jamais gostara de tio Nonô e agora menos do que nunca. Odiou-o com toda a violência. Mas por fora, não se deu por achado e parecia ouvi-lo com uma fraternal deferência. Na medida de sua raiva, tornou-se ainda mais suave e de uma humildade ainda mais afetada. O gordo continuava, com a boca encharcada de saliva:

— Quando vejo uma estátua equestre, acho que o herói é que devia ser o cavalo! — E repetia, para exasperar o irmão Fidélis: — O homenageado é que devia estar por baixo, de quatro, montado!

O Irmão sorria apenas, como se aquilo fosse um paradoxo cordial e inofensivo. Mas havia uma alusão à besta do dr. Arnaldo. Subitamente sério, mas sem perder a doçura, objetou:

— A um morto se perdoa.

Foi só. Por trás do jeito manso, porém, ele se imaginava de pedra na mão, batendo na cabeça daquele monstro, até afundar-lhe a testa, destruir-lhe toda a cara. Felizmente, tia Zezé aparecia; e chamava alguém, atrás de si:

— Vem, Engraçadinha, vem. Entra.

Eis o que acontecera na biblioteca: — tio Nonô saíra, como vimos. Sozinha, a pequena torce a ponta do nariz entre o indicador e o polegar; espreme uma espinha, ainda pequenina, que estava nascendo e que começava a doer um pouquinho. Pensava: — "Ah, se o tio soubesse!". Mas ninguém sabia de nada.

Por fim, a pequena ergue-se e decide: "Não digo nada a tia Zezé". Não gostava da pobre senhora e quando a via por perto, pensava na sua irritação: — "Tem morrinha". De fato, tia Zezé, já de certa idade, quase não se perfumava. O uso do perfume parecia-lhe uma confissão de temperamento voluptuoso. Criticava uma amiga, bem mais moça, que passava água de colônia nos braços e até nos seios. Mas Engraçadinha, com o egoísmo e as incompreensões normais dos seus dezoito anos, não gostava de "gente velha". E quando tia Zezé vinha com suas ideias de outra geração, a menina saía resmungando, para si mesma: — "Essa chata!".

Pouco depois que tio Nonô saiu da biblioteca, Engraçadinha vai para o quarto, que era na segunda porta do corredor, à direita. Entra lá e tranca-se. Só não queria pensar em Sílvio. (Nunca mais pensar em Sílvio.) E, no quarto, coloca-se diante do espelho. Primeiro fica de perfil; depois, de frente. E, por último, com um sorriso muito leve e um olhar intencionalmente doce — como se tivesse um flerte consigo mesma — ela vai erguendo a saia, devagarinho. Olha, então, numa curiosidade meio atônita, as próprias coxas. Tem um movimento lindo de cabeça, como uma espanhola de balé. Às vezes, ela, Letícia e as coleguinhas comparavam as coxas entre si e Engraçadinha ganhava, longe. Vendo-a assim, alguém acharia que toda mulher bonita é um pouco a namorada lésbica de si mesma. Certa vez, na rua, um moreno escuro, de beiços pesados, atirou-lhe o galanteio:

— Gostosa!

Em casa, ligou rápido para Letícia. Contou-lhe: — "Imagina! Fui chamada de gostosa!". Tinha certeza de que a outra não lhe chegava aos pés. Aliás, por onde passava, Engraçadinha ia sentindo, em torno, a efervescência do desejo anônimo e geral. Ficava prestando atenção; pensava: — "Aquele está me olhando". Quando passava por um espelho, olhava-se, meio de perfil, para si mesma. Nada a excitava mais do que a própria imagem. E, agora, já pensava em tirar tudo, para ver a nudez começar nos pés e subir pelas pernas, pelos quadris, pelo ventre. Começava a desabotoar nas costas. Súbito, batem na porta. Vira--se, de lábios cerrados. Tia Zezé a chama e Engraçadinha tem vontade não sei de quê. "Ó, que chateação, meu Deus!" Tia Zezé mexe no trinco: — "Abre! Abre!". E a menina para si mesma: — "Ih, não sei por que gente velha não morre!". Abre a porta com violência:

— Que troço chato!

Tia Zezé entra. Não acreditava ou, por outra, não queria acreditar. Como toda pessoa nervosa, não podia suportar a dúvida. Precisava de certezas frenéticas, e que lhe fossem convenientes. Sua atual "certeza frenética" era a inocência da sobrinha. Mas, ao ver a pequena, sentiu novamente a dúvida na carne e na alma: baixa a voz:

— Se houver alguma coisa — e se você está... — não quis dizer "grávida"; e continua: — Você nega, ouviu? Nega até o fim!

Deu muxoxo:

— Ih, titia! Sei lá do que é que a senhora está falando!

Já com palpitações, a velha puxa Engraçadinha:

— Vem comigo, vem!

A garota ia repetindo:

— Gozado! Todo o mundo, hoje, cismou com a minha cara!

O IRMÃO FIDÉLIS FAZ-LHE festa, como se ignorasse tudo:

— Como vai a nossa amiguinha?

Engraçadinha não esperava encontrá-lo ali. De pé atrás, nem retribui o cumprimento. Olha para o outro lado; e pensa: — "Tio Nonô contou pra todo o mundo, mas que se dane". O gordo atravessou-se na frente do irmão:

— Escuta, Engraçadinha: repete pra eles, repete, o que você me disse!

Tia Zezé olha esse marido. Fecha os olhos, amaldiçoando-o, interiormente: — "Canalha!". Nenhuma resposta de Engraçadinha. Tio Nonô levanta a voz, com um começo de fúria:

— Eu estou falando! — E mais controlado: — Você não disse, aqui, ainda agora, que estava grávida? — Ergue a voz: — Disse ou não disse?

Calada, os lábios cerrados, Engraçadinha lembra-se do crioulo, operário de uma obra, que a chamara de "gostosa". (Só não queria pensar em Sílvio.) O crioulo tinha um cabelo farto debaixo do braço.

A hipótese de que, de repente, ela negasse tudo, enfureceu tio Nonô. Berra:

— Fala!

Súbito, a pequena vira as costas para os três. Tia Zezé pede a Deus, com toda a violência de sua fé, que Engraçadinha negasse até morrer. Em pé, crispada, faz uma promessa: — Se Engraçadinha negasse, ela, tia Zezé, ofereceria um círio do tamanho de um homem, a São Francisco do Canindé. Tio Nonô está fora de si: — "Ah, sem vergonha!". Agarra a sobrinha pelo braço. Então, ouve-se a voz, fina, mas vibrante, do irmão Fidélis:

— Um momento!

Erguia uma das mãos, como se quisesse pacificar aquelas almas. Tio Nonô, meio confuso, volta-se. Numa afetação ainda maior de humildade, irmão Fidélis começa:

— Eu queria falar, a sós, com a nossa amiguinha. Vocês me dão licença? Tenho certeza de que a mim — fala para a menina — não é, Engraçadinha? — a mim, ela dirá.

Tio Nonô vacila. Irmão Fidélis leva-o para um canto; cochicha a hipótese: — "Talvez seja mentira! Nessa idade, a virgem é meio delirante...". O outro tem um alegre e bestial espanto: — "Virgem grávida, irmão?". Sempre em voz baixa, irmão Fidélis explica: — "A gravidez talvez seja tão falsa como o incesto. E pode deixar, que eu arranco a confissão". O gordo acabou saindo; mas bufava: — "Ou ela confirma ou... Vaquinha!". Tia Zezé o acompanha. Irmão Fidélis fecha a porta à chave. Por um momento, junto à porta, contempla Engraçadinha. Considerou que, de fato, a menina tinha uma maneira feia de sentar-se, separando muito os joelhos. Aproxima-se, então, e senta-se, de frente para a garota. Mas logo ergue-se. Achava que o homem sentado não alcança jamais a sua plenitude. Andando de um lado para outro, levanta a voz:

— Menina! O ser humano é incorruptível! Nada corrompe o ser humano! A corrupção é uma impossibilidade! Só existe o falso corrupto! O pior devasso é ainda um puro!

Dizia isso aos berros e com uma sinceridade que o apanhou de surpresa.

CAPÍTULO 7

Ainda ofegante, irmão Fidélis põe-se de cócoras diante da menina e a segura pelos pulsos. Sem desfitá-la, estrangula a voz:

— Olha pra mim.

E ela:

— Estou olhando.

O irmão pensa: — "Não vou aguentar muito tempo essa posição". A articulação dos joelhos já lhe doía. Continua:

— Agora fala.

Admira-se:

— Mas o quê? Falar o quê?

Aperta os pulsos da menina:

— Tudo!

Um pouco atônita, olha-o sem responder. Irmão Fidélis ergue-se (muito incômoda a posição). Apanhando uma cadeira, decide: — "Ela vai me contar tudinho!". Vem sentar-se de frente para Engraçadinha, quase joelho com joelho. De longa data, já notara que aquela menina tinha, por vezes, em torno dos olhos, um halo intenso. Para si mesmo, concluía: — "Eu sei como interpretar essas olheiras!". Exaltou-se de novo. E, coisa curiosa! Não fingia, nem representava. Toma, entre as suas, as mãos de Engraçadinha:

— Menina! — e repete, com uma violenta chama interior: — Não sei o que houve, nem importa. Você é mais pura do que antes. Agora, sim, é que você é realmente pura!

Para confuso. Pergunta a si mesmo: — "Mais pura depois do incesto?". Vacila: — "Vou dizer que até as prostitutas são incorruptíveis. Mas ela entenderá isso? E por que 'até', se as prostitutas são como nós?". Ergue a voz, com surdo sofrimento:

— Até as prostitutas são incorruptíveis! — e de novo, baixo: — Olha aqui, vamos fazer o seguinte: — eu pergunto e você responde. Se, por acaso, foi teu pai — eu não estou afirmando; é uma hipótese — mas se foi teu pai, você dirá: — "Foi meu pai". Eu continuarei perguntando: — Onde e quando? Naturalmente, foi aqui, presumo. Teu pai não te levaria para outro lugar — e faz a pergunta à queima-roupa: — Foi no teu quarto?

Ergueu o rosto:

— Biblioteca.

Olha em torno:

— Aqui?

E ela:

— Sim.

— "Numa biblioteca!" — é o seu espanto. Com uma sensação de triunfo, sente que Engraçadinha dirá tudo. Com um mínimo de voz, sem valorizar a pergunta, irmão Fidélis continua:

— Ele te chamou e...

Interrompe:

— Fui eu a culpada.

Balbucia:

— Você? E culpada como?

Engraçadinha imaginava: — "O irmão finge que nem me liga. Vem aqui e não olha pra mim. Duvido! Fingimento puro. Bem que no enterro de papai, lá no cemitério, houve uma hora em que ele ficou me roçando. Mas eu, que não sou boba, percebi tudo. Quero ver a cara dele, agora. Ele pensa que eu sou uma menina bobinha, cheia de pudor!". Irmão Fidélis pede: — "Continua". Suspira:

— Tenho vergonha.

Ele apanha com a mão o queixo da menina e ergue o seu rosto:

— Vergonha por quê? De mim? Mas, ó! Eu já não te disse que todos nós somos puros e cada vez mais puros? O pior devasso — o mais sujo — é, ainda, imaculado. Fala! Eu não olho pra ti. Tapei o rosto. Agora explica: — Você se diz culpada e por quê?

Continua de cabeça baixa:

— Ele não queria.

— E você?

Ergue o rosto, numa espécie de desafio:

— Eu queria!

O irmão Fidélis pensa: — "Foi ela que o tentou, que o atraiu, que o destruiu. Essa menina perde qualquer um!". E não entendia como um pai feio e lívido, de canelas e coxas finas, um magro lúgubre, podia fascinar a filha adolescente. Fala:

— Bem. Você queria e ele não. Mas continua, e olha: não importa o que você tenha feito. Um simples ato não basta para corromper ninguém. — E afirmou enfático, arbitrário: — Não temos nada com os nossos atos! Agora, responde: você chamou seu pai para cá?

Perguntava a si mesmo: — "Por que na biblioteca e não no quarto, dele ou dela, e alta madrugada?". Já imaginava que o velho deputado tivesse experimentado um desses desejos bruscos e mortais. Com súbita alegria, Engraçadinha pergunta:

— O senhor se lembra daquela festa? Que papai deu? Aquela? Do noivado do Sílvio. O senhor se lembra, sim!

Claro que o irmão Fidélis se lembrava. Sem tirar os olhos dele, Engraçadinha pensava: — "Minhas coxas são mais bonitas que as de Letícia. E, além disso, Letícia tem varizes. Eu não suporto, não tolero varizes!". Engraçadinha pensa naquela noite e parece ter a festa diante dos olhos:

— Pois é: — foi o baile do noivado e da formatura de Sílvio. A noiva era Letícia. Eu estava de branco — um vestido muito bonito, que fez muito sucesso — e até ouvi um palpite gozado; alguém me disse: — "Você parece mais noiva que Letícia". E foi nesse dia, exatamente, quer dizer, nessa noite, exatamente. Pouco depois da valsa...

O irmão Fidélis não podia compreender: — "Mas num dia de festa? Com a casa cheia?". Engraçadinha ri:

— Com a casa cheia. Não sei onde eu estava com a cabeça. Imagina que nem fechei a porta. Fechei só com o trinco.

Parecia feliz da própria audácia ou imprudência. Ficou subitamente de pé, como se precisasse de um certo espaço para evocar aquele momento de sua vida. Espantado, sem o demonstrar, irmão Fidélis ouvia tudo. O rosto de Engraçadinha deixara de ser uma máscara inescrutável. Ele a via pela primeira vez assim com a boca sôfrega e cruel. — "Estará grávida?", era a sua dúvida. Por sua vez, Engraçadinha olhava-o sem pena: — "Também me acha gostosa. Babão como os outros".

Começa, com os olhos brilhantes:

— Imagina o senhor que havia, lá na festa, no meio dos convidados, uma moça, aliás bonita, muito bonita — e repetia: — a mais bonita de todas. Dançando, ela disse ao par. Não disse, pensou: — "Vou acabar com esse noivado, com esse casamento". Está prestando atenção?

O irmão Fidélis começa a sofrer: — "Essa bestalhona está me fazendo de idiota".

Sim, fora há dois meses, na festa de Sílvio. Este, mocíssimo, formava-se em Direito (como o tio, dr. Arnaldo) e noivava oficialmente com Letícia. Um e outro primos de Engraçadinha. Dr. Arnaldo o educara. Sílvio era filho e (note-se) filho póstumo de um irmão do dr. Arnaldo, o Severino. De fato, meses após a morte de Severino, num desastre de trem, nasce o garoto. A mãe, tia Guida, ainda arquejando das dores, balbucia:

— Ah, se o Severino estivesse aqui.

Dois anos depois, ela morre também e, se não me engano, da espanhola. — "Tipo da morte estúpida", diriam. Ao que um parente, senhor ilustrado e irreverente, respondeu com lúgubre sarcasmo: — "Quem não morreu na gripe?". Dr. Arnaldo tinha por Sílvio um afeto quase obtuso, espécie de veneração, sei lá. Carregou o órfão de pai e mãe como se fosse um menino-deus. Homem sóbrio, taciturno, fez com o sobrinho o que não faria nunca com a filha. Por várias vezes, abandonou o jeito austero e veio mudar a fraldinha do guri. Depois, cheirava as mãos e ia lavá-las. Com a filha, fora sempre um contido. Mesmo porque — diga-se de passagem — a nudez de uma filha, ainda que de tenra idade, causava-lhe (coisa estranha!) um certo asco. Uma vez foi até interessante. A mãe de Engraçadinha pôs o casalzinho de primos na mesma banheira para o banho comum. Dr. Arnaldo soube e zangou feio:

— Tirando o pudor da menina? Ou será que você não tem consciência? Onde está sua religião, mulher?

Era o caso de perguntar pela relação entre a fé e a inocência óbvia da nudez infantil. Mas estava decidido que o dr. Arnaldo ia ficar sozinho, com a filha e o sobrinho. D. Olímpia, que sempre fora uma senhora lânguida, melíflua, de pressão baixa, suscetível de nostalgia sem motivo — morreu de repente. Ele ficara com os dois e havia o cochicho mais ou menos universal: — "Gosta mais do Sílvio que da Engraçadinha".

OUVINDO ENGRAÇADINHA, IRMÃO Fidélis começou a ter-lhe um certo ódio: — "Cínica! Cínica!". Tio Nonô já a chamara por duas vezes:

— Como é esse negócio?

Resposta do irmão Fidélis: — "Está quase". Mas a pequena não ia direto ao fim. Perdia-se em detalhes e parecia mesmo ter o propósito de irritá-lo e confundi-lo. Com a garganta apertada, irmão Fidélis quis interromper:

— E teu pai?

Engraçadinha, porém, sem pressa, falava de tudo — de Sílvio, de Zózimo, de Letícia, da tal moça bonita, e esquecia o pai. Tornava-se evidente que prolongava, maldosamente, o mistério. Tia Zezé bate de novo:

— Vocês abrem?

Pensando: — "O Irmão vai ficar besta!" — Engraçadinha continua:

— A moça bonita disse para alguém: — "Vai na biblioteca. Dá um pulo lá". E explica: — "Tenho uma surpresa pra ti". Esse alguém teve medo. Quando acabou a dança, ela foi na frente — não havia na festa uma tão linda. Ficou combinado que, cinco minutos depois, o fulano apareceria. Quando ele passou a mão no trinco e abriu a porta, viu aqui — olha — aqui...

A própria Engraçadinha colocou-se no lugar e repetia:

— Aqui onde estou. Viu a moça nua. Completamente nua.

Irmão Fidélis balbucia: — "Quem viu? Teu pai?".

E só no fim — depois de torturá-lo bastante — é que Engraçadinha disse o nome:

— Não foi meu pai. Meu pai não sabia de nada. Foi Sílvio. Sílvio não; Zózimo. Foi Zózimo.

Pausa. Desesperado, irmão Fidélis pergunta: — "E a moça nua?".

Engraçadinha teve um sorriso muito tênue:

— Eu.

CAPÍTULO 8

Houve um silêncio. Engraçadinha continuava com o sorriso tênue, quase imperceptível. Irmão Fidélis pensava, com uma surda irritação: — "Ninguém conhece ninguém". Por exemplo: — ele formava uma imagem falsa, infiel, daquela menina. Quando a via pela casa, no meio das tias, costumava pensar: — "É uma bestalhona". Não o era, e, pelo contrário: — sua graça leve seria talvez o disfarce de uma alma profunda. Mas o irmão ainda não sabia se fora Sílvio ou Zózimo. Realmente, não sabia.

Diante dele, sem desfitá-lo, Engraçadinha imaginava: — "Está besta comigo. Com cara de tacho". E o fato de ter surpreendido um homem que, precisamente, lidava com almas e conhecia a imaginação do pecado — dava-lhe uma vaidade muito doce e muito aguda. Irmão Fidélis ergue-se. Experimentava um sentimento de frustração. Teria preferido a pior das hipóteses, ou seja — a paixão incestuosa e realizada. O incesto seria uma arma na sua mão. Dominaria a família. Em vez de incesto, porém, tinha havido o quê? Um defloramento, puro e simples, entre primos. Novamente, o irmão Fidélis pensa, com amargura, no deputado morto: — "Aquele animal gostava, sim, da filha. Tinha-lhe paixão. Matou-se por medo. Não teve coragem de ir até o fim". De resto, sempre achara que o velho escondia, por trás do feitio austero, da polidez gelada, uma pusilanimidade abjeta.

Engraçadinha mentia. Precisava convencer a família de que Zózimo... A verdade é que jamais contaria tudo a ninguém. Não dissera ao irmão Fidélis que, no dia da festa, já acordara zangada. Tia Ceci — a que só se lavava na bacia — estava no banheiro. A menina bate lá, com muxoxos:

— Tem gente?

E aquela velhinha frágil, quase incorpórea: — "Já vai". Falava com uma voz fininha de criança que baixa em centro espírita. Sentia na sobrinha a agressividade da adolescente e tinha-lhe pavor. Andando de um lado para outro, no corredor — e coçando a cabeça — Engraçadinha resmungava: — "Que amolação!". — Mas antes que a outra saísse, tocou, embaixo, o telefone. Em seguida, gritaram:

— Engraçadinha!

Desceu, com a camisola em cima da pele. Se o pai visse, havia de dar-lhe um passa-fora: — "Andando nua pela casa?". Dr. Arnaldo não admitia e mandara mesmo uma das tias avisar à menina: — "Tem que dormir de calça!". Ao apanhar o telefone, Engraçadinha já sabia que era Letícia (primas e pareciam irmãs). A outra suspira no telefone:

— Tenho medo, Engraçadinha!

Coçou o nariz:

— De quê?

Letícia, que já tomara banho, já se arrumara, suspira, novamente:

— Sei lá! Eu me sinto tão feliz, mas tão!

E era justamente essa felicidade que a apavorava. Ao despertar, antes das cinco, pensara na festa de logo mais. Contava agora, para a prima, que a euforia lhe dera uma bruta cólica. Explica, triste e insegura da própria felicidade:

— Emoção. Já fui três vezes!

Foi aí que Engraçadinha insinuou: — "Aliás, casamento até na porta da igreja se desmancha". Para quê? Do outro lado da linha, a prima toma um susto: — "Não fala assim!". E gemia: — "Isola!". Mais que depressa bateu as três pancadinhas na madeira. Engraçadinha despedia-se:

— Vou tomar banho. Te telefono depois.

E a outra:

— Telefona.

Engraçadinha sobe. A festa ia ser ali porque o dr. Arnaldo fizera questão de dar a casa e, mais do que isso, de fazer todos os gastos. Queria pagar até o mais ínfimo e obscuro salgadinho, até a mãe-benta mais humilde e tostada. Primas, tias, vizinhas, numa roda-viva, faziam doces, noite e dia, e andavam pela casa aos tropeções, nos preparativos. Dr. Arnaldo aparecia na copa, na cozinha, e, grave, numa emoção controlada, fazia a pergunta geral: "Está faltando alguma coisa?". De vez em quando, tio Nonô também aparecia com a sua plenitude obscena. Furtava mães-bentas com exultante descaro. Certa vez, enfiara uma na boca com papel e tudo. Tia Zezé precisava ralhar com o marido e enxotá-lo: — "Tira a mão daí!".

Mas, como eu ia dizendo: Engraçadinha sobe e tia Ceci vinha saindo do banheiro. Pequenina de natureza e com o desgaste do tempo, tinha algo, na sua fragilidade intensa, de múmia de anão. Ela entra lá, tranca-se. O próprio banho era para Engraçadinha uma experiência sempre nova. E só uma coisa a irritava: — que o espelho fosse pequeno e ela não se visse de corpo inteiro. Teve que se pôr nas pontas dos pés para espiar os seios, que apanhou por baixo, com as duas mãos. Arrancara a camisola, por cima da cabeça, com um movimento selvagem. Baixava o rosto para se ver melhor. Olhava a própria nudez com triunfante voracidade. E, antes de cair debaixo do chuveiro, pensava em Sílvio: — "Sujeito burro! Vá ser burro assim no diabo que o carregue! Palhaço!". E parecia-lhe um absurdo que, conhecendo as duas, desde meninas, ele tivesse preferido Letícia.

Diante do espelho, com os olhos escurecidos de ódio, ela parecia estar discutindo, argumentando com o noivo da outra: — "Seu animal! A Letícia tem as coxas finas, horrorosas, o joelho ossudo e o umbigo — você já viu o umbigo de Letícia? Responde: — já viu o umbigo? Te juro e por essa luz que me alumia: — o umbigo mais feio que já vi na minha vida". O que ela estava querendo dizer, a si mesma, por outras palavras, é que nenhuma mulher é bonita sem um umbigo bem-feito. Já debaixo do chuveiro, passando espuma pelo corpo, continuava o seu monólogo irritado: — "De mais a mais, tem uma barriguinha ridícula!". Quando acabou o banho, pôs a camisola no braço e atravessou do banheiro para o quarto — tão nua!

Tia Zezé, que ia descendo, viu e ralhou:

— Teu pai não gosta!

De noite, a festa. Depois do almoço, Letícia salta de um táxi, com a mãe, duas irmãs e a criada. Entra, com um ar meio atônito e pergunta:

— Tem Eparema?

Com a mão apertava o ventre. Só acreditava na "Flora Medicinal". A mãe explica para as outras tias: — "Nervosa". Sobe correndo para o banheiro, enquanto tia Zezé cata, no armário, o vidro. Mais tarde, mudam a roupa juntas. Súbito, de costas para Engraçadinha, Letícia deixa escapar o lamento: — "Tenho as coxas muito finas". Vira-se para a outra. Puxa a combinação e repete, com pena e, ao mesmo tempo, com raiva: — "Não são finas?". Engraçadinha, diante da penteadeira, passa verniz nas unhas; olha pelo espelho: — "Nem tanto, nem tanto". Soprando as unhas, a pequena pensa: — "Burro como Sílvio nunca vi". Caíra a noite; a orquestra já chegara. Pouco depois, a mãe de Letícia vem vê-la. Baixa a voz para a filha:

— Melhor?

Agora era o fígado. A noiva, que tomara o remédio amargo, e ia repetir a dose (a título de precaução), geme: — "Sei lá!". Passava batom, diante do espelho, e gostaria de ter as coxas mais grossas, como Engraçadinha. Súbito, a orquestra, de umas cinco figuras, começa a tocar. Nervosíssima, e com o pavor de novas cólicas, Letícia puxa Engraçadinha. Queria ter a prima ao lado. Tia Cotinha vem com mais uma colher de remédio: — "Toma! Toma!". Letícia, meio torturada (por causa das coxas finas e dos quadris um pouco estreitos), bebe de uma vez. Desceram as escadas, ao mesmo tempo; e naquela atmosfera cálida de música, de vozes, de ombros nus — Letícia experimentou um brusco deslumbramento. Já sofria menos o sentimento de inferioridade. Pararam, no último degrau. Sílvio aproximou-se (tão bonito!) e segurava a noiva pela mão. Olhando para outro lado, Engraçadinha ouviu o rapaz sussurrar para Letícia:

— Linda!

Engraçadinha sorria, disfarçando a própria fúria: — "Bobão!". Sentia-se muito mais bonita do que a prima. E erguia a cabeça — os cabelos, em silêncio, desciam até os ombros. Ali, nas salas, tinha de tudo: — feias, simpáticas, bonitas ou simplesmente passáveis. Mas não havia nenhuma tão linda. Todos a olhavam. O Zózimo veio tirá-la. Sorriu para o noivo, num descontentamento cruel. Zózimo dançava mal e era tão sem graça! No meio do fox, teve que ralhar com o noivo: — "Não aperta tanto!". Em seguida, dançou outras vezes, muitas vezes. Cerca de meia-noite, começou a desesperar-se: todo mundo a tirava, menos Sílvio. Prometia a si mesma: — "Eu me vingo!". Finalmente, depois da meia-noite (era desejada por todos, menos por ele), vai buscá-lo: — "Você não dança comigo?". Letícia, ao lado, dizia, melíflua:

— Dança com Engraçadinha, meu bem.

Saem os dois. A princípio, Engraçadinha não fala nada. Está comovida até as raízes do ser. Finalmente, ergue e aproxima o rosto; fala bem de perto, para que ele sinta o gosto de sua boca e veja a cor molhada de sua língua. Sussurra: — "Depois da dança, deixa passar uns cinco minutos e vai pra biblioteca. Eu te espero lá". Fora, sim, na frente. E, na biblioteca, numa espécie de embriaguez, foi tirando tudo. Por um momento, teve a sensação de que jamais uma mulher se despira tanto ou ficara tão nua. Sílvio abre a porta e estaca. Não entendia aquela nudez súbita e, com a mão no trinco, pensou em correr, fugir.

Engraçadinha disse, quase sem mover os lábios:

— Vem.

Sílvio deu um passo: com o calcanhar, empurra e fecha a porta. Caminha lentamente para a moça. Passa-lhe a mão por trás da cabeça; agarra os seus cabelos. Ela balbucia, num delírio:

— Tua noiva não faria isso!

Primeiro, ele a beija no pescoço. Depois, antes de juntar boca com boca, soluça:

— Cachorra!

CAPÍTULO 9

Engraçadinha não contara ao irmão Fidélis o "cachorra" que Sílvio lhe atirara no rosto, com uma boca de ódio. Depois de a beijar no pescoço, o rapaz a carregou. O peso da menina fê-lo, por um momento, dobrar os joelhos; quase, quase aquele corpo escorregou-lhe dos braços. Contraiu a cara no esforço.

E, por um segundo, uma fração de segundo, pensou: — "Isso não está acontecendo!". Engraçadinha imagina, numa feroz alegria: — "E se ele me levasse, nos braços, pelada, para a sala?". O espanto, o horror dos convidados ao ver Sílvio abraçado à sua nudez!

O rapaz queimava a pele da garota com a sombra áspera e quente da barba. Parecia não saber o que fazer com o corpo nu. Olhava para os lados: — "Letícia não merece isso". Foi Engraçadinha que estendeu o braço (moreno e bonito), apontando:

— Ali.

Levou-a para o divã. Subitamente, descobria que sempre a desejara, sempre. Naquele momento, a poucos passos, o pai conversava com deputados e o prefeito; a noiva andava, meio perdida, por entre os convidados, com o jeito doce e lancinante de pobre-diabo. Letícia perguntava a todo mundo, com a humilhação do abandono: — "Viu o Sílvio?". E ninguém podia imaginar que, na biblioteca, fechada apenas com o trinco — aquele corpo enroscado! —, repetia para si mesmo: — "Crápula! Crápula! Eu sou um crápula! Me cuspam na cara!". Se um convidado desgarrado, ou o próprio dr. Arnaldo (ou Letícia) entrasse, de repente?

Desesperado, Sílvio diz e repete:

— Somos dois loucos! Dois loucos!

Engraçadinha passa-lhe as unhas nas costas; balbucia:

— Abre a boca, anda... abre...

Sílvio obedece. Fome e sede de uma boca por outra. Engraçadinha crispa-se, enquanto a saliva caía da boca para o queixo. Disse, ofegante:

— Bobo! Letícia não chega aos meus pés!

Também não contaria ao irmão Fidélis que, depois, Sílvio a empurrara:

— Põe a roupa.

Ele próprio enfia o paletó com uma urgência pânica. Agora, de costas para a prima, apanha um cigarro e começa a catar os fósforos. Tinha ódio de si mesmo, ou, pior: nojo. Vira-se para Engraçadinha:

— Depressa! — e insistia: — Antes que venha alguém!

Só agora é que, numa prudência retardatária, vai fechar a porta à chave. Engraçadinha, feliz, calçava as meias. Espicaçou-o: — "Por que não olha?". Ele, que ainda não achara os fósforos, continuou de costas. Perguntava, fora de si: — "Onde é que eu botei essa caixa?". Só então lembrou-se que a emprestara a um deputado e que este não a devolvera. Com um cigarro inútil entre os dedos, pensa, olhando Engraçadinha, que certas mulheres são prostitutas natas.

Engraçadinha sorria-lhe:

— Gostou?

Recua:

— Não!

Ela o desafia:

— Duvido!

Instintivamente, Sílvio procura os fósforos que emprestara ao deputado. Ela ainda tem, no lampejo do olhar, a embriaguez da própria audácia. O rapaz sofre com um novo raciocínio: — "Ela foi louca, mas eu aceitei a loucura!". Desesperado com a falta de fósforos, começa:

— Bem. Eu quero deixar bem claro o seguinte: eu não fui culpado de nada e você foi culpada de tudo. Exato?

A pergunta saiu como um apelo. Engraçadinha estende a mão:

— Dá o lenço pra eu limpar o batom. — Repete: — Está todo sujo de batom. Dá o lenço.

Enquanto a menina passa a cambraia fina no seu rosto, Sílvio bate na mesma tecla:

— Você reconhece que foi a culpada? Reconhece? Eu estava quieto, no meu canto — eu não estava quieto no meu canto? Não estava ao lado da minha noiva? Fala! — berra — Diz qualquer coisa!

Em silêncio, Engraçadinha molha a ponta do lenço na língua e passa a fazenda úmida na mancha de batom. Sílvio fala, ainda:

— Foi você que me chamou pra biblioteca. Pois bem: chego aqui e você está pelada — repetiu, na sua fúria. — Toda a culpa é sua!

Engraçadinha arrumara o lenço e o colocava no bolso do rapaz. Ergueu o rosto e com uma voz macia, um sorriso muito tênue, pergunta:

— Escuta aqui, seu cretino: você quer dizer o quê? Que você foi forçado, que não queria? Ora, Sílvio! Você é algum bebezinho? E não se esqueça que você foi o primeiro!

O rapaz ergue a voz:

— Eu te disse, eu te avisei, que, em hipótese nenhuma, deixaria Letícia! Foi ou não? Responde: — foi ou não foi?

Engraçadinha exaltou-se também:

— Se você é noivo, eu também sou noiva! Ou não sou? E com que cara vou aparecer ao meu noivo e dizer: — "Sílvio me fez isso assim, assim!"? Você acha que o Zózimo vai gostar? Pimenta nos olhos dos outros é doce de leite!

Sílvio queria falar, mas o som não saía. No seu espanto e no seu ódio, olhava a prima. Lembrou-se do momento em que abrira a porta e vira aquela nudez espantosa. Sentiu que, se fixasse a imaginação, o desejo ia romper novamente de não sei que profundezas. Fecha os olhos e quase soluça:

— Eu amo minha noiva!

Ela o corrige:

— Ex-noiva!

Abre os olhos. Balbucia: — "O quê?". E ela:

— Vocês homens são uns covardes! Então você fez o que fez e vai me abandonar — por quê? Olha! — Eu vou deixar Zózimo, e você, Letícia! Mas claro, evidente!

Sílvio sentou-se. Mais uma vez, procura os fósforos. Jamais tivera por alguém um ódio tão violento: — "Como é ordinária! Eu devia quebrar-lhe a cara, agora! Dar-lhe um soco na boca! Ainda ri, a cachorra! Por isso que há uns caras que matam mulher!". Lívido, ergue-se; dirige-se à pequena, com a voz estrangulada:

— Eu devia te dizer uns palavrões...

— Diz.

E ele:

— Devia te quebrar a cara...

Oferece o rosto:

— Quebra.

Sílvio tem os olhos cheios de lágrimas. "É uma prostituta! Uma vagabunda!" E já lhe parecia que nenhuma mulher trai por amor ou desamor. O que há é o apelo milenar, a nostalgia da prostituta que existe ainda na mais pura. Pensava na noiva que devia estar desesperada. Encaminha-se para a porta e, súbito, estaca. Vira-se, pergunta:

— Que tal o cabelo?

— Despenteado.

Olha para um lado e outro. Explode:

— Pente! Onde é que eu arranjo um pente?

Engraçadinha não se mexe. Sonha: — "Tu és meu. Letícia que se dane. Só meu". Humilhado, pede:

— Quer arranjar um pente?

Enquanto ela sai por um momento, Sílvio, com o inútil cigarro entre os dedos, tem ódio também do deputado a quem emprestara os fósforos. Podia ter pedido a Engraçadinha para trazer uma caixa: — "Isso não. Seria demais". A menina volta com o pente. Retocara a pintura. E ela própria se oferece:

— Deixa que eu penteio.

Enquanto a prima reparte o cabelo do rapaz, Sílvio está pensando: — "Se eu estivesse num lugar deserto ou passeando num barco, com essa miserável, eu a empurraria...". E já imaginava Engraçadinha no mar, ou na lagoa, debatendo-se, engolindo água, e ele abrindo-lhe a cabeça com o remo, até afundá-la... Com o pente na mão esquerda, Engraçadinha passava a mão direita na cabeça do primo. Sorri, quando acaba:

— Nós somos amantes.

Ele baixa a voz:

— Amanhã, vamos ter uma conversa muito séria.

Sai. Entra na sala e vê o deputado dos fósforos. Encaminha-se para ele, indignado: — "O senhor quer me ceder seu fogo?". Acende o cigarro e embolsa a caixa; com uma sensação de triunfo, exclama:

— É minha!

Letícia já o chamava. Era de uma família de nervosos e deprimidos. Valorizava e dramatizava pequeninos contratempos. A ausência do noivo parecera-lhe uma catástrofe. Recebeu-o com uma euforia feroz: — "Ó, meu bem! Você demorou!". Sílvio a puxou para si, como se quisesse protegê-la da ameaça que só ele conhecia. Olhava em torno, perguntava a si mesmo se em cada uma daquelas mulheres existia o apelo da prostituta eterna. Dançou duas ou três vezes com Letícia. Via Engraçadinha passando com o cego, obtuso e bovino Zózimo. Tio Arnaldo aproximou-se e batia-lhe nas costas: — "Você tem sorte, Sílvio. Há poucas meninas de família. Estão desaparecendo. Letícia é uma das últimas". Cerca das quatro da manhã, leva Letícia em casa e volta. Engraçadinha está só na sala, cheirando as flores de um jarro. Diz-lhe:

— Vou deixar a porta do quarto apenas encostada. Empurra e entra. Te espero.

CAPÍTULO 10

Irmão Fidélis baixa a voz:

— Posso te fazer uma pergunta?

— Claro!

Insiste:

— E você responde?

— Respondo.

Respira fundo:

— Sílvio foi o primeiro?

— Não ouvi.

Repete:

— Pergunto se, de fato, teu primo foi o primeiro ou se...

— Juro!

— E teu noivo?

A menina sente a dúvida do Irmão. Pensa: — "Bobo!". Ri.

— O senhor quer que eu jure? Eu juro. Quer? Pela alma de meu pai?

Põe a mão no braço da pequena:

— Basta a tua palavra.

Mas a pequena continua:

— Naturalmente, o senhor pensa que, se eu, noiva de um, estive com outro, é porque, com certeza... Mas quero que Deus me cegue se minto. E lhe digo mais: — Sílvio, quando voltou, não queria acreditar...

Realmente, quando Sílvio chegou e a viu na sala, sozinha, quis retroceder. Acabara de levar Letícia; tomara entre as suas as mãos da noiva, beijara uma e outra, com remorso, com vergonha e pensando: — "Tenho nojo de Engraçadinha!". Balbuciou, com medo de olhar Letícia: — "Adeus". A noiva tem um certo espanto: — "Não me beija?". Ele ia responder que já lhe beijara as duas mãos. Letícia ergueu o rosto:

— Na boca.

Roçou com os seus os lábios da pequena. Partira, fugindo. Puxou um cigarro. Experimentou a alegria de encontrar a caixa de fósforos; e fez todo o percurso de volta, repetindo para si mesmo: — "Tenho nojo daquela cara!". Tudo em Engraçadinha cheirava a voluptuosidade ordinária. E, sobretudo, uma coisa não lhe saía da cabeça: — a agilidade instantânea e acrobática com que a menina se enroscara. Sentira os rins triturados, sob a pressão das coxas. Entra na sala, dizendo para si mesmo: — "Nunca mais".

Ao dar com Engraçadinha, ia passar adiante. A prima está só; as empregadas andavam na copa, cobrindo os pratos, puxando cadeiras. Engraçadinha, que estava mexendo numas flores, vira-se bruscamente e barra-lhe a passagem. Teve vontade de empurrá-la. Mas estava diante dela, sem ação e meio atônito. Mentalmente, comparava as duas: — Engraçadinha, que vira, ainda há pouco, tão delirante; e Letícia, que era de uma feminilidade tão sofrida e, ao mesmo tempo, tão delicada. A pequena diz que o espera no quarto. Neste momento, dr. Arnaldo sai da biblioteca, já de robe de chambre, chinelos. Disse, ao passar: — "Bonita, a festa". Engraçadinha pede:

— A bênção, papai!

— Deus te abençoe!

E assim que ele some, Engraçadinha olha para Sílvio. Faz-lhe com a boca um bico de beijo, sussurra: — "Meu amante!". E ele:

— Nunca mais!

Claro que nunca mais. Todavia, pouco depois empurrava a porta da prima. Em calças de pijama, nu da cintura para cima, descalço, aproximou-se da cama. Sentiu a mão da pequena no seu braço. Não podiam fazer barulho e Engraçadinha dizia: — "Chega pra cá". Sílvio fica de bruços, com a cara enfiada na metade do travesseiro. Ela fala tão próximo que o rapaz sente a sua respiração na orelha. Ocorreu-lhe, então, a curiosidade que o irmão Fidélis teria depois:

— Fui o primeiro?

Riu, no escuro:

— Seu burro! Ou você não percebeu?

Arqueja:

— Sei lá! Mulher é tão falsa!

Ele pensa: — "Não tem alma. É só fêmea". Ah, se Letícia soubesse que, naquele momento, ele estava com Engraçadinha! No quarto em trevas, a intimidade era mais voraz, misteriosa e ameaçadora. Com surdo desespero, pergunta:

— E teu noivo?

Com as unhas ela risca, novamente, as costas do primo. Ele sente na pele lanhos de fogo. Queria saber: — "Teu noivo te beija?". E ela: — "Um boboca!". Falam tão baixo que a voz é quase inaudível. E como não veem o movimento dos lábios, têm que adivinhar cada palavra. Sílvio teima: — "Beija ou não beija?". E, depois, tem uma curiosidade ainda mais aguda e mais sofrida:

— Vocês nunca passaram de beijo?

Engraçadinha morde o seu ombro. Sílvio geme. Ela, então, beija na carne do rapaz a marca dos próprios dentes. Pergunta: — "Doeu?". Diz: — "Um pouco". Cicia:

— Meu amante.

Afunda a cara na fronha. Então, Engraçadinha fala juntinho do seu ouvido:

— Casa comigo?

Vira-se e senta-se na cama. A pequena senta-se também. Baixo e violento, ele a desilude:

— Está maluca? Mas ó, criatura! Pensa, raciocina! Eu sou noivo, você é noiva! E tio Arnaldo? Se tio Arnaldo souber, se desconfiar! Meu Deus do céu, se Letícia... Nem quero pensar! De mais a mais, Letícia põe a mão no fogo por ti!

Nas trevas, Engraçadinha cruza os braços, ergue o perfil:

— Vou falar com Letícia!

Desesperado, vira a menina e a segura pelos dois braços. Fala, rosto com rosto:

— Se você falar com Letícia! Olha: — eu nunca me julguei capaz de matar ninguém! Mas se você tiver essa audácia, eu sou capaz, nem sei! Te mato, Engraçadinha!...

Larga a prima. Ela não se mexe. Deixa que Sílvio, fora de si, abandone o quarto. Começa a amanhecer. Engraçadinha sai da cama e vem abrir a janela; sumiu no alto a última estrela da noite.

O ALMOÇO SAIU TARDE. Na mesa (Sílvio continuava no quarto), dr. Arnaldo e Engraçadinha. Com o seu feitio austero, de aparente positivista, e, depois de enxugar os lábios com o guardanapo, pigarreia:

— Tive uma ideia.

Faz uma pausa desnecessária. Ainda uma pequena tosse e continua:

— Passa o arroz. Pois é: — estive pensando que os dois casamentos podiam coincidir.

Com o rosto sem mobilidade, a face hirta de máscara, parecia ver os dois casais ajoelhados ante o mesmo altar: — Engraçadinha e Zózimo, Letícia e Sílvio. Repetia para si mesmo com o olhar parado: — mesmo altar, mesma igreja, mesmo padre, mesmos coroinhas. Por um momento, fica assim, num meio sonho, enquanto a filha baixa os olhos. Depois, ele suspira e serve-se de arroz.

Em seguida ao cafezinho, que tomava aos pequenos goles, com uma certa beatitude, uma fisionomia transcendente, dr. Arnaldo sai para a Câmara. Os jornais já falavam, abertamente, de sua candidatura para o governo do estado. Logo depois, Engraçadinha saía também para a casa de Letícia. "Antes que Sílvio acorde", ia pensando. Foi uma surpresa na casa de Letícia. "Olhe quem está aí!", gritou a mãe da pequena. Letícia apareceu, no alto da escada:

— Sobe! Sobe!

E Engraçadinha para a tia:

— Volto já.

Deixou a velha com duas vizinhas, subiu. Em cima, enlaça a prima. Sopra-lhe:

— Houve uma desgraça.

A outra balbucia:

— Não me assusta.

Entram no quarto. Letícia fecha a porta à chave.

Engraçadinha, sentada numa extremidade da cama, tira do seio o lenço pequenino. Começa a chorar. Ao mesmo tempo pensa: — "Como é feia sem pintura". Letícia pede: — "Fala! Conta!". Depois de assoar-se no lencinho, vira--se para a outra:

— Estou grávida!

Silêncio. Estupefata, Letícia pergunta: "Como é que o Zózimo foi fazer uma coisa dessas?". Engraçadinha chora mais forte. Por entre as lágrimas, espia a reação:

— Grávida de teu noivo.

CAPÍTULO 11

Com o lábio inferior tremendo, e quase sem voz, Letícia disse:

— Eu não ouvi direito. Engraçadinha, por favor, quer repetir?

Por um momento, a menina vacila. Tem medo, vergonha ou asco, sei lá. Não tirava os olhos de Letícia e esse rosto tão próximo e sensível metia-lhe pavor. Como doeu em Engraçadinha o olhar da outra, um olhar estrábico de angústia! Seu impulso foi dizer-lhe: — "Não foi nada. Eu não disse nada. Adeus!". Mas calou-se, ou, por outra, ainda com a cera das lágrimas pelo rosto, repetiu, com voz nítida e vibrante:

— Estou grávida do teu noivo.

Letícia entrelaça as mãos na altura do peito. Com uma orla de suor no lábio superior, não quer acreditar:

— Do Sílvio! Fala! Do Sílvio?

Então, Letícia começa a andar de um lado para outro: — "Não é possível" — eis o que pensa — "Não pode ser! Foi o Zózimo e não o Sílvio!". Repetia para si mesma: — "Sílvio não foi, ó meu Deus!". Tinha vontade de assombrar a casa com seus gritos; tinha vontade de bater com a cabeça nas paredes. Súbito, estaca diante de Engraçadinha. Perguntou, rouca:

— Por que Sílvio?

Põe a mão no ventre da prima, como se já pudesse sentir a maternidade palpitar como um coração. Mas Engraçadinha continuava com a cintura e o ventre de virgem. Sentindo que ia, pouco a pouco, matando a outra, Engraçadinha responde:

— Sílvio gosta de mim.

No seu espanto, pergunta:

— E você dele?

E ela, com involuntária doçura:

— Eu dele.

Apertando a cabeça entre as mãos — sem uma lágrima — voltada para a parede, Letícia teria uma porção de pequenas curiosidades femininas. Gostaria de saber o dia, a hora, sobretudo, onde os dois, pela primeira vez… De costas para a prima, e com um dilaceramento tão fundo, ela começava a sonhar em voz alta:

— Se você está grávida, é claro que não foi uma só vez. Foram muitas vezes. — Súbito, exalta-se: — Ainda ontem, ele me beijou, Engraçadinha! Desculpe que eu te fale assim — me beijou na boca e já gostava de ti!

Engraçadinha tem medo de respirar: — "Letícia vai morrer!". A outra, de costas para ela, queria rezar. Na sua pânica fragilidade, vivia fazendo promessas. De vez em quando, punha uma vela num pires, em intenção de alguém, de um desejo, de uma esperança. E se não eram promessas, recorria a simpatias familiares que empregadas e vizinhas lhe ensinavam. Agora, teria simplesmente rezado. Chegou a iniciar uma oração, que logo truncou. Lembrara-se que Sílvio devia ter visto Engraçadinha nua. — "Claro que viu", repetia. Ela própria achava lindo o corpo da prima. Vira-se para Engraçadinha; começa:

— Eu sei que, se você diz, não há dúvida…

A outra corta:

— Juro!

E Letícia, fora de si:

— Você não mentiria. Sílvio é o culpado. — E já emendava: — Culpado, não. Em amor não há culpados, ninguém é culpado. Simplesmente, as coisas acontecem. Mas como eu ia dizendo. Desculpe, Engraçadinha, às vezes o raciocínio me foge. O que é mesmo que eu estava dizendo? Ah, sim! Se Sílvio é o pai…

— Ou você duvida?

Atrapalhou-se:

— Absolutamente. Eu acredito em você. E outra coisa, Engraçadinha: — eu mesma falo com Sílvio.

Engraçadinha continuava sentada. A outra aproxima-se. Tinha uma sensação de luz, como se a febre fizesse arder, nos seus cabelos, um halo intenso. Inclina-se um pouco, puxa e aperta de encontro ao seio a cabeça da prima. Já Engraçadinha começa a sofrer. Pergunta de si para si: — "Ou será fingimento. Fala assim, mas quem sabe?". Ao mesmo tempo, raciocina: — "Letícia é boa. Tem inveja de mim — da minha pele e das minhas coxas —, mas é boa de coração, um anjo". Lembrou-se de que, na infância de ambas, Letícia beijava na boca cãezinhos de rua. E, outra vez, Letícia espiara o parto de uma gata. Ante o processo misterioso da natureza, aquele trabalho de espasmos sucessivos, ela, garotinha de cinco anos, assistira a tudo. Vira a golfada de gatinhos — e com que curiosidade maravilhada! Nenhum nojo e nem mesmo medo, e sim o instinto certo. Depois, levantara-se com o vestido manchado de vermelho e nenhum pavor daquele sangue ardente de parto.

Já Engraçadinha tomara-se de uma espécie de ódio contra o bicho. Anos depois, sonhou que ela é quem se contraía naquela golfada de vida. Agora Letícia passava as mãos nos cabelos da pequena; e repetia baixo:

— Falo, ainda hoje, com o Sílvio. Falo, Engraçadinha.

Ao despedir-se, Engraçadinha apertou as duas mãos de Letícia: — "Você é um anjo". O interessante é que, ao mesmo tempo, aceitava e negava a bondade da amiga. — "Vai fazer uma sujeira comigo", era o seu pânico. Voltando para casa, prometia a si mesma: — "Mas se Letícia usar de falsidade, faço um escândalo, conto tudo a papai, no mesmo instante".

Depois do jantar, Letícia e a mãe apareciam na casa de Engraçadinha. Logo que pôde, Letícia vira-se para os demais:

— Vou namorar com o meu noivo!

Para Sílvio, soou falsa a alegria da pequena. Olhou-a com certo medo: — "Representa". Por sua vez, Letícia sente que a naturalidade do noivo é afetada demais. "Finge como eu", pensa. Já não tinha dúvida de que Engraçadinha dissera a verdade. Saem os dois. Na varanda, junto da grade, ficam, por um momento, calados. Letícia deduz: — "Tem remorso". Caminham até a extremidade da varanda e, bruscamente, ela pergunta:

— Sílvio! Por que você não foi sincero, não foi leal comigo, Sílvio? Por quê?

O rapaz não entende: — "Mas eu sempre fui sincero!". E ela, sem olhá-lo:

— Como se explica que, sendo meu noivo, você goste de outra? Ame outra?

Recuou, assombrado: — "Eu não gosto de ninguém. Gosto de você!". Letícia crispa a mão no seu braço:

— Por que você mente, Sílvio? Você está mentindo!

E ele:

— Dou-lhe minha palavra! Você acredita na minha palavra?

Repete, chorando:

— Não é de mim que você gosta. Você gosta de Engraçadinha. Olha para mim e responde: Não é de Engraçadinha que você gosta?

Subitamente, compreende tudo. Diz alto: — "Ela falou contigo. Não falou contigo? Eu sabia!". Letícia olha-o como a um homem perdido para o seu amor. Pensa: — "Ó, Sílvio! Meu amor é por toda a vida. Sempre gostei de ti, desde garotinho, Sílvio. Deus sabe que eu não minto. E eu não presto, eu sou má, porque tenho ódio de Engraçadinha. Mas ela é tão bonita, Engraçadinha é linda e que corpo! Ah, se eu tivesse o corpo de Engraçadinha, ou as coxas!". O rapaz está fora de si:

— Essa menina é cínica!

Agarra-se a ele: — "Fala baixo!". E continua, quase boca com boca:

— Sílvio, eu não admito que você fale assim da mãe do seu filho!

Pergunta, num sopro de voz:

— Que mãe e que filho?

— Ou você não sabe que Engraçadinha está grávida? De ti, sim, senhor!

Tem um riso sórdido, pesado:

— Te disse isso? É mais ordinária do que eu pensava! Ah, cínica! Letícia, meu amor, eu te juro! Quero morrer leproso, se não é verdade o que eu vou dizer: Escuta. Eu não tive nada com Engraçadinha, nunca.

Letícia pedia: — "Fala baixo! Fala baixo!". E o rapaz:

— Só tive ontem. Ontem foi a primeira vez. Ou melhor: na madrugada de hoje! Hoje, ouviu? — Sílvio a sacudia: — E queres que eu te conte tudo?

Deixou o noivo falar:

— Quando eu abri a porta da biblioteca, ela estava lá, nua! Vê que sem-vergonha! Completamente nua!

Protestou:

— Não! Se ela te esperou nua, foi por amor, ou não sentes que foi amor? Eu não fiz isso, eu não faria isso, por causa talvez da minha formação... Mas o que importa é o amor. O amor que eu não tive. Ela te deu tanto, Sílvio!

Parou, exausta. Queria dizer-lhe: — "Eu não te dou a ninguém. Te quero para mim. Fica comigo. Foge comigo. Vem". Soluça:

— Sílvio, você tem que casar com Engraçadinha.

CAPÍTULO 12

Sílvio perdeu a cabeça:

— Escuta! Meu bem, você não sabe o que está dizendo!

Novamente, Letícia trava-lhe o braço:

— Fala baixo! Fala baixo!

Tinha medo de que o tio Arnaldo aparecesse, de repente. Sílvio baixa a voz:

— É uma mentirosa! Mentiu, Letícia! E eu não queria! Foi uma cilada!

Letícia apanha o rosto do ser amado entre as mãos. Pergunta:

— Não era virgem? Era. Deixou de ser virgem por ti e contigo.

Na sua violência, ele quis objetar que também se finge virgindade. Mas Letícia, abraçada ao noivo (e se alguém os surpreendesse?), unindo seu corpo ao dele, embriagando-se com o seu hálito, não o deixou falar:

— Eu quero! — repetia — Eu quero!

Ele a contempla com espanto, quase com ódio. Parecia-lhe que o altruísta é um pobre ser vazio, sem imaginação nem voluptuosidade, que, afinal, não sacrifica nada. Disse: — "Você não me ama!". Letícia balbucia: — "Não te amo, Sílvio?". Olha-o, ainda uma vez, como se quisesse ter uma memória dessa máscara atormentada. Sente o que jamais sentira: agora que o perdia, teve por esse homem um desejo brusco e cruel. Prende nos dentes o seu lábio, até sangrar. Sílvio recua, levando a mão à boca. Estão calados e ofegantes. Foi Sílvio quem primeiro falou:

— Acredita em mim...

Ao mesmo tempo pensa: — "Letícia nunca me beijou assim!". Ela passa de leve os dedos nos seus lábios: — "Te feri? Te machuquei?". Continua, com a imaginação trabalhada pela febre:

— Promete que... Sílvio, eu jurei que tu serias noivo de Engraçadinha... E te peço — sou eu que te peço, Sílvio! — que você repare... É uma reparação. É um direito que não temos o de humilhar ninguém. E você desejou, Sílvio! É uma menina, quase uma criança, que você desejou e na noite do nosso noivado. Conta pra mim. Não é verdade? Querido, eu compreendo! Não me zango, pode falar!

Para. O rapaz não tem o que dizer. Letícia queria perguntar: — "Mas ela ficou mesmo nua? E completamente? Tirou as meias? Tu achaste o corpo bonito? É lindo? Não é lindo? Ó, Sílvio!". Mas não perguntou nada. Sentindo-se doente da imaginação, vira-se para o noivo:

— Vamos, Sílvio. E não te esqueças: se, por acaso, você se recusar...

Letícia caminha um pouco na frente. Sílvio quer segurá-la pelo braço: — "Vem cá". Ela se desprende:

— ... Se você não for marido de Engraçadinha, nunca mais — isso é sério! — nunca mais falarei contigo. Vem!

Desesperado, Sílvio a seguiu. Ao mesmo tempo, dr. Arnaldo aparecia na porta:

— Vocês sumiram! Mas venham! Engraçadinha, Zózimo! Onde está o Zózimo?

— Saiu.

E o dr. Arnaldo:

— Ora pinoia! Vem cá, Sílvio, Letícia, chega aqui. O Zózimo não volta mais?

Engraçadinha teve de explicar que Zózimo estava com nevralgia. O velho ainda resmungou: — "Algum foco!". Todos reunidos, ele, com uma grave satisfação, uma vaidade sóbria, contou a ideia que lhe ocorrera: os dois casamentos, no mesmo dia, na mesma igreja, na mesma hora. Sílvio olha, primeiro para Letícia, depois para Engraçadinha. Com uma contração no estômago, apanha um cigarro. Tio Arnaldo insistia. Fazia os cálculos, em voz alta:

— Dez coroinhas!

Dr. Arnaldo era o homem de pequenas fixações. O projeto de casamento simultâneo ia empolgá-lo. Queria a opinião de todos. Com uma das mãos na bengala e a outra em cima do joelho, virava-se para as tias e para os noivos, com uma cintilação meio sinistra no olhar triste e fixo:

— Que tal?

Assim que Sílvio e Letícia passaram da sala para a varanda — uns cinco minutos depois — aparecia lá o Zózimo. Se alguém perguntasse a Engraçadinha: — "Por que é que o Zózimo é teu noivo?", ela não saberia responder. Agora mesmo, ao olhá-lo — sem ternura, nem pena — ela experimentava um sentimento cruel de tédio. "Chato", repetia para si mesma. O rapaz senta-se a seu lado. Por um momento, Engraçadinha fecha os olhos e pensa na sua irritação: — "Sua nas mãos". E outra coisa que a exasperava: a humildade de Zózimo. Não se contam as vezes em que ela troçara dos seus modos: — "Não se deve ser tão humilde. Você é humilde demais". Então o rapaz, numa humildade ainda maior, babujava:

— Eu tenho veneração por você!

Ela se crispava, como se aquela veneração a enojasse. Por vezes, o espicaçava: — "Você parece que gosta de se rebaixar. Eu grito com você. Pois reaja!". Chegou a adverti-lo: — "Um dia, vou fazer uma experiência contigo: vou te dar uma bofetada: Mas olha! Se você não me der outra, brigo contigo!". O noivo abria os braços, numa incompreensão honesta e profunda: — "Você acha que eu vou te bater, Engraçadinha?". Era, porém, benquisto naquela casa. Prestava pequenos serviços à família; pagava a conta da luz e do gás para o velho; dava injeção nas tias. Como eu ia dizendo: Zózimo senta e Engraçadinha já o recebe com o pé atrás:

— Você bebeu!

Balbucia:

— Quem?

E ela, com cara de nojo:

— Não bebeu? Ah, bebeu! Estou sentindo o cheiro de bebida. Confessa: bebeu?

— Juro!

Mentia. Embora não tivesse o vício da bebida, vinha do batizado de um sobrinho, e, sabe como é: conversa daqui, dali, e, sem sentir, tomara de quatro a cinco chopes. Não estava bêbado, claro; mas era fraco para bebida. Sentia-se, nele, uma certa crepitação suspeita, digamos. De resto, o hálito de álcool não admitia dúvidas. Ainda uma vez, mentia por humildade e não lhe ocorreu a confissão normal e válida: o batizado do sobrinho. Com uma crueldade triunfante, ela repetia: — "Quer dizer que você deu pra beber!". E acrescentou: — "Não tolero bêbado. Vira pra lá". Desconcertado, negava ainda: — "Não bebi, filhinha". Engraçadinha pensa, naquele momento, que riscara as costas de Sílvio, com as unhas, de alto a baixo. Perguntava, de si para si: — "Será que ele vai no meu quarto, hoje?". E, súbito, Zózimo para de negar. Admite:

— Bebi, sim. Pouca coisa, mas bebi. Perdão, minha vidinha.

Quis segurar-lhe o braço. Engraçadinha foge com o corpo: — "Enxuga as mãos, enxuga. Que melação!". Zózimo puxa o lenço: — "Desculpe". E, de fato, aquele suor inestancável das mãos e entre os dedos é a sua humilhação irredutível. Engraçadinha perde a paciência:

— Zózimo, pelo amor de Deus! Por que você ainda pede desculpas? Eu falo demais, Zózimo. Eu não tenho nada com o que você bebe ou deixa de beber. Por que você não se impõe? Nem parece homem!

Com a mão enxuta, apanha a de Engraçadinha:

— Você está nervosa!

Tinha um olhar triste, um olhar de perdão, que a enfurecia. Ela não se conteve. Trinca os dentes:

— Zózimo, vamos acabar, Zózimo!

Faz espanto: — "O quê?".

Engraçadinha vacila: — "Devo esperar mais dois ou três dias ou decidir já?". Não resistiu. Arranca a aliança do dedo (ao mesmo tempo, controlava a volta do pai que fora ao banheiro) e a entrega ao noivo:

— Toma!

Os beiços do rapaz começam a tremer: — "Que é isso?". Baixa a voz:

— Leva!

Apanha a aliança. Quis protelar: — "Você me dá amanhã". Teima: — "Agora". O pobre-diabo pergunta a si mesmo, num dilaceramento total: "Mas o que é que eu fiz? Eu não fiz nada!". Diz: — "Engraçadinha, eu...". As lágrimas estão caindo. Depois: — "Engraçadinha...". A menina corta:

— Escuta: Você gosta de mim? Muito bem: se gosta, vai embora. Vai embora, pelo amor de Deus! Nós não combinamos. Mas vai embora! Ou você quer que eu grite? Quer que eu dê um escândalo? Zózimo, vai embora! E leva a aliança!

Como um louco, o rapaz ergue-se: — "Você me expulsa?". A própria Engraçadinha está espantada com a sua raiva. Antes que o pai aparecesse, diz: — "Não chateia, e, olha: não somos mais noivos, não somos nada. Depois eu falo com papai. Some da minha frente". Ele chega a dar dois passos. Estaca e retrocede. Baixa a voz:

— Eu sou o mesmo. Você conta comigo, sempre. Adeus.

Ela não se entendia. O que era simples tédio, fundira-se, de repente, num ódio ativo e devorador. Tivera de escorraçá-lo de si. Sentia-se livre de uma humildade que parecia enroscar-se, materialmente, nas suas pernas.

TODOS CONCORDARAM COM o dr. Arnaldo. "Ótima ideia", disseram. Animado, o deputado ergueu-se. Esses pequenos êxitos da vida familiar davam-lhe uma certa embriaguez. Nessas ocasiões, chegava a pensar na presidência da República. Letícia já ia se despedir. Puxa o noivo para um canto: — "Vai dizer aquilo a Engraçadinha". Enquanto Sílvio se afasta, Letícia inveja a facilidade sôfrega com que Engraçadinha se despira. Conclui que a prima arriscara a própria nudez porque não tinha nem varizes, nem coxas finas. Sílvio está falando baixo para Engraçadinha:

— Você me paga. E quero te avisar uma coisa: eu me casaria com a última das vagabundas, menos contigo. E não diz nada, não fala, Engraçadinha, porque eu perco a cabeça e te quebro a cara agora mesmo!

Engraçadinha sorri-lhe com uma naturalidade muito doce: — "Você vai lá? A porta está só encostada". Trêmulo, ele volta para a noiva. Letícia não quer que ele a acompanhe. Baixa a voz: — "Não, não e não!". Submete-se, desesperado.

Mais tarde, no quarto, Sílvio anda de um lado para outro, numa alucinação. Depois, descalço, sai e caminha no escuro. Junto à porta de Engraçadinha, empurra. Fechada. Torce o trinco. Trancara-se à chave. Outra vez mexe no trinco. Na sua angústia, teria posto abaixo a porta. Se pudesse gritar: — "Sou eu! Abre!". Nunca a desejara tanto.

E, ali, os braços em cruz, passa muitas vezes o corpo na porta. Depois, volta para a cama, chorando.

CAPÍTULO 13

DEITADA NA CAMA, com a camisola puxada até os joelhos, sentira alguém mexer no trinco, pelo lado de fora. Aquilo deu-lhe uma brusca euforia. Riu, no escuro: — "É ele! Veio!". Pensava, trincando os dentes: — "Não abro e bem feito!". Imaginou o sofrimento, o desejo de Sílvio. Passava o rosto, o corpo na porta. Depois, Engraçadinha percebeu que ele se afastava, levando para longe a sua febre. Repetiu para si mesma: "Bobo", trança os pés, ri baixinho, levando a mão à nuca.

De manhã, bem cedinho, liga para a prima. Com a maior facilidade, simula tristeza, desespero e até chora:

— Sabe o que ele me disse ontem? Que me quebrava a cara!

Do outro lado, Letícia faz espanto:

— Não é possível! Disse isso? Sílvio mudou muito! Mas pode deixar. Falo com ele, não está direito. Mas escuta, Engraçadinha. Teu noivo? Sabe ou desconfia?

Suspira:

— Desmanchamos.

— Já?

— Ontem.

Por um momento, Letícia calou-se. Lembrava-se de Zózimo, que era um bom, um manso, um dos poucos homens no Brasil que ainda se ruborizavam. Ficava vermelho por tudo. Um simples cumprimento o deixava atônito. Tio Nonô, com o seu exagero caricatural e a sua grandiloquência de gordo, costumava dizer: — "Todo tímido é candidato a um crime sexual". Letícia tinha por ele uma ternura apiedada. Arrisca a pergunta: — "Ficou triste, o Zózimo? Ou já esperava?". Engraçadinha irritou-se:

— Vocês estão muito enganados com o Zózimo! Não queira saber o que eu tenho sofrido! Aparenta uma coisa, mas olha: — quando está sozinho comigo, um cavalo!

Letícia balbuciou: — "Não parece!". Foi então que Engraçadinha tomou coragem e fez a pergunta:

— E você? Triste? Diz a verdade: você gostava muito de Sílvio, gostava? Mas não minta, Letícia!

Fazia a pergunta com inesperada sinceridade. E se, naquele momento, a outra tivesse pedido o noivo de volta, talvez, Engraçadinha, quem sabe? Gostava de Letícia e não queria perdê-la. O único sofrimento que a espantava era o da prima. E, ali, no telefone, chegou a pensar: — "Sílvio podia continuar as duas coisas: — noivo de Letícia e meu amante!". Teve uma vontade doida de rir. — "Depois, marido de Letícia e meu amante da mesma maneira!". Prendeu o riso, mas já mudava de opinião, com seu egoísmo de apaixonada: — "Está muito bem assim e vamos deixar como está". Letícia estava dizendo:

— Te juro, Engraçadinha: não tenho raiva de ti. Tu não és culpada de nada. E, além disso, olha: — se há uma culpada sou eu!

— Por quê?

Respirou fundo (sorria por entre lágrimas):

— Eu amo Sílvio, mas falta a meu amor, sabe o quê? Desejo. Falta desejo a meu amor. É isto! E o homem não perdoa, nem aceita. O defeito é meu.

Engraçadinha não soube o que dizer. A bondade da prima a confundia. Pensava, com surdo sofrimento: — "Letícia quer ser melhor que todo o mundo. Tanta bondade chateia". Novamente, teve a suspeita de uma abnegação simulada. Letícia suspira:

— Eu não interesso. Olha: — você faz o seguinte: não fala, não diz nada. Eu resolvo tudo. Converso, hoje mesmo, com tio Arnaldo.

— Com papai?

— Mas claro! Não podemos perder tempo. Ou você se esquece que está grávida?

De fato, esquecera a falsa gravidez. Letícia continuou:

— O Sílvio diz que não. Diz que não houve tempo. Mas eu prefiro acreditar em ti. E, afinal de contas, Engraçadinha, esse casamento tem que sair o mais depressa possível, o quanto antes. Você não pode se casar de véu e grinalda e uma barriga de nove meses.

Suspira:

— É mesmo, mas tenho medo. Medo de papai. Fala amanhã. Amanhã você fala.

Teimou:

— Hoje.

E ela:

— Está bem: — hoje. Mas escuta: — hoje, mas sem a minha presença. Vou passar o dia fora. Aparece aqui, depois do jantar. Está bem? Depois do jantar?

PREPAROU-SE E AVISOU que ia, primeiro à cidade e, depois, à casa de tia Zenaide. Acrescentou nervosa: — "Talvez eu jante lá. Ainda não sei". Teve um arrepio intenso. Era o medo do pai. Aquela polidez que era, digamos, fisicamente gelada, a espantava. Teria preferido talvez que fosse como tio Nonô. Antes o riso ultrajante, a vitalidade bestial do outro, do que a afetação lívida do dr. Arnaldo. Saiu, depois de beijar a tia Ceci que vinha da varanda. Ia apanhar condução mais adiante. Chega na esquina e dá com o Zózimo, lá, numa tocaia de ex-noivo. A menina bate com o pé e tem o muxoxo:

— Que inferno!

Na obstinação de sua humildade, começa:

— Engraçadinha, olha aqui...

Interrompe furiosa:

— Não adianta! Quantas vezes você quer que eu repita a mesma coisa? E que amolação!

O rapaz arqueja: — "Você não mudou de ideia?". A menina olha para os lados. Tem medo de que vizinhos, ou simples transeuntes, reparem. Exclama:

— Ó, meu Deus! Ou será que eu não falo português?

Gostaria de ter pena desse homem, um mínimo de pena. Ele, porém, a olhava como se a lambesse! Mentalmente fazia a comparação: — a humildade de Zózimo e a violência do outro. Sílvio falara, até, em quebrar-lhe a cara. Por um momento ela perguntou a si mesma se ele seria capaz de lhe dar uma surra. Zózimo estava mostrando, na palma da mão, a aliança devolvida:

— E você aceitaria, de volta, a aliança? Ao menos isso? Só isso, Engraçadinha. Aceita?

Exasperou-se:

— Zózimo, estão me esperando. Alguém está a minha espera. Você me compreende ou preciso ser mais clara? Eu gosto de outro. Eu não queria dizer, mas você me força, Zózimo! De quem é a culpa? Sua! Está satisfeito? E, agora, você vai me responder: — você se casaria comigo, nessas condições? Sabendo que eu vou enganar, trair? Não, claro. Pois é, Zózimo!

Pergunta, quase sem voz:

— Gosta de outro?

E ela:

— Evidente! Convenceu-se?

Ela poderia ter acrescentado: — "O sujeito disse que me quebrava a cara, que me dava um soco na boca! E você, Zózimo, com essa humildade, quem é que vai querer você? Pelo amor de Deus!". Zózimo ergue o rosto:

— Engraçadinha, já que é assim... Você desculpe, mas se um dia... Você já sabe, não sabe?

Ela teve que lhe apertar a mão encharcada.

Sílvio tomou um choque ao vê-la entrar no escritório. Pouco antes, falara, no telefone, com Letícia. E quando soube que esta ia falar com o tio Arnaldo, tomou-se de uma fúria obtusa e potente. Em voz baixa, mas violento, foi dizendo: — "Mas isso está passando da medida! Você está louca?". Letícia exaltou-se também:

— Se você disser mais uma palavra, passo a considerar você um canalha!

Balbuciou: — "Letícia!". A noiva, ou ex-noiva, foi implacável:

— Vou dizer ao tio Arnaldo isso assim, assim. E, depois, logo depois, comunica-se à família. Até logo.

Desligou. Engraçadinha apareceu pouco depois. A pequena vinha pensando: — "Eu não entendo Letícia. Isso é até suspeito. Ninguém entrega o amor, a vida, a felicidade, de mão beijada". Julgava sentir na abnegação da prima algo de falso. "E cuida de tudo, por quê?". Sorria para o primo estupefato. Funcionários da firma andavam por perto. Com uma voz quase inaudível, brincou:

— Dá um beijo?

E ele, pálido:

— Vamos ali.

Levou-a para o corredor. Engraçadinha sentiu, ao passar, que todo o escritório a olhava. Meses atrás, ela confessara a Letícia: — "Gosto de ser desejada". Conversaram junto ao bebedouro de água gelada. Ela baixa a voz, docemente:

— Você foi lá? Não foi?

Não entendeu. Engraçadinha insiste: — "Você não mexeu no trinco da porta? Era você?". Disse com a voz estrangulada:

— Não!

— Seu mentiroso! Foi e bateu com o nariz na porta! Não bateu com o nariz na porta? Mas olha: — hoje pode ir. Pode ir que eu só deixo encostada. Não fecho.

Olha em torno. Ninguém. Então, ali mesmo, Sílvio deu-lhe a bofetada, e tão inesperada e violenta que Engraçadinha chegou a dobrar os joelhos, como se fosse desmaiar. A bolsa caiu e a menina apoia-se na parede. Automaticamente, Sílvio apanha a bolsa e a entrega. Ela passa dois dedos no canto da boca: — sangrava um pouquinho. Tira da bolsa o pequenino lenço e enxuga levemente. Diz, sem desfitá-lo, um pouco sofrida:

— Te amo.

CAPÍTULO 14

Ligou da casa de tia Adelaide (eram seis e pouco):

— Ah, tia Zezé. Sou eu!

— Engraçadinha?

E a menina:

— Papai já chegou? Ah, já? Pergunta se eu posso jantar aqui, pergunta!

— Um minutinho.

Sorriu:

— Eu espero.

Enquanto tia Zezé ia e vinha, a pequena repetiu para si mesma: — "Fui esbofeteada". Olhava as primas (Marli e Suzana) que a tinham levado ao telefone. Sorria-lhes em silêncio e, com a mão livre, num movimento inconsciente, acariciou a face batida. A bofetada fora para ela um prazer agudo e novo, um encanto desconhecido. Imaginava os dois casados. Seria uma convivência dilacerada de voluptuosidade. Talvez ele a esbofeteasse outras vezes, quem sabe?

Naquele momento, tia Zezé procurava o dr. Arnaldo. O velho chegara há pouco da Câmara Estadual; dirigira-se à biblioteca, depois de beber água gelada. Quando tia Zezé bateu, ele estava examinando um parecer, ou, por outra: — não estava examinando nada. Com o papel esquecido em cima da mesa, pensava no que ouvira, minutos antes, na Assembleia. Eis o fato: — ia saindo, quando vê o Saraiva, num grupo de deputados. Achava o Saraiva uma das cabeças daquela Casa. Aproxima-se para cumprimentá-lo. No grupo, estava também o Aprígio, velho colega, já avô, e um sujeito indigno de qualquer cargo eletivo. Vivia pelos corredores contando anedotas, as mais desprimorosas. Agora mesmo, o Aprígio não se pejava de esfregar na cara dos presentes a sua intimidade sexual. Assim concluía tal indivíduo: — "Comigo não tem bandeira! Minha mulher conhece tudo! E não precisa trair para conhecer mais!". Foi tal a fúria do dr. Arnaldo que esteve para dar umas bengaladas no sátiro imundo. Conteve-se, porém. Mas veio para casa, pensando: — "Ah, o Hitler aqui! Encostava esse miserável no muro e tome bala!". Tia Zezé bate e entra:

— Engraçadinha pode jantar com Adelaide?

Dr. Arnaldo pensou um pouco. Não dava nunca uma resposta imediata. Era de parecer que se deve fingir uma dúvida para valorizar as decisões. Suspira:

— Pode jantar. Eu deixo.

Tia Zezé sai. Sozinho, na sua raiva impotente, dr. Arnaldo ainda imaginava o Hitler, como ditador do Brasil, fuzilando deputados como aquele, que levava para a alcova conjugal as misérias dos alcouces. Houve um momento em que dr. Arnaldo ergue-se, empunhando a bengala; o ressentimento tornou sua fisionomia ainda mais lívida e ainda mais lúgubre. Mas batem novamente. O deputado senta-se às pressas, ainda arquejante. Letícia abre a porta e faz alegremente a pergunta:

— Dá licença?

Fosse outra, e não Letícia, a sobrinha de sua preferência enternecida, e teria permanecido rígido como uma estátua de si mesmo. Eis a verdade: —

esse homem público, de uma afetividade escassa ou nula, fazia duas ou três exceções. Letícia era uma delas. Tinha-lhe afeto e, mesmo, admiração. Ele costumava dizer, com o seu jeito grave e irrecorrível: — "Letícia não é como as outras. Letícia é diferente!". Em que consistia essa "diferença" só o próprio poderia dizê-lo. Mas o fato é que ele julgava perceber na sobrinha uma certa "ordem sexual". (Não sei se traduzo corretamente o pensamento do deputado; digo "ordem", como poderia dizer "harmonia" ou, se quiserem, "disciplina".) Nas outras sobrinhas, inclusive na própria filha, dr. Arnaldo sentia como que uma disposição voluptuosa. Receava que um pretexto banal deflagrasse essa voluptuosidade contida. Letícia, não. Ele saiu de onde estava, fez toda a volta da mesa de jacarandá e veio, com a inseparável bengala, recebê-la:

— Como vai a feliz noiva?

Riu, ou sorriu, meio vermelha:

— Assim, assim. Um pouco resfriada.

Fê-la sentar-se. Letícia que, geralmente, era uma menina tranquila e, até, por vezes, um pouco alada, começava a sentir um dilaceramento. Em pé, apoiando-se na bengala, dr. Arnaldo olhava para a pequena, com a esperança de que ela fosse "fria". Já não lhe bastava uma sexualidade saudável e dominada. Não. Queria mais. Repetiu para si mesmo: — "A esposa deve ser fria". Continuou, duramente, o seu monólogo: — qualquer volúpia, mesmo entre marido e mulher, é uma mácula, realmente uma mácula. Sorriu para Letícia, que não sabia por onde começar. Ele respirou fundo:

— Você está bem, Letícia — e repetiu, com mais ênfase. — Agora, você está bem. Muito bem.

(Era de parecer que uma futilidade repetida adquire foros de transcendência.) Depois de assoar-se ligeiramente, Letícia guardou na bolsa o lencinho bordado. Começa, vacilando:

— Tio Arnaldo, eu vim porque... — para e continua, precipitadamente: — Eu estou aqui como filha, como se fosse filha do senhor.

— Filha?

E ela:

— Faz de conta que eu sou sua filha.

Sorria, no seu enleio. O velho inclina-se, vivamente:

— Ótimo. Eu gosto de você como uma filha, vejo você como uma filha. Não faço diferença entre você e Engraçadinha. Ou faço? Faço diferença?

Responde, atrapalhada:

— Não, absolutamente. Aliás, desde que papai morreu, eu considero o senhor como pai.

Houve um silêncio. Letícia tem uma tosse nervosa. Pensa: — "E se ele soubesse que a filha foi deflorada?". Ao mesmo tempo ocorre-lhe a reflexão: — "Palavra linda, 'deflorada'!". Imagina o choque do velho ao receber a notícia. Ele espera e deduz: — "É nobre demais para ser sensual". Parecia-lhe que a mulher "nobre" tem de ser fria, já que qualquer desejo — mesmo de marido para mulher — é fatalmente vil. Letícia queria fazer uma certa preparação. Deu-lhe a notícia, porém, à queima-roupa:

— Titio, eu não sou mais noiva de Sílvio.

Silêncio. Discreto espanto do tio:

— Como? Ou será que ouvi mal? Repete.

Letícia respira fundo:

— Infelizmente, titio... Quero que o senhor compreenda... Mas eu e Sílvio, de comum acordo, achamos que era melhor acabar...

O velho não se mexia. Era de opinião que um homem de certa responsabilidade (ele não era nenhum joão-ninguém), sim, um homem de certa responsabilidade não pode perder a cabeça. Seu padrão de comportamento pessoal e político era um Epitácio, um Frontin.[5] Um ou outro tinha, na vida prática, um ar de retrato oficial. Diante de Letícia, quis manter essa atitude chatamente fotográfica. E como realmente não exteriorizava o seu tumulto interior, sentia-se mais do que nunca um Frontin, um Epitácio. Outro êxito pessoal sobre a emotividade foi a voz firme e nítida:

— Você está brincando? Não pode ser, minha filha! Desmanchar um noivado que não tem quarenta e oito horas? E, além disso, não, Letícia, não, e nem creio que você seja dessas... — e repetia pondo a bengala em cima da secretária: — Se você fosse uma leviana, vá lá! Uma menina como você só faria isso se tivesse um motivo, um grande motivo. Minto? Fala!

Tomou coragem:

— Titio, há, titio, esse motivo! Pode crer: — há!

Dissera tudo de um jato. Ainda contido, ele pensa que a figura de um Frontin, de um Epitácio (a face do Frontin era rósea como nádega de anjo) não comportava nem berros, nem murros. Mais do que nunca, cumpria-lhe não se exaltar. Pensou também nos debates da Câmara dos Comuns, sempre de bom nível. Letícia começa a achar que aceitara uma missão superior às suas forças: — "Titio não sabe de nada. O meu noivado é um detalhe. O importante é Engraçadinha. Ah, quando ele souber que Engraçadinha foi deflorada! E como é que eu vou dizer? Como?". Ele foi até o fundo da biblioteca e volta, lentamente. Está sentindo falta de alguma coisa e não sabe o quê. Estaca diante da sobrinha:

— Bem. Há um motivo. Vejamos qual.

Letícia torce e destorce as mãos.

— Titio, eu soube que Sílvio gosta de outra. Ele próprio não nega. O senhor não acha que isso é um motivo?

Desta vez, ele perde um pouco a calma:

— Há outra? Sílvio gosta de outra? Ah, não! Protesto, e como?

Continua sentindo que lhe faltava alguma coisa. Mas o quê? Repetiu, com energia: — "Ah, não! Nunca! Não acredito". Letícia está sob a ideia fixa: — "Quando ele souber da gravidez!". Dr. Arnaldo anda de um lado para outro. Coisa curiosa! No meio de sua angústia geral, há um sofrimento menor e indefinível. "Falta alguma coisa", repetia para si mesmo. Já se controla menos e pergunta:

— E que outra? Se você afirma, sabe. Ou não sabe? Tem que saber! — Alteia a voz: — Quem é a outra?

Letícia vacila: — "Digo ou não? Ou é melhor dizer?". Conclui: — "Vou dizer." Sem desfitá-lo, pede:

— Não se exalte, titio. Não quero que o senhor fique zangado.

Pela primeira vez, zangou-se, de fato:

— Menina, quem é que está exaltado ou zangado? Você não me conhece, menina!

Já lhe custa conservar o autocontrole. E continuava a sentir que lhe faltava, mas o quê? Olha em torno e, súbito, pousa a vista na bengala. Era aquela a origem da angústia menor e marginal. De fato, sem a bengala sentia-se um ser desfalcado, incompleto. Com um movimento sôfrego e triunfante, apanhou-a em cima da mesa de jacarandá. Agora, sim! Com aquilo na mão, voltava a ser ele mesmo, em toda a plenitude. Volta-se para Letícia, que o olha, atônita. Exige:

— Há uma outra. Muito bem. Tem um nome. Quero o nome. O nome!

Disse, afinal:

— Engraçadinha.

Estupefato, murmura:

— Não... Não...

Mas a outra, desesperada, foi até o fim:

— Eles se gostam, titio! Eles se amam! Devem se casar!

O tio recua como se tivesse recebido um pé no peito. Logo, reage; perde a cabeça. Deixou o ar de fotografia de presidente ouvindo o Hino Nacional. Não é mais retrato. Deu murros na mesa: — "Menina, você está louca! Está maluca, menina?". Arquejava: — "Impossível! Qualquer casamento, menos esse! Não admito! Engraçadinha com Sílvio, não!". Letícia ergueu-se. Começou a sentir uma pressão nos maxilares. Sua calma se fundiu numa agressividade histérica:

— Vão se casar, sim! Ela está grávida! — E soluçava: — Grávida!

O velho já não gritava mais. Não esmurrava a mesa. Tinha medo.

CAPÍTULO 15

SIM, TEVE MEDO, espanto e, sobretudo, medo. Queria falar e não tinha voz. Ao mesmo tempo experimentou uma sensação de velhice súbita. Olhou as próprias mãos como se elas tivessem envelhecido, de repente. Balbuciou sem cólera:

— Letícia, escuta: — não pode ser, Letícia!

A sobrinha, com o rosto mergulhado nas duas mãos, soluçava. Com a mão trêmula, dr. Arnaldo puxou uma cadeira; sentou-se de frente para a moça:

— Olha pra mim, Letícia, assim, olha. Agora responde: — minha filha está grávida de Zózimo?

E ela:

— De Sílvio.

Numa calma vibrante, teima:

— Mas Zózimo é o noivo!

Responde:

— De Sílvio.

Exaltou-se de novo. Põe-se de pé. Súbito, olha a porta. Fora de si, vai lá e torce a chave. Pensa: — "Ela não sabe. Ninguém sabe. Só eu sei!". Junto da porta, agarrado à bengala, pensa ainda: — "Ou está mentindo?". Toma-se de um ódio sem motivo contra a sobrinha que lhe dera a notícia. Aproxima-se, com um passo pesado, quase se arrastando. Senta-se novamente. Letícia amassa o lencinho que tem a inicial bordada. Ele vai num crescendo:

— Por que Sílvio? Por que exatamente Sílvio e não Zózimo ou qualquer outro?

Chora:

— Foi Sílvio!

Berra:

— Você só sabe dizer: — "Foi Sílvio!". Mas não havia nada entre os dois! Fala! Havia?

Ora sentava-se, ora erguia-se para sentar-se novamente. Imaginava: — "Lá fora, hão de ouvir nossas vozes! As velhas estão assanhadas, mas que se danem!". E, na sua fúria, disse de si para si: — "Todas as velhas são malucas!". A saliva era uma espuma no canto da boca:

— Olha, Letícia! Para mim, nesse caso, a gravidez é um detalhe! — e repetia: — Por uma razão, que só eu conheço, a gravidez é um detalhe! Não importa, percebeste? A gravidez não importa — estás ouvindo?

O lencinho com o monograma estava aberto no seu regaço. Atônita, pensava: — "Está com um olhar de louco". Disse, crispada:

— Estou ouvindo.

Arquejava:

— Portanto, escuta: — se me disseres que minha filha está grávida de outro e não do Sílvio! Mas de outro, ouviste? Se disseres isso, eu cairei, aqui, agora, agora mesmo, de joelhos, assim, olha!

Realmente caía de joelhos, pensando: — "Estou velho!". Abria os braços para o alto e enchia a biblioteca com a sua voz:

— Graças, meu Deus, porque minha filha está grávida de outro e não de Sílvio!

Há uma pausa. Dr. Arnaldo ergue-se. O peso que sentia nas costas, a dor das articulações, a vista turva, era velhice. Supunha que as velhinhas estivessem amontoadas na porta, escutando e, na certa, espiando pelo buraco da fechadura. "As velhas são loucas", repetia para si mesmo e experimentava um envenenado prazer nessa fixação. Dirige-se para a sobrinha. Torce a boca na súplica:

— Diz que não foi Sílvio, diz!

Letícia exaltou-se também:

— Mas, titio! Foi Sílvio, titio! Sílvio!

Dr. Arnaldo senta-se. Fala para si mesmo, a meia-voz:

— Eu não entendo. Gravidez sem um flerte, sem um namoro, sem amor?

E ela, quase gritando:

— Eles se gostam, titio!

Mas ele continuava, sem lhe dar atenção:

— Amanhã, Engraçadinha vai comigo ao médico.

Balbucia:

— Médico?

Vira-se para a sobrinha:

— Ou você pensa que vou deixar esse filho nascer? — Trinca os dentes: — De mais a mais, pode ser mentira. Mulher mente muito. Com motivo, ou sem motivo, mente. O médico vai me dizer se ela deixou de ser virgem. E se há tal gravidez, direi: — "Tira!".

Em pé, numa cólera maior, repetia, como se o médico estivesse ali, presente, ainda de luva: — "Tira!". Letícia não entendia:

— Mas o senhor, titio, sempre foi contra o aborto! Além disso, tem tempo! Se eles se casarem logo, não precisa sacrificar a criança!

O velho aproxima o rosto da sobrinha para que ela visse bem de perto o riso encharcado e hediondo:

— Sua burra, escuta! Qualquer criança pode nascer, menos essa! Essa, nunca! E nem se trata de casamento, nem de gravidez! Você não percebe, ninguém percebe! Mas eu sei. Ele sabe!

Aponta para o alto: — "Deus sabe! Ele está comigo, porque sabe!". Falava de Deus como de um cúmplice. Seu tom agora era baixo, caricioso e ignóbil. Dominada pela proximidade dessa cara, Letícia não dizia uma palavra. Tinha-lhe medo. Era um tio novo que estava diante de si. Então, a moça pensou no sonho que Engraçadinha tivera e que lhe contara. No tal sonho, a prima ia, através de contrações sucessivas, expelindo gatinhos. E agora o dr. Arnaldo dava a ideia de uma gravidez igualmente sobrenatural e abjeta. Letícia tem uma histeria:

— Titio, é sua filha! É seu neto!

Agarrou-o. Ele a empurra violentamente. Baixa a voz:

— Deus está dizendo: — "Tira!".

Olha-o: — "Enlouqueceu", pensava. E, de repente, começa a sentir uma pena intolerável desse homem.

Percebe que ele se tornou um velho, pela primeira vez velho, de uma velhice maligna e devoradora. Não teve coragem de dizer-lhe: — "Titio, eu gosto muito do senhor, gosto mais do que antes, sim, titio!". Foi neste momento que bateram na porta. Dr. Arnaldo volta-se num movimento de ira:

— Não te disse? Estavam ouvindo na porta! São as velhas! Cheiram os lençóis, sabem tudo!

Foi abrir a porta. Berra, para a tia Ceci: — "Que é?". A outra responde, com sua voz de criança morta que baixa em Centro Espírita:

— O Zózimo quer falar com você.

Estupefato, repete:

— Zózimo? Olha, faz o seguinte: — diz que eu atendo já.

Tia Ceci afasta-se e dr. Arnaldo volta com um novo ânimo:

— Por essas e outras é que eu sou fatalista! Só acredito no destino! Só existe o destino! E não é uma coincidência? Que ele apareça agora? Vai, meu anjo, sai um pouco! Quero falar com essa besta!

Veio levá-la até a porta. Antes de sair, Letícia baixa a voz:

— É sua filha! Seu neto!

E ele, transfigurado:

— Eu sei, eu sei! Só farei o que Deus quiser, o que Deus mandar!

Aperta a mão do velho:

— Acredito no senhor. Sei que o senhor é bom.

Dr. Arnaldo dá-lhe um tapinha no rosto:

— Manda o Zózimo aqui, esse animal!

Vem sentar-se, decidido: — "Amanhã, o médico vai-me raspar a criança!". Deus estava com ele, a seu lado. E, novamente, pensa no noivo da filha: "Como é que esse cavalo vai deixar outro passar-lhe a perna? Ele é que devia ser o pai! Ah, se a gravidez fosse de Zózimo e não do Sílvio!". O seu desprezo por Zózimo foi mais profundo do que nunca. E já lhe parecia que na infidelidade o culpado era a vítima, o adúltero o enganado. Teve uma satisfação dolorosíssima: — "Bem feito que ele já comece com um bom par de chifres!".

Note-se a incoerência total com todos os seus critérios anteriores. De fato, dr. Arnaldo sempre fora de parecer que a infiel devia ser arrastada pelos cabelos, e despida na rua! Zózimo pedia licença e entrava. Dr. Arnaldo assumiu, de novo, o ar de retrato oficial:

— Como vai, ilustre? Mas sente-se!

Chamava-o de ilustre, com uma afetuosa ironia. Então, aquele rapaz, que estava continuamente enxugando as mãos no lenço ordinário, começou a falar em Engraçadinha: — "Imagine o senhor, que eu não fiz nada e ela está zangada comigo...". Ao mesmo tempo divertido e dilacerado, dr. Arnaldo não perdia uma palavra: — "Só existe o destino", pensava. Zózimo estava falando na aliança devolvida e a exibia na palma da mão. Dr. Arnaldo interrompe bruscamente:

— Escuta cá: — você gosta mesmo de Engraçadinha? Gosta de verdade?

— Venero!

Aquele "venero" surpreendeu o velho. — "Veneração sexual!". Praguejou interiormente. Continuou, cada vez mais incisivo:

— Mas espere. Não falo em sexo. Refiro-me ao amor. Você tem por minha filha um amor como eu entendo: — um amor elevado, tem? Responda, jovem: o que é que você faria por minha filha?

— Tudo!

O velho atalha: — "Tudo o quê? É vago! Vou lhe dar um exemplo. É uma hipótese, compreendeu? Digamos que você faça uma viagem. Sim, uma viagem. Passa uns meses fora e quando volta: — é um exemplo grosseiro, mas serve. Ao voltar você encontra sua noiva grávida. Não vai acontecer, é claro. Grávida de outro, percebe? Que faria o amigo? Entenda: — sua noiva vai ter um filho de outro. Qual seria sua reação? Vamos, meu amigo. Emudeceu? Então, você não ama. Você não conhece o amor! Mas responda!".

Zózimo ergue-se, lentamente. E, súbito, começa a berrar.

CAPÍTULO 16

A PRINCÍPIO, DR. ARNALDO não entendeu. Não esperava aquela agressividade de tímido, aquela paixão de humilde. Zózimo gritava com todas as forças:

— Que ideia faz o senhor de mim? Duvida de meu amor? Eu amo sua filha! Amo! Eu!

Para arquejante: — "É um falso humilde, um falso tímido", concluía dr. Arnaldo com uma satisfação envenenada. E parecia-lhe, mais do que nunca, que a humildade é o disfarce de sombrias iniquidades. Levantou-se (intimamente satisfeito e mesmo com uma certa euforia) e veio pôr-lhe as duas mãos no ombro:

— Calma, jovem, calma! Você é muito novo! Não se exalte e pra quê? Não vale a pena!

O outro repetia, ainda ofegante:

— Amo sua filha!

Agora em pé, o velho deixa passar um momento; começa:

— Mas você não respondeu ainda à minha pergunta. O que é que você faria?

Responde com outra pergunta:

— Mas isso é verdade? Isso aconteceu?

Sente o terror do rapaz. Zózimo tem o rosto de sempre. — "Voltou a ser humilde", pensa dr. Arnaldo. Irrita-se; tem a sensação de que aquela humildade lambia as pessoas. Exalta-se:

— Rapaz! Fiz uma pergunta concreta e responda concretamente. Você se casaria — Responda! — Você se casaria com uma noiva grávida de outro? Sim ou não? Você a levaria ao altar? E reconheceria o filho como seu?

Disse, com um esgar de choro:

— Sim.

Dr. Arnaldo andava de um lado para outro. De repente, olha as mãos: — vazias. Deixara novamente a bengala em cima da mesa. Sôfrego, vai apanhá-la; e, com a bengala, recomeça a caminhar, de uma extremidade a outra da biblioteca. Sem olhar o outro, ordena:

— Continua. Não para. Fala.

Zózimo, porém, atônito, não sabia o que dizer: — "Ele me experimenta. Esconde alguma coisa. Mas o quê? Esconde o quê?". Súbito, o velho estaca:

— Escuta: e se isso que eu apresentei como hipótese... Digamos: — se for verdade. Se, de fato, a minha filha — Engraçadinha... Está prestando atenção? Se ela, digamos, por uma fraqueza, ninguém é perfeito, nem infalível...

Olha a máscara atônita do genro. Pergunta a si mesmo: — "Devo dizer? Parece um bom sujeito. E se for um canalha? Se for um crápula?". Senta-se; põe a mão no joelho do rapaz:

— É verdade, ouviu? Engraçadinha está grávida.

Os dois levantam-se num movimento simultâneo. Há uma pausa. — "Eu me precipitei. Não devia ter dito. Devia esperar mais um pouco. Ele não fala por quê?" Súbito, Zózimo cerra os punhos:

— Ó, graças, meu Deus! Graças!

Agarra dr. Arnaldo.

— Doutor Arnaldo, se isso aconteceu, se é verdade que... Eu a amo mais do que antes. E se, porventura — Deus a livre e guarde! — mas se, um dia, ela se prostituir, nunca, doutor Arnaldo. Ela seria sagrada para mim, da mesma maneira ou até mais... Diga à sua filha que se isso é verdade, eu não mudei! Eu não mudo, doutor Arnaldo!

Tremia tanto diante do velho, que este pensou: — "Vai cair com ataque!". Zózimo senta-se, de novo. Deseja com todas as suas forças que, de fato, essa gravidez seja, não hipotética, mas real. Já imaginava que Engraçadinha havia de se comover com a sua atitude meio suicida: — "Poucos fariam isso. Raros. Talvez ninguém ou só eu mesmo. Além do mais, farei questão — absoluta! — de reconhecer o filho. E o amarei como se fosse meu". Sentindo a própria bondade, Zózimo experimentou uma vaidade profunda. "Sou realmente bom", repetia para si mesmo. Sonhava que sua bondade podia talvez despertar o interesse sexual da menina. Muitas vezes, a gratidão ajuda a deflagrar o desejo. Continua a pensar: — "Até agora, não houve entre nós um beijo de verdade. Nunca houve entre nós um beijo de língua. Ela fecha a boca. Não quer ser beijada por mim, claro; e o meu beijo ainda não sentiu sua saliva. Talvez agora, diante da minha bondade...". Transfigurado, vira-se para o sogro; agarra-o pela manga do paletó:

— Outra coisa que eu faria questão que o senhor dissesse: ela não precisa tirar o filho, nem deve.

O velho foi duro:

— Essa criança não pode nascer.

Balbucia:

— Não ouvi.

Dr. Arnaldo não entendia o homem que perdoa a adúltera. — "Preciso desse casamento, mas é repugnante. Zózimo gosta dessa gravidez. Está feliz — e mesmo excitado — porque outro a possuiu." Com uma certa náusea, repete:

— A criança tem de ser sacrificada.

Fez a pergunta sôfrega:

— Por quê?

E o velho:

— É preciso, meu filho. Seria imoral e, além disso, há um motivo, que você não conhece e que… — com surda irritação, acrescenta: — O que importa não é essa criança. Mas os filhos teus, realmente teus.

Ia dizer: — "Essa criança deve ser 'raspada', já". A expressão "raspada", que usava mentalmente, pareceu-lhe cruel demais para ser dita. Levando Zózimo até a porta, dizia-lhe: — "Você quer o casamento? Ainda quer? Pois Engraçadinha — eu juro! Dou-lhe a minha palavra! — será sua esposa. Já lhe menti alguma vez? Eu não minto, rapaz, eu nunca menti!". O jovem, que queria ser bom, generoso, até o fim, ainda insiste: — "Mas o filho…". Dr. Arnaldo cortou, e já com um princípio de ódio:

— Há abortos morais! Rigorosamente morais! E olha: — passa por aí amanhã. Vai com Deus e escuta: — eu estou apreciando a sua bondade! Você é um caráter!

Ficou vendo o Zózimo afastar-se e pensava: — "Não é nobre, não é generoso, não é altruísta, não é nada!". Parecia-lhe que tudo era uma perversão violenta, o puro prazer de sentir-se traído, de imaginá-la nos braços de outro. Da porta da biblioteca, chama:

— Letícia! Letícia!

A sobrinha, que estava se despedindo de Zózimo, apareceu pouco depois. O velho respira fundo: — "Telefona para a casa de tia Adelaide. Que Engraçadinha venha já. Obrigado. E não há nada. Não se preocupe. Eu sou pai. O principal dever do pai é proteger". Voltou para o interior da biblioteca, na certeza de que Deus estava a seu lado. — "Deus não me abandona", era o que repetia, numa certeza triunfante.

Tia Adelaide mandou trazê-la de carro. Despedindo-se da velha, que era diabética, e das primas, sopra no ouvido de uma delas:

— Reza por mim.

Salta em casa e Letícia, nervosíssima, a esperava embaixo. No caminho, ora pensava no pai, ora no primo. Com o vento da velocidade espalhando seus cabelos e queimando seu rosto — pensava: — "Aposto que, hoje, Sílvio vai bater lá no quarto". Ainda não decidira se deixaria ou não a porta apenas encostada. Salta e faz a pergunta assustada:

— Papai sabe?

— Tudo!

— E que tal?

Subindo a escada de pedra, Letícia ia dizendo: — "Teve um abalo tremendo, claro. Mas acho que, com jeito... Depende de você, Engraçadinha...". A pequena geme: — "Estou com um medo danado". Em cima. Letícia crispa a mão no braço de Engraçadinha:

— Quero te dizer uma coisa. Toma nota: — não há ninguém no mundo que goste mais de você do que eu. Sou tua maior amiga, agora e sempre!

Engraçadinha contempla a prima com espanto. Jamais a vira com esse fervor: — "Não te abandonarei nunca", repetiu com um desespero que lembrava o de Zózimo. Caminharam juntas, até a porta da biblioteca. Letícia despede-se baixo: — "Estou na sala. Felicidades". Engraçadinha entra e leva em si o terror de criança batida. Encosta a porta e caminha atônita na direção do pai. Este deixa que ela se aproxime. Diz:

— Puxa a cadeira, minha filha. Senta perto de mim.

Ao vê-la, sente de novo o ódio na carne e na alma. Mas, coisa curiosa! É uma fúria dominada, fria, raciocinante, que não impede uma certa polidez maligna. Engraçadinha senta-se, com os lábios brancos e uma tal contração no estômago que imagina: — "Acabo vomitando aqui!". Sem tirar os olhos da pequena, dr. Arnaldo pensa: — "Vou assustá-la com o meu silêncio. Apenas olhando e sem dizer nada, já começo quebrando a sua resistência. Ela precisa ter medo". Engraçadinha pergunta a si mesma: — "Por que ele olha só e não fala? Não diz nada. Acabo gritando". Um sorriso muito leve dá um mínimo de vida aos beiços lívidos do velho. Pensa: — "Onde entra o sexo, tudo é possível. Mas foi acontecer justamente o que não devia, o que não podia acontecer. Tinha um noivo e por que não se entregou ao noivo? Ou, ainda, por que não se entregou a outro qualquer, menos a Sílvio?". Afinal, ele não se conteve. O próprio silêncio já o sufocava. Decide: — "Vou falar-lhe baixo e macio, quase sem voz. Assim ela terá mais medo". Faz-lhe docemente a pergunta:

— Explica, minha filha. Como é que você, sem sair de casa, vivendo entre velhas quase dementes, você arranjou um filho?

— Eu amo Sílvio, papai!

E ele:

— Por que Sílvio e não teu noivo?

Chora:

— Não sou mais noiva. Desmanchei o noivado.

Dr. Arnaldo começa a ter medo de si mesmo: — "Acabo matando essa desgraçada!". Embora achando que sua doçura premeditada é uma indignidade, continua:

— Minha filha, e se eu lhe disser que você é ainda noiva e mais noiva agora do que nunca? E se eu lhe disser que eu jurei — eu! — que você será esposa de Zózimo?

Ergue-se e recua: — "Papai, eu amo Sílvio!". Rápido, dr. Arnaldo a agarra pelos dois braços. Cara a cara com a filha, estraçalha as palavras nos dentes:

— Sua cretina! Se eu disser que Sílvio não é teu primo, nunca foi primo! Sílvio é teu irmão! Ouviste? Teu irmão!

Diante da filha, rebenta em soluços.

CAPÍTULO 17

Balbuciou:

— Papai!

Por um momento, contemplou, gelada, em silêncio, aquele pai quebrado, em ruínas. Ele repetia para si mesmo: — "Não quero chorar! Não posso chorar!". Mas enterrou o rosto nas duas mãos; cerrava os dentes como se quisesse morder o próprio choro. Estupefata, Engraçadinha pensava: — "Irmão? Que irmão? E por que irmão?". Ao mesmo tempo, teve uma sensação de pena, ou melhor: — não era pena, era repugnância ou as duas coisas juntas, talvez. No seu desespero, dr. Arnaldo diz de si para si: — "Ela me vê chorando como um pulha!". Súbito, teve a certeza de que a menina o desprezava. Engraçadinha jamais sonhara que, algum dia, aquele velho magro, com a sua face hirta de máscara, pudesse chorar com essa violenta, essa apaixonada fragilidade. Teve vontade de gritar-lhe: — "Para de chorar, para!". Talvez sentisse desprezo, talvez. Mas sentia também uma crispada vergonha dessas lágrimas de homem e de velho. Ela deixou boiando no ar a pergunta:

— Irmão?

Repetiu outras vezes, sentindo que a garganta se fechava: — "Irmão?". Teria enchido a sala com os gritos de "Irmão?". Gritaria até rebentar a voz: — "Por que irmão?". Dr. Arnaldo erguia o rosto e, ofegante, passava as costas das mãos nos olhos. Nunca ninguém o vira chorar, nunca. Procurando o lenço, pensava: — "Ela me despreza, sim!". E onde está o diabo do lenço? Meteu a mão no bolso das calças. Ao longo dos seus quarenta anos de vida, só chorara sozinho (enfim, encontrou o lenço num bolso inesperado). Quantas vezes, no quarto, não metera a cara no travesseiro para sufocar a saudade de uma morta? E não se perdoava, agora, de ter chorado na frente da filha, que era a pior testemunha, a mais implacável. Já se assoara e guardava o lenço no bolso traseiro da calça. Numa calma dilacerada, espiava a filha. Engraçadinha estava branca e com o lábio inferior tremendo. Diz:

— Mas eu não entendi, papai!

Enojado da própria fraqueza, dr. Arnaldo não respondeu imediatamente. Ao passo que ela, agora que o vira tão fraco e perdido — jamais vira um homem chorar assim —, ela começava realmente a desprezá-lo. Mas talvez pelo hábito do respeito ou do medo, ainda não tinha consciência desse desprezo. Dr. Arnaldo baixou a voz, as suas mãos estavam trêmulas.

— Teu irmão.

Ela não quer compreender, não quer aceitar. — "Por que meu irmão?". Foi a pergunta desesperada. O pai respondeu:

— Porque é meu filho! — e repetiu, alteando a voz: — Meu filho!

Ergueu-se e anunciou, alto e vibrante, como se desafiasse um invisível auditório: — "Meu filho!". Ela baixa a cabeça, une as mãos na altura do peito, fecha os olhos. Mas em vez de fazer uma prece, pensava: — "Filho do meu pai! Meu irmão!". Levantou-se para sentar-se, novamente. Dr. Arnaldo apanha a bengala e, já com certa excitação, caminha até o fundo da biblioteca. A humilhação de ter chorado diante da filha chegava a doer-lhe nos ossos. Precisava exaltar-se de novo, gritar, sacudir a bengala, para meter-lhe medo. De longa data, era de parecer que a mulher entende mais o grito, entende mais a ameaça do que o raciocínio, o argumento, o fato. Todas gostam de sofrer na carne o espasmo do medo. — "Vou gritar", decidia. Mas, antes que ele se aproxime, Engraçadinha rompe o silêncio:

— Papai, quer chegar aqui um instantinho, papai?

O pai percebe o tom de surda irritação. Imagina: — "Será que vai ter a audácia de me interpelar?". Mais do que nunca sentiu que precisava vencer pelo medo. Devia gritar mesmo sem fúria ou com uma fúria apenas simulada. Vem, senta-se diante da filha. A doçura da própria voz o surpreende:

— Fala, minha filha.

Encara-o:

— E agora?

O velho tem a sensação de que é um ser esvaziado. Nada por dentro, nada. Ou melhor: — por dentro só o vácuo. Ainda há pouco chorara como um pulha, sim, como um pulha. E agora, o que sentia era, justamente, a impossibilidade de sofrer. Por um momento, desejou ser o pulha das lágrimas. Engraçadinha começa a se desesperar:

— E agora, papai?

Disse:

— Reze, minha filha.

Irrita-se:

— Escuta, papai!

Interrompe:

— Você é moça, minha filha, nova...

Naquele momento, ele daria tudo para sofrer. — "Eu sofria ainda agora e já não sofro", era o seu lamento interior. Engraçadinha continuou:

— Mas, papai, não é isso, papai! Escuta! Eu tenho dezoito anos...

— Reza.

Aquilo a enfureceu. Levanta a voz:

— Até hoje, até ainda agora, eu tinha um primo. Nunca ninguém chegou junto de mim pra dizer: — "Teu primo é teu irmão!". Sílvio sempre foi meu primo, sempre! — e pergunta, na sua violência contida: — Está ouvindo, meu pai?

Diante dela, com uma monstruosa impotência para a dor, ele repete, na sua fixação triste e doce: — "Reza...". Diria sempre a mesma coisa, no mesmo tom brando. Ela, porém, já não se contém: — "Vou até o fim. Direi tudo".

— Eu gostei desse primo desde garotinha. — Baixa a voz: — Um dia, uma noite, sei lá, eu me entreguei ao meu primo. O senhor compreende? Ao primo. Escuta, papai: — quando eu me entreguei, era ainda meu primo, como sempre fora. De repente, o senhor, que nunca me disse nada, não é, papai? O senhor vem e diz: "É teu irmão!". E já tinha acontecido tudo!

Começa a chorar. O pai balbucia, como se falasse do fundo de um sonho: — "Teu irmão". Engraçadinha ergue o rosto:

— Papai, eu não tenho culpa de nada!

Ela gritava. Foi a cólera da filha que o despertou. Ergueu-se. Ó, graças, porque voltava a sofrer! De novo sentia a dor. Experimentou a saudade da cunhada morta — tão desejada em vida e mais desejada depois que a perdera. Com uma dor exultante, berrou:

— Você me acusa?

Trincou os dentes:

— Acuso!

Recuava diante da cólera paterna, mas ia repetindo: — "Acuso!". Por um momento, ele para. Pensa: — "Quero que ela me irrite mais! Que me desafie!". Desejou, com todas as forças, que a filha o insultasse. — "Se ela me insultar, quebro-a em dois!". Repetia mentalmente: — "Em dois!". Não tinha medo da própria violência, embora se sentisse bem próximo da insânia. Ocorreu-lhe a hipótese: — "E se eu enlouquecesse agora?". Desafiou a filha:

— Continua! Por que não continua? Sou o culpado, e que mais?

Apertava a cabeça entre as mãos, soluçando. O velho a contemplava, com um sorriso mau: — "Não é só sexo. Também chora". Engraçadinha teria pouco o que dizer. Soluçava ainda:

— Por que o senhor não me disse? Teve dezoito anos para me dizer!

No seu espanto, levantou-se:

— Dizer, eu? Eu não diria nunca. Ou querias — sua miserável — que eu fosse contar para todo o mundo que fora amante de minha cunhada? Isso ia morrer comigo, ia enterrar-se comigo e apodrecer com a minha carne e com minha alma! Só eu sabia e Ele!

Continuava a falar de Deus como de algo pessoal, tangível, como o amigo ou cúmplice fisicamente palpável. Ninguém mais conhecia a paixão. No confessionário, dizia tudo, menos que fora amante, por uma hora, por um momento, da cunhada. O irmão, que ele adorava, estava fora, viajando. Podia desejar todas as mulheres, menos aquela. Aquela, nunca! E, no entanto, ela passara por lá, uma tarde. Vinha trazer um recado do irmão, ou melhor: — vinha mostrar uma carta do irmão. Leram juntos o trecho final: — "Você e o Arnaldo são toda a minha vida". E, súbito, o desejo nasceu sem uma palavra, sem um olhar. Ela foi arrastada. Balbuciava, no seu espanto: — "Aqui não". Agora, olhando para Engraçadinha, ele pensava: — "Não direi a ela, nem a ninguém, que foi aqui mesmo". Instintivamente, olhou para o divã: — "Lá!". E, às vezes, na Assembleia Legislativa, presidindo a sessão, pensava que, no divã, a mão puxando a calça, o trabalho dos quadris... O filho que não podia nascer. Súbito, o irmão morre lá fora. Enquanto o caixão vem do sul, ela, amassando o lencinho, diz-lhe: — "Agora pode nascer". Foi só. Anos depois, ele achava: "Só conhece o amor quem possuiu a cunhada impossível". Olhou, uma última vez, para o divã de um momento eterno.

— O senhor nunca se lembrou que tinha uma filha!

Atônito, quis segurá-la pelo braço. A pequena desprendeu-se, violentamente:

— Não me toque!

— Você me desafia?

E ela:

— Desafio!

Ele pensou: — "Mulher precisa ter medo físico". Vai até a porta, abre e grita para dentro:

— Ninguém venha cá!

Empurra a porta e fecha à chave. Engraçadinha recua: — "Mas que é isso, papai?". Olha para os lados, na esperança da fuga impossível. Dr. Arnaldo puxa o cinto de couro grosso. Mas não se apressa. Pensa ainda na outra, na morta.

Veio-lhe uma reflexão: — "Os magros como eu só devem amar vestidos". Tinha ódio da própria nudez esguia e lívida. Caminha para a filha. Esta grita:

— Não, papai! O senhor nunca me bateu, papai!

E ele, fora de si:

— Não corra!

Engraçadinha tenta fugir, colocar-se detrás dos móveis. Mas, recuando de costas, tropeça e cai em cima do divã. Dr. Arnaldo bate nas costas, nas pernas, nos braços. Dir-se-iam lambadas de fogo. Ela esganiça a voz:

— Não, papaizinho, não!

O velho continua, porque o terror da filha o exaspera. Está conhecendo um prazer inesperado, uma embriaguez devoradora. Ela berra: — "Basta! Basta!". Ele para, bruscamente. Engraçadinha soluça ainda, enovelada no divã:

— Papaizinho!

CAPÍTULO 18

Cada lanho deixara na sua carne — costas, braços, pernas, até coxas — uma sensação de fogo. O velho já não batia mais — estava de pé, o cinto dobrado na mão, exausto de odiar. Enquanto a filha em cima do divã, enroscada, tem um choro manso, um choro humilde, um pranto sem raiva — o pai arqueja:

— Pede perdão, anda!

Ele próprio sente que sua cólera desapareceu até o último vestígio.

Sem se virar, enxugando a coriza com as costas da mão, soluça:

— Perdão, papai.

Atônito (e mesmo enojado) da própria violência, dr. Arnaldo senta-se na outra extremidade do divã. Engraçadinha continua soluçando. Agora, que não apanha mais, sente uma paz intensa, uma calma ardente. Mas na pele cortada a chicote, isto é, a cinto, persiste a sensação de fulgor. Passando a mão no nariz, olha o velho, de lado, furtivamente. Dir-se-ia que era um pai desconhecido, um pai inesperado, que ela via pela primeira vez. Dr. Arnaldo costumava dizer, com uma vaidade meio triste: — "Jamais dei um tapa na minha filha, um cascudo, nada". Era verdade: — nunca! E apesar disso, ou por isso mesmo, havia entre os dois um limite cortante, de cerimônia, de polidez ou, digamos a palavra exata, desamor. Agora, porém — por mais estranho que pareça — o pai tinha a ilusão de que estavam mais unidos. Pensa: — "Começou a gostar de mim. Já me tem amor". Ou estaria enganado? Gostaria de observá-la sem ser visto. Repetiu para si mesmo: — "Só os que batem são amados pelas crianças e pelas mulheres". Em vez de recolocar o cinto, atira-o longe: — "Ela me chamou de papaizinho, pela primeira vez. Nunca me tinha chamado assim". Ao bater na filha, julgara perceber, no seu olhar atônito, a sombra de um prazer selvagem. Gostou de ter medo! — e repetia com certeza fanática: — "A mulher gosta de ter medo!". Ela apanhava e nunca sua boca fora tão voluptuosa.

Vira-se para Engraçadinha:

— Chega pra cá. Senta aqui.

Engraçadinha, na outra extremidade do divã, passa novamente a mão no nariz. De cabeça baixa — sem querer olhá-lo — foi-se aproximando, lentamente. Pensa: — "Letícia deve ter escutado os meus gritos". Imagina o espanto e o terror da prima — inclusive das tias — quando perceberam que ela apanhava. Letícia era das que dizem, com o rosto em desafio: — "Pancada, não!". E ela mesma, Engraçadinha, fartara-se de gabar-se para as colegas e as outras primas: — "Nunca apanhei!". Subitamente, aos dezoito anos — e depois de conhecer o amor, fisicamente — levara a primeira surra. O curioso é que, ali mesmo, decidiu que não guardaria segredo. Suas amiguinhas iam saber. Imaginava o espanto das outras quando anunciasse: — "Levei uma surra de papai". Ela própria não entendia o deleite de uma nova e voluntária humilhação.

Letícia escutara o primeiro grito, sim. Pouco antes, Sílvio aparecera:

— Titio sabe?

E ela:

— Já.

Desesperado, ia dizer qualquer coisa, quando se ouviu o berro de Engraçadinha. A primeira ideia que ocorreu a Letícia foi a de que dr. Arnaldo estava matando a filha. Agarra o primo:

— Vai lá!

— Pra quê?

Segura-o pelos dois braços:

— Não deixa, Sílvio!

As tias cochichavam entre si: — "É Engraçadinha que está apanhando!". Tia Zezé, que aparecera por lá, acompanhada do marido gordo, exclamou triunfante:

— Bem feito!

Letícia volta-se, como se fosse agredi-la: — "A senhora não tem coração!". A outra empinou o queixo:

— Sua fedelha!

Mas já o tio Nonô, com a sua ferocidade jucunda — ele ria de tudo e por tudo; ria até nos velórios — arrastou-a para a varanda: — "Não te mete, mulher. Mania de se meter!". Mas tia Zezé abanava-se com uma revista, feliz de ver Engraçadinha apanhando. "Debocha de mim", ia pensando. O gordo ria ainda: — "Quem precisava de umas bolachas é você, mulher!". Estaca, furiosa: — "Se faça de tolo!".

— Você não vai?

Engraçadinha continuava gritando. Sílvio perdeu a paciência:

— Escuta, Letícia! Essa situação foi criada por você! A culpada é você!

Berrou:

— Por que todo homem é covarde?

O rapaz podia ter respondido: — "Se você não fosse mulher, partia-lhe a cara!". Mas calou-se, ou, por outra: — disse simplesmente: — "Eu não posso ir, porque vou me atracar com meu tio!". Parou por aí, mas pensava: "Se ele me esbofeteasse, teria toda a razão, toda. Porque, afinal de contas, eu lhe deflorei a filha". Letícia atirou-se em cima de uma cadeira, aos soluços. Tia Zezé, na sua cólera de nervosa, de irritada, dá, de leve, com o cotovelo, em tio Nonô: — "Olha o histerismo!". Naquele momento, Sílvio passava, a caminho da rua. Ia pensando: — "Eu não devia voltar". E repetia: — "Se eu tivesse um pingo de vergonha na cara, não voltaria nunca mais". Até que Letícia não ouviu mais gritos de Engraçadinha, nem escutava o som da correia estalando na sua carne. Apertando o rosto entre as mãos, ela cerrava os lábios: — "Ah, se eu fosse homem! Ia lá, quebrava a cara daquele velho sem-vergonha!". Pela primeira vez odiava alguém: — "Não falo mais com ele, ó, meu Deus!". Ao mesmo tempo, decidia: — "Hoje, vou dizer tudo a Engraçadinha, tudo!". Ia passar a noite lá e dormiria com a prima. — "Engraçadinha só tem uma amiga no mundo: — eu!"

Dr. Arnaldo não batia mais. Estavam sentados, lado a lado, no divã. De perfil, um para outro, e calados. Súbito vira-se para a filha e a faz virar-se também:

— Engraçadinha, olha pra mim.

Ergue o rosto:

— Estou olhando.

Ela tem um certo enleio, uma brusca vergonha daquele rosto tão próximo e daquele olhar de fogo. O pai continua:

— Não tira os olhos dos meus. Assim.

Depois que lhe batera, o velho sentia que já existia entre os dois um vínculo intenso. — "Nunca nos olhamos tanto", era o que pensava. Continua:

— Amanhã, vou te levar ao médico.

Balbuciou:

— Médico?

— Sim.

Engraçadinha baixa a cabeça. Ele não podia imaginar que a pequena acabava de sentir um estremecimento que se extinguiu no fundo do seu ser. Desde treze para catorze anos que tinha uma inveja maravilhada das senhoras que vão aos médicos especialistas. Nos cochichos com as coleguinhas, da mesma idade, pouco mais ou pouco menos, fazia uma afetação de pudor: — "Eu tinha vergonha". Mentira. Vergonha nenhuma. E pelo contrário: — tinha uma pungente curiosidade. Aquilo mexia com toda a sua imaginação. Tanto que sempre imaginava: — "Quando eu for casada, de vez em quando apareço no médico de senhoras". Mesmo que não tivesse nada, diria: — "Ando com uma dor aqui. Ovário, não é doutor?". Ele, então, responderia: — "Vamos examinar". De vez em quando, recriava a cena, retocando-a aqui e ali, acrescentando e substituindo detalhes. Fazia questão, porém, que fosse um médico ainda moço, bem parecido, e cuja barba densa e bem-feita desse ao rosto uma sombra azulada. Fingindo enleio, simulando timidez, de olhos baixos, arrisca:

— Que médico?

E ele:

— O nosso.

Sem dizer nada, resmunga para si mesma: — "Logo esse!". Achava o médico da família, textualmente, um "chato" e, ainda por cima, um velho. Esse não tinha graça, ó! De mais a mais, pai de não sei quantos filhos e um sujeito que, quando se assoava, dava roncos hediondos dentro do lenço. Faz sua voz mais doce: — "Papai, o senhor não acha que é melhor, talvez, um médico que não conheça a gente?". Dr. Arnaldo ergue o rosto, vivamente:

— Desconhecido? — vacila: — Talvez. É mesmo. Tem razão. Desconhecido é melhor.

Ela gostava de Sílvio, tinha loucura por Sílvio. E acaba de ser ofendida e humilhada. Apesar de tudo — embora sofresse — experimentava, ao mesmo tempo, uma espécie de euforia e, mesmo, de vaidade. Sim, agora podia ir ao especialista, queixando-se de dores imaginárias. Ao vê-la, o médico havia de fingir puro interesse profissional. Mas, por dentro, estaria pensando: — "Linda!". Ela já premeditava, para si, uma atitude de pudor. Claro que ia ficar vermelha. E só queria ver a reação do Fulano. Súbito, começou a sofrer: — "E Sílvio, meu Deus?".

O pai estava falando:

— Outra coisa, minha filha: — ninguém pode saber de nada!

Admirou-se: — "Nem Sílvio?". — Foi violento:

— Nem Sílvio, nem Letícia, nem ninguém. Só eu e você. Vou apressar o casamento de Sílvio com Letícia e o teu com Zózimo.

Estremeceu: — "Zózimo?". Teve uma irritação profunda, um ódio que a fez trincar os dentes. Por um momento veio-lhe a tentação de dizer: — "Qualquer um, menos esse, papai!". De fato, o único desejo que a exasperava e, mesmo, humilhava era o de Zózimo. — "Esse palhaço!" Dr. Arnaldo ergueu-se: — "Você deixa que eu falo com Sílvio, mas olha: — ele não pode saber — jamais! — que é seu irmão, está ouvindo?". Respondeu: — "Sei!". Agarrou-a com violência:

— Jura que não dirás a ninguém, nunca?

— Juro.

Sacudiu-a:

— Pela alma de tua mãe?

E ela:

— Pela alma de minha mãe.

Subitamente calmo, o velho baixa a voz:

— Vai, minha filha, vai.

Engraçadinha abandona a biblioteca. Dr. Arnaldo vem sentar-se no divã: — "Essa Letícia que passa o noivo adiante, com a maior irresponsabilidade". Ele não consegue pensar em Sílvio. Seu ódio esquece o filho. No fundo do corredor, Letícia a esperava, sôfrega. Atirou-se nos seus braços; e chorava: — "Ó, Engraçadinha! Estou chorando de ódio!". E a outra: — "Não liga!". Letícia fala baixo: — "Põe a mão no meu coração, põe! Vê como está batendo!". Vem de braço com Engraçadinha e ainda sopra: — "Tia Zezé é uma víbora!". Engraçadinha suspira; esse afeto ao seu lado, esse carinho faz-lhe um imenso bem. Na sala, as velhinhas viram-se para ela com essa curiosidade maligna que qualquer mulher tem por outra que acaba de apanhar. Letícia segreda: — "Queres que eu fique aqui e durma contigo? Telefonarei para mamãe, queres?". Respondeu saturada: — "Não, obrigada. Não vale a pena. Amanhã te falo".

Depois que a outra saiu, trancou-se no quarto. Pensava ora em Sílvio, ora no médico. Odiava Zózimo. Deixando a camisola escorregar, pela cabeça, sobre o corpo nu, pensava: — "Não posso deixar a porta encostada". Tinha certeza de que ele viria. Veio, de pés descalços, para junto da porta. Brinca com a chave, torcendo-a, destorcendo-a, uma porção de vezes. Pergunta a si mesma: — "Deixo a porta encostada ou não?". Teria essa coragem? Encosta o corpo na porta. Sente a chave entre os seios. "Ele não pode entrar, não pode entrar, não pode!" Destorce a chave e entreabre. Em seguida, empurra a porta e a fecha novamente. De onde estava apaga a luz. Ficou assim muito tempo, calada, no sonho da carne e da alma. E, de repente, sente passos. Alguém mexe no trinco.

CAPÍTULO 19

Era ele. O corpo inteiro colado à porta, Engraçadinha sorri para si mesma, numa selvagem euforia. Ó, Sílvio! Viria sempre, sempre! "Minha vidinha, estou aqui! Não posso falar, mas estou aqui! Olha: sou tua! Morde aqui, querido, morde, meu amor, ó!, querido!" Do outro lado, com seu obstinado desejo, o lábio encharcado, ele mexe na porta. Diz, num sopro: — "Engraçadinha!". Sabe que a prima está ali. E, súbito, Engraçadinha cai com um ombro, projeta um lado do busto e esmaga o seio contra o trinco. Não fala, mas, se pudesse, ela pediria: — "Machuca, ó, machuca!".

Não pode falar, mas, ah, agora está pensando: — no médico e em Sílvio. No doutor, cobriria os olhos com uma das mãos, choraria talvez. O médico não ia desconfiar dessa afetação de pudor e pelo contrário: — acharia normal a vergonha de uma menina que ainda reagia como virgem. Com o trinco magoando um dos seios — ela pensava: — "Ó, Sílvio! Que interesse posso ter num médico desconhecido? Tolinho, ele está tão acostumado que nem liga! E como é chato esse exame! Tão desagradável! Eu queria uma médica, mas papai preferiu homem!". Sim, diria isso a Sílvio e mais: "Vou obrigada, Sílvio! Você me julga uma menina sem pudor, ó, Sílvio!".

No corredor, ele torce o trinco e não entende a resistência, ou por outra: — acha que é a mão de Engraçadinha, a mão, e não o seio. Sente-se abjeto de vir, ali, todas as noites, como um sátiro da madrugada. É um desejo noturno que chega com a hora certa. O rapaz já se imagina uma espécie de vampiro de novela, de filme. Por vezes, dá-lhe vontade de fazer, em si mesmo, uma mutilação hedionda. Não desejar mais, nunca mais. Escorraçá-la: — "Não te quero! Vai-te!". E não sofrer, sobretudo não sofrer! Se ao menos pudesse gritar, junto à porta: — "Engraçadinha! Abre, Engraçadinha!". Ouvir-lhe a resposta — "Sim" ou "Não" —, mas ouvir-lhe a resposta. Ou, então, se pudesse pôr a porta abaixo! Se pudesse derrubar essa porta, ah, essa porta! Podia estar ali de paletó de pijama e nem isso: — vinha sempre de peito nu! Repetiu para si mesmo: — "Não abre!". Experimenta subitamente, na carne e na alma, a certeza de que ela jamais abriria. "Todas as noites, estarei aqui, de joelhos diante desta porta, de joelhos. Mas eu sei que ela não abrirá! E se eu batesse? Todos acordariam, mas se eu batesse?" Na sua fúria, pensa: — "Não tenho nada com os outros! Os outros que se danem!". Fala baixinho, com a boca encostada na fechadura:

— Engraçadinha.

Nada ainda. Toma-se de um furor obtuso. — "Se eu passar o resto da vida aqui, ela não abrirá nunca!" Imaginou-se morrendo, junto à porta de Engraçadinha, agonizando e morrendo. De manhã, quando ela abrisse a porta, tropeçaria nele, no seu cadáver. Faz mais uma tentativa: — torce o trinco, pela última vez. Espera mais um pouco. Começou a odiá-la. Ódio e desejo. E quanto mais a odiava, mais a desejava: — "Sua cretina! Sua sem-vergonha! Eu te conheço e olha: — já te meti a mão na cara! Sangrou um pouco, não sangrou? Ah, sangrou? E outra coisa: — a primeira vez em que estivermos sozinhos, eu vou te dar uma bofetada — olha! — com a mão aberta!".

Já estava de joelhos. Sabia que ela estava, junto à porta, com o corpo colado (mas não podia imaginar que esmagava ora um seio, ora outro, contra o trinco e contra a chave). — "Deve estar amanhecendo", foi o que pensou. Ergueu-se, torceu outra vez o trinco e, desesperado, veio andando pelo corredor, rente à parede e uma dor atravessando a fronte. Entra no quarto, caminha para a cama, cambaleando. Cai de bruços, mete a cara no travesseiro, morde a fronha, estrangula o choro.

Dr. Arnaldo saiu de casa, pela manhã, bem cedinho. Perguntava a si mesmo: — "Falar com Sílvio?". E decidia: — "Não. Ainda não". Eis a verdade: — não podia dar-lhe nunca a notícia, à queima-roupa: — "Você é meu filho, não sobrinho". Sílvio não poderia saber até que ele, Arnaldo, morresse, e mesmo depois de sua morte. Tomando um táxi na esquina, pensa: — "Engraçadinha sabe". E se a filha dissesse? Saíra cedo para descobrir um ginecologista de confiança. — "Em cuja discrição se possa confiar", foi a frase que ele formulou para si mesmo.

Em casa bate o telefone. Era Letícia. A criada responde:

— Está dormindo.

Irritou-se:

— Acorda.

E a outra:

— Um momentinho, dona Letícia.

Com pouco mais, vem Engraçadinha, com o quimono rosa em cima da camisola. Nos pés, as sandalhinhas de arminho, presente da própria Letícia. Fora dormir tarde demais e o pior era a dor no seio. — "Sílvio deve estar maluco!" Ao mesmo tempo, ocorreu-lhe o raciocínio: — "Irmão só por parte de pai!". Boceja:

— Alô!

— Engraçadinha?

Foi quase indelicada:

— O que é que há?

— Tudo bem?

Coça debaixo do braço:

— Mais ou menos.

E Letícia:

— Olha! Quero que você seja sincera. Se eu te fizesse uma certa pergunta. É o seguinte: — você nunca desconfiou de nada?

— Não entendi.

Titubeia:

— Bem. É o seguinte: — eu e você fomos criadas juntas. Te pergunto se, durante esses anos todos, você nunca desconfiou. Responde!

— Como desconfiar? E de quê? Letícia, fala português claro. Você está fazendo um mistério danado.

Suspirou:

— Só falando pessoalmente. Passo por aí, depois do almoço.

Lembrou-se do médico:

— Depois do almoço, não. Vou ao médico. Mais tarde.

A outra decidiu-se:

— Então, já. Passo aí agora.

— Passa.

Quando voltou para o quarto, teve uma tentação: "E se eu der um pulo no quarto de Sílvio?". Desistiu e por um motivo: — desde a véspera, estava covarde: — "Papai pode ver e me mata". Mas, ao passar pela porta do primo (ou irmão), experimentou uma espécie de vertigem. Quase, quase passou a mão no trinco. Conclui, porém: — "É perigoso. Pode dar o azar". Foi esperar Letícia deitada. Cruzando os pés — continuava a dor no seio — tinha agora ódio de Zózimo: — "Tão cínico que sabe que eu estou grávida de outro. Não estou, mas ele pensa que estou e é a mesma coisa. Pois não é que o desgraçado diz que não se importa, que está tudo ótimo, ora veja! E imagine eu me casando com esse idiota. Na primeira noite, quando ele me puser a mão, ah, eu vou pôr a boca no mundo!".

Estava cochilando, quando a prima abre a porta e chama:

— Engraçadinha.

Começava a sonhar com Sílvio. Vira-se na cama e boceja: — "Como é?". Letícia senta-se, nervosíssima. Pergunta de si para si: — "Será que ela não desconfia mesmo ou finge? Ah, deve ter percebido alguma coisa". Começa:

— Tenho uma surpresa para ti.

Engraçadinha vira-se: — "Surpresa?". Letícia suspira: — "Olha só como eu estou tremendo!". Mostra a mão que, de fato, tremia. Pergunta:

— Primeiro, eu quero saber o que houve ontem. Não dormi direito, pensando. E outra coisa: — titio morreu pra mim. O que ele fez contigo não tem perdão. Mas deixa pra lá e conta: — o que ficou resolvido?

Sem conseguir odiar o velho, responde:

— Sabe como é papai. Quer o seguinte: — o teu casamento com Sílvio e o meu com Zózimo. Só.

Aquilo a enfureceu:

— Mas que absurdo! Por essas e outras, é que... bom! E você? O que me interessa é você! O que você resolveu?

Engraçadinha não respondeu. Senta-se na cama. Passa a mão por trás da cabeça e enfia os dedos nos cabelos. No momento, ela pensa no médico. Chegaria no consultório e na hora do exame começaria a chorar. O médico acharia, digamos, uma graça paternal: — "Mas que é isso?". A própria enfermeira iria consolá-la: — "Não chore. Chorando por quê?". E essa premeditação de pudor já a arrepiava. Vira-se para a prima:

— Não sei de nada. Só pensando muito.

Letícia tira a mão do seu braço. Levanta-se e vai fechar a porta à chave. Senta-se novamente na cama:

— Agora a surpresa. Responde: — quando você me contou a sua gravidez e eu disse que a solução era o teu casamento com Sílvio, o que é que você achou?

Admirou-se: — "Mas achei como?". Letícia não sabe continuar: — "Mas será que ela é cega?". Continua:

— Engraçadinha, você não achou que era abnegação demais? Seja sincera. Não achou? Responde! Abnegação demais?

Vacila:

— Confesso que, se eu estivesse em teu lugar, não faria isso, ah, não! Em amor, eu sou muito egoísta. Você me conhece.

E ela, sôfrega:

— Pois é. Você não faria, ninguém faria. Mas olha — o próprio fervor parecia embelezá-la —, eu faria isso e muito mais. Engraçadinha, olha para mim.

A outra obedece. Está imaginando o momento em que, no consultório, a enfermeira lhe diria, segredando: — "Tira a calcinha". Baixaria então o olhar e teria duas rosetas na face. Está claro que, nessas ocasiões, a mulher ou finge naturalidade ou pudor ou, ainda, um altivo constrangimento. Mas o que existe, realmente, é o disfarce de uma voluptuosidade que todas negariam com a maior violência. Letícia continua, com um hálito de febre:

— O que eu queria te dizer é o seguinte: — sabe por que eu faria tudo por ti e muito mais? Sabe? E estou disposta até, ouve: — se eu tiver de casar com Sílvio, eu deixarei, eu! Deixarei que tu sejas a amante dele.

Estava rouca de angústia. Crispa a mão no braço de Engraçadinha:

— E sabe por quê?

Balbucia:

— Por quê?

Súbito, o rosto de Letícia tornou-se uma máscara de loucura. Enlaça Engraçadinha, com selvagem energia, e a derruba na cama. Depois, sorve-lhe a boca num beijo sem fim.

CAPÍTULO 20

No automóvel, a caminho da cidade, o dr. Arnaldo tem uma inspiração súbita: — "O Vasconcelos!". Era, de longa data, seu companheiro de escritório. Já iluminado, ele pensa: — "Onde é que eu estava com a cabeça que não me lembrei do Vasconcelos?". O homem era o que se pode chamar um "irresponsável sexual". Casado, apinhado de filhos, tinha namoradas e amantes por toda a parte; seu desejo não escolhia, não selecionava, e ele próprio, na sua voracidade universal, era o primeiro a confessar: — "Tudo que cai na rede é peixe!". (Ninguém entendia que o dr. Arnaldo, com sua integridade quase mórbida, pudesse admitir um sujeito assim inescrupuloso e assim bandalho.) Mas o fato é que o Vasconcelos tinha uma imensa e abominável experiência. Dr. Arnaldo salta na cidade com a esperança de que o outro pudesse dar-lhe um conselho decisivo. Por sorte, o Vasconcelos já chegara e examinava as folhas de um processo. Há o "bom-dia" normal de parte a parte. Dr. Arnaldo engendra uma história que, entre parênteses, era mediocremente engenhosa: — "Direi que se trata de uma afilhada, mocinha, menor, e que deu um mau passo". Chamou o Vasconcelos e começa:

— Senta aí. Vamos conversar.

Vasconcelos puxa a cadeira. Era um senhor, já barrigudo, bexigoso e diabético. — "O que é que as mulheres veem nele?" Eis o espanto do dr. Arnaldo. Tosse ligeiramente e vai falando:

— Talvez você me possa tirar de uma dificuldade. É o seguinte.

O outro, que era realmente prestimoso, já promete: — "O que estiver no meu alcance, já sabe". Dr. Arnaldo ergue-se, com sua bengala fatal. Andando de um lado para outro, suspira:

— Imagina. Tenho uma afilhada nessas e nessas condições. Aconteceu uma coisa muito desagradável: — A menina deu um mau passo. Veja você!

"História convincente", pensava o dr. Arnaldo sentando-se. "Mordeu a isca", concluiu, satisfeito com a própria naturalidade. Vasconcelos não se deu por achado, embora deduzisse: — "Aí tem dente de coelho". Mas, como o problema não era seu, foi perfeito:

— Já sei. — E baixa a voz, sem desfitá-lo: — Tenho um médico — e você conhece — que é tiro e queda. O Bergamini. Você conhece. Não conhece o Bergamini? Conhece. Pois é: — esse.

Pigarreia: — "De confiança?". Então, o Vasconcelos, que era um exuberante, pôs o Bergamini nas nuvens:

— O Bergamini é um gênio! Faz o seguinte, Arnaldo, e por minha conta: — manda tua afilhada lá. Manda e uma coisa te garanto: — tua afilhada vai sair nova. Pode casar direitinho, na igreja, com véu, grinalda. Você não se lembra daquele caso? Te contei. Aquela pequena, a famosa. É. Teve um filho meu. Te contei, sim. Ela foi lá e o Bergamini arranjou-lhe uma nova virgindade. A pequena casou outro dia. Passou o filho adiante e casou. O filho é a minha cara. Casou com flores de laranjeiras e outros bichos. O Bergamini é uma fábrica de virgens!

Impassível por fora, dr. Arnaldo levantou-se, com uma brusca euforia. Em pé, de costas para o Vasconcelos, pensava: — "Que burro que eu sou! Não me lembrei que era possível reconstituir!". Lança, ao acaso, a pergunta:

— Caro?

De pé, o outro enfia as mãos nos bolsos: — "Bem. Mais caro que aborto. Cobra menos por aborto. Mas vale a pena e olha — uma anestesia leve, uma costurazinha boba, e um servicinho que é uma joia. Queres o endereço? Te dou. Naquela rua...".

Em silêncio, o rosto inescrutável como uma máscara, dr. Arnaldo escreve rapidamente o endereço. Guarda o papel, levanta-se. Repete para si mesmo: — "E não pensei que se podia costurar...". Despede-se do Vasconcelos: — "Vou pensar". Com uma insistência meio desagradável, o outro sopra-lhe ao ouvido.

— Tua afilhada vai sair mais virgem do que nunca.

Engraçadinha ainda quis fugir com a boca. Mas Letícia, que estava por cima, agarrou-a pelos cabelos, imobilizou seu rosto e abre os lábios para o beijo. Engraçadinha trinca os dentes: — "Não! Não!". Subjugada, não entendia ainda. Quis gritar. A outra fechou-lhe então a boca com o desesperado beijo.

Por um instante, Engraçadinha pensou: — "Não é Letícia! Não pode ser Letícia!". Ou seria Letícia com a força e a violência de um homem. Já sufocada, tem um movimento de agilidade inesperada e frenética: — consegue escorregar por baixo, virar sobre si mesma e sair pelo outro lado. Olha para a porta. Letícia, porém, mais rápida e astuta, antecipa-se: — corre na frente e barra a passagem. Ofegante, recua; torce a chave e a tira da fechadura. Na cabeceira da cama, Engraçadinha decide: — "Se ela se aproximar, eu grito". Instintivamente passa as costas da mão na boca. Balbucia:

— Indecente!

Letícia dá um passo na sua direção. Mas a outra arqueja:

— Não venha que eu grito! Quer ver como eu grito?

Letícia tem um esgar de choro:

— Engraçadinha, escuta! Olha, Engraçadinha!

Não se perdoava ter beijado, de repente. Fora traída por um desejo brusco, quase mortal; e ninguém mais espantada do que ela mesma com o próprio impulso. — "Não era o momento! Não era ainda o momento!", repetia para si mesma. Engraçadinha aponta a porta:

— Saia daqui! Saia, já!

— Primeiro, escuta! Eu explico — pedia, na sua ardente humildade: — Deixa eu explicar!

— Isso é tara!

Soluça:

— Amor!

— Tara!

"E se ouvirem lá fora?" era o medo de Letícia. Começa a chorar:

— Ao menos, escuta! Você não diz — deixa eu falar, sim? — Não diz que gosta de Sílvio, desde garotinha? Pois eu também, desde menina, eu era deste tamaninho...

Era tal o medo de irritá-la que escolhia as palavras e não terminava as frases. Prosseguiu, incerta, com uma intolerável pressão na cabeça: — "Há tantos anos que eu só penso em você e só vivo para você...". Com um fervor que a transfigurava, promete, tiritando:

— Eu não me aproximo. Falo de longe. Olha: — daqui, falo daqui. Só te peço que me ouças. Mas senta, senta, Engraçadinha!

Sorria agora, por entre lágrimas. Enquanto Engraçadinha sentava-se, Letícia teve a ideia de cair de joelhos e falar assim, prostrada em adoração. Teve medo, porém, de assustá-la. — "Fico mesmo em pé", decidiu. E, antes de continuar, pede, na sua voz mais doce: — "Não tenha medo, nem horror de mim,

Engraçadinha!". Atônita, a prima nem responde. Já ouvira falar em mulher que só gosta de mulher. Letícia a beijara como se fosse arrancar-lhe os lábios; insinua:

— Eu pensei que você já soubesse...

Crispou-se:

— De quê?

E Letícia:

— Não se zangue, Engraçadinha — pausa e completa: — soubesse do meu amor.

Fez uma boca de nojo: — "Amor de mulher?". Ao mesmo tempo, diz para si mesma: — "Está louca!". E pergunta: — "Você não se enxerga? Está pensando que eu sou alguma tarada como você?". A outra enfureceu-se:

— Engraçadinha! Não chama meu amor de tara! — e, novamente, doce, com um olhar de súplica insuportável: — Tomamos tantas vezes banho juntas, não foi? Você ia me chamar: — "Vamos tomar banho, vamos?". Ou nega?

— E daí?

Letícia baixa a voz:

— Eu te ensaboava! Passava o sabão e fazia muita espuma!

— Vá-se embora!

A outra sonhava:

— Você me chamava para brincar de namorado. Fala sério: — não me chamava? Chamava. Dizia pra mim: — "Você é o homem!". E eu era o homem. A gente se beijava — é ou não é?

Era verdade, sim. Com dez, doze e até os catorze, as duas viviam representando imaginários amores. Na hora do beijo, Engraçadinha queria dar a face; a outra, porém, queria a boca. Mas era um beijo tão leve, tão doce, um beijo quase imperceptível que não devorava, não mordia, não molhava. Letícia poderia ter lembrado, ainda, que, no colégio — colégio das melhores famílias — as meninas tinham flertes entre si, namoros, ternuras, ciumadas. Letícia perguntava: — "Não era bom? Não era, Engraçadinha?". Queria que Engraçadinha dissesse, simplesmente: — "Era bom". Mas a prima, em silêncio, com os olhos muito abertos, pensava: — "Essa não é Letícia!". Tinham vivido anos, de mãos dadas, como duas gêmeas. E, súbito, ela descobre uma outra Letícia, tão diferente da anterior, e que, no seu desejo, tinha uma vontade quase homicida. Engraçadinha poderia apontá-la para todos os parentes: — "Essa não é Letícia! Nunca foi Letícia!". Agora a outra queria aproximar-se novamente. Engraçadinha ameaça:

— Chamo papai, já, já! Quer ver como eu chamo?

Para onde estava. Sorri tão humilde que, imediatamente, Engraçadinha pensa em Zózimo, na humildade de Zózimo. E Letícia:

— Eu te peço perdão! Não faço mais e…

Foi dura:

— Não! Você não merece perdão! Se você tivesse a tara e a guardasse para si, vá lá! Mas dizer, confessar e, ainda por cima, me dar um beijo de homem, ah, não! Não falo mais contigo!

Rouca de ódio (e de amor), pergunta:

— Não fala mais comigo? Sua burra! Está pensando que alguém gosta de você como eu gosto? Teu pai te deu uma surra! Sílvio tem medo de ti! Eu não! Te dei o noivo ou minto? Farei tudo por ti! Que queres que eu faça? Queres que eu arranje amantes pra ti? Eu arranjo!

Engraçadinha não entende a ferocidade desse amor, de um altruísmo tão abjeto, capaz dos heroísmos e das renúncias mais ignóbeis.

E, sobretudo, tem medo de ser amada assim. Letícia aproxima-se, quase sem pisar, devagarinho, como se não quisesse assustá-la. Como uma magnetizada, Engraçadinha desta vez não se mexe, não fala, quase não respira. Naquele momento, teve uma breve alucinação. E, com efeito, pareceu-lhe que vinha a seu encontro, com movimentos lerdos e pacientes, um desses monstros cegos, que habitam o fundo do mar. Em seguida, volta a si. Está numa passividade atônita. Quase sem mover os lábios, sussurra para Letícia:

— Não é normal. Isso não é normal.

A prima enfureceu-se:

— Ah, não é normal! Escuta! Se fosse normal, eu não te daria meu noivo! Eu não viveria por ti!

O que Letícia queria dizer, por outras palavras, é que o amor normal não tem imaginação, nem audácia, nem as grandes abjeções inefáveis. É um sentimento que vive de pequeninos escrúpulos, de vergonhas medíocres, de limites covardes. Não falou assim, claro, mas o sentido foi este. Acabou agarrando a prima e a sacudindo:

— Queres experimentar? Queres? Agora, neste momento? Pois me dá na cara! Me xinga, anda! Ninguém te ama como eu! Me dá na cara para que eu apanhe calada!

Imóvel e vibrante como um pássaro na mão que o segura, Engraçadinha gostaria que a outra não estivesse ali e ainda: — gostaria que a outra jamais tivesse existido. Olham-se por um momento. E, súbito, Engraçadinha a esbofeteia. Letícia cai, de joelhos, diante dela. Engraçadinha ergue o rosto — hirta de nojo.

CAPÍTULO 21

O ESCRITÓRIO ERA NUM segundo andar. Descendo as escadas, o dr. Arnaldo ia pensando: — "Eu não devo ir" — e repetia: — "Não posso ir. Afinal sou muito conhecido". Sim, que diriam seus inimigos se o vissem num ginecologista, com uma filha solteira? Lembrou-se do Aprígio — o deputado obsceno — e conclui: — "Este soltaria foguetes". Que fazer? Dr. Arnaldo para, um momento, no último degrau da escada. Ao mesmo tempo, admite que a filha não podia ir sozinha, sem uma assistência, sem uma proteção.

Dr. Arnaldo vacila e acaba voltando. Sobe os dois lances da escada, com certo sacrifício (o coração não andava bem). Entra e anuncia o que era óbvio:

— Voltei.

Vasconcelos para de bater à máquina. Antes de começar, o velho teve de vencer um último escrúpulo. Põe a mão no joelho do companheiro:

— Há um momento da vida em que o homem precisa confiar em alguém. Preciso de ti, Vasconcelos. Só você pode me ajudar, percebeu?

Dr. Arnaldo acabava de decidir: — "Tenho que acompanhar Engraçadinha ao ginecologista. Sou presidente da Assembleia Legislativa, mas preciso estar ao seu lado". Ao subir as escadas, de volta, imaginara a hipótese de que o médico pudesse desrespeitá-la bestialmente. Admitia: — "Não é provável, mas é possível". De resto, olhava os ginecologistas em geral com a maior suspeição: — "Quem me diz que um deles, ou, precisamente, esse Bergamini, não venha a abusar de minha filha?". Continuou:

— Vasconcelos, vou explicar por que confiei — pigarreia e prossegue — em você. Pelo seguinte: — você pode ser safado, mas tem filhas.

(Dr. Arnaldo empregou a palavra "safado" com certo esforço, certo constrangimento.) O Vasconcelos entende de fazer a ressalva:

— Olha! Eu sei que nesse particular, sou mais sujo do que pau de galinheiro. Mas há o seguinte: — eu não como ninguém, ou, por outra: — só de maior idade. Você sabe disso. É uma atenuante.

Dr. Arnaldo pigarreia: — "Prefiro não responder". Estava mais do que nunca decidido a não desamparar a filha. Ergue-se e começa a andar, em silêncio, de um lado para outro. Pensa: "Eu preciso acreditar na bondade do Vasconcelos". Estaca diante do amigo:

— Aliás, uma de suas filhas, se não me engano, é da idade da minha, pouco mais ou menos. Bem: eis o que eu queria dizer: — a tal afilhada não é afilhada. É minha filha.

Põe a mão no ombro do amigo: — "Ter que confessar isso é uma humilhação para mim". Respira fundo e acrescenta: — "É a maior humilhação da minha vida". Os dois se olham; Dr. Arnaldo desvia os olhos: — "Acabo chorando". Não era duro, não era rijo como antes; e passa adiante:

— Vasconcelos, você tem intimidade com esse Bergamini, não tem? Deve ter, claro. Esse homem é, naturalmente, um canalha...

Vasconcelos atalha: — "Tem filhas". O velho exalta-se:

— Tem filhas e faz isso! Mas, não importa: — precisamos exatamente de um canalha. Um médico decente não faria isso. Escuta, Vasconcelos: — quero levar Engraçadinha numa hora especial, de preferência à noite. Você me entende? Fora do expediente. Não quero que ninguém veja, ninguém saiba!

— Dá-se um jeito. Posso citar o seu nome?

Suspira (estava achando a ginecologia uma especialidade hedionda):

— É bom. Convém que ele saiba que sou eu. Mas uma coisa te juro: — se esse crápula falar, eu o ponho na cadeia, ah ponho!

Vasconcelos levanta-se. — "Telefono já". E o velho, sentando-se: — "Telefona". Sofre agora como nunca: — "Eu ter que contar isso a terceiros!". Mas queria acreditar que o Vasconcelos, um "canalha sexual", fosse, apesar disso, um bom. No telefone, o Vasconcelos está dizendo:

— Exatamente: — o dr. Arnaldo, sim. Queria ter uma conversa contigo. Assunto particular. Olha: um negócio sério, ouviste? Você pode vir agora? Está certo. Vem. Está aqui. Esperamos.

Vira-se para o dr. Arnaldo: — "Vem. Não te disse?". O velho tem um esgar de nojo:

— Eu queria saber se esse bandido fazia um negócio desses numa das filhas!

Então o Vasconcelos baixa a voz:

— Não brinca, que uma das filhas dele suicidou-se. E olha: — vais gostar do Bergamini.

Quando Engraçadinha saiu do banheiro, de roupão, ainda enxugando a nuca, Sílvio apareceu na outra extremidade do corredor. Ela o esperou. Tomara um banho muito demorado. Perfumara todo o corpo e a própria nudez lhe pareceria mais doce do que nunca. Não queria lembrar-se de Letícia. Que pensaria o médico? Ele não era de pedra. Se ela própria enamorava-se de si mesma (tinha uns seios pequenos e tão absurdamente lindos!). Uma vez por outra, durante o banho, ao mesmo tempo que fazia espuma pelo busto, suspirava por Sílvio: — "Ele me esperava". (E não queria pensar no desejo de Letícia.) Podia ter atravessado do banheiro para o quarto. Parou, porém. Sílvio apressa o passo. Engraçadinha não se move. Tem medo de que venha alguém. Sílvio baixa a voz:

— Por que não abriu?

Tem os olhos do desejo e, com uma dor surda, imagina que ela veste o roupão por cima da pele. Engraçadinha responde:

— Porque não quis!

Gosta de vê-lo sofrer. — "Ó, querido! Você não sabe! Eu não posso! Queria, mas não posso!" O rapaz se enfurece:

— Sua cínica!

Sorri-lhe, docemente:

— Pode xingar.

E ele:

— Responde: — se você não gosta de mim, por que fez aquilo na biblioteca?

— Mas eu gosto de ti!

— Mentira!

A qualquer momento, podia aparecer uma empregada, uma tia, ou o próprio dr. Arnaldo. Sem desfitá-lo, diz:

— Adeus.

Quer passar, mas o outro a segura pelo braço:

— Abre e fecha o roupão. Um instantinho só. Abre.

Por um momento, ela duvidou, tentada. Trinca os dentes:

— Não posso. Adeus.

No desespero de perdê-la, humilha-se:

— Promete que, de noite, deixa a porta encostada? Promete?

E ela:

— Primeiro, responde: — você me ama?

O rapaz pensa em Letícia:

— Te digo logo mais — repete: — Te dou a resposta no quarto, logo mais. Posso vir, de noite?

Enxugou a nuca:

— Quem sabe?

Tiveram de separar-se, porque ouviam passos. Rápido, Sílvio entrou no banheiro e Engraçadinha no quarto. Fecha a porta à chave. Erguendo o rosto, deixa o roupão escorregar. Nunca se sentira tão nua. O médico fingiria, no exame, um interesse castamente profissional. Mas havia de sentir o encanto da virgem somente possuída duas vezes.

Dr. Bergamini veio no melhor automóvel de Vitória. Era rico, milionário, e acabava de mandar uma filha estudar na Suíça, outra nos Estados Unidos. Dizia-se, dele, com um humor brutal, que restaurava a virgindade até de viúvas. Ao vê-lo, dr. Arnaldo faz o comentário interior: — "Eis o homem que reconstitui!". Cumprimenta o deputado, com um sorriso de dentes bonitos e gengivas sadias. Disse a banalidade inevitável: — "Já o conhecia muito de nome". E ajuntou:

— Eu votei no senhor.

Dr. Arnaldo foi muito seco:

— Obrigado.

Vasconcelos puxa o Dr. Bergamini para a sacada. Em voz baixa, conta-lhe o caso. Dr. Arnaldo anda de um lado para outro: — "É estúpido que só agora, depois de tantos anos, eu me sinta pai. Só agora". Vasconcelos está dizendo: — "Você faz o serviço com um pé nas costas". Voltam os dois. O que surpreende, no médico, é a intensidade e, ao mesmo tempo, a doçura do olhar. Inclina-se:

— Pois não. Faço, não direi com prazer, mas com carinho.

Dr. Arnaldo pensa: — "Fabrica virgindade, o canalha!". E foi nesse momento que ocorreu uma coisa muito curiosa. O médico põe a mão no ombro do deputado e diz-lhe, como se lesse no seu pensamento:

— O senhor deve estar fazendo um péssimo juízo de mim, não é verdade?

Dr. Arnaldo atrapalhou-se; quis ainda assim responder duramente: — "Meu amigo, eu não julgo ninguém. O senhor é um profissional. Preciso dos seus serviços. Nada mais". O outro continuou, e agora com uma ironia, delicada, mas bem nítida:

— Faço questão de explicar. Um momento! É rápido. Como eu ia dizendo: — eu era um médico que usava a ética tradicional como todo o mundo. Achava o aborto uma indignidade e nunca me passaria pela cabeça a ideia de devolver a virgindade de uma pobre moça. Note que eu falo ao pai e não ao deputado, ao homem público. Não me interessam o Poder, a Autoridade, o Estado. Mas eu tinha uma filha, justamente a mais velha, linda garota, linda. Minha filha gostou de alguém e, vamos usar a expressão do povo: — deu um mau passo. Família rigorosa, muito preconceito e, resumindo: — minha filha se matou. Ora, eu lhe digo, ao senhor que é pai, digo-lhe com a maior naturalidade: — eu daria tudo e insisto: — absolutamente tudo para que minha filha tivesse encontrado um crápula. Um crápula igual a mim, sim, senhor. Entendeu?

Dr. Arnaldo pigarreia: — "Realmente". O olhar do médico é, agora, de uma doçura desesperadora. Diz ainda:

— Parece falso, eu sei. Mas eu farei quantas virgens puder.

Ao lado, o Vasconcelos que, além de sátiro era um emotivo, um sentimental irrecuperável, tinha vontade de chorar. Dr. Arnaldo concluía: — "Fala bem, o miserável!". Dr. Bergamini combinava tudo. Mas quando o deputado falou em acompanhar a filha, foi incisivo:

— Meu amigo, eu falei claro. Entenda: — a menina que quer ser virgem é, exatamente, a minha filha. Sim, a que morreu. Desculpe, não me leve a mal. Sua filha sozinha. Amanhã, às dez da manhã, eu espero sua filha. Sozinha. Dez da manhã. Passar bem.

CAPÍTULO 22

"Está tudo salvo!" Eis o que pensava o dr. Arnaldo ao tomar o táxi. O médico não lhe saía da cabeça. Sentia-se na mais desagradável das perplexidades. "Um cínico", repetia para si mesmo. Cínico e algo mais, talvez. A história da filha morta parecia-lhe inverossímil. Fosse como fosse, o dr. Arnaldo reconhecia que um canalha útil, um canalha necessário, possui uma fascinação e uma autoridade irresistíveis.

Ao descer em casa, tem a surpresa: — tio Nonô o esperava. De branco, passando o lenço no suor da testa, o gordo estava ali, na varanda, havia meia hora. Já conversara com as velhinhas da casa e, pouco antes, ao ver Engraçadinha de passagem, fizera para si mesmo o comentário maligno: — "Essa menina não tem vida. Uma água morna. Tem a idade mental de oito anos". Recebe o cunhado no alto da escada; fala baixo:

— Precisava falar contigo.

O rosto do dr. Arnaldo toma a expressão de um descontentamento cruel. Pensa, indignado: — "Essa besta ainda me trata de 'tu', de 'você'!". Quis ser duro:

— Você chegou em má hora. Não posso atender.

Tio Nonô o acompanha. Finge humildade:

— Mas Arnaldo! O assunto — e baixa a voz: — o assunto é sério. Aquele título...

Dr. Arnaldo, que ia na frente, estaca. Pergunta, pálido:

— Que título?

E o outro:

— O tal dos cem contos, que você avalizou. Se vence hoje.

Olha-o de alto a baixo:

— Pague!

No seu ódio impotente, pensa novamente em Hitler. Diz para si: — "Ah, o Hitler aqui! Fuzilando esse palhaço!". Pensa ainda, ao mesmo tempo que caminha na direção da biblioteca: — "Só a tiro! Só a bala!". Abre a porta: — "Nessas horas é que o Hitler é bom!". O gordo vai atrás. Ainda com a humildade que é o disfarce de um feroz sarcasmo, diz e repete para si mesmo: — "Todos os canalhas são magros!". Pergunta, docemente:

— Como é, Arnaldo?

Perde a cabeça:

— Não lhe dou um tostão! O título que vá para o protesto!

Insiste:

— Mas Arnaldo! E seu nome? Não tenho níquel!

Andando de um lado para outro, o deputado não se perdoa a leviandade de ter avalizado aquilo. Sua vontade era meter-lhe a bengala na cara. Ah, o cachorro! Assinara o título porque a irmã — outra cretina! — só faltara ajoelhar-se a seus pés. Volta-se para o cunhado:

— Olha aqui, seu miserável! Eu estou resolvendo um assunto de vida ou morte. Saia! Retire-se!

O outro não se mexia: — "Arnaldo, entenda! É hoje a data do vencimento! Eu posso ir para o protesto. Você, não!". Dr. Arnaldo repete, lívido de ódio:

— Ter um canalha na família!

Tio Nonô o encara, com uma cínica deferência. Imaginava aquele magro nu. Ao mesmo tempo teve que se prender para não estourar numa de suas gargalhadas selvagens. Dr. Arnaldo vocifera: — "Você não se ofende, homem! Chamo-o de canalha e você não se ofende?". Repete com um prazer bestial: — "Crápula! Crápula!". E, apesar de tudo, a passividade daquele gordo causava-lhe uma espécie de deslumbramento. Tio Nonô responde, sem desfitá-lo:

— Eu não me ofendo, nunca me ofendo, nunca me ofendi!

Tal capacidade de não se ofender — jamais! em hipótese nenhuma! — dava-lhe uma força sinistra, uma potência lúgubre. Insiste:

— Arnaldo, o meu nome não é nada. Eu não sou ninguém. É o seu, Arnaldo! O seu que está em jogo! Compreenda: — é o seu!

Fora de si, o velho bate com a bengala na secretária de jacarandá:

— Basta!

Tio Nonô cala-se. Dr. Arnaldo aponta com a bengala para a porta:

— Saia! Retire-se!

O gordo não se mexeu. Deixa passar um momento. Sentindo que o cunhado está seguro ("Ele não me escapa!"), faz a pergunta:

— Em que ficamos? Não tenho um níquel — e repete, com uma imensa vontade de rir: — Ou você paga ou...

Dr. Arnaldo ia repetir: — "Crápula! Crápula!". Ao mesmo tempo, sente que é inútil insultar um homem que não reage. No seu desespero, repete para si mesmo: — "Ele não se ofende!". Experimenta um súbito cansaço de tudo e de todos. Fecha os olhos e respira fundo: "Eu só devo sofrer pelos meus dois filhos. Dinheiro não vale nada". Ergue o rosto:

— Procure o Vasconcelos, no escritório, de tarde. Telefone pra ele — e grita: — Agora saia! Pelo amor de Deus, saia!

Tio Nonô abandona a biblioteca. Pouco depois, já na rua, diz, de si para si: — "Eu não me ofendo. Nada me ofende". Estava com os olhos cheios de água.

Chegou na porta da biblioteca:

— Chama Sílvio.

— Não está.

— Foi aonde?

Responderam:

— Casa de Letícia.

E ele:

— Manda Engraçadinha aqui.

Enquanto esperava a filha, veio sentar-se novamente. Lembrava-se do que dissera ao médico: — "Eu não julgo ninguém". Mentira. Na verdade, julgava todo o mundo. Era, se assim posso dizer, um irritado nato e hereditário. Digo "hereditário", porque o pai, um juiz de Direito, já o era. Dr. Arnaldo, que falava escassamente, tinha uma imensa agressividade interior. Sua polidez era, justamente, o disfarce de profundas cóleras secretas. Mas ele acabava de estar com o ginecologista. Por mais estranho que pareça, aquele bandido ginecológico desconcertara-o. Esperava ver uma face lívida e lúgubre. Em vez disso, encontrara um homem estranho, um velho que ainda demonstrava uma certa plenitude; e pior do que isso: — o cínico pretendia desafiar a própria classe com uma ética pessoal. Dr. Bergamini tratara-o com um respeito apiedado, uma espécie de indulgência superior. Imaginem: — vivia de abortos e, não obstante, ditava normas de comportamento! — "Mas em todo caso" — pensa dr. Arnaldo, — "quem sou eu para julgar os meus dois filhos?" Instintivamente olhou para o divã. Ali, possuíra a cunhada, a esposa do irmão. Adorava o irmão e possuíra a cunhada. — "Eu não devo julgar Engraçadinha, nem Sílvio." Por um momento sentiu-se impotente para julgar até mesmo os abortos do Dr. Bergamini. Engraçadinha acabava de aparecer:

— Papai?

Ergueu-se:

— Entra, minha filha.

Recebeu-a com uma ternura trêmula de velho. Pergunta, de si para si: — "Vale a pena pedir desculpas pela surra?". Inclina-se para a menina:

— O médico ficou para amanhã, mas olha — tudo se resolve. O que passou, passou. Felizmente — pigarreia — felizmente, agora, há meios que permitem...

Gagueja, escolhe as palavras. Como dizer-lhe que um especialista pode reconstituir uma virgindade? Vermelho, baixa a voz:

— Como eu ia dizendo: — o médico fará em você uma intervenção pequena, que não demora nada, uns cinco minutos. E quando você sair de lá, está ouvindo? Pode casar na igreja com véu, grinalda.

Pareceu-lhe desnecessário dizer que ela não sofreria. Engraçadinha estava de cabeça baixa; ergueu o rosto e disse: — "Papai, eu não estou grávida". O velho recebeu um impacto: — "Não?". Explica, novamente de olhos baixos: — "Eu disse que estava, porque, o senhor compreende — eu queria comprometer Sílvio e...". Então, aquele homem teve, ali, uma fraqueza, que o surpreendeu, ao mesmo tempo que o envergonhava: — curvou-se e a beijou, não na testa, mas nos cabelos. Espantada também, a menina balbuciou: — "Papai!".

Furioso com a própria debilidade, fala, atropelando as palavras:

— Olha: — eu vou dizer ao Zózimo que o médico constatou que você... — para, com uma brusca vergonha. — Não, nada. Depois nós combinamos.

Letícia saíra de lá desfigurada pelo ódio. Passara pelas tias, sem se despedir. Eis o que dizia a si mesma, por outras palavras: — Engraçadinha, que não quisera seu amor, teria o seu ódio. "Ela me paga", repetia, com os dentes trincados. "Como é burra! Que importa se o amor é normal ou não! O que importa é o amor!" Chega em casa, diz para a mãe: — "Mamãe, olha: — o verdadeiro amor mete medo. Pode crer: — ninguém quer ser amado, mamãe!". Correu para o telefone e chamou Sílvio. Pede, muito doce e sofrida:

— Vem, meu amor! Vem!

Esperou-o no jardim. Quando Sílvio aparece, agarra-se. Surpreso, ele não entende aquele chamado do desespero. Letícia pergunta, bruscamente:

— Tu me amas?

Faz espanto:

— Ou você duvida?

— Responde.

E ele:

— Mas claro!

Leva-o para o caramanchão: — "Ainda me queres para tua esposa? Queres? Fala! Queres?". Sentiu no hálito da moça o gosto da boca. Letícia repetia:

— Meu e não de Engraçadinha! Escuta: — Engraçadinha é uma bruxa! Se eu te contasse, meu amor, o que ela quis fazer comigo! Tem uma tara, Engraçadinha tem uma tara! Beija, me beija!

CAPÍTULO 23

Beijando-a, na boca, repete para si mesmo: — "Tara?". Quando se desprendem, quer saber:

— Tara?

Letícia respira fundo. Encosta a cabeça no seu peito. Sussurra: — "Como o teu coração está batendo!". E pensa: — "Engraçadinha, eu não te dou Sílvio! Ele é meu, só meu!". Sílvio faz a noiva levantar o rosto:

— Mas fala! Vocês brigaram?

Vacila:

— Mais ou menos!

Letícia sofre. Se, ao menos, pudesse esquecer Engraçadinha, se pudesse não desejá-la. Queria, ao menos, não se lembrar dos banhos que tomaram juntas! Tem o lamento interior: — "Eu não tenho culpa de ser como sou!". Em seguida, acrescenta, para si mesma, com sofrida altivez: — "Gosto de ser como sou!". Novamente, Sílvio a interroga:

— Mas bruxa por quê? E que tara é essa?

Ergueu-se:

— Vamos sair.

E ele:

— Para onde?

Vacila. Tinha, em si, uma ardente vontade de fuga. Uma fuga desesperada e sem destino. Queria falar longe de casa, longe da mãe, das tias, das criadas, dos conhecidos. Leva-o. O automóvel que ganhara, de presente, no dia dos seus anos, estava lá fora, encostado no meio-fio. Chamava-o: — "Vem! Te levo!". Entraram. Então, de perfil para ele, mantendo uma velocidade macia, quase imperceptível, foi mentindo, no seu desespero:

— Nunca desconfiaste de nada?

Sílvio começava a ter medo: — "Desconfiar de quê?". Letícia finge irritação:

— Ó! vocês homens são cegos! Tão cegos... Engraçadinha não é o que você pensa. Eu também — te juro! — eu me deixei iludir. E se eu disser...

Diminui a marcha do carro. Acaba dobrando numa esquina qualquer. Era uma rua deserta. Vira-se para o noivo; diz baixo, na angústia da própria mentira:

— ...se eu te disser que hoje, ainda hoje, ela me beijou na boca? Olha só como eu estou arrepiada! Na boca, Sílvio, como se fosse homem!

Duvidou de si mesmo: — "Mas quem?". Respondeu, com surdo sofrimento:

— Engraçadinha, Sílvio! Compreende? Você, quando chegou, não me achou triste? Ó, Sílvio! Eu já desconfiava, mas não tinha certeza. Fazia umas brincadeiras e, quando nós tomávamos banho, ela queria me ensaboar, me ensaboava um tempão e...

No seu desespero, Sílvio quis duvidar até o fim:

— Ou você está enganada? Tem certeza? Olha para mim, Letícia! Responda: — tem certeza? — Ao mesmo tempo, pensava: — "Engraçadinha gosta de mulher? Engraçadinha?". Houve um momento em que, na sua fúria, Letícia já não sabia se estava ou não mentindo. Falava com apaixonada sinceridade.

— Ela se declarou a mim, Sílvio! — Começou a chorar. — Eu recebi uma declaração de Engraçadinha! Eu acho até, ouviu? Está ouvindo? Acho que Engraçadinha tem algum desequilíbrio mental!

Fora de si, gritou:

— Mas Letícia! E o que ela fez na biblioteca? Comigo?

Riu do rapaz:

— Por isso é que eu digo: Vocês homens! Escuta, Sílvio! Ou você não percebe a esperteza? Foi esperteza, Sílvio! — Baixa a voz, crispa a mão no seu braço: — Mulheres assim precisam fingir que gostam de um homem! É um despistamento! Não gosta de Zózimo e ficou noiva por quê? Claro! E quem diz que não gosta de mulher e de homem, ao mesmo tempo? Sabe lá?

Num silêncio atônito, não sabia o que pensar. Gostaria de estar horrorizado e só horrorizado. Mas sentia uma sensação de horror, de asco e, ao mesmo tempo, de voluptuosidade. Ela pensava, sob a embriaguez da mentira: — "Eu não gosto de ti e de Engraçadinha? De Engraçadinha, não! Gosto só de ti! De Engraçadinha, não. Detesto. Engraçadinha desprezou o meu amor!". Sílvio queria duvidar, ainda:

— Letícia, e se ela te beijou sem maldade? Quem sabe?

Teve vontade de esbofeteá-lo:

— Sem maldade, como? Beijo na boca sem maldade? Por favor, Sílvio!

Súbito, agarra-o. A facilidade e, mais do que isso, a paixão com que mentia, a aterrava. Dir-se-ia que era outra, e não ela mesma — outra, que mergulhava num lúcido e implacável delírio. Puxa para si o rapaz: "Beija! Quero sentir uma boca de homem! Um beijo de homem: — ó, Sílvio!". Ele a beijou sem desejo, Letícia pensava, cravando as unhas na sua nuca: — "Ah, se eu gostasse de outra e esquecesse Engraçadinha!". Repetia, para si mesma: — "Esquecer Engraçadinha!".

VOLTARAM PARA CASA. O rapaz vinha pensando: — "Engraçadinha é isso!". Repetiu, em voz alta:

— Engraçadinha é isso!

E ela:

— Posso te fazer uma pergunta? E você me responde?

"Eu devia estar mais enojado", ele pensava. Suspira:

— Respondo.

Devia achar Engraçadinha muito vil e muito baixa. E, no entanto, não podia evitar uma sensação voluptuosa. "Eu sou menos normal do que pensava." A noiva faz a pergunta:

— O que é que você sente por Engraçadinha?

— Por quê?

— Amor?

Diz, sem olhar:

— Não.

Pausa. Insiste:

— Desejo?

Responde:

— Depois que eu soube, você acha que eu... Letícia, eu considero o seguinte: — entre homem e mulher, não há perversão possível. Acho tudo direito, fabuloso, moral e — frisava: — Entre homem e mulher, claro. O que Engraçadinha fez, na biblioteca, eu achei até... — para e completa — bonito. Achei bonito.

Suspira:

— Ela fez o que eu não fiz. Não é isso? Fez o que eu não fiz, nem faria — repetiu.

Atrapalhou-se: — "Eu não disse isso, ora, Letícia!". A pequena, que moderara a marcha do automóvel, encostou noutra ruazinha quieta. Cruza os braços; sem olhá-lo, e sem nenhuma excitação, numa calma intensa, vai falando:

— Você pensa que eu não tenho coragem? E se eu lhe disser que Engraçadinha não é melhor do que ninguém? Se eu lhe disser que faria a mesma coisa? Queres que eu faça? Queres? Agora? Leva-me para longe, bem longe, ou, então... Ela fez em casa. Não foi em casa? Olha: — Mamãe, hoje, vai sair e eu... Eu te espero.

Disse, apenas:

— Não.

Aquilo doeu-lhe na carne e na alma:

— Você disse "não" à Engraçadinha?

Abraça Letícia:

— Você é minha noiva. Eu quero você como esposa. Engraçadinha só podia ser amante. E eu agi — confesso — eu, naquele momento, agi como... Não agi bem. Fui um canalha.

Roça com os lábios os lábios do noivo; pergunta: — "Não me quer como amante?". Disse:

— Como esposa. Vamos, Letícia. Eu te quero como esposa. Vamos.

Voltaram. No momento em que se despediram, ela fez a última tentativa:

— Eu te espero. Mamãe não está em casa. Janta fora. Você vem e... Sim?

CLARO QUE NÃO viria. O que experimentava, acima de tudo, era uma espécie de ódio, ou melhor: — ódio, não, asco. Tomou-se de um súbito asco da vida. Parou numa esquina: — experimentou uma brusca necessidade de uma sordidez ainda maior. Sim, precisava de algo ainda mais vil. Beber até cair com a cara enfiada no ralo. Ou, então, beber acompanhado. Passar a noite, com uma prostituta ao lado, bebendo, também. Imagina-se com uma delas, os dois bêbados, xingando-se. O diabo é que ia à casa de mulheres e lá encontrava, não uma prostituta, mas uma funcionária, exatamente uma funcionária, atônita de tédio e que chamava os clientes de "Meu filho". Lembrou-se de uma conhecida desse tipo, a Geni — tão amorosa e tão triste (não se despia, completamente, nunca; fora anavalhada nos dois seios e conservava o pudor do sutiã). Com certa nostalgia da Geni, liga para a casa de mulheres. A outra fez-lhe uma festa imensa. Quase chora:

— Hoje, não posso. O Barone está no quarto. Vem amanhã, vem? Promete?

O Barone era uma ex-estrela da luta romana, hoje retirado, freguês certo e nababesco da Geni. Sílvio bufa: — "Olha, vou falar, agora, com uma menina de família, que não chega aos teus pés". A outra tem um riso áspero e debochado (sem prejuízo da alma boa, meiga e sonhadora de futura suicida). Sílvio deixa o telefone e sente, agora, a necessidade de ver e ouvir Engraçadinha. Pensa: "A verdadeira prostituta é Engraçadinha e não Geni". No seu ressentimento, repete: — "Quem devia levar a navalhada nos seios era a Engraçadinha". Ao aproximar-se de casa, vê, ao longe, Engraçadinha. Estava no portão (talvez à sua espera). Diz, para si mesmo: — "Tão linda e...". Apressa o passo, na angústia de chegar. Exclama, alegremente:

— Escuta, Sílvio.

Baixa a voz:

— Foi bom eu te encontrar sozinha. Olha, Engraçadinha: — nunca na minha vida — escuta, ouve o resto — nunca na minha vida eu vi uma mulher tão ordinária como você! Tão sórdida!

Balbucia, assombrada, sem entender essa violência: — "Mas que é isso?".

Ele ri, com certo nojo de si mesmo:

— Eu não sabia que você tinha essa tara! Que gostava de mulher! Como você é indigna!

CAPÍTULO 24

NA SUA FÚRIA, quis segurar-lhe o braço:

— O que é que você está dizendo?

Desprendeu-se, violentamente:

— Tira a mão! E outra coisa: vim aqui só pra te dizer isso! — Olhou-a, de alto a baixo, e com uma satisfação hedionda, atirou-lhe o insulto: — Tarada!

— Vem cá, Sílvio!

Mas ele já se afastava, em passadas largas e firmes. Correu atrás: — "Escuta aqui, seu!". Sílvio estaca:

— Volta ou já sabe! Você não me conhece, Engraçadinha! Olha que eu, bom!

E ela:

— Você vai se arrepender…

Novamente, o rapaz virava-lhe as costas e apressava o passo. Ela pensava: — "Tem que ouvir. Dou-lhe um tapa na boca!". Em cima da calçada, teve uma breve vacilação. Olha em torno; no alto de uma sacada, uma vizinha estava olhando. Experimentou uma brusca vergonha. Ergue o lábio superior num sorriso falsíssimo, acena com os dedos para Sílvio que, mais adiante, virara-se, por um momento. Gritou-lhe:

— *So long*, Sílvio!

Fez questão de cumprimentar a vizinha da sacada, com um novo sorriso. E, depois, veio caminhando, num passo bem normal. — "A vizinha deve ter percebido tudo. Melhor, e que se dane!" Dizia para si mesma: — "Foi Letícia, claro! Só pode ter sido Letícia!". Fora de si, continuava: — "Eu devia ter dito a Sílvio: — tudo isso é sua mãe, ouviu? A mãe dele, não! Morreu, coitada, nem tem culpa. Mas, cachorro!". Teria perdoado tudo, tudo. Se o rapaz lhe dissesse a pior palavra que uma mulher pode ouvir, ela gostaria.

Há momentos (nem sempre, claro), mas há momentos em que a mulher gosta de ser xingada. — "Mas dizer que eu gosto de mulher, eu? Ah, não. E só porque Letícia foi soprar no ouvido?" Subindo a escada de pedra, chegava a ter medo da própria violência. Pela primeira vez, julgava conhecer o ódio: — "Eu matava Letícia, ah, matava!". No pequeno armário do banheiro, havia uma seringa de borracha. Imaginou-se enchendo aquilo de iodo e, depois, dando dois esguichos nos olhos de Letícia.

Em cima, dr. Arnaldo está deixando o telefone. Vira-se, alegremente, para a filha:

— Letícia vem aí.

Balbucia:

— Letícia?

Ele continua, numa satisfação evidente:

— Tudo resolvido.

Espantadíssima, pergunta: — "O quê, papai?". Enlaçou-a e foram caminhando para a biblioteca:

— Imagina que eu ando com uns lapsos. Você precisava de uma companhia para ir ao médico. Eu não podia ir, ou melhor, não devia ir. Entre parênteses, eu acho que, para a filha, o pai não tem sexo. Compreende? Não há entre pai e filha — ou não devia haver — o problema de pudor. Em todo o caso eu não me sentiria bem.

Para e faz, bruscamente, a pergunta:

— Você teria pudor de mim, minha filha? Ou não?

Ia responder: — "Sim! Muito!". Atenuou a resposta:

— Um pouco.

Dr. Arnaldo deu-lhe um alegre tapinha no rosto; novamente grave, admite: — "É justo! É justo!". Continua:

— Eu estava disposto a mandar você sozinha. Outra pessoa não podia ir, porque ninguém deve saber. Ninguém! Mas veja você como eu ando com a cabeça. Não me lembrei da única pessoa que sabe e que podia ir com você. Só ainda agora, coisa de um minuto, é que eu disse: — "É mesmo! Letícia!".

Nervosíssima, começa:

— Papai...

Pausa. Faz um esforço:

— Quero ir sozinha.

Admira-se:

— Por quê?

E ela:

— Tenho vergonha.

Não entende:

— De Letícia?

— De Letícia!

Aquilo o irrita:

— Mas não tem cabimento! Ora veja! E por que vergonha de Letícia?

Ele fartara-se de dizer, com ênfase, convicção: — "Sou favorável ao pudor. O pudor é bonito". Mas ajuntava: — "Há, porém, momentos em que… Num parto, por exemplo". E afirmava, depois de olhar em torno, com um jeito incisivo, de quem desafia possíveis objeções: — "No parto, não cabe o pudor!". Nessas ocasiões de certeza profunda seu olhar adquiria uma luminosidade intensa. Argumentou:

— Você e Letícia foram criadas como duas irmãs, ou, melhor, como duas gêmeas! Não entendo esse pudor. Até estranho! E, pelo contrário, a presença de Letícia é uma proteção e…

Faz uma pausa inesperada. Está sofrendo. Continua:

— Minha filha, Letícia vai, porque é preciso e eu faço questão. Mas eu quero te dizer o seguinte: — a mulher deve ter pudor sempre. Mesmo no parto! — E repetia, na sua incoerência: — Mesmo no parto! Teu pudor está certo. Mas Letícia vai.

Pediu: — "Letícia, não!". O velho irritou-se:

— Letícia, sim! Sabe que é a única pessoa que pode ir. Mas escuta!

Baixa a voz; seu rosto toma a expressão de um sofrimento intolerável:

— Só não pode saber que tu e Sílvio… Isso, nunca! Agora, sai um pouco, minha filha, sai um pouco!

A menina abandona a biblioteca. Ele vem sentar-se no divã: — "Não sei como uma mulher — qualquer uma! — pode ir a um ginecologista com naturalidade!". Ergue-se e, andando de um lado para outro, prossegue, numa espécie de polêmica consigo mesmo: "Naturalidade nenhuma!". E pelo contrário: — parecia-lhe que a mulher devia entrar num gabinete ginecológico com certa unção, como quem atravessa um misterioso limite. Ele não saberia explicar por que "unção" e nem que desesperador limite era este. Pensava confusamente essas coisas, mas sem lhes encontrar uma formulação exata.

DEIXANDO ENGRAÇADINHA, SÍLVIO apanhou uma condução, em seguida. Ia para o bairro das mulheres. Durante o trajeto, pensou: — "Engraçadinha é que devia estar lá!". Imaginava — e com que envenenada satisfação! — a menina, lá, de combinação, numa das janelas iluminadas. Ele teria preferido Geni — a que levava em cada seio o risco da navalha. Mas, já que esta andava com o Barone, lembrou-se de uma outra. Hula, judia de olhos verdes e verruga no queixo. Por mais estranho que pareça, Sílvio queria apenas perguntar a Geni, Hula ou outra qualquer:

— O que é que você acha da mulher que gosta de mulher?

Não desejava ninguém e perguntava a si mesmo: — "Nem Engraçadinha?". Nem Engraçadinha. Não desejaria ninguém naquele momento. Talvez Engraçadinha. Ou nem essa. Essa, menos do que qualquer outra. Letícia o esperava. Pensa: — "Amo Letícia". Chega no bairro das mulheres e dirige-se à pensão que frequentava. Não podia imaginar, porém, que teria de viver ali uma das experiências mais estranhas e abjetas de toda a sua vida. Logo ao entrar na sala, vê Zózimo, completamente embriagado (bebera a tarde toda), no meio de mulheres e fregueses. Ele acabara de dizer qualquer coisa e todo o mundo rebentava numa gargalhada. Sílvio teve a ideia de retroceder. O bêbado, porém, já o vira. Chamava-o:

— Vem cá! Chega aqui!

Geni, que estava numa mesa, com o Barone, ergue-se e veio ao seu encontro. Bebera também: — "Sumiu? Vem!". Baixa a voz: — "Amanhã te espero!". O Barone, a distância, sorria-lhes, paternalmente. O ex-campeão de luta romana, inteiramente careca, uma barriga quase intransportável, sorria de tudo e de todos. No meio da sala, Zózimo desvencilhava-se de alguém que quer agarrá-lo. Aponta Sílvio, que se aproxima:

— Ele conhece! — Vira-se para Sílvio, com o lábio encharcado: — Você não conhece?

A nova gargalhada ofende e humilha Sílvio como uma agressão indefensável. Quer segurar o rapaz: — "Vamos, Zózimo!". — O outro puxa o braço, num repelão:

— Tu não conheces a minha futura?

Quer puxá-lo, novamente:

Geni vem de lá: — "Esse Zózimo é um número! Uma bola!". Zózimo dá murros no próprio peito:

— Eu! Eu, sim, eu! — Entorta a boca e começa a desafiar todo mundo: — Minha noiva está grávida de outro, sim, senhor! E aqui o Sílvio conhece a minha noiva. Não conhece? — Ri, pesadamente: — Não é um biju? É um biju!

Tenta arrastá-lo: — "Vamos embora". Mas o outro continua, na sua ideia fixa:

— Minha noiva está grávida e nem sei quem é o cara. Mas escuta, Sílvio! Eu estou dizendo aqui a esses cretinos...

Olha em torno. Abraça o amigo. Grita:

— ...estou dizendo — tenho razão ou não tenho? — Estou dizendo que não se chama uma adúltera de adúltera! Não é, Sílvio? Você acha que vou chamar de adúltera uma dona que traiu antes do casamento?

Assombrado, Sílvio fora sentar-se numa mesa vaga, num canto. Hula não aparecia; devia estar com alguém. De longe, olha aquela abjeção com uma espécie de deslumbramento. O bêbado anda circularmente pela sala; súbito, estaca:

— Vou reconhecer o filho. Faz de conta que é meu. Sou muito homem pra mudar a fraldinha do meu filho!

Desata a chorar. Um gaiato faz voz de falsete: — "Chuta tua noiva pra mim!". Zózimo gira sobre si mesmo, procurando o gaiato: — "Vocês não entendem! Ninguém entende!". E repete: — "É uma indignidade insultar uma adúltera". Outro bate-lhe nas costas: — "Já de chifre, rapaz!". O bêbado ri: — "Chifre!". E, súbito, baixa a cabeça e, no passo pesado e incerto, sai dando marradas no ar. Apesar da embriaguez, ocorre-lhe uma reminiscência de cinema. Para e, num esforço de equilíbrio, raspa o chão com o pé como um touro de desenho animado. De repente, cambaleia e acaba derramando-se no chão. Foi carregado; Sílvio ajuda. Na cara de Zózimo as lágrimas vêm misturar-se com a baba. Chora:

— Minha adulterazinha!

No meio do jantar, aparece Letícia. Engraçadinha crispa-se na cadeira. Dr. Arnaldo mostra a cadeira vaga: — "Sente-se, Letícia". Respondeu, numa alegria agressiva:

— Acabei de jantar.

Atônita, Engraçadinha não tira os olhos do pai. Este acaba de enxugar os lábios com o guardanapo:

— Letícia vem passar a noite aqui, Engraçadinha. O médico é de manhã. Letícia dorme contigo.

Capítulo 25

A mãe, que já ia saindo, atendeu o telefone. Grita:

— Pra ti, Letícia!

— Quem é?

E a velha:

— Tio Arnaldo!

Estremeceu. Por um momento, e só por um momento, teve a tentação de mandar dizer que não estava. Mas a mãe havia de estranhar: — "Que é que há?". Estava no quarto, sentada diante da penteadeira. Ergueu-se, com um frio correndo pelo estômago. Veio dilacerada por uma suspeita ou, melhor, por uma quase certeza: — "Engraçadinha falou!". Ainda hesitou diante do telefone; repetiu para si mesma: — "Eu não devia ter beijado. Devia ter esperado um pouco mais. Ainda não era a ocasião". Atende:

— Alô, titio!

E dr. Arnaldo:

— Ah, Letícia? Tudo bem? Escuta, Letícia: — eu queria um favorzinho teu, pode ser?

A moça experimenta uma brusca euforia: — "Não sabe! Nem desconfia!". Ele a tratava como sempre, com uma grave ternura. Mas o velho continuava: — queria que ela acompanhasse a prima ao médico. Letícia encostou-se à parede, transfigurada. Balbuciou:

— Vou, sim! Levo, claro! Titio, não há problema!

Ele tossiu ligeiramente:

— Esse exame, você compreende, não compreende? Convém uma acompanhante. E ninguém melhor que você, que está a par...

Que coisa linda, que selvagem doçura, ouvir aquilo! Todo o seu ódio extinguiu-se de repente, no fundo do seu ser, até o último vestígio. — "Ó, Engraçadinha! Perdoa que eu tivesse dito aquilo ao Sílvio! Eu pensei que te odiasse e menti!" Dr. Arnaldo concluía:

— Escuta, Letícia. O médico é de manhã. Por que é que você não passa a noite aqui, não dorme com Engraçadinha? Posso então contar contigo?

Agora, estava na casa de Engraçadinha. Ora falava com uma tia, ora com outra, numa excitação meio febril. De vez em quando, olhava para Engraçadinha, que, um pouco atônita, tentava ler uma revista. Letícia precisava não dar a perceber a violência de sua felicidade. Tinha vontade de rir, de chorar. Houve um momento em que cantarolou não sei que verso. Seu medo era que percebessem a sua excitação. Disfarçou. Mas, sem olhá-la, Engraçadinha sentia a naturalidade vibrante, a calma fremente da outra. Dr. Arnaldo ergueu-se:

— Chega aqui, Letícia.

Ela trincava os dentes para não chorar de felicidade. O velho a levou para a varanda. Enquanto o ouvia, Letícia pensava: — "Ah, se eu fosse o médico! Eu queria ser esse médico!". Por um momento, ocorreu-lhe uma fantasia absurda: — imaginou-se estudando Medicina, só para tratar de Engraçadinha. Só a receberia depois do expediente. Diria para a enfermeira: — "Pode ir. Pode ir". A enfermeira sairia. Dr. Arnaldo estava dizendo, velando a voz, para que ninguém os ouvisse (e quase não fazia movimento com os lábios):

— Você sabe que tudo isso tem que ficar entre nós.

Sussurrou:

— Sei.

Pensava, mais do que nunca, no imaginário consultório, onde ela, de avental, como uma médica de filme, trataria de Engraçadinha. Desejaria que o consultório fosse exclusivamente da prima. Mas está claro que não seria possível essa exclusividade. Que diriam os parentes? Os colegas? A cidade? Precisaria aceitar outros clientes, sem discriminação. Mas estes seriam apenas um disfarce. A enfermeira não podia desconfiar de nada, isola! Ao lado do tio Arnaldo, imaginava a cena do consultório e com uma nitidez tão meticulosa e implacável que começou a sentir uma espécie de vertigem. O velho estava dizendo:

— Eu caí na asneira de contar a Zózimo. Imagine! Contei a Zózimo que Engraçadinha estava grávida. Precipitação imperdoável!

— Contou?

Suspira:

— Contei. Na conversa, aquilo saiu. Mas Zózimo reagiu bem. Rapaz de caráter. Reagiu bem, disse que casava. Uma mentalidade superior. Mas, em matéria de casamento, não convém favores e é de todo o interesse que o marido encontre uma virgem. Você entende, Letícia?

— Também acho.

Animou-se:

— O casamento que começa por um favor está liquidado. Em sexo, não cabem os favores! E Engraçadinha vai ao médico... Olha, Letícia! Confio em você! Vai ao médico, justamente, para — não sei como dizer — para fazer uma operação que... Coisa sem importância cirúrgica, mas que... Em suma: — sairá do consultório virgem. Então, eu poderei dizer ao Zózimo: — "Aquilo que eu lhe disse é falso!".

Riu, sombriamente. Letícia teve um lamento interior: — "Por que não sou eu o médico de Engraçadinha?". Sempre falando baixo, inflamou-se:

— Pode parecer absurdo — e ajuntou com uma satisfação feroz: — Mas será menos absurdo quando ele constatar, ele próprio constatar que... Letícia, Engraçadinha é como se fosse sua irmã...

Apanhou a mão da sobrinha, apertou-a: — "Eu sei que posso confiar em você". Letícia começava a ter raiva do médico do dia seguinte. O ginecologista ia tratar Engraçadinha como se fosse uma cliente normal ou talvez a desejasse, quem sabe? Letícia sabia, através de uma amiga casada, que o ginecologista começa, normalmente, com a pergunta: — "Quando foi deflorada?". Isso quando é, naturalmente, uma cliente de primeira vez. Faz a pergunta e vai enchendo uma ficha. Deu-lhe ódio que um desconhecido tratasse Engraçadinha com essa brutalidade profissional. Dr. Arnaldo baixava ainda mais a voz:

— Entendeu? Para todos os efeitos, Engraçadinha é virgem. E olha, Letícia: — você não diga isso nem à sua mãe. A ninguém.

Ele respira fundo, ao mesmo tempo que pensa em Sílvio. Precisava falar com o filho. Decide, porém: — "Ainda não. Mais tarde". Tinha medo daquele encontro. — "Eu o evito e ele me evita." Tanto ele, como o filho, sentiam-se humilhados e tristes. Enquanto Letícia volta para a sala, dr. Arnaldo lembra-se do que ouvira, certa vez, na Câmara. — "Se não me engano, foi o Aprígio." O Aprígio afirmara que no Rio, e um pouco em São Paulo, a virgindade era um detalhe. O miserável assoalhara: — "Lá ninguém é virgem. Ninguém quer ser virgem". Só a pena de morte!

Engraçadinha está com a revista abandonada no regaço. Já a folheara sem ler uma linha, sem olhar uma foto. Ergue o rosto, encosta a cabeça. Está desesperada de ódio: — "Eu sei o que ela está pensando. Por Deus do céu, estou com vontade de fazer, sabe o quê? Apanho a seringuinha de borracha e encho de iodo". Ah, se a outra tivesse a coragem! "Ela não me conhece." A própria Engraçadinha já não se entendia mais. Aquele sentimento envenenado, aquela onda selvagem que rompia de não sei que profundezas, era desconhecida na sua vida. Deixaria a seringuinha com iodo dentro da gaveta da mesinha de cabeceira. E se ela se aproximasse...

— Engraçadinha.

Abre os olhos, assustada. Era Letícia. Aproximara-se sem rumor. Estava sentada a seu lado. Com uma voz quase inaudível, Engraçadinha disse:

— Você é muito cínica!

E a outra:

— Deixa eu falar, Engraçadinha!

Dr. Arnaldo, porém, aproximava-se. Estava olhando o relógio de pulso:

— Como é, pessoal? Está na hora de dormir. Vocês não vão dormir?

As duas levantam-se. Engraçadinha vai na frente. Pensa: — "Como é que Sílvio pode achar que eu...". Mas ele não tinha a culpa. A culpada era a Letícia, a sem-vergonha. Como, de um momento para outro, uma amizade de tantos anos, amizade de toda uma vida, podia extinguir-se num beijo, um simples beijo?

Entraram as duas no quarto. Automaticamente, Letícia, que passara por último, torceu a chave. Sem uma palavra e com uma rigidez de máscara no rosto, Engraçadinha vai até a porta e a deixa apenas fechada com o trinco. Letícia balbucia, sem nenhuma afetação, e com ardente humildade:

— Desculpe.

Não quer assustá-la. Engraçadinha decide: — "Vou deixar a porta encostada". Eis o que lhe ocorrera — estar com a prima num quarto trancado seria aceitar uma intimidade quase física. Ao passo que Letícia, em silêncio, sentia, em todo o ser, um sereno deslumbramento. — "Passar toda uma noite, no mesmo quarto, com Letícia", eis o sofrimento, o medo surdo de Engraçadinha. Diz para si mesma: — "Não mudo a roupa"; parecia-lhe que abrir um botão da blusa seria um gesto de abandono, uma sugestão de impudor, quase uma cumplicidade. — "Vou me deitar vestida." Só com os pés livres e nus, os pés que, certa vez, fizeram Letícia dizer: — "São bem-feitos! Lindos!". E o eram realmente, de um modelado voluptuoso e perfeito.

Com medo de olhá-la e velando a voz, Letícia pergunta:

— Posso apanhar um pijama?

De costas, respondeu:

— Apanha.

Só. Mas qualquer palavra que Engraçadinha lhe dissesse era uma carícia. Apanhando o pijama, Letícia pensa: — "Vou passar a noite em claro". Já fechou a gaveta; está de pé. Sonha, ao mesmo tempo que desabotoa o vestido nas costas: — "Morrer com Engraçadinha". E continua: — ser enterrada com a prima, lado a lado, unidas na mesma eternidade nupcial. Engraçadinha está na janela: — "Ela vai tirar toda a roupa. Pensa, naturalmente, que eu vou olhar. Pois sim!". Sem virar-se, Engraçadinha está dizendo:

— Você dorme na cama.

— E você?

— Eu me arranjo.

— Mas, Engraçadinha!...

E ela:

— Não aborrece, Letícia! A eterna mania!

Baixou a cabeça: — "Está certo, Engraçadinha, está certo!". A própria sujeição deu-lhe um prazer agudo. Só depois que a prima deitou-se é que Engraçadinha veio apanhar uma colcha e improvisou, longe da outra, uma espécie de cama, no chão. Letícia ainda perguntou: — "Você não muda a roupa?". Disse:

— “Não”. Foi só. Na felicidade de tê-la tão próxima, Letícia pensa: — “Não direi mais nada”. Imóvel na cama, os pés unidos, as mãos entrelaçadas como uma morta, Letícia imagina-se ginecologista da prima. Engraçadinha não sabe se fecha ou não a luz. Tem medo das trevas. Sílvio brigara. Sílvio não viria. Diz sem voz, apenas com o movimento dos lábios: — “Sílvio”. Finalmente, levanta-se e apaga o quarto. Vem deitar-se. Tem medo. Sente que anda um abismo solto nas trevas.

Sílvio chegou cerca das três horas. Não entende por que o tio ainda não o chamara. Acabara de deixar o Zózimo em casa. O bêbado, agarrado a ele, chorando sordidamente, repetia, na sua fixação de ébrio: — “Você conhece a minha futura. Não conhece? A minha futura, Sílvio? Conhece. Grávida, não sei de quem, nem interessa”. Aquele bêbado, obcecado pelo perdão da adúltera, era terrível. Sílvio largara-o nos braços dos pais. Agora, entrava em casa. Conseguira não pensar em Engraçadinha. Súbito, lembra-se da tara como de uma flor secreta, que tivesse nascido em não sei que solidões tremendas. Ele vem caminhando, mansamente, através do silêncio. Estaca, diante do quarto de Engraçadinha. Ainda vacila. Empurra a porta, que cede. — “Abriu!” — foi sua exclamação interior. Avança na direção da cama. Diz, fora de si:

— Engraçadinha!

Capítulo 26

Murmurou:

— Engraçadinha.

Letícia estava acordada e a prima também. Sentiram quando alguém empurrou a porta. Engraçadinha pensa, dentro da escuridão: — “Sílvio. Acha que eu gosto de mulher e veio. Tem ódio de mim e veio. Seu ódio é amor”. Ela mesma já não sabe o que é amar, e o que é odiar. Só sabe que Sílvio entrou e pisa de leve, tão leve, que mais parecem pés imateriais, calçados de silêncio.

A princípio, Letícia não entende: — “Alguém!”, eis o que pensa. — “Alguém!”, repete para si mesma, ao mesmo tempo que o estômago se contrai numa náusea de medo. Tranca os lábios para não gritar. O ser desconhecido está junto da cama. Diz, quase sem voz:

— Engraçadinha!

Sílvio, que procura a prima e a deseja! Ó, Sílvio! Letícia não responde. Ser chamada de Engraçadinha. Sente a mão de Sílvio deslizando e segurando, apertando um dos seus pés. Letícia quase não respira, como se o seu hálito pudesse trair-lhe a identidade. Por um momento, Sílvio segura na mão a vida delicada e vibrante daqueles pés. Letícia está pensando: — "Sílvio! Eu não sou Letícia, eu sou Engraçadinha!". E continua, sentindo na carne a mão áspera e quente: — "Ah, se eu fosse Engraçadinha, eu me acariciaria...". Ela não entendia como certas mulheres não têm desejo por si mesmas ou ainda: — como certas mulheres não se possuem a si mesmas. A mão de Sílvio abandona os pés. Sobe. Letícia mal respira: — "Ele não desconfiou ainda". A mão pousada no joelho. E pensa: — "Engraçadinha viu Sílvio entrar. Sabe que ele está comigo". E passar por Engraçadinha, ser Engraçadinha, viver a vida da outra, ter por um momento o seu nome, receber as suas carícias! Sílvio deixa-se enganar pela insânia dos sentidos.

Engraçadinha não se mexe. "E se eu me levantar e acender a luz? Já, não; ainda não." Acaricia-se a si mesma: — "Como é bom! Como é bom!". Ouve Sílvio balbuciar seu nome ainda uma vez, num lamento estrangulado:

— Engraçadinha!

Quer que ela fale. Boca com boca, Sílvio diz a Letícia: — "Vim, querida! Não queria e vim!". Passa-lhe a mão pelo rosto e não sente que não são as feições de Engraçadinha. Depois a agarra pelos cabelos, que não são tão leves e macios como os da mulher desejada; nem os lábios têm a mesma voluptuosidade. Ele gostaria que Engraçadinha fizesse como da primeira vez, que Engraçadinha trançasse os pés no alto. Hoje, ela se conserva passiva — atônita no sonho da carne e da alma. Sílvio repete para que a falsa Engraçadinha ouça:

— Te amo! Meu amorzinho!

Virá sempre. Todas as noites, empurrará a porta. Chegará alta madrugada e empurrará a porta. Pela primeira vez, ela não fala. É possuída no silêncio e nas trevas e sem uma palavra. Não chora como antes; não soluça, como antes: — "Ó, Sílvio! Sílvio! Sílvio! Ó, Sílvio". Repetir seu nome e, depois, mordê-lo, estraçalhá-lo. Dilacerar nos dentes o seu nome! Por fim, ficar subitamente hirta, gelada. Assim fora da última vez e agora não. Agora deixa-se possuir em silêncio. Não diz uma única vez o nome do ser amado. Ele sente apenas o rumor dos dentes trincados. E ele não percebe que o beijo de Letícia não tem o gosto da boca de Engraçadinha. Esta, na outra extremidade do quarto, rola; está de bruços, com o rosto amassado contra o travesseiro. Morde a fronha. Poderia chamá-lo: — "Estou aqui, Sílvio!". Ou ainda: poderia levantar-se para acender a luz. Mas fica onde está. Repete para si mesma: — "Eu não posso, Sílvio! Quero e não posso!". Sentir que era ela que estava sendo desejada e possuída — e não Letícia — dava-lhe um prazer quase mortal.

Letícia perdera o sentimento da própria identidade. Não era Letícia, jamais fora Letícia. Teve vontade de repetir num sopro de voz: — "Eu sou Engraçadinha e não Letícia!". Ah, se ela pudesse perder a memória de si mesma, nunca mais ser Letícia, transformar-se em Engraçadinha! Nos braços de Sílvio, sonhava. Enlouquecer e, como certos loucos, tomar uma nova e fantástica identidade, imaginar-se para sempre Engraçadinha. E, depois, ao morrer, queria que gravassem, no túmulo triste, em letras de bronze, o nome de Engraçadinha e não de Letícia. Ó, ser enterrada como Engraçadinha e assim apodrecer!

De bruços, Engraçadinha sente que eles sofrem agora e que há, nas trevas, um grito prestes a subir como um dardo de loucura. Os dois parecem agonizar, parecem morrer. Sílvio morde as palavras, como se elas pudessem sangrar: — "Querida! Vidinha! Ah, querida! Querida!". E, no chão, Engraçadinha os acompanha. — "Sou eu, não é ela! Sou eu e não Letícia! Eu, Sílvio!" O grito, que gostaria de dar, não chegou a erguer-se; partiu-se no fundo do seu ser. Súbito, uma paz imensa no quarto. Ele não sabe nada. Engraçadinha sente um vazio de êxtase perdido. Sílvio levanta-se. Depois do desejo, sente o asco. Inclina-se sobre o rosto da outra; diz, quase chorando:

— Sua vaca!

Tateando, apanha o paletó no chão, junto da cama. Vai cambaleando. Pensa: — "Letícia, o que sinto por Engraçadinha não é amor, é desejo. Desejo Engraçadinha e nada mais. Só amo você, Letícia". Sai do quarto; sem rumor, encosta a porta. Caminha, rente à parede. No seu desespero, imagina, novamente, para si, uma mutilação hedionda. Não desejar Engraçadinha. Não desejar ninguém.

PODE PARECER ESTRANHO, mas eis a verdade: depois que Sílvio saiu, não houve, entre as duas, uma única palavra. Engraçadinha decide, acomodando a cabeça no travesseiro: — "Eu não direi nada. Faz de conta que não sei de nada". Letícia sentia-se dentro ainda do sonho: — "Por um momento, deixei de ser eu mesma" — e repete com o ser erguido em adoração: — "Eu fui Engraçadinha". Queria para si: — "No meu túmulo o nome de Engraçadinha e, por baixo, também em bronze, as duas datas: — de nascimento e da morte de Engraçadinha".

Adormeceram quase ao mesmo tempo. Engraçadinha teve um dos sonhos mais exasperantes de sua vida. Via o interior de uma igreja, de belos santos seminus; nos altares o sono dos círios. Duas noivas ajoelhadas. No sonho, Engraçadinha exclama: — "Sou eu!". Era, sim, uma das noivas; e a outra: — Letícia. A voz de um invisível padre estava perguntando se ela queria mesmo ser esposa de… No próprio sonho, Engraçadinha fazia espanto: — "Mulher já pode ser esposa de mulher?". Coisa curiosa! Ela observava a possibilidade com um espanto divertido, mas sem horror. Horror nenhum. E, subitamente, Sílvio apareceu no lugar de Letícia. Em seguida, já não era mais Sílvio e sim o ginecologista. De joelhos, Engraçadinha virou-se para ver os santos seminus, realmente lindos.

Bateram na porta:

— Engraçadinha! Engraçadinha!

Era o dr. Arnaldo. Letícia acorda, assustada:

— Já vai, titio!

O tio vinha somente advertir:

— Olha a hora do médico!

Eram sete e meia da manhã. Antes de bater na porta da filha, o velho passara no quarto do filho. Durante a noite, chegara a uma decisão: — "Preciso falar com Sílvio o quanto antes". Concluíra, com o maior desprazer, que estava com medo de uma explicação, cara a cara. Dr. Arnaldo vivia dizendo: — "Medo é uma palavra que risquei do meu dicionário!". E, realmente, só recuava, só transigia por exigências da vida política, social e familiar. E nunca por covardia. "Não sou covarde!" Bate no quarto do filho e encontra o chão imundo de cinza e pontas de cigarro. Tem um espanto consternado:

— Que é isso, meu filho?

O outro, que estava nu da cintura para cima, a cara incendiada de febre, enfia o paletó de pijama:

— Insônia.

O fato de chamá-lo "meu filho", embora convencionalmente, perturbou-o. Antes de entrar ali, dr. Arnaldo premeditara cada palavra e a respectiva inflexão: — "Devo ser prático e objetivo". Sílvio especula: — "E se ele me insulta ou me agride?". Imaginou-se esbofeteado pelo tio e obrigado a reagir, ou pelo menos, a defender-se. Sem alterar a voz e sem nenhuma emoção aparente, o velho disse tudo:

— O que passou, passou. Vamos passar uma esponja no passado. O que houve entre você e Engraçadinha foi um pesadelo. O remédio é esquecer. Esquecer e perdoar. Você vai casar-se com Letícia e Engraçadinha com Zózimo.

Calou-se, realmente satisfeito. Decorara as frases e conseguira repeti-las integralmente, sem acréscimo ou omissão de uma vírgula. Essa fidelidade da memória o envaideceu. Desesperado, mas contido, Sílvio respondeu sem olhá-lo: — "Está bem, titio!". Dr. Arnaldo respirou fundo e despedia-se: — "Até já!".

Andara bem evitando uma referência direta e objetiva. A palavra "pesadelo" fora um achado. — "Fui feliz", admitia. Pouco depois, chamava Engraçadinha. No quarto, Sílvio acendia um novo cigarro que, como os anteriores, não fumaria até o fim: — "Ó, como Engraçadinha estava diferente! Deixara-se possuir com uma passividade de amorosa ressentida".

Entre as duas primas, não houve um "bom-dia", nada. Não se falavam. Ambas sentiam-se ainda traumatizadas pelo prazer da noite. Letícia levara, na bolsa, uma escova de dentes; preferiu, porém, usar a de Engraçadinha. Depois que a outra saiu. Engraçadinha entra no banheiro. Lavou-se com deleite e o requinte de quem vai pecar. Ouvira alguém dizer (ou lera) que o ginecologista é o adultério da mulher fiel. Na porta do quarto, já pronta, Letícia teve ciúmes desse banho que não acabava mais. Mais do que nunca, sofreu não ter estudado Medicina (só para examinar Engraçadinha). Finalmente, Engraçadinha voltou para o quarto. Letícia quis acompanhá-la, mas ela se opôs:

— Fica do lado de fora.

Implorou:

— Queria falar contigo. Um momento, um instantinho.

Parou, junto à porta: — "Pois fala". Baixou a voz:

— Te juro que nunca mais. Te dou minha palavra de honra. Eu não faço — pela vida de minha mãe! — Não faço nunca mais, Engraçadinha! Você me perdoa?

Ergueu o rosto duro:

— Você morreu para mim. E me espera aí fora, sim?

Dr. Arnaldo levou-as de carro. Eis a verdade: estava emocionado. Recomendou: — "Quero que Letícia assista. Olha, Letícia: — você fica ao lado de Engraçadinha". Engraçadinha vira-se para o velho: — "Papai, eu não quero que ninguém me olhe". Dr. Arnaldo afagou-a nos cabelos: — "Criança!". Engraçadinha sonhava: — "Só quero ver a cara dele na hora!". Na esquina do médico, as duas saltam. Dr. Arnaldo indicou o lugar onde as esperaria. Disse: — "Felicidades".

Sobem. Tocam a campainha. O próprio médico abre a porta. Olha uma e outra; pergunta:

— Quem é a Engraçadinha?

A menina dá um passo: — "Eu". Dr. Bergamini faz um sinal: — "Entra". Engraçadinha obedece, com o comentário interior: — "Que velho bonito, meu Deus do céu!". O médico está dizendo a Letícia:

— Fica sentadinha na sala de espera. Acompanhante do lado de fora.

Engraçadinha sentia que, ao primeiro olhar e antes da primeira palavra, ele a desejara.

CAPÍTULO 27

No seu desespero, Letícia teve vontade de descer e, como uma doida, ir procurar o dr. Arnaldo: — "O médico não me deixou entrar!". O miserável queria ficar só com Engraçadinha. Letícia pensava, confusamente, que não há solidão maior e mais desesperadora que a da cliente bonita (sem acompanhante) e o ginecologista (sem enfermeira). Dir-se-ia o único casal da Terra. — "Ah, por que não estudei Medicina?" Médica para examinar Engraçadinha e nada mais. Do lado de fora, procurava escutar o barulho de ferros. Nada ainda; apenas as duas vozes. Não conseguia, porém, entender as palavras. Falavam baixo. Ah, cretino, ah, sujo!

Engraçadinha entrara. O médico, quase belo no seu avental, fechou a porta. De passagem, a menina olha para a mesa, com uma curiosidade maravilhada. Que coisa doce, que coisa linda, despir-se para um homem que não é namorado, nem noivo, nem marido, nem amante! Se a mulher tem um mínimo de imaginação, há de comover-se, claro, há de maravilhar-se com esse abandono diante de um desconhecido! — "Virei aqui outras vezes", decide Engraçadinha. Desde garotinha que invejava as senhoras que iam ao médico. Ah, de quando em vez, ela poria a mão no lado, queixando-se: — "Estou com dor aqui!". Sim, fingiria a dor para ir ao ginecologista. Eis o que ela dizia a si mesma, por outras palavras: — há um momento em que a senhora honesta experimenta um certo tédio, certa saturação da rotina amorosa. Certos exames são uma maravilhosa imitação de pecado.

Dr. Bergamini está diante dela. Ainda não fala. Sim, o dr. Bergamini não tem pressa da primeira palavra. Engraçadinha pensa: — "A mesa está detrás de mim". A mesa, com os seus estribos de metal. O médico apanha um cigarro e o acende. Ele sente que essa pequena, realmente linda, tem o enleio de uma primeira vez. Dr. Bergamini conhece muito bem essa calma tensa, essa serenidade vibrante.

Súbito, ele sorri:

— Tem medo de mim?

Respondeu, sôfrega:

— Não.

E o médico:

— Ou tem?

Contradiz-se, vermelha:

— Tenho.

Não mentia. Aquela voz de homem, densa e, apesar disso, de uma doçura viril, a assustava. Sentia, realmente, um medo instintivo que, ao mesmo tempo, era de uma voluptuosidade quase insuportável. Todas as raízes do seu ser estavam crispadas. Engraçadinha já olhara várias vezes os antebraços do médico e pensa com uma angústia deliciosa: — "Parece gorila!". Ao mesmo tempo, imaginou-se raptada, numa floresta, por um macaco gigantesco. Nua, nos braços do King Kong do filme. Ele continuava:

— Escuta, meu anjo: — primeiro vamos conversar.

Baixa a voz:

— Tenho vergonha.

Esse "tenho vergonha" foi um exagero, do qual se arrependeu imediatamente. "Não devia ter dito isso", foi o que pensou. Dr. Bergamini sorria-lhe ainda. Sabia que a adolescente, no ginecologista, tem um escrúpulo muito tênue ou nenhum. E, pelo contrário: — ela põe, no próprio impudor, uma docilidade tocante. Despe-se com uma espécie de ânsia. Salvo, naturalmente, o caso daquelas que têm uma feminilidade escassa ou nula.

Toma entre as suas as mãos leves e macias da cliente:

— Deve ter vergonha. Pode ter vergonha. Acho a vergonha naturalíssima.

Pensava, com bondade, na sua ternura divertida: — "Não tem vergonha. Dissimula, mas o quê?". Ele aprendera, no *métier* de muitos anos, que mais importante são os ovários da alma. Polemizava com os colegas: — "Os verdadeiros órgãos genitais estão na alma". Graças a essa "mania da alma", incompatibilizara-se com toda a classe. Era apontado pelos médicos em geral como um bandido da especialidade. Muitos recusavam-lhe o cumprimento e havia os que diziam abertamente: — "Devia estar na cadeia!". E como se não bastasse "a alma" que ele esfregava na cara de todo o mundo, ainda tinha o cinismo lúgubre de fazer abortos — às vezes, vinte por dia. E mais: — tomava o dinheiro de umas pobres moças para costurar-lhes a virgindade. Já se esboçava um movimento, na classe, para cassar-lhe o diploma e metê-lo no presídio, como um gângster da profissão.

Dr. Bergamini abandona o cigarro pela metade no cinzeiro. Volta-se para Engraçadinha:

— Escuta: — seu pai conversou comigo. Ele quer que eu faça, em você, uma operação...

Interrompe:

— Que operação?

E ele:

— Olha! É o seguinte: uma coisa rápida que não dói nada. Eu dou uma injeção; você sente apenas a picada da agulha, só. E nem demora nada: — uns dez minutos.

Engraçadinha deixa passar um momento. Pergunta: — "E se doer? Doutor, eu sou muito covarde para dor!". Novamente, Dr. Bergamini apanha as duas mãos da pequena:

— Responde: — confia em mim?

Suspira:

— Confio, mas... — vacila e pergunta: — Pra que a operação?

O médico beija uma e outra mão da menina:

— A operação é para você casar direitinho, na igreja, de véu e grinalda.

Numa brusca euforia, Engraçadinha diz para si mesma: — "Já começou! Esse negócio de beijar minhas mãos! Aposto que, daqui a pouco, ele vai querer que eu sente no colo!". E pensava: — "Ah, Sílvio aqui!". Comparou os dois: — o médico e o namorado. Sílvio era claro, fino, depilado; dr. Bergamini, pesado, maciço e peludo. Novamente, Engraçadinha imagina-se arrebatada por um gorila, através da floresta; imagina-se triturada pelo bicho. Gostaria de passar a mão, de lixar a mão na barba do médico. Barba bem-feita, mas de uma sombra azulada e intensa. Ela estremecera quando dr. Bergamini beijara as duas mãos.

O médico prossegue:

— Mas olha! Farei isso, claro, se você quiser. Não importa o seu pai. — E repete: — O que importa é você. A cliente é mais importante do que tudo.

Ele gostaria de dizer — mas a menina não entenderia —, gostaria de dizer que para o médico e, sobretudo, para o ginecologista, a cliente é algo assim como uma Joana d'Arc. Achou graça (o próprio dr. Bergamini achou graça) do espanto de Engraçadinha se ele, bruscamente, a chamasse de Santa Joana. Repete sem desfitá-la:

— Neste momento, para mim, só você existe.

Novamente, esteve para dizer-lhe que, diante do ginecologista, a meretriz mais vil deve ser venerada. Todavia a palavra "veneração", que usou mentalmente, chocou-o porque lembrava uma doença do seu *métier*. "Não devia me tocar!" Eis o que repetia para si mesma Engraçadinha. "Sílvio pensa que eu gosto de mulher. Bem feito!" Dr. Bergamini não largava as suas mãos. Ela já o olhava mais firme e quase com desafio; e, sem querer, começava a entreabrir os lábios, talvez numa leve insinuação de beijo. Dr. Bergamini gostaria de continuar a afirmar-lhe que, se fosse o caso, estaria com a cliente e contra o pai, a família, a sociedade.

Súbito, Engraçadinha fez a pergunta:

— E se eu estiver grávida?

E ele:

— Bem. Isso é o que vamos ver. Mas admitamos que sim. Eu acho — eu, pessoalmente — que você deve ter o filho. Quer ter o filho, caso esteja... Quer?

Disse, com súbita paixão:

— Quero!

Ele, que havia abandonado as mãos da menina, volta a apanhá-las. Disse-lhe, então, por outras palavras, que só um canalha, um verdadeiro canalha, pode discriminar a "mãe solteira" da outra.

— Então, escuta: — tenha seu filho. Não interessa o seu pai, ou sua mãe, ou a vizinhança. Tenha o filho de qualquer maneira!

Ela queria ter, sim, o filho. Com as mãos livres, faz uma inconsciente carícia no próprio ventre. "Não vou tirar!" Se o pai quisesse bater-lhe, fugiria até de casa. O filho de Sílvio. Não podia casar. Muito bem: — ficaria com o filho de Sílvio. E quando estivesse já com a deformação da gravidez, passaria pelo ser amado, e o olharia, como se dissesse: — "Teu filho!". Zózimo (bobão!) passaria por pai. Carregaria o menino, ou a menina, com o carinho de sua falsa e abjeta paternidade.

"Por que é que ele não me examina logo?", perguntava Engraçadinha a si mesma, com sofrida impaciência. O corpo de Sílvio era branco, como o de uma moça, e o do médico, sólido e escurecido de cabelos. Dr. Bergamini ergue-se:

— Vem cá!

Levanta-se também. Crispada, espera. O médico indica uma porta na extremidade do consultório:

— Está vendo ali?

— Estou.

E ele:

— Entra lá e muda a roupa.

Engraçadinha experimenta uma contração no estômago. O médico vai apanhar a luva. Para ele, aquele momento jamais fora rotina, hábito ou monotonia profissional. Pelo contrário: — era algo de novo, de perpétua e violentamente novo. E não pelos órgãos puramente físicos. Como ignorar, como fazem tantos imbecis convencionais, os ovários da alma? A partir do momento em que a cliente acomodava o salto nos estribos de metal, tornava-se santa.

Engraçadinha entrou no pequeno cubículo ladrilhado. "Vou te trair, Sílvio!" Ó, impudor que nenhuma igreja condena! Por um momento, deu-lhe a tentação de fingir uma desesperadora inocência e tirar tudo, fazer como fizera com o Sílvio, na biblioteca. Hesita, um momento. Que diria o médico se, de repente, aparecesse absurdamente nua? Quis experimentá-la. Entreabre a porta. Pergunta:

— Doutor, tiro tudo?

E se ele dissesse: — "Pode tirar?". Dr. Bergamini, que estava colocando a luva, disse:

— Não ouvi.

Repetiu:

— É para tirar tudo?

CAPÍTULO 28

Ao mesmo tempo que perguntava se era para "tirar tudo", Engraçadinha pensava: — "Nenhum médico faz o que ele fez". Sem a ter visto nunca, apanhara as duas mãos e beijara uma e outra. Ela não se deixara iludir pela falsa naturalidade dessa ternura.

Dr. Bergamini, que, a princípio, não ouvira, corrige:

— Tudo, não. Só a calcinha.

Quando Engraçadinha reaparece, ele, que fumava usando a mão esquerda, encosta o cigarro no cinzeiro. Já estava de luva. Vira-se para ela:

— Chega aqui, meu anjo.

A menina aproxima-se. "É agora", dizia para si mesma. Para o médico, aquele momento já se repetira, na sua vida profissional, umas mil vezes. Mas ele não teve a sensação de uma experiência conhecida e banalizada. Pelo contrário: — contraiu-se como se fosse uma primeira vez, sempre uma primeira vez. Costumava dizer para os colegas que ainda o cumprimentavam: — "Há uma ocasião em que o ginecologista precisa sentir-se um São Francisco de Assis". Ele perde, por um instante, a sua identidade convencional, para viver, apaixonadamente, a sua plenitude franciscana. Ai daquele (era o Dr. Bergamini que o dizia), ai daquele que, na ginecologia, não consegue jamais prostrar-se como um S. Francisco de Assis. Começava a viver, exatamente, este momento.

Engraçadinha já não finge mais o enleio da adolescente que não é de todo mulher. Ergue a fronte com uma certa paixão. Por debaixo do vestido, os quadris estão livres e vibrantes. "Vou trair Sílvio", foi sua exclamação interior. Traí-lo sem que ele soubesse. Humilhá-lo.

Dr. Bergamini segurava nas pontas da toalha de linho. Chama:

— Você põe os pés aqui. Aqui, é.

Abria a toalha na frente de Engraçadinha. Ele repetia sempre: — "A partir do momento em que a cliente introduz o salto dos sapatos...". Sim, o salto nos estribos de metal (referia-se à cliente de primeira vez), a partir desse momento, o médico deixa de ser o simples profissional atento, o simples técnico; transcende a si mesmo. O dr. Bergamini achava que, em tais ocasiões, o ginecologista não devia sentar-se no banquinho próprio, mas ajoelhar-se. Ficar de joelhos, numa humildade total.

Dr. Bergamini sabe que a cliente de primeira vez faz, para o ginecologista, um jogo de pequeninas simulações. Ela não pode dar a perceber que leva em si uma voluptuosa curiosidade, um sentimento de pecado — mas de um pecado sem mácula.

O médico vê Engraçadinha de olhos fechados, boca crispada. Faz-lhe uma breve exortação. O que quer dar a entender, em suma, é que aquele não era um local próprio para o pudor. Acrescenta:

— O médico, aqui, não é nada. A cliente, tudo. Ou por outra — faz de conta que eu sou, aqui, um São Francisco de Assis.

Gostaria de dizer, ainda, que a cliente, seja qual for, é o ser imaculado. Para si mesmo, repetiu: — "Neste momento você não tem mácula, nenhuma, nenhuma". Ao mesmo tempo, reconhece que São Francisco não raciocinaria tanto e que... Calou-se. Disse apenas:

— Você aqui não deve ter pudor.

Abriu os olhos; ergueu a cabeça:

— Não é pudor.

Os dois se olharam. Encostou, novamente, a cabeça no pequeno travesseiro. "Bem feito, Sílvio!", pensava Engraçadinha. Lá fora, na sala de espera, Letícia trincava os dentes, unia os joelhos. Ah, o cachorro daquele médico! Pensa que, se estivesse lá dentro, ah, se estivesse lá dentro! Odiou o ginecologista que lhe barrara a entrada.

Dr. Bergamini ergue-se. Pergunta, com sofrida humildade (sentia-se, realmente, um São Francisco de Assis):

— Isso quando aconteceu?

Engraçadinha fixa o médico. Seu olhar é, agora, a um só tempo mais doce e mais profundo. Responde com outra pergunta:

— Estou?

Insiste: — "Quando foi?". Ao saber que tudo acontecera há dias, disse:

— É cedo.

A menina entreabria os lábios, sem desfitá-lo. Com a língua umedecera o sorriso. Perguntava a si mesma: — "Será que ele não percebe? Ah, se eu fosse o médico!". Imaginou-se no lugar do dr. Bergamini (dr. Bergamini diante de uma cliente de dezoito anos. Em primeiro lugar, quando a cliente perguntasse: — "Tiro tudo?" — responderia: "Tudo". Estava só, sem acompanhante e sem enfermeira. E se a cliente perguntara é que admitia, claro, ela própria, a necessidade de despir-se de maneira absoluta. Logo que aparecesse nua, ele começaria por tomar-lhe o peso. Diria: — "Sobe na balança!". Subiria, nuazinha, na balança. Ele faria o comentário: — "Sabe que você é linda?". Repetiria: — "Linda!". E, súbito, a beijaria no pescoço, nas costas, na curva do ombro).

Engraçadinha pergunta:

— O que é que o senhor vai fazer, doutor?

Ela sentia no médico uma perturbadora humildade. Dir-se-ia que dr. Bergamini a olhava como que adorando. Sim, adoração e não desejo. "O Zózimo me adora", pensou. Dr. Bergamini respondia:

— Vou-lhe fazer aquela operaçãozinha. Uma coisa à toa.

Sabia e, ainda assim, perguntou:

— Pra quê, hein, Doutor?

E ele:

— Você não quer sair daqui virgem? Não quer?

Endureceu o rosto:

— Não!

— Por quê?

Estava espantado e inquieto. — "Todas querem, você não?" Fez a volta da mesa. Engraçadinha repete: — "Eu não". E continua:

— Doutor, eu vou ser franca. O senhor prefere, não prefere? Que eu seja franca? Pois é. Doutor, eu sou noiva de um e isso aconteceu com outro.

Dr. Bergamini começou a sofrer. Fez espanto: — "E seu noivo? Você não gosta do seu noivo?". Respondeu:

— Gosto.

Não gostava de Zózimo, claro. Mentia, porém, com uma intenção. Queria que ele sentisse que ela podia gostar de Sílvio, Zózimo e, até, dele, médico. Fez-lhe um desafio:

— O senhor acha que uma mulher pode gostar de mais de um ao mesmo tempo? Acha?

Dr. Bergamini não sabe o que responder. Aprendera, em vinte anos de ginecologia, que a mulher normal, equilibrada, é capaz de amar dois, três, quatro ao mesmo tempo. O amor múltiplo é uma exigência sadia de sua carne e de sua alma. A exclusividade que ela dá, e que o homem exige, representa um equívoco ou, pior: — um aviltamento progressivo e fatal. Cada minuto de fidelidade significa assim um novo desgaste. Há tão pouco amor por isso mesmo: — porque o degradam com deveres, com obrigações. Como dever, como obrigação, a fidelidade é uma virtude vil. Com uma vergonha mesclada de asco, ele responde:

— A mulher só deve amar um de cada vez.

Ao mesmo tempo que dizia isso, teve ódio de si mesmo e da própria covardia. Gostaria de responder, aos berros: "Ame. A mulher séria é a que ama. Enquanto não ama, ela não é nada. A mulher que não ama acaba apodrecendo". Diria ainda: — "Não amar é apodrecer". Era o que tinha aprendido na sua clínica ginecológica. Até aquela data, não encontrara um câncer feminino que não tivesse sua origem na pura e simples falta de amor. Mas como poderia atirar essas verdades eternas e brutais para uma adolescente que começava a amar? Fazia abortos, desafiando a ética da classe; era considerado um bandido da especialidade; mas não tinha coragem de aconselhar a uma cliente casada: — "Não ama seu marido? Pois ame alguém e já. Não perca tempo, minha senhora". Perplexo e angustiado, ouvia Engraçadinha dizer:

— Eu me conheço, doutor. E não adianta. Se o senhor fizesse isso, daqui a um mês ou dois aconteceria a mesma coisa, compreende? E eu teria de voltar sempre.

Deixara de ser menina. De um momento para outro, tornara-se mulher. Pedia, por fim: — "Vamos fazer o seguinte: — eu digo a papai que o senhor fez a operação e o senhor confirma". Ele quis saber, pela última vez: — "Não quer, então? Eu faço o que você quiser. Não quer mesmo?". Deu-lhe a mão para que descesse da mesa. Engraçadinha sentia nos quadris livres uma selvagem plenitude. Ó, peito de gorila! Rígido, como qualquer colega convencional, ele manda:

— Vá se vestir.

Tirara a luva. Repetia, com surdo sofrimento: — se fosse realmente um São Francisco de Assis, e não um pobre ser degradado por escrúpulos, teria dito a essa menina: — "Ame!". O médico senta-se, apanha o cigarro. Engraçadinha pensa com surdo sofrimento: — "Mandou que eu me vestisse!". Na sala de espera, Letícia junta mais os joelhos, como se tivesse pudor pela prima. Dr. Bergamini insistia:

— Meu anjo, vá se vestir, vá!

Estava sentado. Em pé, Engraçadinha teve o lamento: — "Ele não quer! Ele não quer!". Por um momento, não sabe o que fazer. Quase sem desfitá-lo, diz, lentamente:

— Eu estou vestida. Eu não quero me vestir mais do que estou.

Atônito, o cigarro esquecido nos dedos, ele compreende, subitamente, tudo. Engraçadinha inclina-se, entreabre os lábios, oferecendo a boca para o beijo.

Dr. Bergamini ergue-se, e, novamente, apanha as duas mãos da pequena e beija uma e outra. Baixa a voz, doce, mas firme:

— Vá se vestir.

Diante dele, pergunta:

— Não me quer?

E ele:

— Vá se vestir.

Passa por ele, de cabeça baixa, dilacerada de vergonha. Põe a pecinha elástica e minúscula: — "Cretino!". Sentado, eis o que pensa o dr. Bergamini: — "Se eu fosse São Francisco de Assis, teria dado amor a essa pequena!". Sentia-se de uma pusilanimidade abjeta. Engraçadinha aparece. Ele continua com a ideia fixa: — "Não sou um São Francisco de Assis! Eu não diria nunca a uma esposa: — Traia o seu marido, para não apodrecer!". Passa a mão no ombro de Engraçadinha:

— Eu mentirei para seu pai. Direi que fiz a operação.

Levou-a até a porta. Disse para Letícia, com certa tristeza:

— Devolvo-lhe a nossa amiga.

Sentia-se um fracassado. As duas despedem-se: no meio da escada, Letícia, que imaginava não sei que iniquidades, pergunta quase chorando: — "Abusou de ti? Fala! Abusou?". Olhou-a, firme:

— Quem sabe?

Acabava de decidir: — "Hoje vou abrir a porta para Sílvio!".

CAPÍTULO 29

Dr. Arnaldo estava na calçada, junto do automóvel. Andava de um lado para outro e, de vez em quando, apanhava o relógio no bolso do colete. Olhava a hora e resmungava:

— Tarde!

"E se o miserável", eis o que pensava. Imaginava as hipóteses mais hediondas. Felizmente fora uma grande ideia mandar Letícia. A presença de uma acompanhante, ou melhor, de uma testemunha, e repetia para si mesmo, com satisfação: — "A presença de uma testemunha constrange, inibe e acovarda o médico". Em pé, em cima do meio-fio, e sempre com a bengala, suspira: — "Ah, ser pai!". Durante dezoito anos, eis a verdade que precisava admitir o quanto antes — durante dezoito anos ignorara a filha. E, súbito, a descobre; sabe agora, por experiência própria, que nada se compara a uma envergonhada ternura tardia. Olha, de novo, o relógio e tem um espanto indignado: — "Uma hora, já!". Estava inclinado a admitir que, mesmo com a acompanhante, um médico inescrupuloso pode-se permitir pequeninos abusos. Na sua cólera de magro, vibrante em cima da calçada, pensa: — "Meto-lhe a bengala!". Neste momento aparecem as duas. Precipita-se. Ainda olhou Engraçadinha, com sofrida curiosidade. Estava calma e sorria-lhe. Ele deduz que ela não sofrera nenhum ultraje bestial. Vem de braço, com a filha, para o automóvel. Com uma excitação quase imperceptível, baixa a voz:

— Tudo bem, minha filha?

E virava-se também para Letícia. As duas respondem, simultaneamente:

— Tudo.

Entram no carro. Ele falaria, mais tarde, com o médico. Ou, por outra, queria ter com aquele canalha (era indubitavelmente um canalha da especialidade), queria ter um último e enojado encontro. Não lhe concederia senão um mínimo de palavras: — "Quanto é?". Pagaria, e só. E se, mais tarde, o encontrasse, na rua, passaria adiante, sem cumprimentá-lo. No automóvel, com a filha e a sobrinha, passou o braço por trás e puxou Engraçadinha para si. Baixa a voz:

— Doeu?

E ela:

— Pouco.

Exultou:

— Não te disse?

Ele não entendia que, com aquele recurso cirúrgico, tão delicado, rápido e indolor, todo o mundo não fosse virgem. Embora fosse, incontestavelmente, um gângster da profissão, o dr. Bergamini era, ao mesmo tempo, um achado. Ah, o bandido! "Nego-lhe o cumprimento!", repetia para si mesmo. Ao lado de Engraçadinha, no automóvel, Letícia lembrava-se do ginecologista e, instintivamente, juntava as pernas, num selvagem pudor. Engraçadinha, de olhos muito abertos; sonhava: — "Ele não me quis!". E já imagina: — "Se eu voltasse lá? Vou voltar. Deixo passar uns dias e, de repente, apareço. Mas, ah! Desta vez, quando eu sair do cubículo, nua! Duvido que ele...". Na sua imaginação, o médico já não era médico, ou, por outra: — era um ser duplo, um andrógino de médico e gorila. Faz para si mesma a pergunta: — "Será que as outras não pensam o que eu penso? Será que elas não desejaram ser roubadas por um gorila, nuazinhas?". De repente, fixa o pensamento em Sílvio: — "Como é que ele não percebeu que era Letícia e não eu? Como o homem é burro, meu Deus!". Chegaram em casa. Dr. Arnaldo volta-se para Letícia:

— Almoça aqui. — E, para Engraçadinha: — Você precisa ter um certo repouso. Não precisa?

Enquanto paga ao chofer, ocorre ao dr. Arnaldo uma reflexão que, por fatalidade, coincidia, em tudo e por tudo, com a concepção que o dr. Bergamini fazia da especialidade: — "O ginecologista" — era o que pensava o dr. Arnaldo ao receber o troco do chofer — "Devia ser um casto". Embolsa o troco e continua o seu raciocínio: "Casto e santo". Deixou que Engraçadinha e Letícia passassem à frente, e, começando a subir, juntamente com as duas, já imaginava o médico com um par de sandálias severas, de sandálias tristes, entrando num claustro lúgubre e gelado.

Em cima, Zózimo o esperava:

— Bom dia, doutor Arnaldo.

Dr. Arnaldo estende a mão, com alegre surpresa:

— Olá, Zózimo!

Pensa: — "Essa besta!". Convida, num gesto largo: — "Mas vamos entrar! Vamos entrar!". Agora que Engraçadinha sofrera uma pequena operação, leve e delicada como um retoque (exatamente, retoque), agora que Engraçadinha era novamente virgem, o velho já olhava Zózimo com certo desprazer. Fazia-lhe várias restrições, inclusive esta: — "Transpira muito nas mãos. Num marido, a humildade, se não for bem medida, torna-se abjeta. Isso mesmo: — abjeta!". Passa a mão pela cintura do rapaz (sem abandonar a bengala) e suspira, satisfeito:

— Foi bom você aparecer. Precisamos conversar.

Cruzam com Sílvio. Dr. Arnaldo diz-lhe: — "Tudo bem, Sílvio! Tudo bem!". Não lhe piscou o olho, para sublinhar as próprias palavras, porque não seria nobre e afetaria a dignidade de sua atitude. Entra com Zózimo na biblioteca. Dr. Arnaldo queria que o outro se sentasse, ao passo que ele permaneceria de pé. Achava que o simples fato de sentar-se já retira de uma pessoa um pouco de sua compostura. Efetivamente, Zózimo senta-se e começa, com certa avidez:

— Devo-lhe uma explicação...

Rápido, dr. Arnaldo interrompe:

— Um momento!

"Eu devo falar primeiro", pensava. "Há um fato novo que devo esfregar-lhe na cara!" Depois de uma ligeira tosse nervosa, ergue o rosto e vai falando:

— Acabo de chegar do médico. — E especifica, baixando a voz: — ginecologista. Muito bem: — eu fui lá por motivos óbvios.

"Óbvio" era uma palavra que usava muito e com particular agrado. Continuou, com uma excitação progressiva: — "Sou um pai. Tenho meus deveres.

Precisava saber". Faz uma pausa. Desconcertado, Zózimo pensa: — "Ele me considera um crápula". Dr. Arnaldo faz-lhe, à queima-roupa, a pergunta: — "Você acredita em Deus?". Vermelho, responde:

— Mais ou menos.

Exulta:

— Por que "mais ou menos"? Que fé é essa? Pois eu lhe digo: — quando o ginecologista examinou a minha filha e vira-se para mim e diz: — "Virgem!". Foi o que ele me disse. Compreendeu, jovem? Fez todos os exames, absolutamente todos! E quando me disse isso, sabe qual foi a minha reação? Eu pensei: — "Deus existe".

E, de fato, naquele momento, ele sentia, na biblioteca, quase que a presença física de Deus. Sim. Deus parecia-lhe algo de pessoal, de tangível, de visível. Escancara o olhar e teve a ideia de que, se quisesse, se estendesse a mão, Deus seria algo de materialmente palpável. Afirmava, apaixonadamente:

— A virgindade da minha filha é uma prova, ou você não entende? Uma prova da existência de Deus! Eu fui lá supondo, até, uma gravidez. Nada disso! Gravidez nenhuma e mais virgem do que nunca. Acredite em Deus, jovem! Minha filha não depende — isto é o importante! — não depende da generosidade de um noivo.

Atônito, balbucia:

— O que eu queria dizer é que…

Novamente, o velho o interrompe:

— Meu amigo, depois do que eu lhe disse, você não acha — pensa bem! — não acha que qualquer comentário é inútil e, mesmo, desprimoroso? Escute, jovem: — o marido que na noite de núpcias constata, ele mesmo, que… Você não acha que esse marido deve dar graças a Deus?…

Sílvio vinha passando pelo corredor, quando Engraçadinha o puxa pelo braço: — "Vem cá!". E fala baixo (o pai e Zózimo estavam na biblioteca):

— Você e Letícia no meu quarto, de madrugada, hein? Que dois!

Vira-se, estupefato: — "Letícia?". Ela contrai a boca com cínica voluptuosidade:

— Letícia, sim! Ou você não percebeu que era Letícia e não eu? Eu estava lá, mas olha: — Letícia deitou-se na minha cama e eu dormia em cima da colcha, no chão, junto do guarda-vestidos! Sim, senhor!

Lívido, com uma orla de suor em cima do lábio superior, não quer acreditar: — "Letícia? Foi Letícia?". Com o olhar procura a noiva. Engraçadinha o desafia: — "Quer que eu chame Letícia?". Foi ao encontro da prima e a trouxe pelo braço: — "Quem é que estava na minha cama, esta madrugada? Quem?". Letícia tem vontade de chorar. Murmura, com um olhar de súplica intolerável:

— Eu.

Sílvio olha ora uma, ora outra. De repente, os três sentiram-se unidos por uma dessas cumplicidades implacáveis. Todavia, não saberiam explicar que vínculo muito tênue e, ao mesmo tempo, irredutível, acabava de ligá-los. Dir-se-ia que, a partir daquele momento, teriam um destino comum e espantoso. Sílvio encostou a mão na parede. Experimentava uma espécie de vertigem. Abria a boca e não conseguia falar. Elas, caladas, perceberam a sua angústia. Não era angústia, mas um prazer tão violento, tão brutal que ele sentia-se subitamente gelado, sim, de volúpia. "Foi Letícia e não Engraçadinha!" Possuir uma pela outra, amar Letícia e não Engraçadinha, e na presença de Engraçadinha! Embora com ódio de si mesmo, embora achando-se um ser vil, chama uma e outra. Com a garganta crispada de prazer (um prazer que ele não conhecia), pergunta:

— Vocês fariam isso outra vez? Letícia, escuta: — dorme aqui, Letícia. Arranja uma desculpa e dorme aqui.

De novo, os três sentiram que, quisessem ou não, eram cúmplices. Foi tal o sofrimento de Sílvio (e euforia) que a voz lhe fugiu. Com um olhar turvado pelo desespero, continua, afinal: — "Nada se compara, nada...". Queria dizer, por outras palavras, que não há embriaguez mais completa, não há delícia mais profunda do que ver o ser amado traindo. Aperta o pulso de Engraçadinha: — "Você não quer *ver*? Responde, Engraçadinha! Você, que me ama, você não quer *ver* — eu e Letícia? Ver?". Olha a cara atônita de Engraçadinha. Esta passa a mão pelo rosto — confusa e dilacerada.

Sílvio repete:

— Sim ou não?

Engraçadinha vira-se lentamente para Letícia:

— Você dorme aqui?

E a outra, baixo:

— Sim.

Sílvio sente que começa o martírio:

— Deixa a porta encostada.

Respondeu:

— Deixarei.

Ele saiu dali como um louco. Mais tarde, na cidade, entra numa loja de ferragens. Pede:

— Eu queria uma navalha.

CAPÍTULO 30

Em pé, junto ao balcão, repetiu:

— Queria uma navalha.

O caixeiro, um rapaz de óculos, com um esparadrapo no pescoço, indaga:

— Que marca?

Faz a pergunta e, ao mesmo tempo, espreme uma espinha. Sílvio vacila, como se uma simples marca fosse um problema inesperado e desagradável. Gostaria de parecer alguém que fez do uso da navalha um hábito antigo e cotidiano. Deixou escapar uma mentira desnecessária: — "Eu nunca usei gilete". Pergunta a si mesmo, com surda irritação: — "Por que fui dizer isso?". Pigarreia:

— Qualquer marca. Não tenho preferência.

E, por um momento, teve a sensação (o que era um absurdo) a sensação de que o outro *sabia*. Por outras palavras: — *sabia* que, pouco antes, ele, Engraçadinha e Letícia, haviam feito o pacto de um amor triste e miserável. Sim, com um mínimo de palavras, os três tinham se entendido. Ele não sabia explicar essa compreensão que não exigia um argumento, um raciocínio. Enquanto o caixeiro de esparadrapo ia e vinha, Sílvio teve tempo de pensar: — "O amor devia ser um casal e, ao mesmo tempo, uma testemunha". Repetia, para si mesmo, e já agora com uma sensação de fogo na garganta: — "Uma testemunha passiva, talvez sentada numa cadeira ou na extremidade da cama, mas presente". Essa terceira presença, muda e atônita, tornaria o prazer sobre-humano. — "O prazer de um deus", disse para si mesmo, enquanto que o caixeiro, já de volta, abria, diante dele, três estojos.

Apanhando e abrindo uma das navalhas, ele continuava pensando, por outras palavras, o seguinte: — certos prazeres dão subitamente ao homem a sensação de que ele já foi deus algum dia. "Eu fui deus", refletia. Ao mesmo tempo ocorreu-lhe a ideia de que uma navalha é realmente linda. Ergue o rosto febril:

— Qual é a melhor?

Olhava agora o esparadrapo do rapaz: — "Furúnculo", deduziu. O caixeiro apanha uma das navalhas:

— Essa aqui — por exemplo —, mais cara, mas vale a pena. Tenha a bondade.

Sentiu na mão a lâmina. Nada mais gelado que o fio da navalha. Diz para si mesmo: — "Se ele soubesse o que eu estou pensando. Se soubesse que, logo mais, as duas me esperam no quarto!". Respira fundo:

— Fico com essa.

Escolhera ao acaso. Na verdade, repetiu para si mesmo, "todas são lindas". Enquanto o caixeiro ia embrulhar um dos estojos, ele, com um sofrimento inefável, pensava: — "Não foi preciso convencê-las". E mais: — não fora preciso nem convencer-se a si mesmo. Continuou, enquanto o rapaz do esparadrapo passava o barbante no embrulho estreito e comprido: — "Quem sabe se antes, muito antes...". Ele queria admitir um passado, inacessível à memória dos homens, em que o amor normal exigisse, além do casal, uma testemunha, somente olhando e sentada. Recebeu o estojo e pagou. Agora esperava o troco. Só de pensar que iria encontrá-las, à sua espera, sentiu um tal afluxo de sangue na cabeça que julgou desfalecer.

O caixeiro dava-lhe o troco.

— Às suas ordens.

E ele, embolsando o dinheiro:

— Passar bem.

Na rua, tratou de desfazer o embrulho. Apanhou a navalha e a guardou; em seguida, deixou cair, junto ao meio-fio, o papel e o estojo.

Coisa estranha! Com a navalha viva no bolso, experimentou um sentimento de paz intensa, uma brusca euforia. Dir-se-ia que ela vinha dar-lhe um novo poder, um dom misterioso, talvez encantado. De vez em quando tinha vontade de abrir a lâmina dentro da luz. Parou numa esquina; pergunta: — "E se eu telefonar, agora, para Engraçadinha, dizendo que não quero?".

Quis desviar o pensamento. Mas não se libertava daquela fixação hedionda. Olhava sem ver as pessoas, os prédios, os carros. As duas o amavam; ia trair uma e outra. Mas qual delas ia ser amada e qual delas ia ser apenas traída? Então, disse, a meia-voz:

— Engraçadinha!

E não entendia por que Letícia aceitara aquele amor que admitia ou, por outra, que precisava, para a sua plenitude, de uma testemunha. Engraçadinha era só sexo e seu olhar, seu sorriso, seu andar, seus quadris, vinham pesados de voluptuosidade. "Se titio soubesse que, em casa, nós três..." Mas continuava sem entender Letícia, a doce, a maravilhosa, a cálida facilidade do seu abandono.

Pôs a mão no bolso da navalha. A certeza de que ela estava lá — e viva — deu-lhe novamente aquela sensação de segurança. Repetia para si mesmo: — "Telefono para Engraçadinha?". Por um momento, quase cedeu à tentação de ligar. Conteve-se. Pensava:

— Eu sou um crápula.

Pouco depois que Sílvio saiu, dr. Arnaldo apareceu na porta da biblioteca:

— Engraçadinha!

— Eu?

E o velho:

— Traz Letícia.

Zózimo estava lá. Fizera várias tentativas para falar. Dr. Arnaldo, porém, na sua euforia de pai de uma virgem (a palavra "virgindade" não lhe saía da cabeça), dr. Arnaldo não o deixava prosseguir:

— Jovem, a situação agora mudou de figura. — E insistiu, com ênfase: — Mudou radicalmente. Minha filha já não depende mais da generosidade do noivo.

Súbito, Zózimo perdeu a paciência. Ergueu-se e, por sua vez, interrompeu vivamente o velho:

— Doutor Arnaldo, o senhor, naturalmente, deve fazer um péssimo juízo de mim.

O deputado virou-se, estupefato: — "Eu?". Por singular coincidência, no exato momento em que Zózimo disse isso, o velho estava pensando: — "Mas que animal!". Dir-se-ia que o outro, por uma dessas vidências súbitas e realmente inexplicáveis, lera no seu pensamento. Um pouco desconcertado, dispõe-se a ouvir:

— O amor é tão raro, hoje em dia, tão difícil, que o homem ama errado.

Dr. Arnaldo pensava ainda na virgindade da filha: — "Como assim?". Aquilo pareceu-lhe obscuro e irritante. O outro prosseguia, numa excitação progressiva:

— O senhor sabe, naturalmente, que o meu pai é casado em segundas núpcias.

Dr. Arnaldo encara o futuro genro com evidente desagrado. Parecia dizer: — "Ora veja! O que é que eu tenho com isso?". Zózimo percebeu a impaciência e irritação do outro. Explicou, angustiado:

— Eu acabo já. Estou no fim. Mas, como eu ia dizendo: — eu tinha oito — veja bem! — oito anos, quando um dia, ainda me lembro como se fosse hoje, meu pai vem me buscar em casa e me leva para a casa de uma velha tia.

Dr. Arnaldo começava a ouvir, com um novo interesse. Zózimo estava dizendo: — "A tia caiu de joelhos aos seus pés". Foi contando. O pai empurra a velha e arromba uma porta. Lá dentro, estava a mãe de Zózimo, com um sujeito. O rapaz arqueja:

— Meu pai podia ter levado a polícia. Mas, não. Fez-se acompanhar de uma única autoridade: — o filho de oito anos. Queria que eu visse o adultério. Ergueu-me nos braços e sacudia-me: — "Tua mãe, meu filho! Tua mãe!".

Há uma pausa. Em voz baixa, com um olhar suplicante, Zózimo pergunta: — "Compreende agora?". A rigor, dr. Arnaldo não compreendia nada. — "Por que ele me contou isso?" Era o que perguntava a si mesmo. O rapaz gostaria de concluir: — "Depois disso, eu passei a achar que só a adúltera tem razão". Mas, quando fala, diz outra coisa:

— O senhor acha que meu pai amava minha mãe? Nunca. Se amasse, teria admitido o adultério, simplesmente. Eu li não sei onde que "amar é dar razão a quem não a tem". Uma vez que eu amo sua filha, dou-lhe razão, desde já, mesmo no adultério. Entende agora? A minha atitude dizendo que aceitaria sua filha, ainda que grávida de outro, não é falta de caráter ou de...

Cala-se, ofegante. Desejaria dizer que neste mundo a bondade precisa ser justificada. Ou é justificada ou rejeitada. Conclui, balbuciando: — "Não queria que o senhor interpretasse mal...". A princípio perplexo, dr. Arnaldo pensa: — "Para uma mulher como Engraçadinha, de uma sexualidade tão acentuada...". E continuou: — "...Para certos temperamentos femininos, convém um marido que previamente perdoa...". Decide, bruscamente: — "Preciso casá-la o quanto antes". Vai até a porta e chama as duas. Põe a mão no ombro do futuro genro; diz, como se, de repente, tivesse a certeza de que a filha, cedo ou tarde, trairia:

— Realmente, realmente.

QUASE MEIA-NOITE.

Letícia deitou-se na cama e Engraçadinha no chão, em cima da colcha, junto ao guarda-vestidos. Já no escuro, Letícia pergunta:

— E se ele não vier?

Respondeu, com uma certeza fanática:

— Virá.

Silêncio. Engraçadinha pensa na conversa que tivera com o pai, na presença de Letícia e de Zózimo. Eis o que resolvera dr. Arnaldo: — "Daqui a três meses". Perguntou a uma e outra: — "Está bem três meses?". Responderam: — "Sim". Três meses! Mas que importava Zózimo, o casamento, o vestido de noiva, a igreja? O pai ainda batia na mesma tecla: — o casamento no mesmo dia. Zózimo concordou com tudo. Mas, o que, no momento, gelava Engraçadinha até os ossos era esperar. A porta estava apenas encostada.

Em plena madrugada, sentem que alguém a empurra. Engraçadinha, quase sem respirar, pergunta a si mesma: — "Vai escolher quem?". Sílvio estava no quarto. Letícia crispa-se na cama. O rapaz torce a chave. Caiu, ali, uma solidão desesperadora. O rapaz pensa: — "Elas não desconfiam de nada". Súbito, acende a luz.

As duas olham, num deslumbramento. Ele abre a navalha e caminha.

CAPÍTULO 31

DURANTE O JANTAR, dr. Arnaldo observara, com uma surpresa inquieta, que a filha e a sobrinha estavam tristes. Tomando sopa, ele perguntava de si para si: — "Será o casamento?". Talvez sim, talvez não. O velho tinha um hábito levemente irritante: — não tomava uma colher de sopa sem que, em seguida, enxugasse os lábios com o guardanapo. Ele admitiria a tristeza de Engraçadinha. Não gostava do futuro marido. Mas Letícia amava Sílvio. Enxugando os lábios mais uma vez, dirigiu-se a Letícia:

— Amanhã, vou falar com tua mãe.

Letícia balbucia:

— Ótimo.

Ele sentia como se, de súbito, tivesse caído sobre ambas a mesma, exatamente a mesma tristeza. "E não falam!" Era a exclamação interior do velho. Arrisca a pergunta, depois de encostar ligeiramente, nos lábios, o guardanapo:

— Mas que é que há? Alguma novidade? Você, Engraçadinha?

A pequena estremeceu. Ergueu o rosto. Ela estava pensando, naquele exato momento, pensando que seria ou a amada ou, simplesmente, a testemunha. "Mas eu não posso amar", repetia para si mesma, com uma dor surda: — "Sílvio é meu irmão". Poderia ver, apenas ver o ser amado traindo. Ver e nada mais; apenas ver! Quando o pai a chamou, toma um susto. Balbucia atônita:

— O quê, papai?

Ele, já impaciente, abrindo o guardanapo sobre as coxas magras, dá-lhe com certo humor um breve pito, também extensivo à sobrinha:

— Você está jururu, minha filha! E por quê? Sim, por quê? Não há motivo, ou há? Há motivo? Você, Letícia? Há motivo?

Engraçadinha parecia incerta: — "Mas, papai!". Ao passo que Letícia, caindo em si, foi mais incisiva:

— Absolutamente, titio!

O velho exaltou-se:

— Então, por que essa cara? Alegria, pessoal! Eu não admito que, no dia em que se marca a data do casamento, vocês façam essa cara de enterro!

Letícia protestou, vermelha:

— Ó, titio!

Insistiu, com certa excitação: — "Eu quando fiquei noivo de tua mãe" — virou-se para Engraçadinha; e continuava, na sua embriaguez retrospectiva: — "Foi um grande dia da minha vida!". Continuava a enxugar os lábios com o guardanapo, embora já tivesse acabado a sopa; prosseguia: — "Tua mãe foi o único amor que eu tive na vida!". E, como se desafiasse invisíveis opositores, repetiu:

— Único! Por isso eu digo — passou o guardanapo na boca — digo que se pode, perfeitamente, amar uma única pessoa, até morrer!

Faltava com a verdade, mas sem nenhuma consciência da mentira. Só depois dessa preleção emocionada (ultimamente andava excitado), é que, subitamente, ele se lembrou que, pelo contrário, jamais amara a mulher; e que, ao seu lado, experimentara apenas tédio, ou seja, esse tédio que ele considerava normal e inevitável no casamento.

Na altura da sobremesa, dr. Arnaldo fez uma reflexão que o surpreendeu e, mesmo, o consternou: — "Só um débil mental pode casar-se na presunção de que o casamento é divertido, variado ou simplesmente tolerável. É divertido como um túmulo". Essa ideia, que jamais lhe ocorrera, deixou-o estupefato. Estupefato e indignado consigo mesmo. "Eu pensei isso!", foi seu estupor honesto. Acabara o pêssego em calda, que era uma de suas preferências de mesa. Enxugou ainda uma vez os lábios. Ergueu-se, apoiando-se na bengala:

— Vou ler um pouco.

Era uma inverdade; não ia ler nada. Dava essa desculpa desnecessária para trancar-se na biblioteca. Lá, deitado no divã, com a bengala encostada, entregava-se à saudade da "cunhada impossível". Essa meditação solitária era o seu grande momento de cada noite. A caminho da biblioteca, pensou, subitamente com certo alarme: — "O lar, esse divertido túmulo". Dir-se-ia que um demônio interior lhe soprava essas coisas abomináveis. Não pensava assim, Deus o livre; mas o tal demônio secreto fazia variações da mesma imagem: — "O lar é arejado como um túmulo" etc., etc. Fechou-se na biblioteca. Sentou-se no divã, o mesmo em que a possuíra. Repetia para si mesmo, sentindo que o remorso exasperava o seu desejo: — "Eu não devia ter amado a mulher de um irmão".

Deitado de bruços sobre o divã — e com desesperada nostalgia carnal —, usava o sofisma que ele próprio achava miserável: — "Se a irmã de minha mulher; se fosse uma irmã de minha mulher...". Pensando na mulher do irmão, argumentava consigo mesmo: — "O homem mais íntegro pode desejar a irmã da esposa. Ele sente que possui esse direito, quase esse direito...". Trincando os dentes, fala, sozinho, a meia-voz:

— Eu não podia desejar e, muito menos, possuir a mulher do irmão...

O sofrimento tornava o seu prazer quase mortal.

Parou no meio do quarto. As duas não se mexiam. Ambas de camisola. Ele olha uma e outra. "Eu amo Letícia", era o que dizia a si mesmo. E, agora, que estava ali, no quarto iluminado, entre as duas, espantava-se com a violência do próprio prazer. Estava com o rosto contraído e parecia não ter pressa da primeira carícia e da primeira palavra, certo de que o som da própria voz ou o esboço de um único gesto poderia deflagrar toda a volúpia ainda contida. Nem Engraçadinha, nem Letícia entendiam o fio da navalha caindo entre ambas.

Aproxima-se de Letícia. Mas vira-se bruscamente para Engraçadinha. Baixa a voz:

— Chega aqui.

E para Letícia:

— Te amo, Letícia.

Estava rouco de angústia. Parecia-lhe incrível que, entre duas mulheres — uma para ser amada, outra para ser traída — um homem pudesse ter uma euforia assim monstruosa. Agora está entre Engraçadinha e Letícia (e nem uma, nem outra sabe qual vai ser a possuída e qual a testemunha); uma delas balbucia:

— Essa navalha!

Então, ele encosta a lâmina, muito de leve, no rosto de Engraçadinha. A menina experimenta um terror inefável. Sílvio faz o mesmo em Letícia. Ele desejaria dizer-lhes que o simples casal quebra o êxtase amoroso. É preciso alguém mais: a testemunha! Passara o dia sob a obsessão delirante da testemunha. Repetia para si mesmo: — "Alguém vendo, alguém...". Fala baixo:

— Essa navalha. Não é linda? Engraçadinha, não é linda?

Balbuciou:

— Linda.

E ele, agora, para Letícia:

— Se não fosse essa navalha... — Para, com dificuldade de expressão: — Eu posso fazer tudo agora que tenho uma navalha.

Letícia empurra Engraçadinha:

— Beija, Sílvio! — e repetia, lívida de volúpia: — Beija, anda!

O rapaz põe a navalha debaixo do travesseiro. Volta-se para a prima. Quer enlaçá-la. Ela, porém, num movimento inesperado e ágil, desprende-se. Está agora de pé e recua: — Não!

Levanta-se também. Ao mesmo tempo, Letícia ergue-se e, rapidamente, coloca-se detrás da prima. Com uma expressão de voracidade exultante, ele exclama (sem todavia altear muito a voz):

— Segura, Letícia!

Já se entendiam sem palavras. Quando Letícia passou por Engraçadinha, Sílvio compreendeu que a outra queria dominar a prima por trás, prender-lhe os braços e torná-la, assim, indefesa e derrotada. Sílvio sente uma euforia cruel. Imagina que a noiva quer ver o ser amado traindo.

O rapaz avança: — "Segura!".

Atrás de Engraçadinha, Letícia pede:

— Beija! Beija!

Aquela resistência (ou simulação de resistência) torna ainda mais intensa a voluptuosidade. Já Sílvio e Letícia teriam preferido que Engraçadinha realmente resistisse, lutasse até perder as forças. Aquele amor não devia ser consentido. Se estivessem num lugar espantosamente deserto — onde Engraçadinha pudesse gritar até perder as forças! — "Eu seguro Engraçadinha! Eu dou Engraçadinha a Sílvio!" Imóvel, Engraçadinha deixa-o aproximar-se. Diz para si mesma: — "Que vontade, ah, que vontade de te beijar!". Dentro da camisola sua nudez vibrava. Não se mexia, sentindo-o tão próximo: — "Tu não sabes. Mas eu sou tua irmã! Não posso, Sílvio! Não posso!". E, ao mesmo tempo, queria que ele fosse implacável. Pensava: — "Sílvio, não importa que eu lute! Deixa que eu lute, Sílvio!". E, súbito, pensa na navalha. Tem um sonho violento e breve com a lâmina. Se ele encostasse o fio no seu pescoço. Repetia para si mesma: — "A navalha é linda. Ó, meu Deus! É linda!".

Ele a segura pelos dois braços. Engraçadinha sente que não lutará. Espera apenas que Sílvio incline o rosto, que o beijo de Sílvio possua a sua boca. Ao mesmo tempo, a mão de Letícia passa pelos quadris da prima.

E o rapaz:

— Meu amor!

Súbito, batem na porta. Chamam da porta:

— Engraçadinha! Engraçadinha!

Era o pai.

CAPÍTULO 32

Eis o que acontecera: — Dr. Arnaldo passara algumas horas fazendo a meditação diária sobre a "cunhada impossível". Era, por assim dizer, uma saudade com hora marcada, uma saudade que ocorria, regularmente, após a última refeição. Sozinho na biblioteca, fechado à chave, ele se entregava à sua nostalgia carnal. Era tão intensa a evocação que, por momentos, a bem-amada parecia tornar-se visível e tangível. E quando, finalmente, ele abandonava a biblioteca, vinha fisicamente exausto e pior: — seus olhos faiscavam dentro de um halo tão negro que parecia feito de rolha queimada.

Naquela noite, após cumprir a sua rotina de memória, dr. Arnaldo saíra da biblioteca. Nunca desejara tanto a que morrera. Para um momento; junto da porta da biblioteca, imagina a própria imagem. Via-se a si mesmo como um sátiro esguio de olheiras violentas; lábios lívidos, e mais — este sátiro, ali, parado, no corredor, usava ceroulas de amarrar nas canelas, com duas voltas. Alquebrado — um pouco ofegante —, caminhou. Para ele era um esforço conservar-se em pé. Dir-se-ia que a saudade da cunhada o ralara tanto, por dentro, que até os seus ossos eram agora de uma fragilidade desesperadora. Súbito, dr. Arnaldo estaca. Ouvira vozes, nitidamente três vozes. Vinham de onde? E repetia para si mesmo que eram três vozes, duas femininas e uma masculina. Aproxima-se e não tem dificuldades em localizar. Estava assombrado: — "Vozes no quarto de Engraçadinha".

Considerou, então, que, sendo assim, não podia ter escutado voz de homem. Fora vítima, certamente, de uma ilusão auditiva. — "Estão acordadas", deduziu. Letícia e Engraçadinha. Felizmente, a sobrinha estava lá. Do contrário, podia supor, até, que Sílvio, talvez Sílvio... Para junto à porta de Engraçadinha. As vozes vêm de lá; mas falam baixo, tão baixo que não dá para separar e entender as palavras.

Bate, chama:

— Engraçadinha! Engraçadinha!

E não entende a luz acesa. Veio a resposta sôfrega:

— Pronto, papai!

Sílvio recua, encosta-se à parede. Quase sem respirar, vai até a cama, introduz a mão debaixo do travesseiro e apanha a navalha. Ele não sabe o que faria com a lâmina aberta. Letícia trinca os dentes. Engraçadinha está descalça junto à porta (o silêncio da camisola cai sobre os seus quadris). Do lado de fora, o velho faz perguntas:

— Luz acesa por quê?

Ele sentia-se mais magro do que nunca. Insiste, espantado e descontente:

— Sentindo alguma coisa?

Mente, incerta:

— Nada, papai! Dor de cabeça. Mas passa.

E ele:

— Fecha a luz, minha filha.

"Ainda bem que Letícia está aí!", suspirou o dr. Arnaldo. Vacila ainda (mas desconfiar de quê?). E repete para si: — "Letícia está junto". Todavia, chama a outra: — "Letícia, está acordada?". A sobrinha responde:

— Boa noite, titio.

— Boa, Letícia.

Eis a verdade: — houve um momento que, julgando ter escutado uma voz de homem, em surdina, ele chegara a imaginar uma possibilidade tão miserável que... Não, não. Seria demais. Engraçadinha alteia a voz:

— A bênção, papai.

O velho respira fundo:

— Deus te abençoe.

Dr. Arnaldo retira-se, ou, por outra: afasta-se alguns passos e para. Olha para a extremidade do corredor: — o quarto de Sílvio estava iluminado e teve a ideia de passar por lá. Mas a verdade é que, depois do que acontecera ultimamente, passara a ter medo do rapaz. Medo ou vergonha ou as duas coisas (também remorso). Poderia limitar-se a bater na porta do filho para desejar-lhe apenas "boa-noite". Nem isso: — "Vou dormir", decidiu.

Estavam calados e atônitos. Ao chamar pela filha, dr. Arnaldo interrompera, bruscamente, aquele delírio. O que ficara, da embriaguez recente e maligna, era apenas o vácuo. O prazer desaparecera até o último vestígio. Sílvio põe novamente a navalha debaixo do travesseiro. Esperam ainda que o velho tenha tempo de mudar a roupa e deitar-se.

Sílvio fala quase sem voz, apenas com o movimento dos lábios:

— Engraçadinha, senta aqui.

Quer que ela venha sentar-se ao seu lado para em seguida deitar-se. Engraçadinha vira-se para Letícia:

— Vai!

E a outra, empurrando-a de leve:

— Você.

Ainda há pouco, quando Letícia, por trás, prendera os seus braços, Engraçadinha experimentara a sensação da mulher que vai ser violada. Podia ter-se desvencilhado, com facilidade. Todavia, preferiu deixar-se dominar, simulando para si mesma uma fraqueza inexistente. Chegara a pensar: — "Se eu morder Sílvio, talvez ele me dê um tapa na boca!". A ideia de apanhar na boca deu-lhe um prazer muito agudo. Ó, sentir medo diante do homem que derruba e subjuga! E, súbito, a voz do pai apaga o sonho, corta o desejo. Sílvio aproxima-se; diz:

— Escuta.

Ele a puxa para si. Estão em pé, no meio do quarto, quase boca com boca (Engraçadinha sente, confusamente, que a proximidade de um rosto o desfigura, dá-lhe uma vida grotesca e terrível). Sílvio fala:

— Eu te amo.

Letícia aproxima-se, com uma face hirta de sonâmbula. Nem ele, nem os outros lembram-se mais da interrupção de há pouco. Letícia quer estar junto dos dois. Vai ser traída e quer ver o rosto do ser amado contraído em volúpia mortal, quer ver os pés trançados no alto, em delírio. Crispa a mão no braço de Sílvio; pede, baixo: — "Beija Engraçadinha!". Eles não se movem. Letícia passa uma mão por detrás de cada cabeça, empurra um rosto contra o outro — para o beijo. Sílvio continua:

— Eu amo você e não Letícia.

Esse tom de adoração exaspera Engraçadinha. Gostaria de gritar-lhe: — "Não é isso, Sílvio! Não é isso!". Sonhava com uma violência que o rapaz agora lhe negava. Gostaria de gritar. Se estivessem num lugar deserto, num ermo desesperador, então, sim, gritaria. Ah, não queria esse amor triste, apenas terno, nem violento nem cruel. Correr num descampado, tropeçar e cair, levantar-se para cair novamente; e, por fim, deitada, apanhar na boca — apanhar com as costas da mão na boca. Ó, triste amor quando os dois querem e aceitam e não há então violência! Ó, triste amor quando o homem deseja e a mulher se oferece! E não poder dizer, simplesmente dizer: — "Eu quero ser violada!".

Sílvio a segurou pelo pulso:

— Vem.

— Para onde?

— Te levo.

Sussurra:

— Tenho medo.

Ele fala junto de sua orelha pequenina e sensível:

— Vamos para a biblioteca. Não queres? Como da primeira vez. Vamos. — E repetia: — Eu te levo.

Passara nele toda a violência. Agora o seu desejo é triste. Engraçadinha pensa: — "Não sabe que é meu irmão! Não sabe!". E, por um momento, tem ódio do pai que o fizera irmão. Sílvio vai até a cama apanhar a navalha debaixo do travesseiro. Quando volta, Letícia trava-lhe o braço, numa súplica:

— E eu?

Sílvio a encara:

— Você fica.

Ele a olha como se, de repente, a odiasse. Letícia tem uma brusca cólera:

— Você não vai me trair. Não gosto de você. Vou ser traída por Engraçadinha. Só amo Engraçadinha.

Sílvio a empurra e leva dali Engraçadinha. Letícia daria tudo, tudo, para ver o ser amado traindo. O rapaz e Engraçadinha abandonam o quarto; descalços, deslizam pelo corredor, rente à parede. Abrem a biblioteca e entram. Ele torce a chave. Engraçadinha diz para si mesma: — "Sou irmã". Sílvio já não queria a testemunha calada e terrível. Angustiado, cerra todas as cortinas da biblioteca para que a luz não passe. Em seguida, acende. Quando, porém, agarra Engraçadinha, esta balbucia:

— Não beija.

— Por quê?

Crispada, não responde. Então, Sílvio curva a cabeça e a beija no pescoço. Engraçadinha desprende-se com violência. Recua; diz-lhe, com um sofrimento quase doce:

— Sou tua irmã. Não prima: — irmã.

Repete, até saturá-lo: — "Somos irmãos, Sílvio!". Conta-lhe tudo. Ele aperta a cabeça entre as mãos, na impotência do seu ódio: — "Sou teu irmão?". Súbito, põe-se a rir, pesadamente: — "Sim, há três minutos sou teu irmão! Três minutos!". Ó, meu Deus, esse parentesco que desabava maciçamente sobre ele! Parecia-lhe uma lúgubre indecência que, em três minutos, a vida o transformasse de amante em irmão. Fora de si, repetia: — "Eu não te quero como irmã! Eu não te aceito como irmã!". Odiou essa mãe longínqua que se entregara a um cunhado. Diante dele, Engraçadinha parecia pedir perdão de ser irmã. E o que o punha louco é que podia puxar o relógio e contar o tempo:

— Sou teu irmão há cinco, dez, vinte, vinte e cinco minutos, meia hora!

Aquilo não lhe saía da cabeça: — "Eu não era e sou, por quê?". Engraçadinha sentara-se na extremidade do divã, transida de medo (o medo fazia nascer toda a voluptuosidade; invejava as mulheres que são violadas). Súbito, ele cai de joelhos diante dela:

— Queres?

Repetiu: — "Queres?". Silêncio. No corredor, Letícia prostrava-se em adoração junto à porta. Sílvio passa a mão na cabeça de Engraçadinha e a agarra pelos cabelos: — "Se continuares calada, é porque queres como eu. Responde. Queres?". Nada, ainda. Ele não pergunta mais. Diz, sem voz: — "Tira tudo. Fica nua. Nua".

O sonho rompeu da angústia. Houve um momento em que Engraçadinha ia gritar; ele tapou-lhe a boca brutalmente, ao mesmo tempo mordia-lhe os cabelos para não gritar também. A pequena perdera o sentimento da própria identidade. Imaginou que eram dois monstros cegos que morriam de amor numa gelada floresta marinha. Muito depois — quase ao amanhecer — Sílvio ergueu-se. Ela estava quieta — nessa calma intensa que há na carne durante o sono da alma. Sílvio passou alguns minutos, em pé, de olhos fechados, como se orasse.

Por fim, apanhou a navalha. De repente, Engraçadinha o viu fazer um risco intenso e luminoso. Era a luz quebrando-se na lâmina viva. Na sua mão, a navalha tornou-se ainda mais leve, macia, diáfana. Ele feriu a alma da própria carne. Foi um golpe único e exato. Decepado, o cacho do sonho e da vida pendeu de um filete vibrante. Finalmente, soltou-se.

CAPÍTULO 33

NÃO SE SABIA, ao certo, na família, a idade de tia Ceci. Talvez uns 80, 78. Naquela noite, antes de dormir, tomara o seu banho de assento. E, depois, derramara talco em si mesma. Enfim, cheirosa como um bebê, vestiu-se. Há muito tempo deixara de ter seios. Ao sair do banheiro, veio para o quarto, caminhando pelo corredor, no seu passinho imperceptível — era tão leve e pequenina, de uma fragilidade desesperadora — ela pensava na própria morte. Queria para si um enterro como o de Delfim Moreira, puxado por cavalos brancos e de penacho.[6] Sim, antigamente os enterros eram mais bonitos. "Assassinaram o Pinheiro Machado", pensou.

Tia Ceci entrou no quarto. Preparou-se para dormir. Nas últimas noites, dera para sonhar com o Delfim Moreira. Era um velho bonito (aliás, um presidente sempre é bonito). Ela fora ao Rio e vira o Delfim Moreira. Tirara a cartola para ouvir o Hino Nacional. Quando ele passou, na carruagem, ela, tia Ceci, pôs-se na ponta dos pés; gritou, esganiçando-se: — "Viva o Doutor Delfim Moreira!". Da carruagem, o presidente sorria, fazendo um aceno — e tinha qualquer coisa de chinês na fisionomia.

A velhinha deitou-se. Naquela casa, ninguém concedia a mínima importância à tia Ceci. Estava nessa idade em que a pessoa perde como que o direito de insistir na vida. De vez em quando, o dr. Arnaldo a olhava, entre surpreso e descontente, como se perguntasse: — "Como? Ainda vive? Não morreu ainda? Ora veja!".

Agora estava na cama, com os pequeninos pés de fora — pés tão leves e tão frios. Ela pensava na Revolta da Armada, quando ouviu um grito de homem. Mas não se espantou, nem teve medo. Tia Ceci dormia mais de dia, na cadeira, com o rosário no regaço, escorrendo pelos joelhos. De noite, tinha insônias. Que significava um grito a mais para quem vivia em meio a uma fauna misteriosa e triste de ruídos noturnos? Todas as noites tia Ceci ouvia outros gritos, outras vozes. Na calçada, transeuntes retardatários davam berros e risadas. Ela, desperta, com o rosário nas mãos, imaginava que esses transeuntes não seriam como nós, mas duendes de rua ou ainda: — mais vampiros do que simples moleques. Sílvio acabara de gritar. Todavia, tia Ceci não acreditou nos próprios ouvidos. Seria talvez um moleque, fazendo uma miserável imitação de grito.

O verdadeiro grito parece falso. Aquele que sofre uma amputação ou, para repetir as palavras do próprio Sílvio, aquele que sofre uma "mutilação hedionda", grita como nenhum outro faria. Dir-se-ia que apenas imita, que apenas falsifica a dor da carne para sempre ferida. Tia Ceci acha que alguém estava cinicamente imitando um grito.

Enquanto tia Ceci pensava na vacina obrigatória (a Saúde Pública queria vacinar as mulheres na coxa),[7] dr. Arnaldo abria um livro que um colega, o Saraiva, lhe emprestara. O Saraiva, que era a maior cabeça da Câmara — uma inteligência de escol —, soprara ao seu ouvido, passando-lhe o volume: — "Lê isso, que vale a pena". O livro estava encapado para evitar as costumeiras indiscrições. O título dizia tudo: — *Nossa vida sexual*, e o autor era de fora. Há várias noites que o dr. Arnaldo lia (ou relia), fatalmente, o capítulo reservado às posições. Dir-se-ia que tudo o mais carecia de interesse. E o que o impressionava é que o referido trecho, embora descritivo, conservava um tom de casta objetividade. Dr. Arnaldo estava fazendo a releitura do capítulo, quando escutou aquele grito de homem.

Era um berro, um uivo. No primeiro instante, ele duvida também. Admitiu que fosse uma imitação de grito. Alguém estaria fazendo uma cínica simulação de dor. Com o livro aberto, esperou ainda. Todavia, fez esta reflexão: — "Dentro de casa?". Ergueu-se, atônito, e, instintivamente, apanhou a bengala.

Em seguida, e simultaneamente, dois gritos femininos. Precipitou-se para a porta, de bengala erguida. Três gritos dentro de casa. Abre a porta e se arremessa pelo corredor. Viu um vulto branco, batendo, com os punhos cerrados, na porta da biblioteca: — Letícia.

No seu quarto, tia Ceci ouvia tudo. Escutava a voz do dr. Arnaldo:

— Letícia! Letícia!

Corre-corre na casa. Ataques de mulher. Mas tia Ceci ouvia demais. Escutava vozes, gargalhadas, passos. Alta madrugada, sentia gatos e galos no corredor. Ela própria não ligava mais para o escarcéu noturno. Fora a um médico, levada por tia Zezé; ouvira uma conversa de arteriosclerose. Há muito tempo que a velhinha não sentia mais tristeza, nem medo. Sim, há muito tempo que sua vida era um fio manso, um fio doce de memória. Ah, Delfim Moreira com calça listrada, botinas de botão! Também sua alegria era tão rala, tão tênue! E, agora, dentro da noite, ouvia um gemido de homem — pesado gemido, pessoas correndo e tropeçando no corredor.

Tia Ceci julgava ouvir os berros do dr. Arnaldo:

— Lençóis! Tragam lençóis!

Quando o velho chegara na porta da biblioteca, Letícia batia ainda, soluçando. Fora de si, ele a puxa pelo braço e a atira longe. Por sua vez, dr. Arnaldo bate com a bengala e, simultaneamente, com o punho livre:

— Abram! Abram!

Súbito, alguém, pelo lado de dentro, escancara a porta. Ao entrar, o velho tropeça em Engraçadinha; alucinado, ele a derruba com um empurrão. Corre e, súbito, estaca. Via Sílvio e estupefato perguntava: — "Por que Sílvio está ensanguentado?". O espantoso é que ele não o reconhecera pelo grito. Aproxima-se:

— Sílvio! Sílvio!

Tem uma contração de estômago diante de tanto sangue. Olha para um lado e outro; e berra para Engraçadinha que, encostada junto à parede, tapava o rosto com uma das mãos. Ele pensa: — "Vou vomitar!". Sempre com a bengala, pede aos berros:

— Lençóis! Lençóis!

Por um momento, teve uma sensação de impotência diante da hemorragia. Continuava sem entender: — "Engraçadinha, aqui, de camisola, com Sílvio? E Letícia, do lado de fora, batendo na porta?". Apareceu o lençol — que alguém tinha arrancado da cama de tia Ceci.

O velho amassava o lençol e queria estancar a hemorragia. Sílvio não olhava para ninguém, ou pior: — não tirava os olhos do pai. Ó, esse olhar do homem que ainda sangra da mutilação! Dr. Arnaldo tapa, sufoca, a flor de sangue e vida. Berra:

— Assistência!

As tias não se mexem, como se aquele lençol vermelho as maravilhasse. Então, na sua fúria, ele uivou os mais hediondos palavrões. A própria Letícia, lívida, corre, em camisola, para o telefone. O que exasperava o dr. Arnaldo era que estava sofrendo, digamos assim, uma inibição atroz. Estava lúcido e prático demais. Providenciara os lençóis, mandara chamar a assistência e cuidava do filho com uma diligência, ativa e eficiente.

Essa eficiência é que parecia desumana. Teria preferido o desespero. Gostaria de soluçar, de bater com a cabeça nas paredes, de mergulhar o rosto nas duas mãos e chorar como um menino, como uma criança. Em vez disso, eis o que acontecera: — desabara sobre ele um vácuo gelado. Gritava para enganar-se a si mesmo e aos outros. Todavia, aquela impotência para o desespero era alucinante. Tinha que simular excitação. Os palavrões serviram-lhe como compensação. Eis a sua esperança: — "Daqui a pouco vou sofrer!".

E, súbito, novo berro:

— Fora daqui! Fora!

Escorraçava, enxotava as velhinhas. Só a tia Ceci ficou. Entrara de mansinho, com o pisar imperceptível dos pés miúdos; sentou-se num canto. Olhava o sangue sem espanto. Alguém tinha-lhe dito: — "Sílvio machucou-se. Caiu e machucou-se". Eis o que ela pensava, olhando sem medo e, com um mínimo de espanto, apenas com uma curiosidade quase alegre, o sobrinho mutilado: — "Caiu, Sílvio caiu". Novamente, lembrava-se de Delfim Moreira. Naquele tempo, as senhoras usavam penas no chapéu e espartilho. Delfim Moreira tinha um sorriso bom. Sim, sorria como se fosse um tio, um pai de todo o mundo. Por vezes, ela achava que o Nosso Senhor devia ter a cara de Delfim Moreira.

Dr. Arnaldo pergunta:

— Por quê, meu filho, por quê? — E repetia: — Por quê você fez isso?

Pensava: — "Não tira os olhos de mim!". Ao mesmo tempo, achava que devia ter feito a pergunta chorando. (Se ao menos, pudesse chorar! Ah, gostaria de mostrar ao filho que estava sofrendo até onde um pai pode sofrer.) Sem desfitá-lo, o rapaz arqueja:

— Pai...

A princípio, não entende. Sílvio não sabia, não podia saber. Mas o rapaz insiste, com um olhar de bicho (exatamente, um olhar de bicho ferido): — "Meu pai". Lívido, e sentindo-se mais magro do que nunca, pensa: — "Engraçadinha contou!". O ódio que sentiu pela filha deu-lhe uma brusca euforia. Enfim, experimentava um sentimento vivo e poderoso dentro do seu vácuo. "Daqui a pouco, estarei sofrendo e chorando", pensou. — "Mato Engraçadinha! Mato-a a pauladas!" Prometeu a si mesmo, apertando a mão do filho. Ainda não entendia por que ele se mutilara. — "Mato-a de pancadas", continuava. Não podia negar a própria paternidade. Todavia, preferiu não dizer nada.

TIA CECI NÃO sabia quanto tempo cochilou. Quando despertou, o médico da assistência estava lá, com um enfermeiro. Dr. Arnaldo dizia ao doutor:

— O senhor, naturalmente, compreende que não é um acidente — e repetia a palavra — não é um acidente comum... A natureza do ferimento exige um sigilo e nem creio que o senhor queira desmoralizar um jovem que, de mais a mais, é noivo...

Tia Ceci viu levarem o rapaz. "Sílvio machucou-se", era o que sabia. O fio de memória passava por 1910. "A Saúde Pública quer vacinar coxa de mulher."

As tropas descem para a cidade. "Não podem vacinar coxa de mulher!" Durante dois dias, todos sofreram naquela casa, menos tia Ceci. De noite, na sua insônia de velhinha, ouvia gargalhadas cínicas por toda a casa. No terceiro dia, dr. Arnaldo apareceu. Vinha ainda mais esquálido, as faces mais ardentes e as canelas mais finas e vibrantes. Ao pensar na própria imagem julga-se parecido com um espectro de sátiro. Entra em casa e chama Engraçadinha. Tia Ceci, que vinha pelo corredor, no seu pequenino passo leve, viu os dois entrarem na biblioteca.

Pai e filha estão finalmente sós. Ele estava mais forte porque, finalmente, chorara, no hospital. Ajoelhara-se junto à cama do filho e pedira perdão, mil vezes perdão. Sílvio não respondera uma única vez. Mas não tirava os olhos do pai. E, agora, diante de Engraçadinha, o velho sentia que jamais seria perdoado. "Vou morrer sem perdão", era a sua certeza fanática.

Segurou a filha pelo pulso:

— Olha! Vim aqui te matar!

CAPÍTULO 34

No seu ódio gelado, dominou a filha:

— Você é a culpada! Você!

Passara duas noites e dois dias, no hospital, sem dormir, bebendo cafezinhos. Há dez anos não fumava. Dez anos! E, agora, com dois, três maços nos bolsos, não largava o cigarro. Fumava um atrás do outro, para saturar-se, até os ossos, de nicotina. Pensava: — "Estou cada vez mais magro!". Nos últimos dias, ocorria-lhe pensar, frequentemente, na própria figura. Especulava sobre a impressão que podia causar nos amigos, conhecidos e desconhecidos. Parecia-lhe que todo o mundo devia achá-lo sinistramente magro. Ele próprio considerava que assim esguio, com as mãos lívidas e os pulsos tão finos, assemelhava-se a um espectro de sátiro. — "Ora veja! E por que 'espectro de sátiro'?" Era o que perguntava sem compreender por que atribuía a si mesmo tal semelhança. No hospital, certos doentes, já em convalescença, faziam-no parar:

— Como vai seu filho?

Tinha vontade de retribuir a cortesia a bengaladas. Corrigia:

— Sobrinho.

Passava adiante. Mas não via ninguém, ali, sem que perguntasse a si mesmo: — "Será que esse sabe?". Vivia cercando o médico; baixava a voz:

— Conto com o senhor. Ninguém pode saber. Ninguém.

E ajuntava, sem ter de quê: — "Como presidente da Assembleia Legislativa...". Não completava a frase. Mas o simples fato de anunciar, e sempre com o acompanhamento de um pigarro, de anunciar a sua qualidade, a sua posição, insinuava ou um obséquio ou uma ameaça. Houve um momento em que na sua excitação de tresnoitado, baixava a voz (seu hálito queimava):

— O senhor compreende: — uma mulher pode perder o útero, os ovários. Ela não muda.

Teve vontade, até, de sugerir que, num caso de histeria, a remoção de certos órgãos femininos podia significar um benefício positivo para a própria mulher e para a família. Não chegou a tanto porque, dadas as circunstâncias, não queria parecer irônico ou irreverente. Continuou, baixo e incisivo:

— Mas o homem, não! O homem é outra coisa. E o que aconteceu a meu filho, sobrinho...

Subitamente, começou a chorar. Ó, graças, graças! Chorava e sofria. Quis desculpar-se: — "O senhor compreende...". O médico foi admirável:

— Compreendo, compreendo.

Agarrava-se também com as enfermeiras: enfiava-lhes dinheiro na mão: — "Ninguém pode saber!", repetia na sua obsessão pueril e lúgubre. Repetia para si mesmo que, na mulher, a extração de certos órgãos constitui um alívio, um descanso, ao passo que para o homem... De vez em quando, andando pelo corredor, alta madrugada, com o cigarro queimando nos dedos: — "Sílvio não é homem! Sílvio deixou de ser homem!". Até que, de repente, pensa na alma, descobre a alma. Dir-se-ia que uma luz o atravessava: — "Sim, a alma!". Abandonando um cigarro pela metade e acendendo um outro, tratava de pôr em ordem as duas ideias: — "Mas se uma simples mutilação, uma mutilação puramente física...". A enfermeira apareceu com um cafezinho. Depois de agradecer e mexendo o café, continuou, iluminado: — "A alma está intacta". E, afinal de contas, quem dá a nossa identidade é a alma. "Se a alma" — racionava contra si mesmo — "não foi mutilada, se a alma permanece." Passou uma noite inteira fumando, tomando cafezinho e repetindo: — "A alma! Se Deus existe; sim, se Deus existe, o que vale é a alma e tudo o mais é detalhe!". Sob a excitação da insônia, repetia, com a sua fúria de magro: — "Qualquer mutilação é um detalhe!". Quando a enfermeira veio, quase ao amanhecer, com um outro cafezinho, ele disse, com uma fronte erguida de fanático, de santo:

— Tudo é detalhe!

Passara quarenta e oito horas sem dormir, ou, por outra: cochilara alguns minutos, atirado em cima de uma cadeira. Mas o sono era tão tênue e tão ralo, tão transparente e, ao mesmo tempo, tão semelhante à realidade, que aumentava a sua angústia. Num desses cochilos, vira-se na Assembleia demonstrando, por A mais B, que os nossos órgãos, ainda os supostamente essenciais — constituem, isoladamente ou em conjunto, um detalhe. Dirigindo-se ao plenário, dava murros no peito: — "A Igreja está comigo". Durante os dois dias, sem comer e sem dormir, entrava, de vez em quando, no quarto do filho. Na porta, estava um papel taxativo: — "Proibidas as visitas". No quarto em penumbra, o filho dormia. Todavia, o dr. Arnaldo não acreditava naquele sono. "Ele me odeia, e por quê, se a culpada foi Engraçadinha?"

Por um breve momento, Sílvio abre os olhos. O velho inclina-se, sôfrego:

— Sílvio.

E o rapaz diz, quase sem mover os lábios:

— Pai.

Só o dr. Arnaldo continuava a repetir para si mesmo que, se Deus existe, o que acontecera fora um detalhe, um vil, um miserável, um ínfimo detalhe. E a culpada era Engraçadinha. — "Sílvio continua o mesmo, exatamente o mesmo. E se mudou, se deixou de ser ele mesmo, então Deus não existe".

Letícia apareceu por lá. Barrou-lhe a passagem:

— Volta.

Sem pintura, os lábios quase brancos, balbuciou:

— Queria ver Sílvio.

Repetiu, sumário:

— Volta.

A pequena ainda vacilava: — "Mas, titio!". Ele crispa a mão no seu braço:

— Olha! Eu não sei o que foi que houve. Sei apenas que você e Engraçadinha e, sobretudo, Engraçadinha — respira fundo e prossegue: — Engraçadinha, a cadela da minha filha. Pode ser minha filha, mas é uma cadela. Sei que vocês duas são culpadas.

Começa a chorar: — "Mas eu não fiz nada. Eu nem...". Dr. Arnaldo corta, com a voz estrangulada:

— Saia da minha frente, sua...!

Teve um brusco medo desse velho lívido e trêmulo. Afastou-se, gelada de medo e de vergonha. Eis o que Letícia ia pensando: — "Engraçadinha é mais culpada...". Estaca adiante. Vacila um momento e retrocede. Disse, num jato:

— Engraçadinha não é culpada de nada. A culpada sou eu. Engraçadinha, não.

Ao mesmo tempo, pensa: — "Eu morreria por Engraçadinha". A ideia de sacrificar-se e, mesmo, de morrer pela outra — essa ideia a transfigurou. Foi novamente expulsa. Bateu-lhe, de leve, com a bengala, nas pernas, enxotando--a: — "Rua!". Enfim, Letícia partiu. Dr. Arnaldo ficou no corredor, apoiado na bengala — e odiando a filha. Precisava odiar a filha para não enlouquecer. E precisava também (sobretudo isso!) convencer-se de que mutilação era um detalhe. "O diabo é que eu não estou convencido", pensava. De fato, não estava de todo convencido. "É um detalhe!", repetiu, começando a chorar. "Se Deus existe, é um detalhe!"

Na última vez, porém, em que esteve no quarto, Sílvio passou uns cinco a dez minutos acordado. Subitamente, dr. Arnaldo percebeu, pela expressão do seu olhar e de sua boca, que o filho deixara de ser ele mesmo. Era um outro ser, um pobre ser ambíguo e lúgubre, com um olhar de boi atônito, ou, melhor: — não de boi, mas de peixe, de lerdo e fantástico animal submarino.

Neste momento, olhando aquele ser enfaixado, aquele ser enrolado na cintura, o velho foi tomado de uma certeza maligna:

— Não é um detalhe! Deus não existe!

Todos os médicos do hospital e as enfermeiras o haviam aconselhado:

— O senhor precisa descansar. Dormir um pouco.

Ouvia e pensava: — "Realmente, não é um detalhe". O médico que cuidava de Sílvio veio caminhando com o velho pelo corredor:

— O senhor vai e, mais tarde, depois de dormir três ou quatro horas — volta.

Respirou fundo: — "Tem razão, preciso descansar". Deixando o médico, decide: — "Mato Engraçadinha". E pensa, descendo as escadas do hospital, que se Sílvio morresse, já não seria um cadáver como os outros. Certos mutilados têm uma morte própria, uma morte exclusiva, de uma solidão mais gelada.

Diante da filha, e cara a cara com a filha, estraçalha nos dentes um palavrão. E continua:

— Você vai morrer!

Coisa curiosa! Sentia, ao mesmo tempo que a dominava, que Engraçadinha estava sem medo. Erguia o rosto em desafio:

— Eu não vou morrer!

Ele não entende. Pergunta: — "Não vai morrer?". E ela:

— Eu, não!

Berra:

— Você me desafia?

Engraçadinha desprende-se violentamente:

— Desafio! E olha: — eu vou ter um filho.

O velho recua, desconcertado. Repete: — "Filho?". Não parou mais:

— Um filho! Que há de nascer! E ninguém vai tocar nesse filho!

Para. Os dois se olham. O velho tem um esgar de choro: — "Um filho, um neto". Diz, quase sem voz:

— Os dois precisam morrer: — você e seu filho.

CAPÍTULO 35

Chegara, ali, com um ódio frio, sem paixão, de uma lucidez gelada. Estava diante da filha e continuava com a obsessão do corpo magro ("Os magros só devem amar vestidos", eis o que pensou, lembrando-se das próprias canelas finas e vibrantes).

Baixa a voz:

— Essa criança não pode nascer.

A voz lhe fugia e ele repetiu para si mesmo: — "Se Deus existe, o sexo é um detalhe". Esse rosto erguido diante dele, esse corpo a um tempo ereto e frementе, essa boca mais cruel que voluptuosa! Ele continua, sentindo-se odiado:

— Você vai ao Bergamini...

— Não vou!

E o velho, sem ouvi-la:

— Vai ao Bergamini...

— Não.

Para assombrado. Dr. Arnaldo pensa que devia estar gritando, devia estar assombrando a casa com os seus gritos. Mas sua vontade quebrava-se na impotência de odiar. Se ao menos explodisse em palavrões! A pornografia irresponsável e selvagem daria, sim, daria uma espécie de excitação, de embriaguez, de violência artificial. Com dor nos maxilares, pergunta:

— Não vai ao Bergamini por quê?

— Não quero.

Alteia a voz:

— Mas por quê?

E ela, passando, de leve, a mão pelo ventre, numa involuntária ternura:

— O filho é meu. — E completou, velando a voz: — Só meu.

Estende para Engraçadinha a mão crispada:

— É filho de Sílvio.

— Era.

O velho não entende: — "Era?". Ela ergue o rosto, fecha os olhos:

— Morreu.

— Quem?

— Sílvio.

Espanta-se:

— Está vivo.

— Morto.

O velho exaltou-se novamente. Berra (ó, graças, porque o ódio rompia, finalmente). Anda de um lado para outro, tropeça nas cadeiras. Grita com a filha e, ao mesmo tempo, pensa: — "Digo ou não digo palavrões?". O que ele queria dizer, e as palavras lhe fugiam, é que qualquer mutilação é um detalhe. Não importa a hemorragia. O sangue pode esguichar, ensopando muitos lençóis. E, apesar disso, a amputação, qualquer que seja, é um detalhe. — "Um detalhe!" repetiu. — "A Igreja está comigo!" E continua:

— Eu vim do hospital e deixei Sílvio vivo!

— Morto!

E ele:

— Cachorra!

Gritou também:

— Assassino!

Estupefato, balbucia:

— O quê?

Numa euforia cruel, que a embeleza, repete, apaixonadamente:

— Assassino!

— Eu?

Disse ainda, com um mínimo de voz e quase sem ódio:

— Assassino.

Ele ia perguntar, e não o fez, por que assassino? Arquejante, olha apenas. Sente que qualquer palavra é inútil. Como convencê-la que a mais hedionda das mutilações é um detalhe? Ninguém entenderia, só Deus. E, novamente, com envenenada satisfação, faz de Deus um cúmplice. Dir-se-ia que Deus está ali, como uma terceira presença — física, palpável, solidária. Não há mais nada a dizer, mas ele precisa excitar-se, simular para si mesmo um mínimo de chama, de paixão, de loucura.

Agarra a filha:

— Escuta! Se outra vez você me chamar de assassino...

Ao mesmo tempo que a segura com a mão livre, ergue a bengala:

— ...se me chamares, eu...

Engraçadinha interrompe, com um ódio sem violência, quase terno:

— Assassino.

Gagueja, atônito:

— E se eu te abrir a cabeça?

— Duvido.

Geme:

— Tu me desafias?

— Assassino.

Naquele momento, ela pensava: — "Culpado de tudo, de tudo! Por que não calou? Só ele sabia e por que não calou!". Se o pai tivesse guardado o mistério para si mesmo, Sílvio seria apenas o amante e não o irmão. E depois, quando se casasse com Letícia, continuaria sendo ainda o amante, eternamente. A bengala continua no alto. Todavia, o velho sabe que não vai desfechar o golpe. — "Se ela me cuspisse na cara" — eis o que pensa — "se me cuspisse, talvez eu me exaltasse." Mas seu ódio era descontínuo, não conseguia fixá-lo. E não entendia a coragem da filha, a sua calma intensa, a sua apaixonada serenidade. Depois que vira o ser amado mutilar-se — perdera todo o medo e todo o espanto. Dir-se-ia que ele também a ferira na carne, para sempre. Agora, diante do pai, sentia apenas o pesado vazio do êxtase perdido. Gostaria de dizer ao velho: — "O que estava lá, no hospital, era outra coisa, outro ser e não o verdadeiro Sílvio". Ela pensava, por outras palavras: — "O verdadeiro Sílvio está comigo, em mim". Repetia: — "Sílvio em mim, tão profunda e dolorosamente no meu útero".

Dr. Arnaldo baixa a cabeça:

— Vai.

Deixa a filha afastar-se alguns passos. Súbito, grita:

— Escuta!

Engraçadinha estaca. Ele põe-se a berrar, numa euforia total:

— Aqui só há um morto. Eu! Só eu morri! Só eu estou morto!

Engraçadinha estava tão voltada para si mesma, que mal olhava e mal ouvia esse magro frenético e exultante.

Dr. Arnaldo parecia agredir o mundo com a própria morte:

— Morri, Engraçadinha, morri!

Lá fora, junto à porta, escutando tudo, amontoavam-se as velhinhas. Tia Ceci deduz: — "Arnaldo morreu". Engraçadinha abre a porta e sai. De vez em quando, julga ver o risco luminoso da navalha.

A PARTIR DE ENTÃO, sempre que cruza com o tio Arnaldo no corredor, tia Ceci confirma, para si mesma: — "Morreu, Arnaldo morreu". O velho não saía do hospital. Não admitia a visita de ninguém, e, muito menos, de parentes. Considerava os parentes (textual) — "uma corja". Só vinha em casa, de passagem, para tomar banho, mudar de roupa interior. Dava um pulo diário na Assembleia, um pulo rápido, mas, coisa curiosa: — sentia, lá, um desses tédios irremediáveis. Até o Saraiva, que era a sua grande e subserviente admiração, até o Saraiva já o irritava. Passara a achá-lo, textualmente, "outra besta". No quinto dia, aparecera no hospital um repórter, farejando aquela desgraça de família. Dr. Arnaldo precipitou-se; arrastou-o para um canto:

— Não houve nada, rapaz! Toma, toma, pra uma cervejinha!

Enfiou-lhe na mão uma nota de cinco mil-réis. E, assim, põe o jornalista de lá para fora. Por um momento, ele experimenta a sua vaidade de capixaba. E, com efeito, graças a Deus ainda se podia, no Espírito Santo, silenciar um jornal com tão pouco. No Rio, jamais. A imprensa carioca era uma vergonha. Andando pelo corredor, de uma extremidade a outra, e cumprimentando ora um médico, ora uma enfermeira, ora um convalescente — pensou na recente polêmica entre o Macedo Soares e o Geraldo Rocha. Só matando a pauladas, no meio da rua. E o dr. Arnaldo pensava: — "Ah, o Hitler aqui! O Hitler punha o Geraldo e o J. E. numa parede, e mandava fuzilar!". Talvez o fuzilamento fosse uma solução benigna demais, indolor demais. O Hitler também podia fazer o seguinte: — amarrar o Macedo Soares e o Geraldo num pé de mesa. Os dois teriam que beber, de gatinhas, numa cuia de queijo Palmira e de comer numa lata de goiabada. "Uns tomadores de dinheiro!", concluía para si mesmo. "E se tal polêmica fora possível, já não se podia falar em 'família brasileira'!" — "Uma família que lê semelhante imprensa nunca foi família nem aqui, nem na China!"[8]

Súbito, uma enfermeira aparece: — "Seu filho está chamando".

O velho retifica:

— Sobrinho. Não é filho: — sobrinho.

Ele veio, em passos rápidos, do fundo do corredor. Pensava agora no Benedito Valadares.[9] O olhar do Benedito, e não só o olhar: — o ventre (o Benedito tinha uma certa barriga), mas sobretudo o olhar era de um Nero de fita de cinema. Detestava o Benedito. E, novamente, imaginou-o também de gatinhas, solidamente amarrado num pé de mesa — bebendo água numa cuia de queijo Palmira.

Entrou no quarto do filho. Aquela penumbra enlouquecia o doente e as visitas. Na sua fúria, pensa: — "Será que os cretinos desses médicos não percebem que essa penumbra é criminosa?". O médico já vai saindo.

— Está bem melhor — e repete, na sua cordialidade melíflua e mercenária: — Bem melhor. Tomou um caldinho. Com licença.

Aproxima-se do leito. Experimenta agora uma pena brutal. É um sentimento novo na sua vida. Inclina-se sobre aquela carne para sempre ferida. E, ao mesmo tempo, ocorre-lhe uma imagem exasperante e absurda: — o Benedito Valadares lavando-se numa banheira de leite de cabra, como um flácido Nero de fita de cinema. Dr. Arnaldo ajoelha-se; soluça (encostara a bengala na cama):

— Meu filho, quero o teu perdão para morrer. Você me perdoa?

O mutilado responde, com um olhar atônito de monstro marinho:

— Não.

CAPÍTULO 36

Ficou ainda algum tempo de joelhos, junto à cama do filho. Sabia, porém, com uma certeza desesperadora, que Sílvio jamais o perdoaria. Ergueu-se, com esforço:

— Deus te abençoe, meu filho.

E, ao mesmo tempo, pensava em Benedito Valadares. Perguntava a si mesmo: — "Parece incrível que eu, neste momento, exatamente neste momento, diante do meu filho...". Sim, diante do filho, diante de uma cicatriz hedionda, que ainda sangrava — era incrível que ele pensasse em Benedito Valadares. Via o político mineiro com um certo ar, um certo jeito de Nero de Cecil B. DeMille e, sobretudo, com esse mínimo de barriga que o corrupto exige. Depois de curvar-se e apanhar a bengala, respira fundo:

— Vou-me embora, meu filho.

"Se ele, ao menos, não me olhasse", era o que dizia a si mesmo. Renunciara ao perdão, para sempre. Abandonando o quarto, deixando aquela penumbra meio lunar de fundo marinho — pensava: — "O ser humano é tão débil mental que pode pensar na mutilação de um filho e, ao mesmo tempo, no Benedito Valadares". Cumprimentando uma enfermeira com uma leve inclinação de cabeça, ele fez de si mesmo um exemplo: — "Eu. Vejamos eu. Estou aqui sofrendo pelo meu filho". E, simultaneamente, não lhe saía da cabeça a figura do Benedito Valadares. Era, já, uma fixação humilhante. Benedito Valadares sempre o impressionara por um detalhe pueril: — a barriga de magro. Era, sim, um magro barrigudo. E o dr. Arnaldo desce as escadas do hospital, num amargo descontentamento de si mesmo: — "Eu só devia pensar no meu filho". Entretanto, não se libertava do político mineiro, que continuava, dentro dele, ralando-o. Furioso, com a barriga de magro, o governador de Minas teria mandado fazer uma piscina suntuária no próprio Palácio da Liberdade. E a imagem que perseguia agora o dr. Arnaldo, e não lhe dava sossego, era a do Benedito na tal piscina — montado num tubarão de borracha.

Quando ia saindo, apareceu o diretor do hospital, o dr. Barcelos. O médico abriu-lhe os braços, na sua efusão de mercenário. ("Ah, ladrão!" foi a praga interior do deputado.) Dr. Barcelos perguntava:

— Já vai?

E ele:

— Volto já.

Ao mesmo tempo que apertava a mão do médico (uma nulidade voraz!), pensava: — "Dizem que o Benedito assina despachos na banheira!". Talvez fosse exagero, caricatura folclórica, talvez. A ser verdade, porém, vamos e venhamos: — era mesmo um Nero de Cecil B. DeMille. — "O Brasil precisa de um Hitler". O médico baixa a voz:

— E seu filho?

Corrigiu, furioso:

— Sobrinho.

Pareceu surpreso, quase consternado:

— Não é filho?

Repetiu, agressivo:

— Sobrinho!

E o outro, atrapalhado, com uma aguda suspeita de gafe:

— Ora veja!

Secamente, e ressentido com os preços do hospital, faz um aceno: — "Até já". Toma um táxi e, no momento de dar o endereço, confunde-se. Pergunta a si mesmo: — "Vou para onde?". Para casa? Eis a verdade: — não tinha nada a fazer em casa, absolutamente. Ao mesmo tempo, o filho — ainda sangrando da mutilação — o escorraçara, o enxotara do hospital. — "Não serei jamais perdoado!" E repetiu, com uma certa doçura: — "Jamais!". Jamais ou nunca mais. Diz: — "Ele me odeia!". Logo, porém, retifica: — "Ele não pode odiar".

Parecia-lhe que o rapaz teria a mesma impotência para o amor e para o ódio. Passou alguns minutos pensando só no filho e na hemorragia inestancável — esquecido do Benedito Valadares.

Foi ao descer em casa, e ao pagar o chofer, que ele se enfureceu, novamente. Recebendo o troco, vociferava, interiormente: — "Se é verdade essa história, se ele, realmente, tomava banho e, ao mesmo tempo recebia o Secretariado; se, ensaboado, despachava...". Fremente de indignação, dr. Arnaldo começava a subir os degraus: — "Onde é que nós estamos?". Para no meio da escada. Apoiado no corrimão, pensa ainda no seu cruel sarcasmo: — "Um governador que despacha nu é puro Molière!". (Jamais lera Molière.) A não ser que, para bem do Brasil, tudo fosse simples e irresponsável folclore. Em todo caso, era estranha e suspeita aquela figura de magro barrigudo.

Zózimo aparece na porta. Abre um riso largo e bom. Então, transtornado de alegria — uma súbita e dilacerada alegria —, dr. Arnaldo sobe precipitadamente:

— Ó, Zózimo!

E o rapaz, sem entender a veemência do velho, deixando-se envolver e abraçar:

— Doutor Arnaldo!

O deputado continua (numa satisfação que o envergonha e que ele próprio acha estúpida):

— Vamos conversar, Zózimo!

Arrasta-o para um banco, colocado numa extremidade da varanda. O dr. Arnaldo exulta porque, afinal, parece que se libertou daquela fixação idiota, mil vezes idiota, do Benedito Valadares. Começa comovido:

— Escuta, Zózimo, eu estou pra te perguntar uma coisa…

O diabo era a vontade de chorar. Pigarreia:

—Você, Zózimo, tem, não tem, ou estou enganado? Uma certa vergonha, digamos assim — você entende? — vergonha de ser bom?

Balbucia:

— Como?

Realmente, não entendia nada. Na sua confusão, chegou a desconfiar que talvez o velho tivesse bebido, pela primeira vez na vida. Ao mesmo tempo, repeliu a hipótese. Não queria admitir absolutamente um dr. Arnaldo bêbado. O velho respirou fundo e tenta ser claro:

— Agora mesmo, Zózimo, neste instante: — você está vermelho! Eu só acredito nas pessoas que ainda se ruborizam! Zózimo, creia: — ninguém se ruboriza mais no Brasil! Por isso é que eu acho, não sei se estou enganado: — mas acho que você tem vergonha de ser bom!

Zózimo não sabia onde se meter. Dr. Arnaldo erguia-se:

— Zózimo, o que eu queria dizer. Não tenha vergonha de ser bom, Zózimo; mas o que eu queria dizer é o seguinte: — eu quero que você se case, imediatamente, com Engraçadinha. Entende?

Eis o que pensa dr. Arnaldo: — "Se ele soubesse que Sílvio deixou de amar, de odiar". Ergue a voz:

— Engraçadinha é sua! Fique com Engraçadinha!

Zózimo parecia espantado: — "Minha?". Dr. Arnaldo afasta-se. Entra na sala; vê Engraçadinha:

— Chega aqui, minha filha.

De braço com a filha, caminha, lentamente, até a extremidade do corredor:

— Vamos imaginar o seguinte: — se eu estivesse morrendo. E se eu te chamasse e te fizesse um último pedido? Você atenderia?

— Depende.

O velho estaca. Começa a sofrer:

— Minha filha! Não se recusa o pedido de quem está morrendo!

Ele, desesperado, já começava a imaginar que a filha também fora ferida, para sempre; que talvez tivesse perdido o útero e os ovários da alma. Pergunta, sem amor, nem ódio:

— Mas que pedido?

Dr. Arnaldo deixa passar um momento. Aperta o braço da pequena:

— Tira esse filho. Não deve nascer. Não pode nascer. Sim?

— Não!

Crispa a mão no braço da moça:

— E se eu te disser que é um último pedido? O último, Engraçadinha? Você compreende o que é "o último"? Responde: sabe o que é pedir pela última vez e nunca mais? Nunca mais pedir? Fazes isso por mim?

— Não.

Por um momento, só por um momento, teve vontade de bater-lhe na boca com as costas da mão. Ao mesmo tempo, sentiu que era inútil. Pensava novamente em Benedito Valadares: — o magro barrigudo! Deixa a filha e, sem uma palavra, entra na biblioteca e tranca-se lá. Caminha até a secretária, abre a gaveta e embolsa o revólver. Anda de um lado para outro, sempre com a bengala (a besta obscena do Aprígio espalhara a anedota segundo a qual ele era amancebado com a bengala). Há dois dias que, vivendo a agonia do filho, não pensava na "cunhada impossível". Só a possuíra uma vez, uma única vez. Um magro ou, pelo menos, certos magros não devem se despir para o amor. Sentando-se no divã, ele pensa em si mesmo e nas suas canelas espectrais. E, então, começa a se despir. Pela primeira vez — após tantos anos — teve ódio daquelas ceroulas de amarrar nas canelas, com duas voltas. Andou um momento, pela biblioteca, de botinas, bengala, com a sua nudez esguia e lívida. Essa autoflagelação de magro deu-lhe uma satisfação feroz. Em seguida, começou a vestir-se, novamente. Amarrando as ceroulas, imaginou, ainda uma vez, o Benedito Valadares cavalgando um tubarão de borracha; e, depois, via o mesmo Benedito Valadares, no banho, despachando, com um secretariado subserviente e alvar.

Finalmente vestido, dr. Arnaldo tira o revólver. Olha a arma com um certo amor triste. Naquele momento, queria só pensar na mutilação do filho. Se pudesse excluir tudo o mais, afastar de si o magro barrigudo de Minas ou, ainda, o Macedo Soares, de gatinhas, bebendo água na cuia de queijo Palmira — se pudesse pensar e só pensar na cicatriz que ainda sangrava. Lembrou-se do ventre da cunhada, o ventre que não podia ter beijado. Rezar, talvez. Não, não queria rezar. Apanha o revólver e introduz lentamente o cano na boca. Mas aquilo pareceu-lhe de tal forma uma penetração obscena que preferiu, então, o tiro na cabeça. Encosta o cano na fronte. "Agora, só vou pensar em Sílvio." Mas houve uma espantosa superposição de imagens — de Sílvio, dos lençóis ensanguentados, do Benedito nu, assinando despachos. Puxou o gatilho.

Morreu sentado.

CAPÍTULO 37

QUANDO O DELEGADO saiu da biblioteca, tia Zezé atracou-se com a autoridade. Soluçava:

— Autópsia, não! Autópsia, não!

De um momento para outro, o homem foi envolvido e quase varrido por uma onda de velhas. Cercado, agarrado por umas cinco ou seis, tropeçou numa delas e ia caindo; balbuciou:

— Calma! Que é isso? Calma!

Tia Zezé, que era a menos velha e, justamente, a mais frenética, berrava: — "A família não quer! A família não admite!". Em meio de todo aquele alarido feminino, só a tia Ceci — pequenina e ressecada como a múmia de uma anã —, só a tia Ceci passava, docemente, com um jeito meio alado, por entre os gritos e os ataques. A morte não a espantava. Segundo lhe parecia, não era a primeira vez, nem seria a última, em que o dr. Arnaldo morria. Há tempos, ela o vira berrar: — "Eu morri!". Lembrava-se de *Aquidabã*, onde tinham sido despedaçados tantos guardas-marinhas.[10]

O delegado, que estava, ali, acompanhado do comissário e dois detetives, e que já olhara o cadáver — teve de usar uma certa energia:

— Escuta, minha senhora! Ó, minha senhora, um momento! — E repetia: — Um momento! Posso falar, minha senhora?

Quase o agredia: — "Autópsia, não!". Simplesmente, a autoridade, já indignada, queria dizer que não ia haver autópsia, absolutamente: — "O suicídio está caracterizado", afirmou, fez uma pausa e disse com um certo e premeditado preciosismo verbal: — "Liberei o corpo, minha senhora!". Ela, porém, fora de si, numa fixação delirante, abraçava-se à autoridade: — "Tudo, menos autópsia!". Sempre tivera horror de médico-legista. Fora vizinha de um deles. O homem parecia-lhe um fauno lúgubre de necrotério. Vira-o, uma vez, ao regressar de uma miserável exumação. Pois o homem estava transfigurado, uma cintilação nos olhos e toda uma euforia de necrófilo inconfesso. Não, não admitia que... O delegado desvencilhou-se, finalmente, e ia repetindo:

— Liberei o corpo! Com licença! — E passando o lenço no suor da testa e da nuca, insistiu: — Liberei o corpo!

Imediatamente, a residência encheu-se. Ninguém entendia o suicídio: — "Como? E por quê?". Até o Aprígio apareceu por lá, num desses assombros totais. Perguntava a um e outro: — "Não foi crime?". Levara anos a fazer uma troça diária e feroz do extinto; dizia, abertamente, com o riso imenso que o fazia sacolejar-se como uma estátua de préstito carnavalesco: — "Um quadrúpede de vinte e cinco patas!". Essa síntese triunfal chegava a arrepiar. E eis que, de repente, recebe a notícia de que o homem, contra todas as previsões — metera uma bala na cabeça. Aprígio respeitava os suicidas, ou, por outra: — só respeitava os suicidas. No seu exagero debochado, estava inclinado a crer que a morte natural é uma indignidade. Afirmava ainda, a encharcar-se de chope: — "Deus prefere os suicidas". Pois bem: — o Aprígio fora um dos primeiros a correr para a residência do colega. Ia com o Xavier, que era taquígrafo na Câmara. O Aprígio desabafava, na sua impressão profunda:

— Agora acredito, sim, agora acredito que o Arnaldo era casto. Casto, no duro, casto batata.

O Xavier não entende:

— Por quê?

E o Aprígio, fúnebre:

— Claro! O sujeito que não papa ninguém só tem uma solução: — a bala na cabeça!

Entram na casa do morto. E, súbito, o deputado vê, num canto, a filha do colega, a Engraçadinha. Por um momento, a morte passa para um plano secundário. Cutuca o taquígrafo: — "Espia!". Estava assombrado. Bandalho como ele só, costumava dizer na sua irresponsabilidade jucunda: — "Mulher, a partir de onze anos!". Era um alegre e, mesmo, um obsceno exagero. Todavia, recebia, na Câmara, a visita de meninas de quinze, dezesseis. A filha do morto, com a sua graça adolescente, correspondia ao seu gosto brutal. Xavier virou-se para Engraçadinha. Os dois foram, sordidamente, cumprimentá-la:

— Meus pêsames.

Engraçadinha assoa-se no lencinho:

— Obrigada.

O Aprígio era assim. De vez em quando, assaltavam-no desejos medonhos. O Xavier, vermelho, agoniado, concordava em que Engraçadinha era, realmente, um biju. E, então, numa melancolia pesada e honesta, aquele patife jucundo suspira: — "Vê tu. Quando eu me lembro que aquela menina vai se casar com uma besta e que eu, que nós...". A frustração doeu-lhe fisicamente como uma nevralgia.

Ninguém escutara o tiro, ou, por outra: — ouviu-se um barulho, um estampido. Mas a impressão que se teve foi de uma bombinha junina, inofensiva e irresponsável. Só depois é que, na hora do jantar, bateram na porta. Nenhuma resposta. Chamaram um bombeiro hidráulico, que, por coincidência, estava no momento desentupindo uma pia. O rapaz era forte. Meteu, primeiro, os ombros; em seguida, o pé. A porta abriu-se com estrondo. Eis o que viram: — o dr. Arnaldo, sentado, a cabeça tombada para a frente; encostada na cadeira, a fidelíssima bengala. As velhinhas da casa, as criadas, encheram as salas, os quartos, a varanda, com seu alarido. Apenas a tia Ceci não chorava, nem sofria. Não era a primeira vez que Arnaldo morria.

Engraçadinha estava deitada. Ouviu o barulho e correu. Alguém vinha saindo da biblioteca:

— Morreu!

Exclamou para si mesma: — "Papai!". Sabia que era ele. Quando dr. Arnaldo fizera o "último pedido", o "último" (para nunca mais), ela já o viu como um cadáver. Olhava para o velho e tinha a sensação de que ele estava morto — tão morto como o Sílvio. Ninguém mais morto do que dr. Arnaldo ao pedir pela "última vez". Ao vê-lo afastar-se, ela sabia que o pai ia matar-se. E agora a família punha-se a ter ataques.

Alguém a sacudia:

— Chora, menina!

Balbuciou:

— Eu?

E a tia:

— Chora!

Depois que vira a lâmina viva na mão de Sílvio, depois que vira a navalha fazer um risco de luz — ela já não podia chorar. Era tão pouco o suicídio do pai diante da mutilação de Sílvio! Alguém que, no seu desespero gelado, não identificou, alguém berrava-lhe:

— Chora, menina!

"Meu filho", pensa — "meu filho vai nascer". Podia chorar por Sílvio e não pelo pai. "Mas Sílvio está em mim, o verdadeiro Sílvio está em mim." No leito do hospital, agonizavam os restos de Sílvio. "O verdadeiro Sílvio está comigo." E, súbito, começa a chorar. Não era pelo pai, mas por Sílvio. Chorava aquela mutilação em flor!

Uma voz sussurrou-lhe:

— Vai ver teu pai!

Alguém opôs-se:

— Já, não!

E ela:

— Quero ver!

Tias que, de momento, não identificou, a levaram. Sussurravam: — "Cuidado! Cuidado!". Cuidado de quê e por quê? Diante do pai com o orifício de bala na fronte, ela não sabe o que fazer. Morto, estava menos pálido do que em vida. E, súbito, Engraçadinha cai de joelhos diante do morto (a bengala não o abandonara). Soluça com tal violência que, em redor, houve um alívio. "Tem sentimento", eis o que pensavam as velhinhas.

Ela, porém, não chorava pelo pai. Chorava por Sílvio, pela mutilação. Se, naquele instante, pudesse adivinhar! Mas, no primeiro momento, ao vê-lo de navalha — pensou em si. Imaginou que o rapaz ia marcar-lhe o rosto ou, talvez, decepar-lhe um seio. E se pensasse que ia ferir-se a si mesmo, ia ferir para sempre a própria carne!

Depois a câmara ardente. Numa parede da sala, um grande quadro: — a Ceia, em relevo prateado; e em outro uma natureza-morta. Ela continuava chorando. À meia-noite, quiseram levá-la:

— Vem descansar um pouco!

Reagia:

— Não!

E alguém:

— É tarde!

Ela, porém, não abandonou o velório. E ninguém podia imaginar que seu morto não era aquele. Chorava por um morto que ainda agonizava. Aquele que estava ali, velado por altas autoridades, políticos, jornalistas e homens do povo — era o morto errado. Súbito, o Zózimo, que estava a seu lado, desde o primeiro instante, Zózimo pede:

—Meu anjo, você precisa dormir.

Vra-se, atônita, como se só agora o tivesse identificado. Ergue-se:

— Vem cá, Zózimo.

Leva-o para uma saleta. Lá, agarra-se a ele:

— Ó, Zózimo! Vamos fugir, Zózimo!

Não entende:

— Fugir?

E ela, fora de si:

— Se você me ama, se você gosta de mim, ó, Zózimo — vamos fugir!

Zózimo não podia imaginar — e ela não diria nunca — que a noiva chorava por um morto que ainda agonizava. Fugir para longe daquele hospital, onde os restos de alguém sangravam eternamente.

CAPÍTULO 38

Repetia, na obsessão da fuga: — "Vamos, Zózimo, vamos!". O rapaz travou-lhe o braço:

— Para onde? Fala!

Ela trincou os dentes com tanta violência que Zózimo a segurou pelos dois braços e a sacudiu:

— Engraçadinha, escuta! Olha, Engraçadinha!

Tornou-se hirta nos seus braços. Por um momento, ele apertou a noiva de encontro ao peito e pensou mesmo em beijá-la na fronte. Engraçadinha, porém, desprendeu-se bruscamente, recuando. Cruza os braços, num arrepio muito intenso. Ele, que sentira o corpo da menina unido ao seu, vibrando e vivendo junto ao seu (por um instante), ele respirou fundo. Desejá-la naquele momento, quando havia um morto na sala... Ao abraçá-la, esmagara com o peito os seios da pequena. (E, no entanto, a poucos passos dali, um morto era velado.) O brusco desejo, quase à sombra dos círios, deu-lhe um deslumbramento mesclado de vergonha e asco.

Baixa a voz:

— Querida, eu não sabia que você...

Para, desorientado. Queria dizer que jamais imaginara que ela tivesse tanto amor pelo pai. Acrescentou para si mesmo: — "Aliás, é muito bonito quando uma filha adora o pai. É lindo!". Engraçadinha pensa, transida de febre: — "Se ele soubesse que choro outro morto e não este!". Queria ainda fugir para tão longe!

Ergue o rosto:

— Zózimo, eu te chamei aqui porque... Quero casar por esses dias. Está ouvindo, Zózimo?

E ele:

— Continua.

— A gente se casa e, olha: — não fico aqui nem mais um minuto — repetiu, rosto a rosto: — Nem mais um minuto. Não se esqueça! Se for preciso, me caso com a roupa do corpo e a gente embarca no mesmo dia.

O rapaz não entende essa fuga pânica: — "No mesmo dia? Você não acha que...". Interrompeu, violentamente:

— No mesmo dia, Zózimo! Eu disse no mesmo dia! Saímos da igreja para a estação. E nem da igreja, Zózimo: — não quero casamento religioso. Do civil, nós saímos para a estação. Mas se você não quiser, ainda está em tempo.

— Quero.

Diante dele, sonhou em voz alta: — "Nós vamos para o Rio. E outra coisa: — eu posso morrer de fome no Rio" — começou a chorar — "mas não fico aqui!". Ele apanha as mãos da pequena; foi de humor doce e triste: — "Morre-se de fome, pronto. Não se discute". Engraçadinha não terminara. Diz, sem desfitá-lo:

— Você sabe que eu estou grávida?

O velho negara a gravidez e jurara: — "É virgem! A virgindade de minha filha prova a existência de Deus!". Zózimo responde: — "Sei". Engraçadinha começa a tremer:

— Grávida de outro, Zózimo! Por enquanto, você aceita. E se, depois, você odiar o meu filho? E se odiar a mãe e o filho? Zózimo, escuta: — sabe por que meu pai morreu? Porque eu disse: — "Não tiro o meu filho!". Matou-se por isso. Zózimo, você me ama?

Apanha as mãos da noiva, beija uma e outra.

— Você duvida?

Ergueu a voz:

— Fala, me ama de verdade? Ama, Zózimo?

Quis agarrá-la:

— Escuta, Engraçadinha! Olha pra mim! Eu tenho veneração — escuta, Engraçadinha!

Desprende-se violentamente:

— Mentira! Você não gosta de mim! Ninguém gosta de ninguém!

O outro, desesperado, repete: — "Escuta, meu amor!". E ela, chorando:

— Responde: — o que é que você faria por mim, além de aceitar a minha gravidez?

— Tudo!

Olhou-o com sôfrega curiosidade, como se o visse pela primeira vez (ao mesmo tempo, passa a mão pelo nariz). Esse "tudo" que ele oferecia pareceu--lhe vago. Lembra-se de Letícia e pergunta:

— Olha! Eu tenho uma pessoa — uma pessoa, ouviu? — que gosta de mim. O nome não interessa. Essa pessoa me disse que era capaz, até — escuta essa, Zózimo —, até de arranjar amantes para mim. Amantes!

Atônito, repetiu: — "Amantes?". Houve uma pausa. Engraçadinha sente que, como qualquer homem, Zózimo põe, no próprio amor, o limite de sua dignidade pessoal. E, no entanto (eis o que ela pensa por outras palavras), amar é justamente fazer indignidades. Parecia tomada de insânia: — "Não disse? Você não me ama!". Sem desfitá-lo, acrescentou, lentamente: — "Se me amasse, você arranjaria amantes para mim!". Desatinado, Zózimo ia responder, quando abrem a porta. Os dois se voltam, ao mesmo tempo: — era tia Zezé.

Entrou com uma bandeja:

— Trouxe pra ti, Engraçadinha!

Fazia tempo que a procurava por toda a parte. Engraçadinha bateu com o pé:

— Ih! Não quero!

E a outra:

— Um biscoitinho só, minha filha!

Virou-lhe as costas:

— Ah, não aborrece a senhora também! Que amolação!

Zózimo interpõe-se:

— Um momento, tia Zezé!

A velha não gostou:

— Menina, olha esses modos!

Já o rapaz a levava:

— Não liga! Está nervosa!

Tia Zezé sai com o biscoitinho rejeitado. Zózimo volta. Engraçadinha o espera, em pé, os braços cruzados, com um sorriso muito leve, mas de uma intensa malignidade. Ele começa:

— Gosto tanto de ti que...

— Mentira!

Com um certo asco da própria maldade, ela pergunta a si mesma: — "Será que eu quero mesmo que ele me arranje amantes? E ele teria essa coragem?". A própria Engraçadinha não entendia aquela crueldade frívola e inútil que a levava a torturá-lo. Em vez de estar ali, humilhando o noivo — a troco de nada —, devia estar na sala, fazendo quarto a um morto, embora chorando outro. Mas reconhecia que era tão bom, tão gostoso destruir um homem! Se quisesse — eis o que ela pensava — se quisesse, Zózimo ficaria de gatinhas, ali, para que ela o montasse. E assim, levando-a na garupa, os dois invadiriam o velório.

Saturada de si mesma, suspira:

— Vamos, Zózimo.

E ele:

— Te amo.

Parou um momento. Pergunta, baixo (com uma maldade quase doce):

— Você arranjaria, Zózimo, os amantes?

Quase chorando, responde:

— Eu disse que faria tudo!

Ele pensa: — "Está doente. Fora de si". Amou-a mais por isso: — porque a sentia enferma da carne e da alma.

Olha-o ainda:

— Já vi que você não gosta de mim. É uma conversa fiada muito grande. Vamos.

Passou adiante. O rapaz a seguiu, dilacerado.

Estão, de novo, na sala. Uma senhora levanta-se:

— Senta aqui.

Oferecia-lhe uma cadeira. Engraçadinha senta-se. Ergue o rosto para olhar o sono dos círios. De momento a momento, chegavam novas coroas. Uma delas, de orquídeas, provocou um murmúrio. Uma senhora cutuca outra: — "Espia só!". Era digna, realmente, de um chefe de estado. Houve, ali, um cochicho universal: — "De quem? De quem?". Tio Nonô, imenso, pôs-se de cócoras, com suas pernas curtas de gordo. Impressionado como os outros, desenrolou a fita roxa, com letras douradas: — era do governador.

Tio Nonô ergue-se. Um sujeito magro soprou-lhe:

— Deve ter custado os tubos!

Naquele momento, o deputado Aprígio aparece na porta da varanda. Perdera Engraçadinha de vista e, no seu desejo fácil e irresponsável, achava que, sem ela, o velório estava incompleto, falhado. Há uns vinte minutos que perguntava ao taquígrafo Xavier: — "Onde diabo se meteu essa cara?". E arriscou mesmo uma blague vil, segundo a qual estaria, ali, fazendo quarto, não ao morto, mas à filha. Cochichou sordidamente para o taquígrafo, com o riso contido: — "O meu defunto é a menina!". Descobre Engraçadinha, finalmente. Volta, para a varanda, trêmulo; puxa o taquígrafo: — "Se eu pegasse essa menina...". O taquígrafo sorvia-lhe as palavras como um sorvete.

Na sala, Zózimo vinha — pedindo licença — trazer uma xícara de café para a noiva. Inclinava-se para a menina:

— Toma.

— Biscoito não.

— Por quê?

Suspirou:

— Só o cafezinho.

— Então, toma.

Ele próprio queria servi-la, de colherzinha em colherzinha, como a uma doente ou a uma criança. Engraçadinha, porém, rejeitou o carinho. Apanhou a xícara. O bobão ainda soprou: — "Cuidado para não derramar!". A noiva dardejou-lhe um olhar irritado. Tomando o café, aos pequenos goles, sente que já não é a mesma. "Sou outra", repetia para si mesma, com uma dor surda. Algo morrera em si. Zózimo, com sua odiosa solicitude, insistia:

— Está bom de açúcar?

Nem lhe respondeu (chato!). Mexendo a xícara (gostava, realmente, de muito açúcar; mas não pediria a ele), ela pensa que, antigamente, até dormindo os seus sonhos vinham pesados de voluptuosidade. Fora possuída em sonho tantas vezes! Lembrava-se de uma vez — há muito tempo — quando tinha uns doze anos, talvez. Vira um cavalo de corrida e, por um momento, ante a beleza elástica e vibrante do animal, o fogo das ventas, a flama das crinas e, sobretudo, a violência dos quadris — sentira um breve deslumbramento. "Nada é tão nu como um cavalo." Ainda agora perguntava a si mesma se as outras mulheres não se perturbam com certos cavalos espantosamente nus.

Zózimo a ofendia, outra vez, com a sua miserável solicitude:

— Coração, dá que eu levo.

Pedia-lhe a xícara. Engraçadinha pensava que, antes, não podia encostar-se na quina de um móvel, sem crispar-se toda. Às vezes, o simples olhar de um homem como que a transfigurava. Seu corpo tornava-se, então, ereto e vibrante. E, agora, tinha a sensação de que subitamente perdera o dom de amar. Desde que vira Sílvio mutilar-se — tornara-se um pobre ser sem imaginação, nem voluptuosidade. Seu sonho agora era triste. Lera, há dias, num anúncio de jornal, o nome de um remédio contra "frieza". Ah, o medo de ser fria, o medo de ser possuída e ter ódio do amor!

E, NO ENTANTO, horas depois, no cemitério, quando o quinto orador, que seria o último, afirma que o dr. Arnaldo "jamais tivera amantes" — ela vira, bruscamente, as costas para a sepultura recém-aberta do pai. Zózimo curva-se, vivamente:

— Não chora, meu amor!

Ela tombava para o túmulo vizinho; projetava seu corpo contra a quina de pedra. Protegendo-a, Zózimo passava-lhe a mão pelos cabelos. Ficou assim alguns instantes, com um movimento quase imperceptível. E, súbito, quando mais delirante era a apologia fúnebre do orador, Engraçadinha começa a soluçar violentamente. O orador chegou a parar, desconcertado. Trincando os dentes, hirta de volúpia, ela parecia agonizar e morrer nos braços de Zózimo.

Seu grito final vibrou, perdidamente, em todo o cemitério.

Livro II

Engraçadinha, seus amores e seus pecados

Depois dos 30

CAPÍTULO 39

VINTE ANOS DEPOIS, aqui no Rio, na esquina de Ouvidor com avenida, um senhor idoso esbarra numa menina que vinha em sentido contrário. Ela teria o quê? Digamos uns quinze, dezesseis (ou catorze). No seu uniforme colegial, meias soquete, saia azul, blusinha creme, tinha um olhar atrevido, um jeito livre e ousado de erguer a cabeça e projetar o perfil e, ao mesmo tempo, uma boca que parecia sempre prestes a beijar. Já o senhor lembrava os velhos nobres da antiga República, com um pouco de Epitácio, de Frontin e um pouco, também, do Adolphe Menjou, dos filmes.[11] Talvez fosse mais Adolphe Menjou do que Frontin, do que Epitácio.

Houve o esbarrão ligeiro e acidental e o velho, tocando no chapéu com a sua distinção de República Velha, inclinou-se:

— Perdão.

A menina sorriu-lhe e ia passar adiante, quando o senhor travou-lhe o braço.

— Um momento.

A calçada era estreita e os dois, ali, impediam a passagem. O sósia de Adolphe Menjou puxou-a:

— Menina, como é seu nome, minha filha?

Sem timidez nenhuma, fez um espanto divertido: — "Por quê?". O chiclete que mascava dava-lhe aos lábios uma mobilidade a um tempo provocante e vagamente cínica. O outro pálido e trêmulo, explicava:

— Pelo seguinte, meu anjo: — eu conheci, há muito tempo já — uma pessoa que, naquela época, devia ter sua idade e era o seu retrato, igualzinha, ouviu? Igualzinha a você.

A menina olhou, de cima para baixo — e sempre mascando chiclete — a mão que ainda segurava o seu braço. Sôfrego, ele baixava a voz:

— Se não fosse o tempo, que já passou, eu diria que você era ela... Mas escuta: — por acaso, sua família não é do Espírito Santo?

— Sim.

O homem queria ver, ali, um milagre. Milagre, fatalidade, sei lá. Atarantado, diz, para conquistar-lhe a confiança: — "Eu podia ser teu pai. Sou o Juiz Odorico Quintela". E, agora que já se apresentara, pergunta, com uma cintilação no olhar:

— Como é o nome de sua mãe?

Ele tinha vontade de pedir-lhe: — "Minha filha! Cospe isso! É uma vergonha que a menina brasileira ande mascando chiclete! O chiclete dá um jeito de prostituta". A pequena responde:

— Engraçadinha.

O juiz recua, ligeiramente. Repete, num deslumbramento: — "Engraçadinha?". Balbuciou:

— Vamos andando, vamos sair daqui! Você é então filha da Engraçadinha! Ó, meu Deus. E seu pai chama-se Zózimo? Não é Zózimo? Perfeitamente, Zózimo! Que coincidência!

Caminhavam pela calçada da avenida. Chamava atenção aquele senhor, com seu bigode de Adolphe Menjou, uma distinção inatual de Frontin e de Epitácio (e por que não do Manuel Villaboim?)[12] e aquela menina de graça leve, quadris vibrantes e uma petulância meio perversa. Debaixo do relógio do *Jornal do Brasil* parou um instante para cumprimentar dois rapazes de Minas, o Wilson Figueiredo e o Otto Lara Resende, ambos jornalistas.[13] O dr. Odorico, tornando a voz mais cava, e com um jeito quase lúgubre, disse:

— Muito calor! — e repetiu — muito calor!

E passou adiante, no fundo envaidecido da adolescente companhia. Ele sentia que eram muito olhados e imaginava que os dois rapazes haviam de estar fazendo as deduções mais torpes. Pensava: — "Como é que, depois de tantos anos, venho encontrar, na rua do Ouvidor, a filha da mulher que, ainda hoje...". Sempre segurando o braço da menina, ia dizendo, tumultuosamente:

— Seu nome é? Silene? Ah, Silene. Pois olha: — minha filha, fui muito amigo, amicíssimo de seu avô e até deu-se uma passagem muito interessante...

— Vovô Arnaldo?

E ele:

— Arnaldo, doutor Arnaldo. Uma grande figura, um homem de bem! Não há mais homens de bem. Mas a passagem foi a seguinte: — quando ele morreu — e moço, morreu muito moço! — eu fiz o discurso do enterro... E dizem que eu fui bem, até muito bem!

Em cima do meio-fio, na esquina da rua Sete, esperando a abertura do sinal, Silene olha o pequeno relógio de pulso. Tem a exclamação: — "Tarde!". Ele se precipita:

— Eu levo você! De táxi! Onde é que você mora?

— Longe.

— Mas onde?

Suspira, com vergonha, asco de subúrbio:

— Vaz Lobo.

Desta vez, o espantado foi o juiz. Repetiu: — "Vaz Lobo?". Nunca em tal ouvira falar. Cada vez estava mais convencido de que o chiclete é tão deformante que, no fim de certo tempo, uma menina fica com uma boca ambígua de prostituta. "Boca ambígua" pareceu-lhe uma expressão incisiva. Quando o sinal abriu, dr. Odorico decidiu que, naquele dia, veria, de qualquer maneira, Engraçadinha. Teve um assomo de rapaz:

— Levo você. O diabo é descobrir um táxi. Mas arranja-se.

Eram cinco horas! Ver, de novo, Engraçadinha, depois de dezenove ou vinte anos! Entre parênteses, achava que a verdadeira Engraçadinha não era a própria, mas a filha, aquela menina que, ao andar, punha nos quadris uma palpitação de eguinha fremente. Lado a lado com Silene, tinha vontade de passar-lhe a mão pelos cabelos e de lhe cheirar a nuca que devia estar um pouco úmida de suor. Finalmente, aparece um carro. Silene avisa: — "Livre!". Aquele velho (não tão velho assim; uns quarenta, quarenta e poucos, talvez) arremessou-se, com uma elasticidade de rapaz. E mais: — na ânsia de segurar aquele táxi único e surpreendente, pôs-se na sua frente. O chofer teve que frear. Dr. Odorico chamava Silene:

— Vem.

O chofer amarra a cara:

— É pra longe, cavalheiro?

E o juiz, fazendo a menina entrar, sucinto e inapelável:

— Vaz Lobo.

O outro pula:

— Vaz Lobo? Mas, ó, nossa amizade!

Já o pânico do motorista faz o juiz imaginar que Vaz Lobo era para lá de Campo Grande. O profissional continuava:

— Está na minha hora! Meu chapa, tenho que entregar o carro! — e repetia: — Está na minha hora!

Dr. Odorico sentara-se, maciçamente, como se fosse, não um juiz isolado, mas todo o Poder Judiciário. Depois de piscar o olho para a menina, puxa uma carteirinha e só falta enfiá-la na cara do chofer:

— Meu amigo, o senhor vai me levar, sim! O senhor está falando com uma autoridade! — e pergunta, com sarcasmo: — Sabe ler? Então lê! Lê, rapaz! Juiz, compreendeu? Podia lhe prender! E nem mais uma palavra!

Vira-se para a menina (cada vez mais parecida com a Engraçadinha de vinte anos atrás, ou seja: — a Engraçadinha do cemitério, a Engraçadinha de vestido molhado e os dois pequeninos seios de sonho). O chofer arrancando para o longínquo Vaz Lobo, quis justificar-se, mas o dr. Odorico varreu-lhe as desculpas:

— Não quero conversa!

Exagerava a autoridade para deslumbrar a pequena. O motorista calou-se. E, então, depois de ter exercido o Poder Judiciário, o ex-promotor de Vale das Almas vira-se para Silene e faz-lhe perguntas. Com uma naturalidade muito terna de avô tomou-lhe a mão. Ao saber que a menina tinha apenas catorze anos (aparentava mais), virou-se com uma surpresa deliciada. Pensou que, na mulher, certas idades constituem, digamos assim, um afrodisíaco eficacíssimo. Catorze anos!

Fez para si mesmo um comentário que ele próprio achou irrisório, extravagante: — "Todas as mulheres deviam ter catorze anos!". Ao mesmo tempo, lembrou-se dos jornalistas que cumprimentara, na porta do *Jornal do Brasil*, o Otto Lara e o Wilson. Este era apenas jornalista e poeta. Mas o Otto fazia uns romances, isto é, uns contos um tanto livres e, mesmo, excitantes. Talvez ao vê-lo com uma colegial (e tão linda), o rapaz resolvesse metê-lo na sua ficção irreverente. O dr. Odorico já se via na pele de um personagem que, sob a proteção da toga, caçava menores à porta dos colégios — assim consumando os seus miseráveis apetites. "Bom rapaz, o Otto, mas um tanto desorientado", concluiu. No fundo, a ideia de se ver retratado como um sátiro do Judiciário (e com a Engraçadinha por vítima) fez-lhe um grande bem.

Houve um momento em que o dr. Odorico desesperou-se. Perguntou a si mesmo, de olho no taxímetro: — "Mas será que não chegamos nunca?". O preço da corrida devia ser uma dessas coisas astronômicas. Finalmente, Silene apontou:

— Ali.

O relógio marcava 150 cruzeiros (ladrões!). E, por um momento, enquanto o chofer reduzia a marcha, e já corria junto ao meio-fio, ele esqueceu-se do taxímetro. Deus, o destino, o diabo, ou que nome tenha, colocara novamente Engraçadinha (e a filha) na sua frente. Naqueles vinte anos, tinha acontecido tudo. Ele se casara duas vezes. A primeira mulher, que morrera, era uma débil mental; e a segunda, professora pública, parecia-lhe, textualmente, uma "víbora de túmulo de faraó". Dr. Odorico desceu na frente e oferecia a mão a Silene. Baixa a voz:

— Espera. Quero entrar contigo — e completa: vou fazer uma surpresa.

Dirige-se ao chofer com uma surda irritação de pagador:

— Rapaz, podia ter te metido na cadeia! — pausa e faz menção de puxar a carteira: — Quanto é?

O outro, com as orelhas incendiadas, fez um gesto:

— Doutor, paga quanto quiser!

Dr. Odorico larga a carteira no bolso:

— Obrigado, amigo! Até a vista! E olha: não faça mais isso!

Desgovernado, o chofer arrancou, sem levar-lhe um tostão. A casa pareceu ao juiz um "pardieiro imundo". Entra com Silene que, de minuto a minuto, parecia ficar mais linda. Na porta da sala, dr. Odorico estaca: — via d. Engraçadinha ligando um pequeno aparelho de rádio; e, sentado, num canto, de camisa rubro-negra, sem mangas, chinelos, Zózimo. E, então, da porta dr. Odorico Quintela ergue o braço e declama, como, há vinte anos, no cemitério:

— Amantes? Nunca as teve!

CAPÍTULO 40

Repetia a frase de grande efeito, e com a mesma agressividade triunfal de vinte anos atrás. Engraçadinha e Zózimo erguem-se, em câmera lenta. Lá na porta, continua aquele velho bem-vestido, com o seu bigode e a sua distinção de Adolphe Menjou. Dir-se-ia alguém que, subitamente, fosse arremessado do passado para Vaz Lobo. E, por um momento, o casal experimenta uma sensação de vertigem.

Dr. Odorico levanta, de novo, a mão vibrante, no gesto de orador:

— Amantes? Nunca as teve!

Silêncio ainda. E ele, agora risonho — e um pouco vermelho — faz a pergunta à Engraçadinha:

— Não se lembra mais de mim?

Engraçadinha vacila. Tinha, sim, uma lembrança auditiva: — a voz, a inflexão pomposa, o arrebatamento oratório. Depois de olhar para Zózimo, diz, vivamente:

— O senhor é aquele que...

Ele se precipita, de mão estendida:

— Exatamente. Falei no enterro do senhor seu pai.

Ao dizer "enterro", fez, rapidamente, uma voz leve, para, em seguida, elevá-la novamente, na total euforia retrospectiva: — "Fui, se não me engano — eu tenho uma excelente memória! — fui o quinto orador. Precisamente o quinto e, aliás, o último. Lembra-se agora?" — torna, com uma satisfação evidente.

Engraçadinha sorria-lhe, com certo enleio:

— Me lembro, sim.

Zózimo oferecia a própria cadeira:

— Mas sente-se.

Dr. Odorico, olhando ora a mãe, ora a filha, senta-se, depois de inclinar a cabeça para Zózimo: — "Obrigado". Engraçadinha que, inesperadamente, sentia-se levada, arrebatada, atirada para além de si mesma, via-se em pleno cemitério. "Amantes, nunca as..." E pensava, não no pai, mas em Sílvio, nos restos agonizantes de Sílvio. Ao mesmo tempo, está envergonhada, realmente humilhada com a pobreza da casa. Silene, com o seu chiclete abominável, põe a pasta do colégio em cima de um móvel. Na parede, uma gravura de São Jorge, com uma pequena lâmpada azul e triste. Zózimo dirige-se ao visitante:

— Tenha a bondade.

Pedia o chapéu do ex-promotor, que este entregou. Então, dr. Odorico, pigarreando, tira um cartão do bolso. Enquanto Zózimo leva o chapéu, ele levanta-se e passa o cartão a Engraçadinha. Volta a sentar-se e, cruzando as pernas, suspira, radiante:

— Odorico Quintela. Disponha.

É este o nome que Engraçadinha, sôfrega (pensava ainda em Sílvio), estava lendo. E mais: — "Juiz de Direito". E embaixo: — "Rua Cândido Mendes trinta e tantos". Ela sofre, com vergonha de tudo, dos móveis, das paredes descascadas e, até, do São Jorge. O visitante olha com desprazer, para a camisa rubro-negra de Zózimo. Engraçadinha passou o cartão ao marido. Súbito, o juiz ergue-se; e começa, incisivo:

— Minha senhora, foi para mim um prazer imenso — não exagero, creia! — uma satisfação encontrar essa menina. Veja como são as coisas e é por isso que eu acredito em Deus. Em tudo há o dedo de Deus. Por exemplo: — por que sairia eu mais cedo, hoje, logo hoje, note bem: — exatamente hoje? Não é o dedo de Deus? É o dedo de Deus. Mas como eu ia dizendo: — vou pela rua do Ouvidor e dou de cara com esta menina! Olha o dedo de Deus nas mínimas coisas! Não concorda, amigo?

Virava-se para Zózimo. Este puxa um pigarro:

— Perfeitamente. Como não?

Dr. Odorico vira-se para Engraçadinha:

— Minha senhora, quando eu olho essa menina, veja a coincidência...

Ela pensava em Sílvio. Sílvio que morrera uma semana depois do dr. Arnaldo. Lembrou-se também da navalha, com o seu fio diáfano e gelado. Mas o juiz prosseguia, com excitação progressiva:

— Vi a menina e disse, no mesmo instante, note, no mesmo instante, minha senhora! Eu disse: — "Eis a filha de Engraçadinha" — baixa de tom, melífluo: — Dona Engraçadinha!

Engraçadinha olha para a filha:

— Silene é o meu retrato!

E, ao mesmo tempo, não pode deixar de pensar, com um descontentamento cruel de si mesma e da vida: — "Que será desta menina, meu Deus, solta por aí?". Silene não podia ficar sozinha um momento, não podia nem tomar banho sozinha! "E já está flertando — ó, que inferno! — já está flertando com o velho! Ah, desgraçado temperamento!"

Com os lábios encharcados, um lampejo ameaçador no olhar, ele vibrava como se estivesse, ainda, em cima de um túmulo, fazendo o orador de cemitério:

— Minha senhora! O senhor também! Vim aqui, não convencionalmente, digamos assim: — não convencionalmente. Não é uma visita formal, minha senhora, absolutamente! Eu estou aqui como amigo! Eu peço, minha senhora, que me aceite como amigo, amigo do peito!

Acabou gritando. Aquela sinceridade agressiva intimidou e emudeceu todo mundo. Ele, que transpirava, tira o lenço fino, transparente, e passa em todo o rosto. Engraçadinha levanta-se, atarantada:

— Aceita um cafezinho?

Ele está dobrando o lenço. Respira fundo:

— Um cafezinho? Aceito! — E repetia, grave, sentando-se: — Pois não, aceito! Engraçadinha abandona a sala. Então, esfregando as mãos, dr. Odorico inclina-se ligeiramente para Zózimo:

— Parabéns pela sua filha!

Ao mesmo tempo, não tirava os olhos da menina. Ó, a mobilidade voluptuosa daquela boca! Mas quem o juiz estava achando deprimente era o Zózimo. Por detrás de sua polidez, fazia uma generalização brutal: — "Marido é assim! Camisa rubro-negra, sem mangas, axilas abundantes e obscenas, de chinelos e sem meias!". "De resto — concluía — é preciso muito cinismo para que um casal, qualquer casal, chegue às bodas de prata!"

Pondo a água no fogo, para o café fresco, Engraçadinha suspirava. Aquele homem, aquele juiz que, de repente, invadira a sua sala de jantar, vinha exasperar todo o passado. "Amantes, nunca as..." Ao deixar o cemitério, estava certa de que era, ainda, a mesma fêmea nova e encantada. Ninguém percebera o intenso, contínuo trabalho dos quadris contra a quina de um túmulo. Depois, saíra dali, de fronte alta, o corpo a um tempo ereto e flexível. Cochichavam: — "Engraçadinha chorou tanto!". E, dias depois, quando Sílvio morreu, caiu de joelhos, soluçando: — "Ó, graças, graças!".

Sim, graças por ter morrido! Morrera tão só! Engraçadinha gostaria de debruçar-se sobre a sua agonia para perguntar: — "A navalha! Por que a navalha?". Ele próprio talvez não pudesse explicar. — "Mas se eu soubesse", imaginava Engraçadinha. Se soubesse que ele ia ferir-se, teria se atracado com o ser amado. Preferia que Sílvio decepasse um dos seus seios. No velório o esquife parecia guardar o cadáver de alguém que morrera antes, sim, de alguém que morria pela segunda vez.

Fazendo o café — após vinte anos — lembrava-se do casamento às pressas. Enganara tio Nonô e o irmão Fidélis, confundira um e outro e, finalmente, casara-se com Zózimo. O pai deixara pouco: quase nada. Sua fortuna era mais folclore do que dinheiro vivo. Ah, a primeira noite de núpcias, na véspera da partida para o Rio!

Zózimo querendo abraçá-la. E ela:

— Não.

— Mas, querida!

Recua diante dele:

— Você não gosta de mim?

— Gosto, mas...

Leva, na bandeja, duas pequenas xícaras para o dr. Quintela e Zózimo. O juiz ilumina-se; faz o comentário inútil: "Um cafezinho sempre é bom!". Continua pensando que nenhum marido, com aquela camisa rubro-negra, podia ser amado ou sequer desejado pela esposa. E, além disso, a exposição de axilas fora do local e do momento próprios, parecia-lhe uma degradação. Engraçadinha pergunta:

— Está bom de açúcar?

Dr. Odorico mexe e, em seguida, prova:

— Um pouquinho mais. Eu gosto bem doce.

Engraçadinha serve-o. O homem experimenta novamente: — "Obrigado". Engraçadinha pensa, ainda, na primeira noite com Zózimo. O assombro do marido: — "Quer dizer que...". Ela, de braços cruzados, uma expressão de ressentimento no rosto duro, diz-lhe tudo:

— Zózimo, eu estou grávida e não de você: de outro. Durante a minha gravidez, ninguém tocará em mim. Ninguém! Primeiro, meu filho tem de nascer!

— Mas eu sou seu marido!

Repetiu:

— Ninguém!

E ele, com a tenacidade do desejo: — "Nem eu?".

Grita:

— Ninguém! — e continua, mudando bruscamente de tom, quase doce: — Se você gosta de mim, se me ama. Você me ama? Então, olha: se você me ama, você compreenderá, ó Zózimo!

Agora, depois de tantos anos, ela servia cafezinho ao homem que vinha açular este passado. Dr. Odorico tinha vontade de tomar entre as suas as mãos de Engraçadinha. (Ó, a camisa rubro-negra do marido!) Dizia, gravemente: — "A senhora mudou pouco...". Surpresa, e quase ofendida, protesta: — "Mas eu sou uma velha!". Dr. Odorico baixa a voz: — "Não exageremos! Não exageremos!".

Eis a verdade: ele era a favor das intimidades imediatas. Achava que, em certas ocasiões, convém tomar de assalto a confiança de uma mulher ou de uma família. Decidiu que sairia dali, aquela noite, íntimo de todo mundo. Ergue-se:

— O negócio é o seguinte: eu, quando gosto de uma pessoa, sou impulsivo, muito impulsivo. Para que esperar, se já existe a simpatia, não é mesmo? Não gosto de perder tempo. Vocês já jantaram?

Engraçadinha balbucia, confusa: — "Ainda não". Ele ia, de uma extremidade a outra da sala, numa excitação intensa:

— Eu janto com vocês, pronto! Nada de cerimônias!

E teve um gesto teatral e íntimo que conquistou a família: depois de vencer um certo pudor dos suspensórios, arrancou o paletó e anunciava:

— Já não sou mais o juiz Fulano de Tal! Agora sou o amigo. E acabou esse negócio de doutor: me chamem de Odorico! Pessoal, olha! Vamos improvisar um jantar. Tem um botequim perto? Manda-se vir bebidas. Confeitaria também tem? Fiambre! Que tal?

Foi uma alegria. Ele, sempre eufórico, parecia cada vez mais convencido de que, com aquela camisa rubro-negra, o Zózimo precisava ser traído imediatamente. Riam, todos. O homem tirou dois mil cruzeiros da carteira e perguntava: — "Dá? Não precisa mais? Ou é pouco?". Deu o dinheiro a Silene. E dizia de si para si, com uma certeza fanática: — "Ou a mãe ou a filha, fico com uma das duas. Mas qual?". Quando Silene saiu, ele considerava uma outra hipótese: — "Por que não as duas?". Calculava que a mulher bonita e miserável está indefesa. Zózimo saía também para apanhar vinhos.

Depois de um desejo de vinte anos, ele ficou só com a Engraçadinha. Era o dedo de Deus. Pensa, rapidamente, já com a garganta contraída: — "Se eu a segurar, de repente, sem lhe dar tempo de raciocinar, de resistir...". Levantou-se e balbuciou, ofegante:

— Engraçadinha, olha.

Ela, que apanhava a toalha de mesa, virou-se. Dr. Odorico Quintela, com os dentes trincados, decide: — "Seguro-a agora, tapo-lhe a boca e...".

CAPÍTULO 41

Colocou-se atrás de Engraçadinha. Via a carne delicada de sua nuca, de um moreno claro, com uma penugem muito leve. Com a gaveta aberta na sua frente, ela apanhava a toalha e os pequenos guardanapos. Queria dar ao visitante uma impressão de mesa sóbria, mais digna (e, sobretudo, achava os guardanapos indispensáveis). Em cima, junto ao quadro de São Jorge, a lâmpada azul tinha pequeninas sujeiras de mosca.

Com a garganta contraída, ele murmura:

— Engraçadinha.

Quando ela se virasse, seria agarrada, colada ao seu corpo, beijada no pescoço. "Dou-lhe um beijo no pescoço!", dizia mentalmente. Já a imaginava cedendo, retribuindo, também excitada e... Ao mesmo tempo, porém, que ele a chamava, ouvia, atrás de si, uma voz de homem, numa exclamação alegre:

— Mamãe!

Dr. Odorico volta-se, estupefato. "O dedo de Deus!", eis o que pensa, tumultuosamente, recuando. Mais um segundo, e ele, o juiz, o magistrado, futuro desembargador, teria sido apanhado como um sátiro de suspensórios, atracado ao pescoço de uma senhora honesta como as que mais o fossem. Engraçadinha vira-se também, e com um tão vivo movimento, que um dos guardanapos caiu. Rápido, o juiz curva-se para apanhá-lo e o devolve. Engraçadinha agradece e apresenta:

— Meu filho mais velho, Durval.

O rapaz que parara, surpreso, ante aquele Adolphe Menjou em suspensórios, sorria, agora, contrafeito:

— Boa noite.

Engraçadinha continuava derramando os guardanapos em cima da mesa:

— Durval, esse senhor foi um grande amigo de seu avô, no Espírito Santo — e sorria, vermelha, sem ter de quê: — dr. Odorico... Ah, Quintela! Dr. Odorico Quintela.

O velho, estupefato, não tirava os olhos daquele rapagão. Finalmente, não se conteve:

— Mas escuta cá! Seu filho, Engraçadinha — interrompe-se, atrapalhado — posso chamá-la assim?

Diz, confusa:

— Ora!

No fundo, porém, qualquer intimidade masculina a irritava e, mesmo, a ofendia. Gostaria que todos a chamassem de dona, de senhora, inclusive as mulheres. Ele prosseguia, depois de limpar um pigarro:

— Quando seu filho entrou, Engraçadinha — repetiu-lhe o nome sem necessidade, por puro prazer, sentindo cócega no céu da boca — eu me lembrei de uma pessoa... Ele é a cara de um rapaz que morreu. Sim, um rapaz que eu vi, uma vez, com o dr. Arnaldo, na Assembleia. Mas tão parecido que eu tomei um susto! — e repetia — é a cara, Engraçadinha! Era seu primo o que morreu?

Ela, de vista baixa, estendendo a toalha, agoniada, respondeu:

— Primo.

E, súbito, o juiz lembrou-se:

— Sílvio! — e insistia, com uma satisfação profunda: — exatamente, Sílvio. Morreu de repente. Agora me lembro: — de repente, não foi de repente? Morreu de que mesmo?

Balbuciou, dilacerada, a primeira coisa que lhe ocorreu:

— Pneumonia.

Engraçadinha está pondo os pratos. "Não tem empregada", pensa o juiz com satisfação. — "E que rapaz bonito!" Durval apanhou uma banana na fruteira:

— E Maninha?

— Saiu.

E ele, de boca cheia:

— Foi onde?

Comia, digamos, com uma escandalosa alegria vital. Era uma voracidade a um tempo simpática e fascinante. Dr. Odorico, que andava de dieta, surpreendeu-se a mastigar em seco, por imitação. Engraçadinha respondia, distribuindo os talheres:

— Volta já.

Durval já arrasara a imensa, interminável, banana d'água. Queria ir buscar a irmã caçula. A mãe ralhou, com certa impaciência:

— Fica quieto!

A verdade é que não queria ficar sozinha com um homem. "Se, ao menos, tivesse uma empregada!" De mais a mais, ainda não sabia se estava satisfeita ou não com a visita. Ultimamente, ela experimentava, com frequência, a sensação de que estava cercada de abismos. Aquele homem vinha reativar e exasperar justamente os abismos do passado. Com os suspensórios pesando na alma, dr. Odorico bate nas costas maciças de Durval:

— Mas é um rapagão!

De fato, no seu moreno intenso, Durval era solidamente belo como os havaianos de Hollywood. E o dr. Odorico, que sempre fora um feio e, além de feio, um asmático, concluía, para si mesmo: — "Esse rapaz é de impressionar até um homem!". Não se conformava, porém, com a espantosa semelhança. "Parecido com o primo e não com o pai!" era o seu escândalo mudo. E imaginava que, na rua, as mulheres haviam de despi-lo com o olhar. Continuou na mesma ordem de pensamento: — "As mulheres têm a imaginação muito mais erótica do que nós". Estava certo de que a vida interior feminina é toda feita de fantasias obscenas.

Sentando-se de frente para Durval e pousando a mão no seu joelho, pergunta:

— Estuda, jovem?

— Trabalho.

E o outro, exagerando o interesse:

— Comércio?

Engraçadinha interfere:

— Banco.

Dr. Odorico ergue-se, com o olhar varado de luz:

— Bancário, então? Mas ótimo!

Engraçadinha tem um sorriso envergonhado:

— Mas pagam pouco!

Durval repete:

— Muito mal!

O juiz pergunta, com escândalo:

— Mas como? Pagam pouco? E escuta — vira-se impetuosamente para Engraçadinha: — Eu tenho relações, compreende? Amizades! Respeitam muito o Judiciário! E, talvez, quem sabe? Mas trabalha onde?

— Prolar.

Ele recua, de olhos esbugalhados:

— Na Prolar? Meu Deus! Mas não é possível!

Vai de uma extremidade a outra da sala, valorizando ao máximo a situação. Ao mesmo tempo, perguntava a si mesmo: — "Estarei exagerando?". Já mais contido, dirige-se a Engraçadinha, e só a Engraçadinha, como se o rapaz, de repente, cessasse de existir:

— Sabe quem me mandou aqui? — faz a pausa necessária e completa, incisivo: — Deus! Foi Deus!

Engraçadinha crispa-se. Uma voz interior está dizendo: — "Não usar o Seu santo nome em vão!". Mas o outro, inflamado (e disposto a tirar partido da oportunidade) explica:

— Parece exagero, Engraçadinha. Mas escuta cá: Deus se manifesta onde? Nas coincidências! É ou não é? Sim, senhor: é nas coincidências que ele se manifesta! Agora mesmo: seu filho trabalha justamente na Prolar! Na Prolar, onde eu tenho relações, amizades e onde eu conheço o Benício! Jovem, quem é o Benício? Sim, o Benício Ferreira Filho? É lá o quê? Diz!

— Um dos chefões.

Dr. Odorico exulta:

— Exato: um dos chefões. O Benício é meu! — batia no peito, com uma convicção feroz. Meu! — e virando-se para Engraçadinha: — Uma grande praça! E otimista, talvez a única sanidade mental do Brasil! Eu peço ao Benício, Engraçadinha! Ele te aumenta, rapaz, te dá um bom aumento!

Andando de um lado para outro, numa espécie de embriaguez, repete: — "Deus está nas coincidências!". Engraçadinha quer agradecer:

— Desde já...

Interrompe:

— Não me agradeça, Engraçadinha! Não me agradeça! Para que serve o Judiciário?

No seu arroubo, só faltou dizer que o Judiciário serve para isso mesmo, ou seja, para arranjar empregos. Sentindo que a gratidão turvava o olhar do ser amado, ele exaltou-se ainda mais: — "Graças a Deus, todo mundo tem medo do Judiciário" — fez um gesto largo que parecia abranger, do presidente da República ao mata-mosquito; e repetia, exaltado: — "Ninguém está livre de um processo". Ia acrescentar: — "Nem Jesus Cristo", mas contornou a irreverência. O Judiciário era o Medo Original do homem.

Sentou-se ofegante. Enxugou o suor da nuca. Estava convencido de que Deus o mandara ali; e pensava: — "A semelhança do rapaz esconde ou, por outra, não esconde uma grossa bandalheira".

VINHA O ZÓZIMO, carregado de garrafas. Ao lado, acompanhando-o, tenazmente, o Aruba, repórter de *O Dia*, e que morava num outro prédio da esquina. Atrasando Zózimo, o Aruba estrebuchava:

— O Juraci não vai ser presidente, agradeça ao Carlos Lacerda. O Juraci ia ser Presidente! O ódio do Juraci pelo Carlos, ah, o ódio do Juraci pelo Carlos![14]

— Batata?

O Aruba, que muitos chamavam de Arubinha, riu, pesadamente (e tinha o olho rútilo):

— Batatíssima! O Juraci veio aqui falar com o Juscelino. O Juscelino topou, desde que — claro! — o Juraci, é evidente, fosse candidato da UDN. O Carlos Lacerda soube e já sabe. Foi, correndo, buscar o Jânio!

Zózimo, aflito, estava vendo a hora em que ia haver, ali, um desabamento de garrafas. Mas o Arubinha inflamava-se: — "O Juraci nunca mais vai ser presidente da República — nunca mais! — por causa do Carlos. Eu, se fosse o Juraci, te digo: eu esperava o Carlos Lacerda, dava-lhe um tiro na cara! Na boca! Matava-o a pauladas, no meio da rua! A pauladas, tranquilamente!".

Finalmente, Zózimo pôde chegar em casa. Estavam presentes as outras filhas (todas bonitas), menos Silene. Engraçadinha, num descontentamento cruel, imaginava que ela estivesse parando, aqui e ali, para conversar com rapazes. Em Silene, o flerte não era nem simpatia, nem voluptuosidade, mas automatismo. Por várias vezes, Durval, também angustiado, quis ir buscá-la. Engraçadinha opôs-se, por motivos que não ousaria confessar. A filha mais velha teve um brusco desabafo:

— Estou com uma fome danada!

Dr. Odorico, feliz, pensava que um dos bons achados da sociedade capitalista é a mulher bonita, pobre e voraz. "Na Itália, durante a guerra, comprava-se uma mulher por um cigarro. E, entre nós, um flagelado vende uma filha por um pedaço de rapadura." Finalmente, Silene aparece, com as compras. Durval, que estava sentado, ergue-se, e transfigurado por uma alegria tão ansiosa, que Engraçadinha, que o observava, pensou, desesperada: — "Recebe a irmã como uma namorada!". Ele exclama com uma voz a um tempo doce e cálida:

— Custou, maninha!

Mas já Engraçadinha a chamava, com os olhos escuros de angústia: — "Chega aqui, Silene!". Pediu licença e a levou pela mão. Silene ia surpresa e inquieta. Dentro do quarto, Engraçadinha diz: — "Quero ver uma coisa". Num movimento rápido, que a outra não pôde prever, apanha a saia da menina e a levanta até a cintura. Exclama, então, rouca de ódio:

— Náilon!

Fora de si, esbofeteou-a.

CAPÍTULO 42

TEVE UM BRILHO cruel nos olhos verdes:

— Mamãe, não me encoste a mão! Olha que eu, bom!

Engraçadinha agarrou-a pelo pulso:

— Cala a boca! Nem mais uma palavra! Cala a boca!

Quis ainda falar, mas a mãe torce ligeiramente o seu pulso:

— Cala essa boca, já disse!

Silenciosa e tensa, Silene imagina-se esbofeteando a mãe. "Se eu reagisse, se eu me atracasse!" Bruscamente, muda de atitude; ergue a cabeça e, sempre mascando chiclete, tem o desafio cínico:

— Não doeu!

Pensa: — "Não nasci pra essa vida!". Engraçadinha, ainda vibrante, trinca os dentes:

— Quem te deu isso?

— Ninguém.

Sacudiu-a.

— Quem?

E a filha, incerta: — "Comprei". Rápida, Engraçadinha segura o queixo da filha e imobiliza o seu rosto:

— Olha pra mim. Responde. Quem te deu?

Desesperada, responde:

— Todo o mundo usa isso!

De novo, sacode a filha: — "Escuta! Não interessa todo o mundo! Quero saber quem te deu". Diz, num sopro: — "Vanda". Engraçadinha pensa: — "Mente. Não foi Vanda. Foi um homem. Isso é presente de homem". Larga a filha (está chorando):

— Tira essa e põe outra.

Ergue o rosto:

— Ora, mamãe!

Neste momento, batem na porta. — "Como é?" — pergunta Zózimo. Engraçadinha vira-se; responde do fundo de sua angústia: — "Já vai". O marido afasta-se. Ameaça: — "Ah, não tira?". Abaixa-se, quer levantar a saia da filha. Esta recua:

— Pode deixar que eu ponho!

— Põe, anda!

Obedece, desfigurada de raiva. Engraçadinha estende a mão: — "Dá esse negócio!". Aperta na mão a pecinha minúscula, elástica, ideal. "Como é que uma mãe permite que a filha...", eis o que pensa; ajunta para si mesma: — "Mas se as próprias mães também usam! Se senhoras andam com isso! Se uma mulher leva uma queda...". Aperta ainda aquela coisinha de náilon e, com a boca contraída, pensa: — "Eu também era assim". Por um instante, lembra-se daquela noite — há vinte e poucos anos — em que chamara Sílvio e ficara nua para ele, perdidamente nua.

— Vamos, que tem visita, mas olha: depois converso contigo.

Está certa de que foi um homem que deu à filha (catorze anos!), de presente, a calcinha de náilon.

Matilde e Arlete, as mais velhas, estavam na cozinha, fazendo uma omelete de fiambre (sobrara carne do almoço). Dr. Odorico, que já lavara as mãos, percebera, de relance, que não havia ali geladeira. Enxugando as mãos, com assistência do havaiano de filme, pensava: — "Eu podia dar uma geladeira a essa turma. À prestação, um conto e tanto por mês. O diabo é a entrada". Não lhe parecia nada mal a gratidão de cinco mulheres bonitas (quatro filhas e uma mãe). Voltou para a sala. Para onde se virasse, lá via uma pequena linda. Estava radiante: — "É raro uma família onde todas as mulheres — da mãe à caçula — sejam bonitas".

Quando Engraçadinha apareceu, envergonhada da própria ausência (e, por isso, sentindo-se uma dona de casa relapsa), dr. Odorico fazia a pergunta geral:

— Alguém aqui assistiu a esse filme?

Engraçadinha senta-se na cabeceira. Arlete responde:

— Ninguém.

Estimulado pela presença de Engraçadinha, o ex-promotor alteia a voz:

— Ninguém assistiu.

— Eu — diz Durval.

Dr. Odorico continua:

— Você. Mas você é homem! O caso é o seguinte.

Engraçadinha o interrompe. Quer desculpar-se da comida de pobre: — "Arranjamos só um pouquinho de carne...". O juiz tem um "ô" de escândalo: — "Eu não sou de cerimônia!" e ela, ainda envergonhada da mesa pobre: — "Gosta de feijão?". Sacode a cabeça numa espécie de repelão cívico:

— O nosso feijão! Claro que aceito! O que eu não topo...

Disse "não topo" com ênfase, como se a expressão plebeia o aproximasse daquela família. Insistiu, já com uma salivação intensa:

— ...não topo é cardápio em francês. Tem farinha? Mas como eu ia dizendo: — a Europa é uma ilusão!

Uma extravagância puxa a outra. Decidido a romper com a sua miserável dieta, queria pimenta. Concluía para si mesmo: "O pobre é que sabe comer!". Punha farinha no feijão, ao mesmo tempo que lhe ocorreu o vaticínio meio lúgubre: — "Hoje, a minha úlcera voa pelos ares!". Estava num estado próximo da embriaguez, como se o feijão, a farinha e aquele genial ensopadinho de abóbora lhe subissem à cabeça. Abaixo as papinhas da dieta! Antes de começar a comer, já havia nele um trabalho de mandíbulas vorazes. A propósito do cardápio em francês, falou de boca cheia:

— A Europa é uma ilusão! O Otto Lara...

Engraçadinha interrompe: — "Aceita um pouco de omelete?". Respondeu, vivamente: — "Aceito! Aceito!". Ele próprio estendeu o prato. Pensando na calcinha de náilon, Engraçadinha serve-o. Zózimo cutuca o filho:

— Abre a cerveja.

Guida levanta-se para apanhar o abridor. Olhando aquelas cinco mulheres com ar de dono, de proprietário, dr. Odorico passa adiante:

— O Otto Lara, um rapaz de Minas. — E repetia por extenso, como num cartão de visitas: — Otto Lara Resende, que chegou da Europa, um dia destes. Rapaz inteligente, uma mentalidade! Mas o Otto acha que a Europa... — parte o bife, espantado da própria voracidade. — O Otto tem muito espírito! Diz que a Europa é uma burrice aparelhada de museus.

Parou para beber cerveja preta. Lambeu a espuma nos beiços:

— Burrice aparelhada de museus, torres, o diabo. Ao passo que o Brasil é o analfabetismo genial! Vejam o achado do Otto: — o europeu é o burro, o jumento que tem, atrás de si, a Notre-Dame, o túmulo de Napoleão e nós...

Para, meio confuso. Ia dizer que o nosso jogador de sinuca, sem o penacho de nenhuma Revolução Francesa — era duma deslumbrante boçalidade criadora. "Estou bêbado", pensa, surpreso e descontente do próprio raciocínio. "Não foi bem isso o que Otto me disse." Na cabeceira, cruzando os talheres, Engraçadinha deixa escapar bruscamente a exclamação:

— Que cabeça a minha!

Zózimo curvou-se:

— Que foi?

E ela, desesperada:

— Esqueci a oração! Não fiz a oração!

De fato, há anos (desde que se convertera) que a família não fazia uma refeição sem que ela orasse inicialmente. Naquele dia, ocorrera, pela primeira vez, o lapso abominável. A surpresa da visita e, além disso, a obsessão da calcinha de náilon. Dr. Odorico não entende; exclama, interiormente: — "Mas que piada é essa de oração?". Olha Engraçadinha numa interrogação muda. Ela explica, sôfrega:

— Sabe? Eu me converti — pausa e acrescenta — sou protestante. Batista.

Ele enxuga os lábios com um dos guardanapos que a família só usava nas visitas memoráveis. Pigarreia:

— Muito bem! Muito bem!

No fundo, porém, estava em pânico. "Uma fanática!" era o que pensava. Tratando-se de fanatismo religioso, teria, então, que dar a geladeira. Fez sarcasmo, acabando de beber o resto de cerveja: — "A geladeira contra a fé!". Desejou-a mais do que nunca, agora que a sabia uma religiosa praticante. Imaginou Engraçadinha, nua, nos seus braços, varada de escrúpulos inefáveis. Sentia-se bêbado e, no entanto, argumentava: — "Bêbado de cerveja preta, cerveja de mulher grávida?". Engraçadinha perguntava a Matilde sobre o filme de que falavam anteriormente. Matilde responde:

— *Les Amants.*[15]

Ela insiste:

— O tal?

Novo arroubo do juiz:

— É uma vergonha! Uma indignidade!

Engraçadinha tem um arrebatamento:

— O cúmulo que a polícia deixe!

Dr. Odorico ergue-se. Precisava de espaço para a sua veemência:

— Não é a polícia, Engraçadinha! Não é a Justiça! — pausa e ergue a mão de dedos retorcidos — nem é o filme!

Engraçadinha fez um ar de quem pergunta: — "Então quem é?". Ele exulta:

— É a plateia! É a fila e, para encurtar, a sociedade brasileira! É a família brasileira — espera um pouco e prossegue: — Não assisti a esse filme, nem quero! Mas o filme é um detalhe! O trágico é ver a família brasileira.

Ocorreu-lhe, então, uma imagem, que lhe pareceu feliz: — "Sim, a família brasileira, com a baba elástica e bovina de uma luxúria barata! Marido e mulher na fila; noivos; namorados! Veja bem: — a família brasileira atrás de uma tal cena, onde o amante... Vou parar, Engraçadinha. Mas afirmo — não há mais 'família brasileira'. Acabou".

Quando Arlete trouxe o cafezinho, Iara veio chamar Silene na porta. Iara era uma colega e vizinha, filha de d. Araci e irmã do Leleco, um rapaz que estava querendo namorar Silene. Iara, moreninha e viva, dá o recado:

— O Leleco está te esperando.

— Vem comigo.

Sai com a amiga. Na esquina está o rapaz, de blusa azul, o cabelo ainda pingando do banho recente. Ele, que estava mastigando um palito de fósforo, enxota a irmã: — "Cai fora". Caminha alguns passos com Silene:

— Viste o filme?

— Vi.

— Que tal?

— Mais ou menos.

Ela prende o chiclete no dente e o estica entre dois dedos. Fora com umas coleguinhas — falsificando a data da carteirinha de estudante — assistir a *Les Amants.* Agora Leleco pergunta:

— Vais?

— Onde?

— Lá?

Olha-o de lado:

— E se eu for?

CAPÍTULO 43

Leleco sente a fragilidade da menina e baixa a voz:

— Olha! Apartamento cem por cento, batata! Ninguém desconfia. Num andar, onde tem dentista, alfaiate, escritório!

— Que rua?

Quer segurá-la. Silene puxa o braço:

— Tira a mão!

E ele:

— Senador Dantas.

Vacila ainda (mas já numa espécie de vertigem):

— Posso levar a Vanda?

Faz espanto:

— Pra quê Vanda? Não interessa Vanda! Só nós dois e olha: — tem vitrola, ouviste?

Por um instante, um jeito taciturno, Silene diz, a meia-voz, com inconsciente doçura: — "Senador Dantas". Sôfrego, ele continua:

— A um passo do Tabuleiro da Baiana. Você toma à sua direita, logo depois da Loteria Federal. É um instantinho e...

Decide, ao mesmo tempo que cruza os braços, num arrepio intenso:

— Vou.

Em cima do meio-fio, numa alegria feroz, que o transfigura, aperta o braço da menina com a mão quente e forte (Silene sente um formigamento no estômago): — "Até já fiz um programa, vê só. Primeiro olha: — a gente assiste *Les Amants*".

Silene ergue vivamente o rosto:

— Outra vez?

Tem um bonito riso selvagem:

— Mas escuta! Ouve o resto! A gente não vê o filme todo. Só até aquela cena, a tal.

Levanta a cabeça, num movimento lindo:

— Você é de morte!

Leleco continua, falando mais de perto, queimando-a com o seu hálito e juntando o corpo. Silene olha em torno, no pânico de ser vista. O rapaz, com a mão na sua cintura, puxa a menina:

— Saímos do cinema e já sabe: — do Pathé lá é um pulo. Eu entro primeiro e você sobe sozinha — a mão do rapaz pesa sobre os quadris vivos; e continua: — lá é que eu quero ver a tua classe e se você…

Desesperada, crispa-se: — "Aqui não…". Geme, abandonando-se: — "Não quero…". Súbito, Leleco afasta-se, abafando a voz:

— Teu irmão.

Durval reconhecera a irmã, ao longe (a irmã com alguém!), pela cor do vestido. Caminha a seu encontro, em passadas largas e firmes. Leleco apanha um cigarro no bolso, ao mesmo tempo que umedece os lábios. Faz o comentário interior: — "Espeto! Espeto!". Silene pergunta a si mesma: — "Será que a saia está amarrotada?". Durval chega e a puxa pelo braço:

— Vamos embora!

Leleco procura ser natural:

— Olá, Durval!

Sem responder, Durval chega a dar dois, três passos. Estaca e diz para a irmã:

— Vai na frente. Espera ali.

Assustada, chama: — "Durval!". O rapaz vira-se, enfurecido: — "Não te mete!". Silene caminha, olhando, de vez em quando, para trás. Lívido, Leleco pensa: — "Parada com Durval é dura. Forte pra chuchu. Sabe jiu-jítsu". Não era bem jiu-jítsu, mas judô (dera umas aulas de judô). Os dois rapazes estão frente a frente.

Na sua agressividade contida, Durval põe a mão no ombro do outro:

— Vou te avisar o seguinte: — você não me olha mais pra minha irmã!

Quer explicar:

— Escuta, Durval!

Corta, brutalmente:

— Não fala! Não diz nada! Quando encontrar minha irmã, já sabe: — baixa os olhos. E se eu souber, olha!

Balbucia: — "Mas que foi que houve?". Durval diz o resto:

— Você pode ser maluco pra suas negras…

Leleco contrai a boca, num esgar de choro: — "Não sou maluco!". Durval espeta o dedo no seu peito!

— Com toda a tua loucura, eu te arrebento! Cala a boca e se disser mais uma palavra, te parto a cara, aqui, agora! Duvida?

Então, sem uma palavra, corrido, Leleco afasta-se. Sua vontade era correr, gritar. Repetia para si mesmo, chorando: — "Eu não sou maluco!". E, súbito, teve a sensação que o fez apressar o passo: — parecia-lhe que as paredes, as janelas, as grades, as casas, iam correr atrás dele, estrangulá-lo.

Durval era um forte bom, um forte manso. Tinha sempre um ar de quem pede desculpas da própria vitalidade. Nas poucas vezes em que brigara (cedendo a provocações intoleráveis), agarrava o adversário e exigia-lhe, aos berros: — "Me dá na cara, anda! Me dá na cara!". E só depois de levar um tapa é que lograva um mínimo de chama interior, de agressividade, para arrebentar o outro. Mas ao primeiro tombo do adversário, mordia-se de remorso e de pena. Muitas vezes, punha o outro nas costas, como o peixe de óleo de fígado, e o levava para a farmácia mais próxima.

Volta e leva Silene pelo braço:

— Maninha! Por tua causa, humilhei e quase meti a mão naquela besta!

Durval está sofrendo: — "Não se humilha um homem!". Silene acompanha com sacrifício o seu passo largo; exagera a sua inocência:

— Mas que foi que eu fiz?

Já sem cólera, e com uma tristeza pesada, vai dizendo:

— Escuta, Silene! Ou você não sabe que o Leleco é maluco?

Responde: — "Não sei disso, não!". Ao mesmo tempo pensa: — "Palpite! Conversa! Maluco, pois sim!".

Com uma dor surda, tenta convencê-la:

— Presta atenção: — maluco de rasgar dinheiro e já teve acessos, fez tratamento. Sabe quem era o médico dele? Aquele, o doutor Areal? Não é o doutor Areal? É, sim! Doutor Areal. Aliás, outro maluco. E o doutor Areal deu ao Leleco uns conselhos, maninha!

Numa afetação de menina mimada, diz:

— Mas eu não estou namorando o Leleco!

Durval diminui o passo:

— E nem gosta dele?

Faz um ar de pouco caso:

— Nem me interessa!

Durval respira fundo. Passa o braço em torno da irmã (está numa euforia brutal):

— Mas olha! Não estou brincando! Leleco é capaz de saltar no pescoço duma pequena. Sério!

QUANDO CHEGAM EM casa, o dr. Odorico já está de saída. Dizia ao casal e às filhas, com um gesto largo:

— O europeu ou é um Paul Valéry ou uma besta!

Esteve para dizer "Victor Hugo", que era mais conhecido, mas o "Valéry" escapou-lhe, irresistivelmente. Ao ver Silene, adiantou-se. Bateu-lhe na face, chamando-a de "minha flor". Acrescentou, porém: — "Mas tem um defeito. Uma menina tão bonitinha não deve mascar chiclete!". Novamente grave, diz as palavras finais:

— Falando de alma para alma...

Engraçadinha interrompe:

— Agora que já sabe o caminho!

Ele continua:

— Convenhamos! Uma casa sem geladeira, sem televisão! — abre e ressalva! — Falo como amigo, claro! A televisão faz falta! Tem bons programas, educativos, inclusive filmes de crianças: o *Rin-Tin-Tin*![16] Mas vamos ver — insinuou — vamos ver se, com o tempo, quem sabe?

Zózimo bate-lhe no ombro:

— Apareça!

O velho combinara tudo com a família. No dia seguinte, Durval iria procurá-lo. Ele repetira, continuamente: — "Tenho relações, amizades!". Dava a entender que o Judiciário era uma potência sombria e esmagadora. Ao lado, silencioso, Durval pensa na cena com o Leleco. Por um momento, tivera um tal ódio que sentira em si a capacidade de matar. Zózimo, com um paletó de pijama em cima da camisa rubro-negra, aperta a mão do juiz.

Durval levou-o até o lotação. Finalmente, o dr. Odorico embarcou e fazia acenos de sua janelinha: — "Recomendações".

O DR. ODORICO DEIXARA em Zózimo a sensação do sábio total. Engraçadinha, um pouco febril de tantas surpresas, trancou-se com as filhas no quarto. No seu escrúpulo, chegou a fechar a porta à chave. Em seguida, foi apanhar a calcinha de náilon debaixo do colchão:

— Estão vendo isso aqui?

Ergue a calcinha, segurando-a pelas duas extremidades. Matilde coça a cabeça com um grampo:

— De Silene.

E ela, na sua raiva:

— Isso e nada é a mesma coisa. Digo: é melhor, mais decente andar sem nada. Deus me perdoe.

Arlete suspira: — "Ah, mamãe! Fui eu que disse, hoje, à senhora, que a Silene tinha saído assim. Mas não faz bicho de sete cabeças!". Engraçadinha não gostava de usar certas expressões. Perdeu, porém, a cabeça: — "Suas burras!". Silene está espremendo uma espinha. Engraçadinha amassa a calcinha:

— Agora vocês vão me ouvir! Silene, preste atenção quando eu estiver falando!

— Ih, mamãe!

Contrai a boca:

— Eu quero avisar que se — Deus nos livre e guarde! — mas se uma das minhas filhas — fala olhando para a caçula e só para a caçula — se uma das minhas filhas tiver de se prostituir, quero que Deus a leve antes. Prefiro ver uma filha morta a...

A voz lhe falta. Desesperada, olha as quatro filhas com uma espécie de terror. E, súbito, corre. Abre e sai, batendo a porta com violência. As filhas se entreolham. Silene tira o chiclete:

— Mamãe tem a mania de fazer carnaval!

LELECO SALTA NA Praça Saenz Peña. Repete, no seu medo: — "Eu não sou maluco". Instintivamente, enfia dois dedos entre o primeiro e o segundo botão da camisa, aperta, de encontro ao peito, a medalhinha de santo, presente da avó (já falecida). Vê a turma, defronte do Carioca. O medo começa a se extinguir no fundo do seu ser. A presença de uns três ou quatro companheiros — os mais ligados a si — dá-lhe uma sensação de plenitude. Atravessa a rua, bate nas costas do Bob. É logo cercado. Cabeça de Ovo (com seus cabelos anelados de um louro violento) pergunta:

— Vai?

Está agora ofegante de alegria:

— Topou. Amanhã. Batata. Mas olha.

Seu rosto toma uma expressão de maldade astuta:

— O irmão dela me xingou de maluco. Eu ia fazer quase tudo. Agora vou fazer — tudo! Inclusive, vou tirar o cabaço, ah, tiro!

CAPÍTULO 44

Um ano atrás, o Leleco aparecera no consultório do dr. Areal, psiquiatra de grã-finos. Diretor de uma fabulosa clínica de repouso, ele fazia da medicina um sacerdócio voracíssimo. Cobrava por consulta dois mil cruzeiros e os clientes precisavam marcar hora com dois, três dias de antecedência. Leleco trazia uma recomendação da dra. Bruma, bacteriologista e ex-namorada (ou ex-amante) do médico.

Leleco chega e vê, diante de si, um luxo quase caricatural. Cortinas, tapetes, almofadas, quadros, efeitos de luz, mobiliário e tudo com um gosto agressivo, espetacular, de Hollywood. Em tal ambiente, seria admissível até uma vitrola caça-níqueis, com disco de churrascaria. Esse frenético exagero fez mal à timidez pânica do rapaz. A enfermeira recebeu-o com a pergunta implacável:

— Consulta?

Leleco, que estava ali justamente por causa de suas inibições violentas, começou a tremer. Entregou à moça (de óculos), o envelope:

— Trouxe isso.

A enfermeira fez a dedução inapelável: — "Carona". Avisou, já com certa irritação: — "Não sei se o doutor pode atender". Vira e revira o envelope. Suspira: — "Espera um momento". Entra e, pouco depois, volta. Novo suspiro: — "Mandou esperar". Eram duas da tarde e só às sete e meia é que, finalmente, o psiquiatra o recebeu. O homem, que estava sentado, ergue-se, ao vê-lo. Coloca um cigarro na piteira, em silêncio. Enquanto o rapaz, vermelhíssimo, com a sua tumultuosa timidez, senta-se, o psiquiatra pensa na dra. Bruma. Ela telefonara na véspera: — "Eu sei que o psiquiatra e o anestesista cobram até da própria mãe. Mas eu vou mandar o afilhado de uma amiga e queria...". Queria que ele fizesse um preço camarada. Acendendo o cigarro, dr. Areal pensa ainda na doutora (gorda a seu gosto, bem pesada, bem maciça). Quando ele a beijava, dra. Bruma torcia-se, esganiçando a voz: — "Ai, não, que eu grito! Olha que eu faço escândalo!". Ainda agora, tantos anos depois, ele costumava dizer aos colegas: — "Grande fêmea! Grande fêmea!". Contava os ardores da bacteriologista para fazer inveja aos outros.

Começa perguntando:

— Você não pode pagar nada?

Varado de vergonha, diz:

— Nada.

Insiste:

— Nada mesmo? Digamos, a metade. Quinhentos mil-réis? Nem isso?

Responde, com um esgar de choro:

— Nada.

A humilhação deu-lhe uma dispneia insuportável. O rosto do médico toma uma expressão de malignidade intensa. Está tirando o avental, ao mesmo tempo que chama a enfermeira pela campainha. A moça apareceu. Entrega-lhe o avental e dá ordem: — "Vai fechando". Encosta a piteira no cinzeiro de cristal azul e apanha o paletó. Relembra para si mesmo: — "A doutora tem uma sensibilidade mortal nos seios". Já de paletó, andando de um lado para outro, começa sem olhar o rapaz:

— Que idade você tem mesmo?

— Dezenove.

Dr. Areal tira o cigarro da piteira e o abandona no cinzeiro. Sopra a piteira e continua a andar (coloca a piteira no bolso do lenço). Recomeça:

— Dezenove anos. Muito bem. Até agora, segundo a doutora Bruma, você nunca teve vida sexual.

Subitamente, o dr. Areal vira-se para a enfermeira: — "Telefona para casa. Olha: — telefona e diz que eu vou jantar". A enfermeira apanha o aparelho. Ele insiste: — "Diz que pode ir tirando". Volta-se e, ao dar com o cliente, parece tomar um susto, como se tivesse esquecido, de uma maneira total e irremediável, aquela presença. Pigarreia:

— Dizia eu que… Ah, sim! Pois é: vamos fazer o seguinte: — você, agora, vai dar em cima de toda mulher. Compreendeu?

Balbucia:

— Não ouvi.

Ouvira sim e não entendia nada. Dr. Areal irrita-se:

— Escuta, rapaz: — você é um tímido, não é? Sexualmente tímido. Vamos acabar com essa timidez sexual. Você vai dar em cima de toda mulher, vai cantar todo mundo.

Leleco ergueu-se, trêmulo. Queria explicar que era um pobre ser gelado de angústias; que tinha vontade de se meter debaixo dos lotações; ou atirar-se de um décimo segundo andar. Ah, se pudesse, cairia, ali, de joelhos, gritando: — "Ó, não me abandone! Não me deixe só!". Foi atrás do médico que já se retirava, dr. Areal bocejou:

— Estamos entendidos? — e repetia: — Temos que combater sua timidez assim, compreendeu? Com o exagero oposto.

Leleco queria um remédio, um calmante pesado, que apaziguasse suas agonias e pavores. E, já de saída, dr. Areal dá-lhe a última palavra:

— Nada de escrúpulos. Qualquer escrúpulo faz um mal danado. Passa a mão, rapaz. Olha: — lembranças à doutora Bruma. Audácia, ouviu? Agressividade.

O psiquiatra desce. Tem saudades da doutora ("Fêmea e tanto"). Quando eram amantes, ele gostava de manipular, com sombrio élan, aquelas nádegas maciças.

Leleco conhecia Silene desde garotinha. E quando a menina tinha nove anos, e ele catorze, d. Araci não saía da casa de d. Engraçadinha (as duas famílias eram vizinhas, em Cordovil). Vendo Silene, muito linda, vestidinho curto, ele pensava: — "Ó, que coxas lindas!". Silene queria ser moça. Na ausência da mãe, punha os vestidos velhos de Engraçadinha; ou calçava os seus sapatos altos. Descobriu no gavetão um chapéu de plumas, velhíssimo, e pôs aquilo. Já se dizia, na rua, que o Leleco era "doente". Uma manhã, na escola, com os alunos formados, caíra, com ataque, durante o Hino da República ("Seja um pálio de luz desdobrado"). Ele imaginava: — "Quando eu for grande, eu me caso com Silene". Dormir com Silene. Morrer com Silene. Os dois no mesmo caixão.

Depois separaram-se. D. Araci, professora e viúva, veio morar em Vaz Lobo. Anos depois, ela soube que estava para alugar a casa de Vasconcelos Graça. Telefona depressa para Engraçadinha. E, pouco depois, a família mudava-se.

Certa vez, vendo Leleco jururu, Silene o exasperou:

— Tem medo de mim?

Treme diante da menina:

— Eu?

Foi implacável:

— Você, quando fala comigo, fica vermelhinho. Não disse? Já está vermelho! Batata!

Leleco lembra-se do médico: — "Canta todo o mundo! Dá em cima, rapaz!". Com os beiços contraídos, murmura:

— *I love you.*

Os dois se olham. No seu espanto (e com um começo de ternura), Silene pergunta:

— Isso é piada ou batata?

Dilacerado de alegria, repete:

— *I love you.*

E pensa: — "*I 'love you'* é mais bonito que 'eu te amo'!". Estavam na casa de d. Araci. Silene fora ver Iara, que saíra um momento. Ele luta consigo mesmo: — "Vou beijar. Seguro e beijo. Agora. Beijo na face. Na boca. Primeiro, na face.

Hoje, na face. Outro dia, na boca". E repetia para si mesmo: — "Hoje, eu só beijo na face. Beijo de repente e...". Por um instante, a menina entreabre a boca como se estivesse realmente oferecendo o beijo. Espera e nada. Ri:

— Sabe que eu estou com a minha cara no chão?

E ele, sofrido:

— *I love you.*

Não lhe saía da cabeça o conselho do médico: — "Canta todo o mundo!". Mas sente que, com a declaração em inglês, sua coragem estava esgotada. Talvez, mais tarde. "Agora, eu não tenho coragem de beijar". De repente, curva a cabeça e a beija, rapidamente, nos lábios. Em seguida, recua, como se ela o fosse esbofetear. "Beijei na boca!" E, novamente, julgava ouvir o médico: "Nada de escrúpulos. Passa a mão. Audácia, rapaz!". Segundo dr. Areal, a prostituta não enlouquece, senão excepcionalmente. A mulher honesta, sim, é que, devorada pelos seus escrúpulos, está sempre no limite, na implacável fronteira.

Leleco não faria mais nada. Então, a menina apanha entre as mãos o rosto do rapaz, beija-o na boca e prende, no dente, o seu lábio inferior, até sangrar. Quando se separam, ele mergulha o rosto nas duas mãos, soluça como uma criança. Silene passa a mão pela sua cabeça (crispada de pena e com um sofrimento surdo, que ela própria não saberia explicar). Disse apenas:

— Vem gente aí.

Na sua vergonha, Leleco abandona a sala. Iara vinha chegando.

Silene não saberia dizer se gostava ou não dele. Pena talvez. Um pouco de voluptuosidade também. Sentia que, desde os nove anos, seu desejo a perseguia. Dias depois, o Cabeça de Ovo o vê com a pequena. Quer saber quem é, quem não é. E baixa a voz, sórdido:

— Vamos dar uma "fria" nessa cara?

Resistiu, a princípio. Foi descomposto: — "Deixa de ser burro! Que foi que o médico te disse? Pois é". Argumentaram: — "Não tem nada demais". O Bob cutuca: — "Você põe Dexin na bebida...". Balbuciou: — "Pra quê?". O outro teve a paciência de explicar:

— Ó, seu animal! Pra excitar. Ela toma isso e dança nuazinha na tua frente!

Sentindo fogo na garganta, pergunta: — "Eu tomo também? Posso tomar?". Os outros afirmavam que uma pastilhazinha dissolvida fazia um sujeito subir pelas paredes. Ele acabou convidando. Elogiou o apartamento: — "Central, ouviste? Condução fácil". Sentia-o menos tímido; já punha a mão na cintura da pequena... O apartamento era do Bob, filho de um dos graudões do Sesi.

Cabeça de Ovo cutucava Leleco:

— Tem espelho, ouviste? Lá tem espelho, de frente pra cama e...

Bob batia-lhe nas costas:

— Você é o primeiro. Só depois é que nós aparecemos. Primeiro, você.

CAPÍTULO 45

CADELÃO DOUTRINARA DIAS antes:

— Escuta cá: — quando você for se encontrar com a pequena, faz o seguinte: — apanha dois comprimidos...

— De quê?

— De Melhoral, percebeste? Melhoral, estás escutando?

Repete, de olhos esbugalhados:

— Melhoral?

E o outro:

— Você dissolve os dois comprimidos num copo de cerveja.

— E bebo.

Riu:

— Bebe. Bebe e já sabe: — o sujeito fica uma fera solta, não tem medo de nada. Faz isso, que é batata.

Leleco, que admirava o Cadelão — um rapaz de Haddock Lobo, de peito maciço, um antebraço de pedra e capaz das violências mais atrozes — Leleco ergueu-se transfigurado. Estava de encontro marcado com Silene. "Vou fazer esse troço, já." Passou no boteco e pensava: — "O Cadelão ainda vai matar um". O homem da caixa deu-lhe os comprimidos. Sentou-se numa mesa dos fundos. E, sôfrego, fez a mistura. Ergueu o copo de cerveja, contra a luz, e ficou olhando a breve efervescência. Sozinho, tem um riso surdo: — "Agora bebo". A certeza de que, depois, não teria medo nem de Silene, nem de mulher nenhuma, fez-lhe um desesperado bem. Começou a beber: — "Vou ter coragem pra burro. Coragem pra pegar qualquer uma no peito. Coragem". Pousou o copo e, por um momento, esperou a reação.

Começava a sentir a excitação nascendo. Era o efeito. "O Cadelão é batata", diz para si mesmo. Ergue-se contraído. Ah, se pudesse conservar para sempre esta euforia! Imaginava: — "Seguro Silene e dou-lhe um chupão no pescoço". Quando, pouco depois, encontrou-se com a garota, era outro. Disse, segurando a menina pelos quadris:

— E, lá, ouviste? Lá, a gente toma uma "onda moranga".

Admirou-se:

— Onda o quê?

Tinha um riso contínuo e meio arquejante:

— Presta atenção: — "onda moranga". A gente pega um morango, molha no éter e come.

— Éter?

— Éter. O efeito é igualzinho ao lança-perfume. Te digo o seguinte: — o sujeito sobe pelas paredes.

Num espanto maravilhado, Silene parece sonhar: "Morangos com éter".

O rapaz baixa a voz (e continua com o riso feio e pesado):

— Olha aqui.

Cata, nos bolsos, um recorte de jornal. Pergunta: — "Tu conhece o Carlos Renato?". E ela: — "Um que escreve?". O rapaz continua:

— Olha o que ele diz aqui. Onde é que está. Ah, está aqui. Escreveu que o amor diante do espelho... O sujeito vendo tudo...

Silene dá risada:

— Deus me livre!

Leleco segura o seu braço:

— Ouve o resto: — "Feliz o casal que descobriu o espelho!". Tem mais. Escuta: — "... casal é testemunha do próprio pecado...". E lá, ouviste? Lá tem um espelho grande, de frente para a cama...

Ao mesmo tempo, Leleco pensa: — "Tenho coragem pra dar e vender. Pego qualquer uma no peito!". Crispa as duas mãos nos quadris da pequena:

— Quer dizer que é batata?

Ergue o rosto, em desafio.

— Batata.

No DIA SEGUINTE, ia, pela primeira vez, ao apartamento. Imaginava-se molhando o morango no éter: — a língua dormente do éter, áspera do morango. A cama perto do espelho. Não um único, mas vários. Sua forma refletida nos espelhos em variações delirantes. E, depois, contaria tudo à Vanda. Especulava: — "Vanda vai cair de cara no chão".

Nessa noite, Silene custou a dormir. "Sou diferente das minhas irmãs. Diferente de todo o mundo". Via-se no apartamento: o Leleco passando lança-perfume em todo o seu corpo. Ela se torceria em cócegas mortais. E, depois, seu corpo — todo o seu corpo — ficaria gelado de éter. Finalmente, dormiu. Sonhou que a sua nudez elástica, acrobática, frenética — era multiplicada em mil espelhos. Quem não dormiu um único minuto — e viu nascer o dia numa atormentada vigília — foi Engraçadinha. De olhos abertos no escuro, pensava no seu casamento. Ah, o juiz aparecera para soltar, naquela casa, todos os abismos do passado.

Sua primeira noite de esposa. Lembrava-se de tudo, com uma nitidez implacável. Dissera para Zózimo:

— Apaga a luz.

Na sua humildade trêmula, quer beijar-lhe a mão (apenas isso e pelo menos isso). Engraçadinha retira o braço. Atônito, ele pergunta:

— Nem isso?

— Nada.

Balbucia:

— Mas querida!

E ela:

— Eu te avisei, Zózimo. Só depois do nascimento. E se você, olha: — sei que você é homem e precisa. Se você procurar na rua, eu não me incomodo, ouviu Zózimo?

Disse apenas:

— Espero.

E ela:

— Mas falta tanto!

— Espero.

Fez uma pausa para acrescentar: — "Ou você ou ninguém". Aconteceu então uma coisa muito estranha. Durante todos os meses de gravidez, noite após noite, Engraçadinha teve o mesmo sonho, sempre o mesmo, sem um detalhe a menos, sem um detalhe a mais. Via, primeiro, a navalha, de fio diáfano e gelado; depois, o risco de luz; e, por fim, a carne para sempre ferida. Sílvio inclinava o rosto para dizer, baixo, com um olhar atônito de monstro marinho: — "Deixei de ser homem, Engraçadinha". Ela começou a ter medo de dormir. Já achava que ia sonhar, até seu último segundo de vida; e que, mesmo morta, sonharia ainda com a ferida em flor e com os lençóis ensanguentados.

Até que, uma tarde — estava no sétimo mês — uma voz interior sopra a pergunta: — "E se teu filho nascer mutilado?". Aquilo não lhe saiu mais da cabeça. Agarrou-se com todos os santos; fez promessas desvairadas; apelou para simpatias. Mas a obsessão trabalhava a sua mente, parecia destruir sua alma.

Felizmente, uma semana antes do parto, conhece uma Miss Thorndyke, norte-americana de cinquenta e dois anos. (Tinha um cabelo estranho: de um louro áspero, ou melhor: — cor de estopa seca. Um ligeiro estrabismo, um corpo fino e longo, um vestido que caía reto como uma camisola. E tão sem cintura, tão sem seios!) Foi Miss Thorndyke, solteirona e protestante, que a salvou do desespero e, talvez, da loucura. Levou-a para a igreja do Méier. Falava com um ligeiro sotaque; trocava, geralmente, o sexo das coisas. Desde o primeiro momento, aquela Miss taciturna e sem amor disse-lhe, crispada de certeza: — "Seu filho nascer perfeitinha!". Era de arrepiar aqueles erros de anedota, de paródia, numa boca de santa. Engraçadinha pensava: — "Se meu filho nascer defeituoso, eu mato, mato!". Imaginava-se esganando a criança. No dia do parto, foi terrível. Engraçadinha gemia alto e pesado. A parteira, uma lusa senhora, berrava, por sua vez:

— Não grita, que tu perdes as forças! Fecha a boca! Ai riquinha, que tu perdes as forças!

Num canto, voltada para a parede (fiel ao seu pudor de solteirona), Miss Thorndyke cantava hinos protestantes. Houve um momento em que a lusitana tem uma exclamação triunfal:

— Coroou! Força, riquinha! Falta pouco!

Miss Thorndyke, certa da eficácia do seu canto, esganiça a voz. Assim nasceu Durval — lindo, desde o primeiro instante de luz, como um menino-deus. Ela esperou, sempre de costas, que a mãe fosse preparada e coberta. Virou-se, lentamente, ao mesmo tempo que a febre cingia a sua fronte magra: — "Eu saber! Eu saber!". Nesses ardores de fé, tinha-se a impressão de que até seus ossos eram vibrantes.

PASSOU O TEMPO. Depois, muito depois, quando todos os filhos estavam crescidos — Engraçadinha passou a uma nova obsessão. Olha o filho mais velho e a filha mais nova: — "Sílvio e eu", pensava, sentindo-se varada de presságios. Pedia: — "Que Deus não consinta num desgraçado amor!". Na mesa, ao orar antes das refeições, não pedia pela saúde, nem pela felicidade de ninguém. Não importava que a família fosse destruída, um a um: contanto que... "Eu amei um irmão. Mas que esses dois não se amem." Ao longo dos dias e dos meses, não tirava os olhos de um e de outro. "Parecem namorados." Surpreendia entre os dois olhares e sorrisos de flerte. "Deus não o permita!" era o seu gemido interior.

No dia em que Silene devia ir, pela primeira vez, a um apartamento, Engraçadinha ouviu uma coisa que a gelou. Tomando café com a mãe, a pequena suspira:

— Mamãe, sabe que eu acho que não vou gostar de ninguém?

— Que bobagem é essa?

— Eu só gostaria de um homem como Vavá. Bonito, bom, inteligente, como Vavá. Mamãe, não há ninguém mais bonito do que Vavá!

Às vinte para as duas, o grupo estava na porta do edifício, em Senador Dantas. Leleco entrega a Cadelão a caixa de morangos. Bob o empurra:

— Chispa que está na hora. Nós vamos subir. Você sai depois da cena e vem.

O outro, que já tomara a cerveja com Melhoral, estufa o peito. Torce a boca:

— Mas olha. Vocês se escondem e só aparecem depois que eu...

Tudo combinado. Leleco, que já comprara as duas entradas para *Les Amants*, deixa o grupo. Quando chegou na porta do Pathezinho[17] e olha, vê, ao longe, passando pela Câmara dos Vereadores, Silene, no seu uniforme colegial.

CAPÍTULO 46

Ia saindo para o colégio, quando Durval gritou-lhe:

— Espera!

Olha o relógio de pulso:

— Estou atrasada pra chuchu!

E ele, dando o nó da gravata:

— Vou contigo!

Beija, de passagem, a mãe na face: — "A bênção, mamãe!". Engraçadinha suspira:

— Deus te abençoe!

No portão, Silene chama: — "Anda, Vavá!". A mãe chega na janela para vê-los. Caminham, de braço; Engraçadinha pensa, na sua dor: — "Parecem dois namorados". Sempre que Durval e Silene saíam juntos, punha na sua oração todo o peso e toda a chama de sua fé: — "Não o permita, Deus!".

No poste de lotação, Durval baixa a voz:

— Você hoje está xingando!

Pergunta, sem desfitá-lo e com uma alegria que a embeleza:

— Estou?

Olham-se um momento. Silene espia para a extremidade da rua.

Como não vem lotação, vira-se para ele. Encara-o e pergunta:

— Escuta: — você me acha bonita mesmo? Mas fala sério! Diz. Acha? Bonita ou passável?

— Linda.

E ela, mascando chiclete:

— Não brinca.

— Te juro!

Em casa, a imaginação de Engraçadinha está perdida: — "Se ele faltar ao trabalho; se ela fizer gazeta; e se forem os dois para a Quinta da Boa Vista?".

Depois de fazer um almoço frugal (gostava muito da palavra "frugal"), dr. Odorico veio para a cidade. Havia um lugar, um único lugar no lotação, justamente no último banco. Dr. Odorico senta-se lá, afinal, com certa dificuldade. E, súbito, a pessoa, ao lado, o cutuca, ao mesmo tempo que faz um alegre espanto:

— Meritíssimo!

Vira-se: — era o Carlos Lemos, um rapaz do *Jornal do Brasil*,[18] meio atirado, um pouco inconveniente, mas com fortes pendores para o jornalismo. Um prazer, do qual o dr. Odorico não abria mão, era o convívio das Novas Gerações. Prazer e, ao mesmo tempo, imperativo. Na companhia de velhos, ele envelhecia também, e de uma maneira irremediável, fatal. (Chegava a sentir-se, digamos, uma espécie de Raul Pederneiras, de Calixto).[19] Ao passo que a presença da juventude dava-lhe uma certa euforia. Vira-se, com uma efusão moderada:

— Como vai o amigo?

— Navegando. Meio bombardeado.

Eis a verdade: — aquele encontro, num lotação, foi um constrangimento para o dr. Odorico (constrangimento imperceptível, diga-se). Noutras condições, teria conversado com a maior cordialidade e proveito. (A seu ver, a mocidade está sempre com a razão.) Mas havia entre o juiz encanecido e o cronista irrequieto um vínculo acidental e desagradável. Tempos atrás, os dois tinham-se encontrado em circunstâncias e local impróprios: — no "Baile da Balança"! O Carlos Lemos fazia lá a sua despedida alucinada de solteiro. Conclusão: — o rapaz vira o magistrado bêbado, às três horas da tarde e acompanhado (fora ao baile com uma morena do Ipase,[20] gorda e casada, mãe de filhos). O pior é que, de vez em quando, a morena autárquica encharcava o lenço de lança-perfume para que o juiz o cheirasse, com suas ventas insaciáveis. A partir de então, sempre que o encontrava, o rapaz saudava-o com uma efusão de cúmplice:

— Meritíssimo!

Esse tom a um tempo alegre e mordaz (perfeitamente, "mordaz") confundia e humilhava dr. Odorico. Afinal, o rapaz o vira em condições degradantes

— entupindo-se de éter. Felizmente, alguns postes adiante, o Carlos Lemos saltou, anunciando aos berros (rapaz simpático, mas um extrovertido ululante):

— Paguei a sua! Está paga! Olha: — está paga!

O juiz fez o resto da viagem muito olhado. Ia ver, outra vez, *Les Amants*. E o que atraía, como de resto, a todo o mundo, era a tal cena culminante que fascinava a cidade. E o dr. Odorico que, ultimamente, estava muito condicionado aos pontos de vista das Novas Gerações, dizia, de si para si: — "Preciso saber o que o Otto Lara acha de *Les Amants*".

Uma coisa porém o estava assustando, no momento. Costumava dizer: — "Deus está nas coincidências!". Uma delas fora o encontro com o Carlos Lemos. E se, no cinema, encontrasse um outro conhecido desagradável? Por exemplo: — se encontrasse, lá, o Paulinho Mendes Campos?[21] Simpático às Novas Gerações, nutria a mais gratuita e amarga antipatia pelo poeta mineiro. Estava mesmo disposto a dar ao fato uma interpretação espírita: — "Quem sabe se, em vidas passadas, não fomos inimigos?".

Depois de ter visto Engraçadinha, dr. Odorico passara a sentir a necessidade obsessiva de rever *Les Amants*. E só pedia para não encontrar certos conhecidos (um Otto Lara ou o Wilson Figueiredo, não teria importância. Mas o Paulinho Mendes Campos, com seu perfil de Napoleão aos dezessete anos, jamais!). Ele saltou na avenida Graça Aranha e veio caminhando a pé, até a Cinelândia.

Agora que revira Engraçadinha — após vinte anos — a cena famosa passara a ter, aos seus olhos, um outro impacto. Torturado por um sentimento de culpa, que ele próprio achava pueril, chegou ao Pathezinho sem encontrar, graças a Deus, um único conhecido.

Está, finalmente, na porta do cinema. Olha de lado, e com ostensivo desprazer, a fila imensa. "Eis a família brasileira!", pensou. Mais do que nunca, parecia-lhe que a plateia é que estava corrompendo o pobre e inofensivo filme. Continuou, cruelmente divertido: — "É quase uma fita de mocinho. Só falta aparecer um Tom Mix[22] — dando tiro em todas as direções". Achou graça no próprio raciocínio.

Dirigiu-se, de cara amarrada, ao porteiro:

— Quem é o gerente?

Quase dizia: — "O gerente dessa birosca". Conteve-se, porém. O porteiro, entre atendê-lo e receber os ingressos, vacilou. Foi mais incisivo:

— Chama o gerente!

Apareceu um moço bem-vestido. Dr. Odorico olha-o, de alto a baixo:

— O senhor é que é o gerente?

Dr. Odorico emanava uma autoridade ameaçadora. O gerente inclina-se.

— Às suas ordens.

E o juiz:

— Eu sou o juiz Fulano e desejo assistir a esse filme que...

O gerente já queria saber:

— O senhor está acompanhado?

Teve um repelão:

— Absolutamente. Sozinho.

O funcionário vai abrindo passagem:

— Tenha a bondade, senhor juiz! Tenha a bondade! Por aqui!

Na sala de projeção, ordena ao vaga-lume:

— Arranja um lugar para o senhor juiz!

Dr. Odorico nem agradeceu. Caminhando nas trevas, guiado pelo vaga-lume, diz:

— Na frente!

Ia pensando: — "Esse sucesso todo é porque...". E continua: — "Uns porque fazem, outros porque querem fazer". Teve que abafar a vontade de rir. Já começara o filme. Na quinta fila, há um lugar, no meio, que o vaga-lume aponta. Então, pedindo licença, o dr. Odorico vai varando a obstrução de joelhos. Repete, de vez em quando: — "Desculpe, desculpe".

Senta-se, finalmente. Começa a ver o filme. "A heroína é boa. Mas Engraçadinha é melhor. Silene e Engraçadinha". Tem que reconhecer, porém, que a tal Jeanne Moreau é também interessante, bem interessante, com seus quadris ardentes. Sim "ardentes". Ele continuou vendo o filme e substituindo os personagens: — "O marido é o Zózimo". Parecia-lhe que tal marido (bem como o Zózimo) devia ser traído há mais tempo e mais vezes. A cena de polo o irritou. "É tão filme de mocinho que tem até cavalo!"

Na fila da frente, há um casal. Um rapaz está falando em cima do pescoço de uma mulher (de uma pequena). Fala baixinho. Mas enquanto não aparece a cena máxima do filme, dr. Odorico pode prestar atenção ao casal da plateia.

O sujeito cicia:

— Olha você. E olha eu.

A menina (a voz era de adolescente) tem uma espécie de cócega:

— Fica quieto!

E o outro:

— Você é melhor do que ela!

A pequena fala entre dentes:

— Olha essa mão!

Sopra:

— Deixa, é um instantinho.

Num interesse profundo, dr. Odorico não perde uma palavra, embora o casal fale com um mínimo de voz. "Esses dois começaram cedo". A menina puxa o corpo:

— Tira a mão!

Fala de dentes trincados. Na tela, o automóvel da heroína acaba de enguiçar. Dr. Odorico diz para si mesmo: — "Deve ser gostoso pra burro amar uma fanática". Achava que o fanatismo religioso reprime e, ao mesmo tempo, exaspera o sexo. "Nua e fanática!"

E, súbito, gela na sua cadeira. Acabava de reconhecer a mocinha que estava na frente: — Silene! "Estão fazendo misérias nas minhas barbas!" Silene! Ele vacila, desesperado. Devia dar-se a conhecer, exigir que... Olhando o companheiro da menina (um garoto), dr. Odorico sente-se um total Raul Pederneiras.

CAPÍTULO 47

Dr. Odorico controla-se. Não faria nada. Ou por outra: — não faria nada durante a tal cena fabulosa, que já ia começar. E repetia para si, com vontade de abrir o colarinho:

— Deus está nas coincidências!

No lotação, encontrara o Carlos Lemos, com sua extroversão ensurdecedora; e, no cinema, Silene, a filha de Engraçadinha, com um jovem fauno, agarrado ao seu pescoço. "Mas vamos ver o filme", decidiu. Na frente, Leleco fala, com a boca na orelhinha pequenina e sensível da menina:

— Espia agora.

Silene sente a garganta apertada. Tem, baixinho, o lamento:

— Fica quieto.

Abandona-se, porém. Leleco sente nela um movimento leve, quase imperceptível, de quadris. Dr. Odorico afunda-se na cadeira, mais e mais; passa as costas da mão na boca encharcada; pensa:

— Sou eu e Engraçadinha. Ou Silene. Ora com Engraçadinha, ora com Silene. Engraçadinha de camisola. Prefiro Engraçadinha. Camisola em cima da pele. Não pijama. Pijama não. Prefiro camisola, sem nada por baixo. "Engraçadinha! Vamos passear de barco. Deita, Engraçadinha, deita. Assim. O barco anda sozinho".

Na plateia, um moleque solta uma delirante risadinha em falsete. Dr. Odorico volta-se, numa dessas raivas bruscas e totais: — "Ah! Canalha!". A maioria está quieta, tensa, perdida. E, pouco a pouco, dr. Odorico começa a ficar descontente com o filme:

— Ninguém teria essa paciência. Por que esperar ainda? E por que o barco? Sim, por que o barco?

Na primeira vez, admitira o barco. Achara o barco um efeito poético (talvez trivial). Mas, agora que vira Engraçadinha — e que estava tão próximo de Silene — agora experimentava uma cruel irritação:

— Esse barco é falso. Idiota.

Colocava-se no lugar do personagem: — "Eu não esperaria tanto". E por que voltar para a casa, por que regressar ao quarto? Era, indubitavelmente, o preconceito do quarto, da cama.

Por que não amar ao ar livre, com frenética simplicidade? Por que não amar em cima da grama? Já não tinha mais dúvidas; disse, de si para si, com uma triunfante certeza:

— O filme está errado!

Ninguém tem essa paciência. O barco parecia-lhe mais do que nunca um trambolho. E, súbito, ocorre ao juiz uma lembrança desesperadora: — via, na tela, não ele mesmo, mas Sílvio, o falecido Sílvio, com Engraçadinha. "Sílvio e não eu." Ao mesmo tempo, o Sílvio era Durval. Via Engraçadinha ora com Sílvio, ora com Durval. Essa fusão de imagens o exasperou. Sofreu como um traído.

Ó, Engraçadinha lacerada de escrúpulos inefáveis! E, por fim, na tela, chegava o grande momento. Na frente, Silene tomba a cabeça no ombro de Leleco. Quase sem voz, como se falasse apenas com o movimento dos lábios, a menina implora:

— Não faz assim...

Já o dr. Odorico conseguira, enfim, ficar sozinho. Mas achava o filme ainda falso. A mulher estava muito quieta. Passiva. Devia chorar e não chora. Chorar. Por que não chora? Disse para si mesmo, sentindo-se ludibriado como espectador: — "Não convence". E, sobretudo, não perdoava a sequência do barco — o tempo irrecuperável, perdido na lagoinha. A plateia está gelada de sonho.

Leleco murmura:

— Vamos?

A cena chegara ao fim. Dr. Odorico toma um susto: — "Já vão?" — pergunta a si mesmo. Era o momento de agir. Mas um escrúpulo o trava. Agir como e por quê? "Afinal, eu não tenho nada com isso. Poderia dar uns conselhos e nada mais." O que não cabia era um escândalo. Repetiu: — "Um escândalo seria a humilhação da menina". Era preciso um certo tato. Leleco e Silene levantam-se. Vão saindo e pedindo licença. Dr. Odorico levanta-se também, precipitadamente. Antes de chegar à extremidade da fila, tropeça num joelho feminino e ia sentando-se num colo de senhora. Esta esbraveja:

— Animal!

Ele, fora de si, geme:

— Perdão.

Saiu, finalmente, do outro lado. Ao tropeçar na senhora, decidira: — "Pelo menos, a menina precisa saber que eu vi, que eu sei". Os dois vão na frente; dr. Odorico apressa o passo. Ia falar-lhes na porta do cinema. Mas quando atravessa a sala de espera, ouve, atrás de si, uma voz pânica:

— Doutor Odorico!

Mais uma pequenina e miserável coincidência! Ah, não havia dúvida. Repetiu, mentalmente, a única frase original que jamais lhe ocorrera, em quarenta e nove anos de vida: — "Deus está nas coincidências!". Era d. Geninha, senhora de um funcionário do Tribunal de Contas, com mais busto do que cadeiras, quase sem pescoço, com a cara enterrada nos ombros. Saindo, tumultuosamente, da sala de projeção, d. Geninha o reconhecera pelas costas.

Com a dispneia da indignação, atropela-o:

— O senhor viu?

Desesperado, balbucia:

— Ah, como vai? Bem?

Leleco e Silene já iam longe. Dr. Odorico quer passar adiante.

Ela, porém, barra-lhe a passagem!

— Não é uma indignidade? O senhor não achou uma indignidade?

E ele, furioso:

— É uma indignidade!

Na sala de espera, continuou a interpelação frenética:

— Mas foi um colega seu — um juiz!

— Dona Geninha, estão me esperando, dona Geninha.

Estava, porém, solidariamente seguro:

— Não foi um colega seu? Foi um colega seu! E como é que um juiz...

Dr. Odorico teve vontade de dizer-lhe: — "Por que indignidade? Indignidade, vírgula! E o que é que faz seu marido? A senhora deve andar muito escassa de marido!". Na sua fúria contida, ele pensava: — "Babou-se lá dentro e vem cá pra fora fazer comício!". Quis desvencilhar-se mais uma vez:

— Tem toda a razão, minha senhora, mas é que eu estou com um pouquinho de pressa...

Ela, porém, não o largou:

— Eu não entendo o seu colega. O senhor acha justo que seu colega, um juiz, aprove esse filme?

Os DOIS JÁ haviam dobrado a esquina do Amarelinho. Diante do Dulcina, Leleco estaca:

— Bolei outra ideia.

— Qual?

Respira fundo:

— É o seguinte: — e se nós...

Tosse ligeiramente. Mete a mão nos bolsos e apanha um cigarro. Diante dele, Silene espera (tão linda e sôfrega!) Leleco risca o fósforo. Silene impacienta-se:

— Fala!

O rapaz vacila, ainda. Pensa: — "Ora, pipocas! Por que é que ela veio de uniforme?". Para ganhar tempo, puxa a pequena:

— Vem cá. Vamos tomar um troço.

Entram num barzinho, ao lado do Dulcina. Junto do balcão, ele pergunta:

— Guaraná?

— Grapete.

São servidos. Silene está surpresa e descontente:

— Qual é o drama?

Baixa a voz:

— Escuta: — não vamos mais lá. Resolvi. Não interessa.

No seu espanto, quer saber: — "Por quê?". — Leleco pagou a despesa e sai com a pequena: — "Vamos apanhar um táxi. Mudei de ideia, carambolas! Não posso mudar de ideia?". E ela: — "Que mágica besta!". Entram no primeiro táxi. "Leblon", manda. O rapaz leva nos bolsos seis contos para pagar o aluguel da casa. Puxa a pequena para si ("Agressividade"! exigira o médico). Jogando fora o cigarro, começa:

— O apartamento tem diversas chaves. E se, por acaso, aparece lá um cara ou vários? Já imaginaste? E olha: — no cinema, eu estive pensando o seguinte: — se um pilantra puser a mão em ti, eu mato, ouviste! Mato!

Mete a mão no bolso, tira e abre o canivete. Silene crispa-se: — "Guarda isso!". E ele, abraçado à pequena — passavam pela Praia do Russel — contrai a boca de ódio:

— Ninguém te dá "fria" nenhuma! Porque eu mato!

Leleco guarda o canivete; fala junto ao seu ouvido (o hálito de Leleco faz-lhe cócegas na orelha): — "Se você não estivesse de uniforme! Chato esse uniforme! Nós iríamos, sabe onde?". Transida de prazer, balbucia: — "Onde?". E ele:

— No Bar do Pepino. O diabo é o uniforme. Já no cinema o porteiro não gostou do teu uniforme. Mas talvez dê-se um jeito. Talvez. Eu entro primeiro. Você fica no táxi. E, depois, te chamo e você passa depressa.

Ela desejou, com todas as forças, esse Bar do Pepino. Leleco estava absurdamente feliz (o medo extinguira-se no fundo do seu ser). Ao mesmo tempo, os cinco contos e tantos no bolso dão-lhe uma sensação de poder. Pôs a mão no seu joelho. Silene sopra: — "Aqui não". Admirou-se: — "Por quê?". Responde:

— Lá.

— Deixa eu ver um pouquinho?

Suspira:

— Só um pouquinho.

— Que coisa linda!

E ela:

— Agora chega.

Desce a saia. Ele pensa: — "Mato quem encostar a mão! Mato!". Como é bom ter um canivete e cinco contos nos bolsos! Não importa o aluguel da casa! Repetiu: — "Minha! Minha!".

CAPÍTULO 48

NA PORTA DO Pathezinho dr. Odorico pensava: — "Mas essa mulher não me larga! Só a tiro!". De fato, ela crispava no seu braço a mão curta e voraz de gorda. Casais da fila não tiravam os olhos daquela mulher sem pescoço e daquele velho elegante e *démodé*, de paletó cintado.

Disse, ao mesmo tempo que dava um repelão:

— Lembranças, minha senhora, lembranças!

Esbarrou nela mesma, que se atravessou à sua frente, inarredável:

— Mas que é que o senhor me diz?!

Então, aquele homem, que vivia infligindo a si mesmo as piores repressões, teve um dos raros desabafos de sua vida:

— Escuta, minha senhora! Sossega o periquito!

Aquele inesperado e indesculpável "sossega o periquito" estarreceu-a. Recua, ligeiramente:

— Como?

Já o dr. Odorico não se continha mais:

— O que é que a senhora viu de mais nesse filme, hein, minha senhora?

Geme:

— Aquela cena!

Riu, feroz:

— Que cena, minha senhora? Aquilo é comum, minha senhora, na intimidade dos lares mais respeitáveis! É o que se leva da vida, minha senhora, pode crer: — é o que se leva da vida! Perfeitamente!

Estupefata com essa ferocidade jucunda, balbuciou:

— Mas então o senhor acha que...

Foi taxativo:

— Acho, minha senhora, acho! De mais a mais, os culpados somos nós. Esse filme, quando estreou, era tão inocente, tão puro!

Agora, era ele que a segurava solidamente pelo braço. Insistia, surpreso com o próprio raciocínio e a própria convicção: — "Nunca vi tanta inocência!". De fato, na primeira vez em que assistira a *Les Amants*, julgara sentir nele o tédio de uma pureza total. Continuou:

— Nós é que corrompemos o filme, nós! E, agora, o filme não é o mesmo: — está degradado pela plateia! Qualquer dia a senhora há de ver os artistas improvisarem cacos, piadas obscenas! Compreendeu, minha senhora?

Ela já não entendia mais nada. Numa satisfação cruel (e meio indecorosa), dr. Odorico desvencilhou-se, definitivamente:

— Passar bem, minha senhora!

Saiu triunfante. Jamais, em toda a sua vida, argumentara assim, com aquela agilidade e com aquela audácia. Atribuiu essa maior desenvoltura (e brilho) ao seu estimulante convívio com as Novas Gerações. O Otto Lara, se estivesse lá, ouvindo, teria certamente aprovado o seu rompante.

Apressou o passo, desesperado de encontrar Silene e seu acompanhante. E, súbito, ao passar pelo Amarelinho, é novamente agarrado. Ah, não! Agora era demais! Voltou-se, cego de raiva. Era o Ribas, um rapaz do Itamaraty, cônsul de primeira classe. Dr. Odorico teve de fazer, contra si mesmo, uma repressão a mais. Sorriu até:

— Ah, vai bem?

Em vésperas de embarcar — ia correr mundo, conhecer mares, portos e ilhas — o Ribas tinha, na pupila, um azul doce de Pierre Loti.[23] Com a sua pele fresca, de quem lavou o rosto há dez minutos, disse, incisivo, de supetão:

— Vem sangue por aí! Muito sangue!

Apesar da pressa, dr. Odorico faz espanto:

— Como assim?

E o outro, sem largá-lo:

— Ou o senhor tem ilusões?

Pigarreia, intrigado:

— Depende.

O Ribas prossegue, baixo, e com uma satisfação lúgubre:

— O senhor sabe que eu sou médium vidente? Não sabe? Pois sou: — médium vidente. Tenho intuições, certezas estranhíssimas. E só não me desenvolvo porque acho — com franqueza, estou sendo franco — acho o espiritismo incompatível com o Itamaraty. Nós temos lá poucos macumbeiros.

Por um momento, o dr. Odorico esquece o jovem casal, esquece Engraçadinha, tudo. Faz uma espécie de careta: — "Mas sangue?". Considerava o Ribas, com o seu ar meio nostálgico de Loti, informadíssimo.

O outro prossegue, com uma dessas certezas inapeláveis:

— Pois uma das minhas intuições é, sabe qual? — pausa e muda de tom: — Doutor Odorico, não lhe parece que o Brasil está maduro para o crime político?

O juiz recua, escandalizado:

— Crime político? Ah, não! Discordo. Desculpe, mas discordo. O brasileiro não é sanguinário.

Ribas passa as duas mãos pelo colete. A sua pupila é cada vez mais doce e cada vez mais azul:

— Doutor Odorico, não se iluda, doutor Odorico! Uma coisa puxa a outra: — o desenvolvimento e a matança! A simples industrialização, a simples reforma agrária e outros bichos, ah, não bastam! Sem sangue, sem uma guerrinha de secessão, não há desenvolvimento, não há nada! Dr. Odorico, escreva o que eu lhe estou dizendo — o sangue vai esguichar de mangueira. Não falo dessas bombinhas, ah, não![24]

Dr. Odorico ainda quis protestar:

— Meu caro, o brasileiro é sentimental!

Com a alma de Pierre Loti na pupila doce, o outro bate-lhe fraternalmente nas costas:

— Escuta! Não se faz História com sentimentalismo de novela! Está vendo esse povo? Olha!

Mostrou sujeitos tomando refrescos ou lendo jornal, nas cadeiras externas do Amarelinho; senhoras passando, inclusive uma grávida; bondes apinhados; colegiais. E repetia, num tom quase de ternura:

— Esse povo quer beber sangue e há de beber sangue! Bem, meu caro juiz: — prazer em revê-lo!

ENQUANTO DR. ODORICO era retido, primeiro pela senhora sem pescoço e, em seguida, pelo Ribas do Itamaraty, Silene e Leleco tomavam, ela, o Grapete e ele, rum puro, com gelo. Ao deixar o cônsul de primeira classe, dr. Odorico não tinha mais esperanças de encontrar os dois. — "Sumiram!", eis a sua praga interior. Ao mesmo tempo, pensava no vaticínio sangrento do diplomata. Dizia para si mesmo: — "Não acredito. Mas se for verdade, entre a miséria e o sangue, prefiro a miséria". Acabava de fazer a sua escolha. Repetia, com certa euforia: — "Miséria". Teve, porém, um certo esgar de sinceridade: — "Penso assim porque o meu está garantido, todo o mês, chova ou faça sol". Mas à simples hipótese da guerra civil seu estômago se contraiu numa violenta náusea.

E, súbito, vê os dois, lá adiante, passando de táxi. Correu numa alucinação, em risco de ser atropelado. Felizmente vinha outro táxi; atirou-se, furiosamente. Senta-se e, fora de si, vai dizendo ao chofer:

— Olha, eu sou juiz, ouviu? Vamos atrás daquele táxi!

— Qual?

Grita:

— Aquele verde, ali. Está dobrando. Aquele! Está vendo? — Exato: — esse! Chispa! Leva uma menor. Vê se passa na frente, ou melhor: — não, não passa na frente. Acompanha. É melhor acompanhar.

O chofer aumenta a velocidade. Dr. Odorico estimula: — "Pode correr, que eu me responsabilizo. Corre. Cuidado para não ficar preso no sinal". Foi justamente o que aconteceu. Depois que passou o carro de Silene, fechou o sinal da Glória. Dr. Odorico esbraveja:

— Ora, pinoia!

Dois carros estão na frente do seu. O chofer buzina, estupidamente:

— Não posso passar por cima. Espeto!

Os dois nem sentiram a perseguição falhada. No Leblon, abraçado a Silene, Leleco pede:

— Deixa eu olhar mais um pouquinho!

Silene foge com o corpo:

— Escuta! Sabe o que é que eu vou fazer? Olha!

Rapidamente, tira os punhos e a gola. Leleco exclama:

— Que é isso?

E ela:

— Agora, já não estou mais de uniforme, compreendeste? Estou vestida normalmente: — saia e blusa. Ninguém diz, não é?

Ri:

— Você é de amargar! De arder!

Já sem os distintivos do uniforme, sente-se violentamente livre: — "É o que o pessoal faz no colégio. Eu podia ter tirado pra ir ao cinema. Nem me lembrei". O rapaz vira-se para o chofer:

— Nossa amizade, sabe onde é o Bar do Pepino?

— Aquele?

— Pois é, você chega lá e entra, ouviu? Entra.

Silene pousa, de novo, a cabeça no seu ombro. Quando o rapaz, inquieto, quis acariciá-la, diz, do fundo do seu sonho:

— Deixa pra fazer tudo lá.

E, súbito, volta-se transfigurada para ele:

— Terias coragem de fazer uma coisa?

— O quê?

Diz, quase boca com boca:

— Terias coragem de passar a noite comigo? E, depois, morrer comigo? Terias?

CAPÍTULO 49

A PRINCÍPIO, NÃO ENTENDE:

— Morrer?

Apanha entre as suas mãos as mãos de Silene. O vento do mar e da montanha batia-lhes no rosto. Silene cala-se por um momento. O sopro da velocidade dá-lhe uma espécie de embriaguez. A tarde nasce das ilhas próximas. Com um olhar atônito de sonho, diz, quase sem voz:

— Terias coragem?

— De morrer?

Olham-se. Silene continua (com uma alegria desesperadora):

— Escuta! Passaríamos a noite juntos!

— Onde?

Falam quase boca com boca:

— Nesse lugar…

— O Bar do Pepino?

A pequena acha que o simples nome — assim italianado — diz-lhe tanta coisa. Se as coleguinhas de colégio soubessem que ela tinha estado no Bar do Pepino! E que ia morrer no Bar do Pepino! Sonha: — "Vão ficar numa inveja danada!". Risca o braço de Leleco com as unhas. Pergunta:

— Ou tens medo?

— Nenhum.

E ela:

— Tu não achas legal um pacto de morte?

Agora com a cabeça pousada no seu ombro faz uma reflexão inesperada: — "Morrer com Vavá. Com Vavá e não Leleco". Vira-se com violência para Leleco:

— Queres?

Responde, passando a mão por trás de sua cabeça, agarrando os seus cabelos:

— Quero!

O chofer, na frente, não sabe que eles vão morrer; que, na manhã seguinte, despertarão entre os mortos. (Não têm veneno, não têm nada). Apertando a pequena, Leleco pensa no psiquiatra. Dr. Areal dissera-lhe: — "Se você tiver vontade de dizer uns palavrões pra pequena, diz, pode dizer. É bom. E faz a garota dizer outro tanto. A mulher gosta de pornografia. O palavrão fará bem a você e a ela". Súbito, o chofer pergunta:

— Eu espero vocês lá?

Silene responde, sôfrega:

— Não.

E o chofer:

— Então, vai ter que me ajudar na volta. Meu amigo, eu trabalho a quilômetro.

Com a euforia dos seis contos no bolso, Leleco responde:

— Dá-se um jeito.

O carro entra no Bar do Pepino. Faz a volta, devagar. Silene toma um susto:

— Aqui?

Olha tudo com uma curiosidade maravilhada. O táxi para. Leleco diz-lhe:

— Espera um momento.

Respira fundo:

— Não demora.

— Volto já.

Entra na casa. Dias atrás, tinha estado lá, com o Bob e o Cadelão. Os dois levavam uma pequena cada um e Leleco nenhuma. Bob puxara o garçom para um canto:

— Queremos um quarto só.

O garçom deu a chave, recebeu o dinheiro e indicou com um movimento de cabeça:

— Aquele ali.

Leleco ficou no carro, esperando. E agora voltava com Silene. Está pagando o garçom e recebendo a chave. Lembra-se das palavras do médico: — "Você não tem, nunca teve vida sexual". Paga o quarto e volta para buscar Silene. A voz do médico parece acompanhá-lo: — "Use a pornografia. O palavrão será um estímulo para si e para a mulher". Puxa a carteira para pagar o chofer. Este pergunta:

— Quer que eu espere?

Silene novamente interfere:

— Não precisa.

E o outro:

— Se quiser eu espero. Posso esperar. Vão demorar muito?

"Não sabe que nós vamos morrer", pensa Silene, com brusco sofrimento. Já começa a ver tudo com a violenta doçura de um último olhar. O motorista bate na mesma tecla: — "Trabalho a quilômetro". Leleco faz as contas. Paga a corrida e mais cinquenta por cento. O motorista ainda resmunga: — "Querendo, eu espero".

Os dois entram, de mãos dadas. Silene baixa a cabeça, ao mesmo tempo que ele a empurra: — "Depressa". O quarto é o último.

Entram e Leleco fecha a porta. Ela gira sobre si mesma, numa alegre e irresponsável pirueta. "Se as colegas soubessem". Balbucia, apontando o guarda-vestidos:

— O espelho!

Ao lado, mudo, ele começa a sofrer. Pensa: — "Silene não sabe...". Sim, não sabe que ele tem angústias, suores, pânicos e que... Não esquece as palavras do psiquiatra: — "Você não tem vida sexual". E o conselho: — "Diga e faça dizer palavrões. O palavrão é um estímulo". Agora está sozinho com Silene num quarto do Bar do Pepino. É como se fossem o único casal da Terra. Mas o medo voltou. O psiquiatra parece estar soprando no seu ouvido: — "É a repressão educacional que impede a mulher de ser pornográfica. No fundo, ela gostaria de falar nomes feios".

Silene puxa-o. Cola o seu corpo ao dele. Entreabre os lábios:

— Beija, me beija.

O rapaz puxa um pouco a blusa para beijá-la no ombro. Fora de si, Silene apanha o seu rosto com as duas mãos e procura a boca. Leleco já sabe que ela termina o beijo mordendo. Beija e é beijado, mas está gelado até os ossos. A obsessão do psiquiatra não o abandona. É como se o outro estivesse, ali, repetindo: — "O medo mata o desejo, mata o prazer. O palavrão é um estímulo. Na intimidade sexual, a mulher gosta de pornografia".

Silene desprende-se:

— Ah, como é bom! Como é bom!

Leleco arqueja. Ela o agarra, de novo:

— Gostou do filme?

Respira fundo:

— Mais ou menos.

Ri, com uma doçura nova no olhar:

— E daquela cena?

Ah, Silene não sabe de nada! Se ele pudesse dizer-lhe: — "Sou homem feito e não tenho vida sexual".

A pequena sentou-se na cama. Atira longe os sapatos e arranca as meias. Olha os pés livres e nus. Em seguida, deita-se. "Ela me espera", é a angústia do rapaz. Silene fala:

— Vira o espelho.

— Pra quê?

Ergue meio corpo:

— Nessa direção. Vira o espelho nessa direção. Pra gente ficar olhando.

"Se as colegas soubessem!" Atônito, Leleco obedece. A pequena ri, ainda mais linda:

— Agora vem.

(E só pensa no filme e na cena.) Desesperado, o rapaz pergunta a si mesmo: — "Qual é mesmo aquele remédio que eu li na reportagem do Pinheiro Júnior? O nome, eu não me lembro do nome! Ah, Dexin! Isso mesmo, Dexin! O Pinheiro Júnior[25] disse que o Dexin é batata!". A esperança rompe da angústia: — "Será que a besta do garçom me arranjava um Dexin?". Curva-se para a menina:

— Meu bem, olha, eu vou ver se arranjo, sabe o quê?

Num movimento instintivo, ela já abre o primeiro botão da blusa. Está imaginando a bomba que vai ser no colégio a notícia de sua morte e de Leleco, num quarto do Bar do Pepino! Decide: — "Vou morrer vestida. Ou nua? Não. Vestida é melhor. Vou morrer, sim, vestida". O rapaz continua:

— Há um troço que é um tiro e que...

Quis agarrá-lo: — "Não precisa arranjar nada! Vem!". Leleco desprende-se, com surda irritação: — "É um minutinho só. Aguenta a mão". Sai, procura e acaba descobrindo o garçom. Começa, fingindo uma alegre naturalidade:

— Nossa amizade, você é capaz de me fazer um favor de mãe pra filho caçula?

O outro inclina-se, numa correção total: — "Se estiver ao meu alcance". Crispado, pergunta:

— Por acaso, vocês têm aí, Dexin?

— Como? Dex o quê?

— Dexin. Têm?

Respondeu, com a sua polidez implacável:

— Não, não temos.

Odiou aquele homem com toda a crueldade de sua frustração. Insiste:

— Melhoral, vocês têm. Não têm? Pelo menos Melhoral?

— Também não.

Deu-lhe uma fúria; e pensava: — "Mas é o cúmulo! Um lugar como esse! Essa espelunca deve ser frequentada por velhos bombardeados e devia ter...". Ah, nem o garçom, nem Silene sabiam que ele dependia de um comprimido, uma pastilha, um excitante qualquer! Sentia-se tão perdido que abriu o coração para aquele desconhecido (o homem era quase doce de tão cortês):

— Escuta, nossa amizade. É o seguinte: — eu estou nesse estado assim, assim. Acho que é nervoso, não sei. Estou com medo de fracassar, compreendeu? Medo besta, mas sabe como é...

O garçom pigarreia:

— Quer um conselho?

— Fala.

E o outro:

— Não tome nada. O senhor é moço e não convém. Pra quê? Isso passa. Daqui a pouco passa.

Tem vontade de chorar:

— E se eu não der no couro? Com que cara vou ficar?

— Meu amigo, faz o seguinte: — volta pra junto da pequena. Conversa um pouco. Pode crer que passa.

Pensa: — "Ele não sabe. A melhor menina do Rio de Janeiro me espera e eu não sinto desejo, não sinto prazer, nada, nada". Volta, lentamente, para o quarto. A voz do médico não o larga: — "As mulheres seriam menos desequilibradas se dissessem palavrões". Por que o cretino do psiquiatra não lhe receitara um excitante pesado? Ainda por cima, deixara o morango, o éter, em Senador Dantas!

Dilacerado, para, um momento, sem coragem de empurrar a porta apenas encostada. Entra, finalmente.

Logo estaca, porém. Olhou para a cama e o que viu deu-lhe vontade de fugir, gritando.

CAPÍTULO 50

O Ib Teixeira, jornalista (muito moço),[26] estava no Bar do Pepino. Bebera, já, três batidas de maracujá. Duas horas atrás, desembarcara, ali, de um táxi, um outro jornalista, o Raimundo Pessoa (de óculos),[27] o acompanhava. Tinham um encontro marcado — no Bar do Pepino — com duas chilenas, uma para cada um (não eram bonitas, mas ambos estavam na fase em que a seleção praticamente não existe).

Ib, pequenino como um japonês, mas com uma voz inesperada e pesada de barítono, ocupa uma das mesas do canto (a tarde já caía, muito leve e diáfana). Certo de que a sua chilena era uma Hedy Lamarr,[28] vira-se para o garçom:

— Meu chapa, traz um... — vira-se para o Raimundo Pessoa — Você quer tomar o quê?

— Batida de maracujá.

O garçom inclina-se:

— Duas?

E o Ib, com a sua voz de Paul Robeson:[29]

— Pode ser duas. Traz duas. Mas olha: — escuta.

O garçom retrocede. O Ib queria simplesmente recomendar:

— Capricha, porque estamos esperando duas caras.

E começam a esperar. As garotas por um motivo desconhecido, e um tanto suspeito, tinham preferido ir encontrar os dois rapazes no próprio bar. Uma hora e meia depois, nada de chilenas. Tomavam a terceira batida. E, súbito, os óculos do Raimundo têm uma cintilação: — "Espia!". Ib vira-se, vivamente: — era Silene, que descia do táxi. Raimundo sopra:

— Que boa, rapaz!

Silene passa, rapidamente. Essa visão instantânea aumentou, no Ib, o ressentimento da frustração. Bufa: — "Cretinas!". E, súbito, a humilhação deflagra a sua agressividade de pequenino. Põe-se a deblaterar contra o Arnaldo Nogueira, o vereador:[30]

— Sabe o que ele fez? Ah, não sabe? Vou te contar.

E começa, feroz e exultante:

— Eu mesmo li — eu! — no *Diário Oficial* e te digo: — fiquei besta. Fez um discurso, na "gaiola", contra o beijo de um menino de doze anos numa menina de doze anos. E chama o beijo de "atentado à moral"!

Com o cálice vazio, à sua frente (e também já desesperado das chilenas) o Raimundo Pessoa rosna a frase:

— Freud explica isso.

O Ib achava que o verdadeiro "atentado à moral" era o discurso do Arnaldo Nogueira. Perguntava ao companheiro: — "O povo elege um sujeito, dá-lhe dinheiro, para o cara legislar contra o beijo?". O Raimundo Pessoa, no seu jeito meio soturno, arrisca:

— Feio é se o garoto, em vez de escolher uma garota, preferisse outro garoto!

Com um lampejo no olhar, o Ib espia para o portão numa última esperança das chilenas. Ergue-se, com vontade de chorar; esbraveja ainda: — "O ódio que há no Brasil contra o amor! A Polícia persegue os namorados, os amantes, fecha os hotéis. Temos uma Polícia ginecológica!".

Como não acredita mais nas fulanas, toma-se de um jucundo pessimismo nacional. Arrasta o colega:

— Vamos dar uma volta.

Neste momento, aparece um outro jornalista, o Vidal, nortista, que andava com um punhal no cinto (um punhal lindo, com incrustações de prata). Vidal acabara de despachar a pequena que viera com ele, uma loura casada. Conversa vai, conversa vem, e passam do Arnaldo Nogueira para a sucessão.

Fazendo a volta do parque do Bar, com os outros, o Vidal pergunta ao Raimundo:

— Você acredita em eleições?

E o outro:

— Acredito e olha: — barbada pra o Jânio!

— Barbada?

O Ib pula:

— O Lott vai passar direitinho o Jânio na cara![31]

Vidal ri, feroz:

— Ó, seus zebus! Não vai haver eleição nenhuma! Não há outra saída: — é o golpe! A turma se convenceu que, no voto, o Jânio ganha. Ora, ninguém vai dar posse ao Jânio, claro! Ou você acha que alguém vai dar posse ao Jânio?

Raimundo (sem elevar a voz, mas numa convicção inexpugnável) quer saber:

— E se ele for eleito?

Ib abafa os outros com seu vozeirão: — "O Lott ganha ou no voto ou na ignorância!". Vidal grita:

— Um momento! Vocês querem escutar, carambolas? — os outros calam-se e ele continua, triunfante: — Você me chama de "pau de arara", mas escuta aqui: — o Jânio eleito sem eleição e, talvez, assassinado? — ri, com o lábio encharcado. — O único assassinado que tomou posse foi Inês de Castro.

VENDO A MENINA na cama, Leleco vacila. Seu primeiro impulso, logo reprimido, foi da fuga pânica. Sofrendo como nunca, olha a cadeira, no meio do quarto. Lá estão as roupas de Silene. "É linda, tão linda, mas..." Pergunta a si mesmo, desesperado: — "Por que ela se despiu? Por que não esperou?". A menina chama:

— Vem.

Do lado de fora, junto à janela do quarto, há uma discussão. Dois ou três homens discutem. Um deles exalta-se:

— Olha aqui; se derem um golpe! Mas escuta! Se derem um golpe! Vocês me deixam ou não me deixam falar?

Leleco aproxima-se, lentamente, da cama: — "Por que eu não sou como os outros? Ela não sabe que eu não sou como os outros!". E não entende que ela não perceba a sua angústia. O próprio Leleco está espantado. Pensa: — "Não sei como se pode sofrer tanto".

Apanha na cadeira a saia da menina. Volta e, sem uma palavra, cobre a nudez de Silene. A garota não entende (começa a sofrer):

— Não gostou?

— Gostei, mas...

Para, sem ter nada que falar. Ao mesmo tempo, faz a si mesmo a pergunta: — "Digo ou não digo que não sou como os outros?". Do lado de fora, um sujeito está dizendo (junto à janela):

— A salvação é o golpe!

Outro responde:

— Se tocarem no Jânio, toma nota: — é a guerra civil!

E o primeiro:

— Você viu o Jânio na televisão? Em *Noite de Gala*? O Jânio estava com um ar de primeira vítima! — E olha! O próprio Jânio anda espalhando isso. Ele está adorando morrer no quinto ato, como uma Sarah Bernhardt!

Silene está com a saia por cima da nudez. Leleco senta-se na cama:

— Escuta.

Pergunta:

— Não me quer?

E ele:

— Vamos morrer?

Faz espanto:

— Sem amor?

Vacila. "Não tem veneno, mas..." Lembra-se do canivete. "Cortar os pulsos", sonha. "Cortaria os meus e os dela." A menina olha-o. Pensa: — "Morrer virgem?". Leleco inclina-se para ela:

— Morrer no mar.

Segurando a saia na altura dos seios, repete:

— Mas sem amor?

Os homens de fora ainda berram:

— O Lott devia tomar o poder no peito! Ditadura militar!

Outro reage:

— Com que roupa?

Mais berro:

— O dólar vai para quatrocentos cruzeiros! Ouçam o que eu estou dizendo: — quatrocentos cruzeiros! Com o dólar a quatrocentos cruzeiros, só há um recurso: — baixar o pau.

Dir-se-ia que estão falando dentro do quarto. "Que gente!" é a raiva de Silene. Decide: — Morrer virgem, não! "Por que ele espera? Estou nua e me cobre? Por quê?" E, sobretudo, não quer morrer no mar. Sabe que os afogados têm os olhos brancos e a boca obscena. No mar, não.

Deitado a seu lado, sentindo a vida misteriosa dos seus quadris, ele fala ao seu ouvido:

— Silene, eu não sou como os outros, Silene. Eu...

O psiquiatra falara: — "As senhoras de família seriam melhores mães e esposas se dissessem palavrões". Silene está pensando no filme. Agarra-o; aperta sua cabeça com os braços; diz, trincando os dentes: — "O filme! O filme!". Leleco custa a perceber. De repente, uma selvagem alegria rompe das profundezas do seu ser. Ergue o rosto. Os dois se olham e se entendem.

Junto da janela do quarto, o sujeito berra, exultante:

— Com esse dólar histérico é um crime não dar o golpe!

Réplica de um terceiro:

— Golpe, vírgula! Guerra civil!

CAPÍTULO 51

Cerzindo uma combinação rosa, na sala de jantar, Engraçadinha canta, a meia-voz, para si mesma:

Foi Cristo quem me salvou,
Foi Cristo quem me salvou.
Quebrou as cadeias e me libertou,
Foi Cristo quem me salvou.

Parou um momento para molhar a ponta da linha na língua. Continua:

Quebrou as cadeias e me libertou.

Ao mesmo tempo, pensa: — "O Senhor não permitirá que Durval e Silene...". Fez para si mesma a pergunta: — "Por onde andará Silene?". Súbito, lembra-se do momento — vinte anos atrás — em que se despira e... Desesperada, alteia a voz e canta com inconsciente agressividade:

Foi Cristo quem me salvou!

Abandona a combinação no regaço. Ergue a fronte, como se desafiasse os pequeninos demônios da carne. Tem ódio da própria fragilidade; e um certo asco. Embora cante com raiva, pensa ainda naquela noite em que sua nudez se enroscara em outro corpo. Diz: — "Não quero pensar!". Levanta-se, põe a costura em cima da cadeira e aperta a cabeça entre as mãos.

Foi nesse momento que bateram lá fora. Vai atender e teve a surpresa:

— Ah, doutor Odorico!

O juiz tirava o chapéu:

— Como vai, Engraçadinha?

Por um instante, ela tem o breve e desesperado escrúpulo de mandá-lo entrar. Estava sozinha e que diria a vizinhança? Afinal, embora fosse um senhor já, era um homem. Por outro lado, refletiu: — "Quem sabe se ele conversou na Prolar? Mas por que não veio em outra hora, meu Deus?". O canto estava na sua cabeça: — "Foi Cristo quem me salvou!". Desceu os três ou quatro degraus de pedra:

— Mas tenha a bondade, doutor Odorico!

O juiz corrigiu, com alegre polidez:

— "Doutor", não. Odorico.

Balbuciou, vermelha:

— Entre. Tenha a bondade.

Engraçadinha vai na frente. Ele, atrás, conclui: — "É melhor do que a filha, muito melhor do que a filha". E continua, para si mesmo: — "Tenho visto poucas mulheres tão bonitas!". Entram na sala e ela, titubeante, apanha um jornal no soalho:

— Desculpe a desarrumação, doutor Odorico.

Ele estaca, num afetuoso escândalo:

— Outra vez! E por que "doutor" Odorico? Vamos, diga: — Odorico. Quero ver: — Odorico, diga — e adverte, risonho — Olha que eu me ofendo e...

Disse, com duas rosetas na face (ele achou esse carmim natural inteiramente divino):

— Odorico.

O velho exultou:

— Viu? Não foi tão fácil, tão simples tirar o doutor do meu nome? Escuta, Engraçadinha. Eu sou da seguinte teoria. Com licença, vou me sentar. Da seguinte teoria: — onde há amizade...

Em pânico, Engraçadinha acaba de lembrar-se de sua combinação em cima da cadeira. Interrompe, agoniada:

— Um instantinho.

Nervosa, passa pela cadeira, apanha a combinação e, de costas para ele, a enfia na primeira gaveta. Volta-se. Sua esperança é que o juiz esteja ali por causa do emprego do filho. Ele prossegue:

— Onde é que eu estava? Ah, sim! A minha teoria é que, onde há amizade — digo amizade sincera, real, não cabe a cerimônia. Tenho ou não tenho razão?

Respondeu, atarantada:

— Bem, naturalmente que... Depende do ponto de vista e aliás...

Ouvindo-a com imenso deleite, dr. Odorico considerava: — "Toda mulher que se ruboriza, facilmente, é sensual!". Aliás, a palavra que ele usou, no seu íntimo, foi *quente*. Sorria e confirmava, mentalmente: — "Com a capa de convertida, é uma 'mulher quente'!". Imaginava também que Zózimo não seria dos maridos mais indicados para uma das mais belas mulheres do Rio. Pensou ainda que, na conversão de uma senhora casada, o que existe, no fundo, é um fracasso de alcova.

Houve uma pausa. No alto, perto do teto, a pequenina lâmpada azul ardia por São Jorge. Dr. Odorico põe as duas mãos em cima dos joelhos:

— Engraçadinha, o que me trouxe aqui foi...

"O aumento de Durval!" era a sua aflita esperança.

Batera em Vaz Lobo na esperança de encontrá-la sozinha. Ainda teve que vencer uma dúvida: — lotação ou táxi? Decidiu-se por este último. Calculou: — "A essa hora, ela deve estar sozinha...". Havia também uma eventualidade, que rejeitou, de não encontrá-la em casa. O homem apaixonado (e seu desejo fazia vinte anos) é, via de regra, fatalista. Pensou: — "Seja o que Deus quiser" e disse ao chofer:

— Vaz Lobo.

Com a irritação de quem vai pagar um taxímetro devorador, fez o exagero, entre jocoso e amargo: — "É o lugar mais longe do mundo". Enquanto viajava, pôde chegar à premeditação dos mínimos detalhes. Pretendia dramatizar ao máximo o episódio; e mais: — era sua intenção aparecer como, digamos, um quase salvador de Silene. Engraçadinha ficaria gratíssima pelo seu zelo. Diria o seguinte:

— Vi sua filha saindo do *Les Amants* e… Sim, perfeitamente: — com um rapaz. Um rapaz que eu não conheço. Pois bem: — sua filha e o rapaz, que, entre parênteses, eu não afirmo, é uma presunção. Mas o tal rapaz me pareceu da *juventude transviada*.

Diria também que perseguira os dois em outro táxi, mas que, por infelicidade, um sinal atrapalhara tudo. Imaginava o terror de Engraçadinha quando, em tom cavo, completasse:

— Os dois seguiam, provavelmente, a direção da avenida Niemeyer.

PENSANDO NO FILME, Leleco crispa-se de felicidade: — "Estou salvo!". Estende-se e, transfigurado, cicia:

— Sabe dizer palavrão?

Ria baixo, ofegante. E ela:

— O quê?

— Você sabe dizer nome feio? Sabe, não sabe?

— Por quê?

Agarra o seu braço nu:

— Diz um.

Reage:

— Perde a poesia.

Teima:

— Um só.

E ela:

— Mas não sei dizer.

Com surdo sofrimento, implora:

— Diz um e pronto. Pelo menos um. Um só, está bem?

Está com os olhos cheios de lágrimas. Quer convencê-la:

— Sabe por quê? É pelo seguinte, escuta: — o meu médico — o médico que eu consulto, que é formidável — ele diz que nessa hora, o palavrão é gostoso, necessário, ouviste?

Silene enfia os dedos nos cabelos do rapaz. Vacila ainda. Ele está quase chorando:

— Olha: — diz baixinho, aqui, no meu ouvido. Baixinho. Não custa, diz!

Silene vira-se e encosta a boca na sua orelha. Fala. Leleco exulta. Há, em todo o seu ser, uma feroz ressurreição. Ri, numa embriaguez súbita e brutal:

— O médico tem razão! O que ele disse é batata!

Ela está mordendo o seu ombro. Tira a boca e olha, maravilhada: — sangra a marca dos seus dentes. Por sua vez Leleco a beija no ombro, no pescoço e, finalmente, morde a ponta de sua orelha. Lá fora, ainda se discute. Um dos sujeitos afirma, jucundo:

— O Jânio vai ficar satisfeitíssimo com o próprio assassinato! E toma nota: quando o dólar chegar a quatrocentos cruzeiros — porque vai chegar, ah, vai! — fecha o tempo!

Resposta:

— Com o dólar a quatrocentos cruzeiros, quem toma conta do Brasil é o Jânio!

A primeira voz afirma:

— A cronologia é: — morte de Jânio, golpe, guerra civil!

No quarto, o rapaz pede ainda:

— Repete! O mesmo, repete! No meu ouvido! Diz! Pode ser o mesmo!

Silene fala ao seu ouvido. Ele soluça:

— Ó, querida! Querida!

Fora de si, a pequena morde o outro ombro. Leleco desafia:

— Mais! Mais! Pode morder! Morde, anda! Tira sangue!

Pula da cama. — "Vem cá!", chama. Carrega Silene nos braços. De longe, muito longe, vem a voz do psiquiatra: — "Às vezes, um palavrão, que a mulher possa dizer, produz milagres. Um simples palavrão!". Sempre carregando a menina, gira sobre si mesmo, num delírio:

— Minha! Minha!

Silene cerra os dentes:

— Faz de conta que é uma "curra". Que você me pega, que me bate, que...

Atira a menina na cama. Quando ela se volta, Leleco a derruba com uma bofetada. Silene corre nua dentro do quarto. Finge para si mesma um terror louco. E esse falso medo é de um prazer quase insuportável para os dois.

Ela agora está presa nos seus braços. Lá fora, os três homens engalfinham-se pelo Brasil. Um deles jura que, no momento, precisa jorrar, mais que o petróleo, precisa jorrar sangue, muito sangue.

CAPÍTULO 52

TOSSE LIGEIRAMENTE E inclina-se:

— O assunto que me traz aqui...

Engraçadinha, nervosa, pensa: — "Vai falar do emprego! Arranjou o aumento!". Na sua íntima efusão, estava prestes a agradecer a Deus. Dr. Odorico prossegue (novo e desnecessário pigarro):

— Aliás, um assunto extremamente desagradável.

E ela, confusa e dilacerada:

— Como assim?

O juiz faz uma pausa. Pergunta a si mesmo: "Devo levantar-me?" — e decide: — "Vou levantar-me. É bom. Devo falar de pé. Impressiona mais". Efetivamente, ergue-se e começa a andar de um lado para outro, em silêncio. Ela o acompanha com o olhar e há em si a dúvida: "Mas se não é emprego...". Seu rosto toma essa expressão de avidez que um suspense bem jogado produz sempre. Ele falara em assunto "desagradável".

Súbito, dr. Odorico estaca. Faz a pergunta, inesperada e incisiva:

— Engraçadinha! Onde está sua filha, Engraçadinha?

Toma um choque:

— Qual delas?

E ele, alteando a voz:

— A menor! Falo da caçula! Silene, a menor! Podia me dizer onde está Silene?

Responde, meio aterrada:

— Colégio!

Falando e agindo com meticulosa premeditação, estudando as mínimas pausas, dr. Odorico parece exultar. Esfrega as mãos numa satisfação a um tempo profunda e cruel:

— Não! Engraçadinha! Não está no colégio! Sua filha...

Faz uma pausa. Senta-se. E, súbito, toma entre as suas as mãos de Engraçadinha. Esse gesto inesperado a confundiu e assombrou. Todavia, o juiz apressou-se em explicar:

— Não interprete mal o que é apenas afeto e, realmente, solidariedade. Digo "solidariedade" porque a notícia que me trouxe é de molde...

Faz, a medo, a pergunta:

— Desastre?

Pensava num atropelamento. Já via a menina ensanguentada e quem sabe se... Apertando as mãos de Engraçadinha (ó, que mulher gostosa!), dr. Odorico respira forte:

— Desastre? Não, não. Ou por outra: não deixa de ser desastre. Sob certo aspecto, é, sim, um desastre.

Quis desprender-se. Ele, porém, não a largava. O simples fato de lhe segurar as mãos era, para o dr. Odorico, um prazer quase mortal (já começava a transpirar). Engraçadinha sente que a voz lhe foge:

— Mas, diga, o que aconteceu à minha filha...

Dá a notícia, à queima-roupa, sem desfitá-la:

— Vi sua filha, com um rapaz, saindo do filme *Les Amants*! Em seguida, os dois tomaram um táxi!

— Minha filha?

Repetiu, violento:

— Sua filha!

Abandona as mãos de Engraçadinha (era preciso não exagerar). Levanta-se, outra vez. E diz para si mesmo, com uma sensação de triunfo: — "A reação que senti, ao segurar as mãos de Engraçadinha, prova, à saciedade, que eu não sou tão velho assim". Fez questão de usar gíria mentalmente: — "Ainda dou no couro!". Outra expressão que usava largamente era "à saciedade". Engraçadinha ergue-se também: — "Seria Durval?". Perguntou para si mesma gelada de angústia. Imaginou Durval e Silene assistindo, lado a lado, talvez de mãos dadas, um filme imoral, onde apareciam seios!

Crispa-se:

— E o rapaz?

Outro pigarro:

— Não conheço. Nunca vi, mas acho que... É uma impressão, não garanto nada. Mas pareceu-me isso que chamam *juventude transviada*.

Novo silêncio. Andando de um lado para outro, dr. Odorico exulta: — "Foi uma sorte danada eu ter encontrado os dois...". Parecia-lhe que o episódio do cinema o instalara, definitivamente, naquela família. Arranjara, enfim, um pretexto para tomar de assalto a intimidade de Engraçadinha. "Ou papo agora ou nunca mais". Na sua euforia, estava disposto a dar-lhe a geladeira — uma Sheer Look, de sete pés. Simultaneamente, ocorreu-lhe uma outra ideia: — um telefone! Conclui: — "Um telefone, aqui, é genial. Não precisa nem prioridade!". Tinha amigos, relações na Telefônica. Por um momento inclinou-se a acreditar que o Judiciário servia para isso mesmo, ou seja, para arranjar telefones, de favor.

Dr. Odorico estaca diante de Engraçadinha. Desesperada, tem a exclamação:

— Então fez gazeta?

Ele foi implacável. Disse tudo:

— A gazeta ainda não é nada — e repetia: — A gazeta é um detalhe! O pior você não sabe! O pior...

Preparava-se para desfechar-lhe o golpe de misericórdia. Engraçadinha interrompe:

— Um momento!

— Como?

Ela baixa a cabeça, fecha os olhos. Começa a falar:

— Pai Santo e glorioso Deus...

Surpreso e desconcertado, dr. Odorico faz a pergunta interior: — "Oração?". Parecia-lhe insólito que alguém incluísse, numa conversa normal e prática, uma prece inteira. Ele não era nada, ou por outra: — dizia-se livre-pensador. Todavia, foi corretíssimo e fez questão de exagerar a sua solidariedade. Baixa também a cabeça, entrelaça as mãos e parece dar a sua mais íntima e comovida adesão.

Engraçadinha prossegue: — "...pedimos-Lhe que Tu nos conceda o pão do espírito e abençoe a cada um de nós em particular. Te pedimos estas coisas não porque as mereçamos, mas pelos méritos Daquele que morreu na Cruz para nos salvar...".

Suspira, erguendo o rosto duro:

— Amém.

Dr. Odorico apressou-se:

— Amém.

Dir-se-ia que este simples "amém" os unia ainda mais. — "Dou a geladeira! Uma Sheer Look, de sete pés, que é mais em conta!" Faria uma surpresa total. Parecia-lhe que uma geladeira, de supetão, pode derrubar as mais inexpugnáveis resistências femininas. Inclinou-se, reverente, diante daquela mãe tão bonita. Ao mesmo tempo pensava: — "Está na idade em que uma mulher sobe pelas paredes. Não com o marido, claro. Com o marido, ninguém sobe pelas paredes".

Então, já mais serena, hirta de fé, Engraçadinha o encara:

— Pode falar. E dizer o pior.

Achou-a uma beleza naquela serenidade fremente. Dr. Odorico exaltou-se:

— O pior, minha senhora... — corrige: — Desculpe: — o pior, Engraçadinha, é que os dois tomaram um táxi. Ainda corri. Corri porque eu senti aquilo como se fosse com uma filha minha. Tomei um táxi também.

Balbuciou: — "Táxi?". Sempre ouvira dizer que, num táxi, os casais perdidos costumam praticar as piores abominações, nas costas do chofer. Repetiu, atônita: — "Táxi?". Dr. Odorico pensa: — "Agora, eu a seguro pelos braços". Agarrou-a:

— O diabo é que um sinal estragou tudo! Perdi o carro de vista — toma respiração e completa: — Os dois seguiram a direção da avenida Niemeyer, Engraçadinha, da avenida Niemeyer, compreendeu?

Ela começa a chorar. O juiz a sacode:

— Mas escuta! Engraçadinha, escuta! Olha!

— Ó, meu Deus!

Dr. Odorico exulta: — "Minha reação, outra vez, batata!". Houve um instante, em que, cego por um desejo brutal — um desejo de vinte anos, ia dar-lhe um beijo, derrubá-la e... Conteve-se, porém. Baixo e violento, brada:

— Vamos salvar sua filha! Escuta, Engraçadinha! Eu salvo sua filha! Salvo! Palavra de honra, eu salvo!

Leleco tapa-lhe a boca:

— Mais baixo! Podem ouvir!

Silene foge com o rosto e morde-lhe a mão. O rapaz levanta-se e vai ligar o alto-falante. Aumenta o som. Toca um bolero. Volta:

— Agora pode gritar!

Silene passa a mão no seu rosto:

— Suado!

E ele:

— Você também!

Essa mistura de suor deu-lhes uma brusca alegria. Rosto com rosto, ele pergunta:

— Gostou?

— E você?

— Estou maluco!

Silene está admirada:

— Quase não sangrou!

Já não ouvem mais a discussão lá fora. O som forte do bolero abafa tudo. Silene vira-se e agarra-o pelo cabelo:

— Responde: — sou gostosa?

Ele sente no corpo o próprio suor e o da menina. Baixa a voz (com uma nostalgia aguda de tudo e dela mesma):

— Vamos morrer?

— E o veneno?

Leleco levanta-se. Apanha na calça o canivete e o abre. Com o olhar ainda velado de prazer, a menina pensa: — "Morrer nua ou vestida?". E faz a si mesma outra pergunta: — "Se eu não morresse — teria filho? Ficaria grávida?". Do lado de fora, Vidal está, ainda, sob a obsessão do dólar:

— Com o feijão a noventa cruzeiros e o dólar subindo. Olha! Quando o dólar chegar a quatrocentos cruzeiros, hei de ver o Schmidt, o Frederico Schmidt. Como é mesmo, o... Ah, o Augusto Frederico Schmidt. Pois é: — hei de ver o Schmidt comendo rapadura como um flagelado. Sentado no meio-fio e comendo rapadura, como um retirante de Portinari. O Schmidt, o Elmano Cardim, o Edmundo da Luz Pinto roendo rapadura como uns paus de arara![32]

CAPÍTULO 53

O DR. ODORICO PERCEBEU que, em coisa de minutos, tornara-se íntimo de Engraçadinha. Segurava as suas mãos e ocorreu-lhe mesmo fazer o seguinte: — dar-lhe um tapinha no rosto. Engraçadinha chorava ainda. Ao mesmo tempo que falava, o juiz fazia a si mesmo a pergunta: — "Dou-lhe ou não o tapinha?". Um gesto dessa natureza seria de uma inefável intimidade.

Diz, baixo:

— Olha pra mim, olha.

E ela:

— Estou olhando.

Com a garganta contraída, pergunta:

— Acredita em mim?

— Por quê?

— Acredita?

Baixa a vista:

— Sim.

Dr. Odorico respira fundo, ao mesmo tempo que puxa o lenço do bolsinho de cima (fino e perfumado):

— Tome. Enxugue essas lágrimas. Enxugue.

Ao vê-la assoar-se no lenço emprestado, experimentou um prazer agudíssimo. Inflamou-se:

— Eu tenho defeito, Engraçadinha. Sou sincero, muito sincero. — Pausa e acrescenta, pigarreando: —Não sou homem de ter uma opinião no bolso e outra na lapela.

Essa frase, que lhe parecia um primor, ele a ouvira do jornalista Otto Lara Resende. Ainda agora, ao mesmo tempo que usava o dito do amigo, pensava, numa admiração tocante: — "O Otto tem um bom português! Um português de primeiríssima!". E acrescenta para si mesmo: "Vai longe, esse rapaz! Vai longe!".

Ela devolvia-lhe o lenço:

— Agradecida.

Dr. Odorico acaba de decidir: — "Esse lenço não vai pra lavadeira, nem a tiro!". Estava sentado, ergueu-se: — "Boa piada essa do bolso e da lapela, digna de La Fontaine" (por que "La Fontaine", nem ele próprio saberia dizê-lo). Continuou:

— Olha, Engraçadinha, escuta aqui: — se eu digo que salvo sua filha, acredite que... Olha pra mim, olha, e não chora! Não chora, Engraçadinha!

Deu-lhe, finalmente, o tapinha no rosto. Exulta: — "Aceitou bem!". Mais animado, otimista, já achava que podia chegar ao beijo. Um beijo na face (por enquanto). Mas controlou-se: — "Ainda não. Antes da geladeira, não". Faz votos, intimamente, para que não apareça a "besta" do marido (textual).

Passando as costas da mão nos olhos, Engraçadinha soluça:

— Minha filha que, afinal de contas, nem quinze anos tem!

Dr. Odorico alteia a voz (— "Tomara que não me chegue a besta do marido, nem o filho!"):

— Engraçadinha, você deixa sua filha por minha conta? Deixa?

Faz espanto:

— Como?

Esfrega as mãos:

— Escuta, eu sou juiz, Engraçadinha. Entende? E, nessa terra, o Judiciário, compreende? Digo-lhe isso sem nenhuma vaidade, porque sou avesso a essas coisas, nem é do meu feitio. Mas como juiz eu posso até requisitar força policial.

Toma um susto:

— Pra quê?

Corrige:

— Falo em tese! Compreendeu? Em tese. E se você tem confiança em mim, sua filha está salva! Eu, como homem, Engraçadinha, e como magistrado, eu lhe dou minha palavra. Depende de você. Responda: você confia a mim a sua filha? Você me dá carta branca? Note bem: carta branca?

Olha, com uma espécie de pavor, o dr. Odorico. Para intimidá-la ainda mais, e varrer-lhe os últimos escrúpulos, o juiz repete a frase do Otto Lara:

— Não sou homem de ter uma opinião no bolso e outra na lapela! Você dá carta branca?

Disse, contraída:

— Dou.

Por um momento, numa tumultuosa alegria, dr. Odorico não fala. Pensa: — "Ah, se o Otto Lara soubesse que uma frase dele ajudou-me a pôr abaixo os escrúpulos de uma protestante!". Está convencido, mais do que nunca, que a geladeira será a última etapa.

Começa a falar (sem dar a perceber a própria excitação):

— Ninguém pode saber do que houve, ninguém!

— Nem o pai?

Protestou vivamente: — "Muito menos o pai!". E insiste:

— Promete que não dirá a ninguém? Dá a sua palavra? Promete?

— E o meu marido?

Teve de explicar: — "Ou você não percebe que outras pessoas viriam tumultuar o caso?". Engraçadinha cede, afinal:

— Prometo.

Ergue-se o juiz. Anda de um lado para outro. Subitamente estaca:

— A primeira providência é um exame ginecológico, o quanto antes!

Toma um susto: — "Por que esse exame?". Foi taxativo:

— Claro! A menina assiste a *Les Amants*, com um rapaz, provavelmente da *juventude transviada*. Muito bem: — sai do cinema com esse rapaz. Toma um táxi. Vá vendo, Engraçadinha, vá vendo! Mora em Vaz Lobo e segue a direção do Joá. Há uma presunção. Não há uma presunção? Convenhamos: — há uma presunção.

Diz, perdida:

— Ó, meu Deus!

Ele, porém, sentando-se, toma entre as suas as mãos de Engraçadinha:

— Mas, olha! — e baixa a voz, de olho rútilo: — Instruirei os órgãos competentes para que tudo se faça em "segredo de justiça". Sua filha será examinada não por um qualquer, mas pelo ginecologista do Estado, entende? Do Estado!

Chora de novo:

— Não sei como lhe agradecer...

Dr. Odorico interrompe:

— Tive outra ideia! Eu assistirei. Na minha qualidade de juiz, assistirei. Estarei lá, controlando o médico e o coagindo! Um ginecologista precisa sofrer, nessa hora, uma coação, uma certa coação.

Engraçadinha ergue-se. Vira-se, numa brusca cólera:

— Eu prefiro a minha filha morta.

Dr. Odorico atalha:

— Não diga isso! Pelo amor de Deus! O papel da mãe é proteger e perdoar! Reze, Engraçadinha, reze por sua filha! Reze!

Foi nesse momento que lhe ocorreu uma outra ideia. Ergue a voz nítida e vibrante:

— Rezemos. Engraçadinha! Rezemos! Eu acompanharei você!

Pela primeira vez, dr. Odorico admitiu a hipótese da própria conversão. Pensa: — "Se eu me converter, talvez não precise nem comprar a geladeira. Mesmo uma Sheer Look é puxado!". Os dois estão de pé. Engraçadinha começa:

— Pai Santo e Glorioso Deus...

Repete, baixo e cavo:

— Pai Santo e Glorioso Deus...

— ...pedimos-lhe também que Tu nos conceda o pão do espírito...

— ...o pão do espírito.

Senta-se na cama (levanta a cabeça num movimento ousado e lindo):

— Não quero morrer.

— Não?

E ela:

— Nunca mais.

Ri:

— Nem eu!

Puxa a cabeça do rapaz:

— Que tal a minha classe?

— Fabulosa!

Súbito, lembra-se do relógio de pulso: — "Deixa eu ver a hora! Ih, tarde pra chuchu!". Pensa ainda: — "Quase não saiu sangue!". Leleco arrasta a pequena:

— Vamos tomar banho.

A menina corre. Leleco diminui o bolero do alto-falante. No banheiro, ele pergunta:

— Quente ou frio?

— Frio mesmo.

Silene recebe o jorro quase gelado no peito, no pescoço. Vira-se para molhar as costas. Pergunta, ensaboando-se:

— Será que a gente arranja táxi?

Toma um susto: — "É mesmo! Mandamos o táxi embora!". Agora que o bolero toca em surdina, ouvem melhor a discussão, lá fora. Alguém está dizendo:

— Escuta, Tinhorão![33] O Juscelino está seco para morrer antes de terminar o mandato!

— O Juscelino?

E o outro, numa convicção feroz:

— Olha! Não há presidente que não sonhe com os funerais de Chefe de Estado! Te digo: — o defunto presidencial é de um exibicionismo ululante!

Leleco apanha a toalha:

— Deixa que eu te enxugo! Pode deixar: — eu te enxugo!

Milhões de gotas na sua nudez. E ele tem a exclamação interior: — "Eu nem me lembrava do filme!". Silene suspira:

— Estou admirada. Saiu tão pouquinho de sangue!

— Agora, vira! Vira!

CAPÍTULO 54

Repetia, andando de um lado para outro, a frase perfeita, irretocável do Otto Lara:

— Não tenho uma opinião no bolso e outra na lapela!

Estava agitado e não era para menos. Conquistara, de golpe, a intimidade de Engraçadinha. Decide: — "Em vez da geladeira, a conversão!". As vantagens da conversão eram tão óbvias que não hesitou mais. Vira-se:

— Engraçadinha, hoje é dia das surpresas!

Suspira:

— Que seria de mim sem o senhor!

Tem um repelão:

— Por que "senhor"? Ah, tenha santa paciência, mas não aceito! Desculpe, mas...

Ela corrige, entre risonha e acanhada:

— Você.

E o dr. Odorico, exultante:

— Agora, sim! Entre amigos, já sabe! E eu creio, Engraçadinha, que sou seu amigo. Não sou seu amigo?

Sorri, num enleio:

— Protetor.

Sempre que se emocionava, dr. Odorico tinha a impressão de que a úlcera soltava faíscas. Ao ser chamado de "protetor", sentiu como que um pisca-pisca na lesão duodenal. Insiste consigo mesmo: — "Basta a conversão. Não precisa a geladeira".

Começa:

— A outra surpresa é a seguinte...

Precisava dizer tudo antes que aparecesse, como ele dizia, ou pensava, "um chato". Estava realmente comovido. "Há vinte anos que desejo esta mulher". Continua, com uma súbita e estúpida vontade de chorar (por que estúpida?):

— Que diria a minha amiga se eu — veja bem! —, se eu me convertesse?

Silêncio. Tem sensação de que a úlcera despede estrelinhas. Atônita, balbucia:

— Não entendi.

Dr. Odorico sente que precisa ser mais claro e incisivo para não perder o efeito. Alteia a voz:

— Se eu abraçasse a sua religião?

— A minha?

Não parou mais. O mais espantado com a própria violência e a própria sinceridade era dr. Odorico. Ao mesmo tempo, pensava: — "Eu, ao lado de Engraçadinha, no ginecologista, vendo o exame de Silene!". Prossegue, cada vez mais exaltado:

— Quero ir com você e note: — levado por você, pela sua mão, à igreja que você… O exemplo de sua fé, compreende? A minha vida — ah, você não sabe o que é a minha vida! Infelizmente, eu não sou bem casado…

Arqueja. Diz, de si para si: — "Ah, se o Otto Lara estivesse aqui, vendo, ouvindo! Genial a ideia de conversão, genial!". Conseguira realmente comovê-la. Andando na sala, dr. Odorico já não se controlava. E coisa estranha! O coração estava firme: — a úlcera é que, em palpitações furiosas, parecia cardíaca. Aflitivamente, ele procurou lembrar-se de uma frase qualquer de Otto Lara sobre Religião, Fé, Deus, Infinito. Mas não lhe ocorria nada. Teve que falar por conta própria:

— O Tristão de Ataíde.[34] É um sábio católico. Sujeito de bem, ouviu? De bem! Pois o Tristão disse que se tirassem do homem a Vida Eterna — o homem cairia de quatro, imediatamente!

Parou um momento para tomar fôlego. Continua:

— Entende, Engraçadinha? É a vida eterna que impede o homem de trotar, na avenida Presidente Vargas, montado por um Dragão da Independência! Um Dragão de penacho!

Nova pausa. Transpirando, sentia-se varado de dúvidas. Perguntava, de si para si: — "Foi mesmo o Tristão quem disse isso?". E olhando para o alto, não entendia o São Jorge numa sala de protestante. Quase que lhe escapa a pergunta: — "Que faz o São Jorge aqui?". Sempre ouvira dizer que aquela era uma religião sem santos.

Com um esgar de choro (estava realmente quase rebentando em soluços):

— Você me ensina a rezar? Ensina a ter fé? Ensina a acreditar em Deus?

Não lhe saía da cabeça a cena do ginecologista: — ele, Engraçadinha e Silene no médico. Imaginava a própria atitude, de uma correção implacável, a face hirta, o olhar gelado, o comportamento quase inumano. Dr. Odorico disse, ainda:

— Você aceita esta missão?

A úlcera estava tão ativa que, ao sair dali, teria de tomar Neutralon com beladona. Engraçadinha responde, erguendo a fronte:

— Aceito.

TOMARA BANHO, MAS sem molhar os cabelos, claro. Agora, diante do espelho, puxava o fecho éclair da saia. Leleco empresta-lhe o pente. De lado, beijando-a no pescoço, sopra:

— Você dizendo palavrão é um estourinho!

Silene passa o pente no cabelo de um castanho macio e dourado:

— Chama um táxi!

— É mesmo!

Bate a campainha chamando o garçom. Junto da janela, a discussão está a um milímetro do tapa. O Vidal é um sanguinário jucundo:

— Olha! Quando começar a nossa boliviana…[35]

— O brasileiro não tem vergonha! É um povo sem-vergonha!

O Vidal teima, num ódio alegre, numa fúria sadia:

— Escuta! Escuta! Posso falar? Bem: — quando houver a boliviana, eu seguro o Schmidt! Seguro e…

Protestaram:

— Quando houver a boliviana, o Schmidt está longe!

Vidal solta palavrões, a torto e a direito. Dão-lhe finalmente a palavra. E ele:

— Eu, tomem nota, eu penduro o Schmidt no primeiro poste!

Alguém protesta:

— Mas ó, animal! Ninguém pendura o Schmidt! O Schmidt é que… Schmidt passa qualquer Revolução na cara! Se houver uma boliviana, o primeiro sujeito a saquear o Disco[36] é o Schmidt! O primeiro sujeito a saquear-se a si mesmo é o Schmidt! Vocês viram o Schmidt na televisão? Não viram? O Schmidt falando em "objetividade"?

Um terceiro rosna:

— Objetividade é amarelinha no bolso!

No quarto, o garçom bate na porta. Leleco abre com a pergunta:

— Chegou?

— Não tem.

— Táxi?

— Nenhum no ponto.

Vira-se para Silene:

— Não tem táxi, Silene.

Assusta-se:

— E agora?

Leleco coça a cabeça: — "Pois é". Pergunta ao garçom:

— Mas não há um jeito? Ou há? Há um jeito?

O garçom vacila:

— Só se eu falar com o Tinhorão. Conhece o Tinhorão? Não conhece? O jornalista? Posso falar com o Tinhorão. Vai sair agora e... O único que pode dar uma carona é o Tinhorão. Falo?

— Fala.

Sai o garçom. Silene tem medo: "Espeto! Espeto!". Pensa em Durval: "Vavá me mata!". No parque, estão dizendo:

— Você não sabe a melhor do Edmundo da Luz Pinto.

O GARÇOM LEVA o Tinhorão do grupo:

— Escuta: — tem um casal assim, assim, que está sem condução e...

— Dou carona! Mas vem cá: — e a menina! Sabe o nome? Sim, o nome da cara?

— Silene.

Tinhorão apanha o caderninho, que era sua lista sexual-telefônica. Acrescentou mais um na relação de 237 nomes femininos: — Silene. Pergunta: — "Branca?". O garçom confirma e ele põe, ao lado de "Silene", entre parênteses, a indicação: — "branca". Embolsa o caderninho, com o olho rútilo.

O Vidal conta:

— Ouve essa do Edmundo da Luz Pinto, que é boa! Essa é boazinha! Um dia, estão o Edmundo e o Schmidt numa esquina e vem um enterro de luxo. Coroas pra burro, coche de penacho, o diabo a quatro. Então, o Edmundo cutuca o Schmidt: — "Estás com inveja do defunto, hein?". O Schmidt ficou besta com a piada. Contou pra todo o mundo. Admiração nacional!

— E daí?

Vidal conclui, exultante:

— A piada não era do Edmundo, era do Eça! Do Eça de Queirós! Carta do Fradique ao Bento! Como o Schmidt não leu o Fradique, ninguém sabe que o Edmundo da Luz Pinto mama espírito no Eça! O brilho não é dele, é do Eça!

QUANDO LELECO E Silene apareceram (ele mais encabulado do que ela), o Tinhorão fez o convite:

— Pode vir na frente.

Silene sorri:

— Dá?

— E sobra!

Leleco deixa Silene passar, e entra, em seguida. "Que lata velha horrorosa!" foi o comentário interior da menina. Pergunta a si mesma: — "Será que vou apanhar barriga?". E que não entendia que tivesse sangrado tão pouco. Outras têm hemorragia. Leleco quer explicar que não havia táxi no ponto. Tinhorão, que era homem das intimidades súbitas, vira-se para Silene:

— Quer que eu te arranje uma capa no *Cruzeiro*? Eu te arranjo. Quer? No *Cruzeiro*?

CAPÍTULO 55

Silene não entende:

— Capa da onde?

— *Cruzeiro*.

E ela:

— *Cruzeiro*?

— Ou *Manchete*.

A menina riu:

— Quem sou eu?

Mas o Tinhorão, puxando a lata velha, insiste (tem no olhar e no sorriso uma doçura cândida e pungente):

— Te arranjo, sim, batata!

— No *Cruzeiro*?

Leleco mete-se na conversa:

— Prefiro a *Manchete*.

Já a menina, umedecendo os lábios, quer saber:

— Mas escuta! Pra sair na capa do *Cruzeiro* não tem que pagar?

Tinhorão larga um bonito riso de criança (conservava uns restos de infância, apesar da idade e da experiência amorosa, farta e atribulada):

— Depende. Mas é que eu me dou lá. Conhece o Accioly?

— Como é o nome todo?

O automóvel fazia, na estrada, realmente um alarido de lata velha. Vinha do mar o silêncio das ilhas. Tinhorão exulta (uma presença de mulher, sem distinção de cor ou de idade, dava-lhe uma sensação de plenitude total). Silene pergunta:

— Accioly não é um que...

Tinhorão interrompe:

— O Accioly é diretor do *Cruzeiro*. E olha: — mando no Accioly! É meu! — e repetiu, numa euforia de propriedade: — Meu![37]

Novamente, Leleco atalha:

— O Accioly não mora ali — acho que em Professor Gabizo? Não mora?

Tinhorão não respondeu, nem ouviu. Ao lado de uma mulher tinha a capacidade de se meter numa dessas solidões maciças e inexpugnáveis. Naquele momento, só ele e Silene existiam como se fossem o único casal da Terra. Explica:

— Também conheço o Justino, o Justino da *Manchete*.[38] Falo com o Justino, ou com o Accioly. Um dos dois. Com o Accioly é melhor.

Silene sonha:

— Com o Accioly.

E ele:

— Lá precisam de capas bonitas. Eu te levo... Quer que eu te leve? Eu te levo.

A pequena bate na mesma tecla: — "Não se paga nada, nada?". O rapaz continua:

— ...te levo, tiram-se umas oito, dez fotografias, pra se escolher. Em cores.

— Cores?

— Pois é. Você é bonita...

— Sou, é?

Tinhorão baixa a voz:

— Você xinga! — e alteia a voz: — Olha: — Sai uma capa bacanérrima.

Meses atrás, Tinhorão lera uma história não sei de quem. O personagem conquistava todo o mundo prometendo uma capa ou do *Cruzeiro* ou da *Manchete*. Tinhorão passou a fazer o mesmo na vida real. Verificou, desde a primeira tentativa, o seguinte: — o expediente da ficção era irresistível e fatal. E a capa utópica, inverossímil, inexequível ia varando as virtudes mais compactas. Afirmava, com a sua candura terrível: — "Está pra nascer a mulher que resista a uma capa do *Cruzeiro* ou da *Manchete*".

Saindo da avenida Niemeyer, ele faz a pergunta:

— Combinado?

Silene molha os lábios com a língua:

— Batata!

E Tinhorão:

— Qual é teu telefone?

— Não tenho!

— Mas o vizinho tem! Dá o do vizinho.

Decide:

— Escuta, vamos fazer o seguinte. É melhor, ouviu? Telefono pra você. Está bem assim? Telefono e pronto.

Tinhorão vacila, ri.

— O diabo é que... Não é por nada, não. Mas sabe como é jornal. Todo telefonema de mulher, o sujeito canta.

Silene solta um riso áspero e falso:

— Eu não ligo. Pode deixar. Diz o número.

Tinhorão respira fundo: — "Está no papo". Dita o telefone do jornal. Silene já tirara o lápis e o papelzinho da pasta. Escreve o número. O rapaz avisa:

— Manda chamar o Tinhorão.

Ergue o rosto:

— Apelido?

— Nome.

E ela, guardando o lápis:

— Gozado.

Silene só não entendia aquele carro que, no momento, atravessava a avenida Atlântica, aos trancos e barrancos. Se ele conhecia o Accyoli, o Justino; se escolhia capas do *Cruzeiro* e da *Manchete*, como é que... Tinhorão estava dizendo:

— Lá eu sou *copy desk*.

— Não ouvi. Como é?

Repete, numa felicidade contínua, ininterrupta, que o afogava:

— *Copy desk*. É o sujeito que corrige o que os outros escrevem.

— Quer dizer que você sabe português pra chuchu?

— Às vezes.

Ela pensa: — "Esse carro é que não me entra". E, no entanto, o Tinhorão era assim. Sua preferência pelos carros velhos, anteriores aos Fords de bigode, era algo de atroz como certas fixações sexuais. Os amigos falavam em tara. Tinhorão não se dava por achado. Estava mesmo disposto a admitir a tara como tal. Tinha dois ou três dentes destacados como um coelhinho de desenho animado. E ria, com imenso sarcasmo, com triunfal desprezo, dos carros novos, último tipo.

Ah, ele conhecia garagens semienterradas. Ia lá e, com um faro genial, descobria e exumava autênticas preciosidades retrospectivas. Com fanática paciência e meticuloso amor, reconstituía os carros em decomposição; dava-lhes vida. Pagava ao dono do ferro-velho e, contraído de volúpia — invadia o tráfego com imenso escarcéu. Todo mundo pasmava para essa carroça e esse motor arrancados de uma lúgubre pré-história automobilística. Perguntavam:

— Que marca é essa?

Dizia um nome qualquer. Era uma dessas marcas retardatárias e sepultas.

Na Cinelândia, Silene avisa:

— Olha! Nós saltamos aqui!

Trava, encosta no meio-fio. Ainda pergunta:

— Você mora onde?

— Vaz Lobo.

A distância não lhe metia medo. E, de resto, dar carona era, nele, uma espécie de vocação, destino, sei lá. Enchia de amigos, conhecidos e até desconhecidos os seus carros ignominiosos. Oferece:

— Eu te levo lá!

Mostrava à menina os seus dois ou três dentes saltados, num riso bom de coelho. Mas o passageiro de tal veículo era um humilhado, um ofendido. Silene queria ver-se livre, o quanto antes. Agradeceu. Salta com Leleco. Tinhorão lembra:

— Não deixa de telefonar.

Dá um adeuzinho:

— Telefono, sim.

Leleco ainda enfia a cabeça:

— Obrigado, meu chapa.

Quando Silene aparece e vê, lá, o dr. Odorico, toma um susto. Engraçadinha ergue-se:

— São horas?

Silene aperta a mão do juiz. Ao mesmo tempo, está pensando: — "Quase não sangrou!". Põe a pasta em cima do aparador; vira-se para Engraçadinha:

— Essa condução, mamãe, caso sério!

Pouco antes, dr. Odorico e Engraçadinha haviam combinado tudo. Ele estava cada vez mais convencido de que, até então, só vegetara: — "Agora sim é que eu começo a viver". Na sua euforia de convertido estendera as duas mãos para Engraçadinha, como se esta pudesse dar-lhe, materialmente, num embrulho, a Vida Eterna. Quanto a Silene, Engraçadinha queria falar-lhe, encostá-la na parede. Dr. Odorico opôs-se:

— Não adianta. Pode crer: — não adianta. Eu entendo disso. É quase meu *métier*. Escuta, Engraçadinha: — a primeira tendência de uma menina, nessas condições, qual é? Negar. Ela só confessa na hipótese ou de uma gravidez ou de um aborto malsucedido. Afinal, certas hemorragias não se escondem.

Eis o que ele propunha: — "Primeiro, leva-se a menina a um ginecologista particular. De confiança, ou por outra: — de relativa confiança. Claro que um ginecologista é, afinal, um homem como outro qualquer... Por isso mesmo, estarei lá, firme!".

Com um enleio quase imperceptível, Engraçadinha arrisca: — "Mas você vai entrar?". Numa ênfase larga, que a envolveu e desconcertou, foi taxativo:

— Pois claro! É como se fosse filha minha, entende? De mais a mais, a acompanhante feminina é antipsicológico. Outra mulher aumenta — é uma hipótese —, mas pode aumentar a excitação! Ao passo que um homem — e eu serei uma espécie de pai de Silene —, o homem impõe!

Ele pensava: — "Ah, que coisa linda falar de exame ginecológico com Engraçadinha! Isso é terrível". Foi nesse momento que Silene entrou. Dr. Odorico levanta-se e apanha o chapéu:

— Já vou.

De passagem, dá um tapinha na face de Silene: — "Adeus, menina!". No portão, despede-se de Engraçadinha.

— Lembranças — e baixa a voz: — Combino tudo com o ginecologista e, ao meio-dia, espero seu telefonema.

Parte. Leva a decisão tomada: — "Apesar da conversão, dou a geladeira". Engraçadinha volta. Passa pela filha, sem uma palavra. Entra no quarto, fecha a porta à chave. Agora, apanha no gavetão a calcinha de náilon, que arrancara da menina. Por um momento, ficou em pé, no meio do quarto, imóvel. Tem uma brusca tentação. Rapidamente — e com uma sensação de crime — troca as duas pecinhas. Põe a da filha. Lentamente, aproxima-se do espelho. Levanta a saia e, pela primeira vez, vê o efeito do náilon na sua carne. Diz, trincando os dentes, para a própria imagem:

— A mulher que usa isso é uma prostituta!

CAPÍTULO 56

No lotação, fez a viagem pensando, ora em Engraçadinha, ora no corregedor. Pode parecer estranho, mas havia, entre dois seres tão dessemelhantes, uma relação nítida e taxativa. Como todo o homem que se joga todo num amor — o dr. Odorico passou a levar mais em conta certos valores da vida, tais como o Poder, a Glória, o Dinheiro. Gostaria de depositar aos pés da bem-amada esses bens consideráveis do mundo. E, justamente, o corregedor ("a besta do corregedor", como ele dizia) era um pesado entrave na sua carreira. Na altura de Ramos, e recebendo aquele cheiro de mar podre — esbravejou: — "Eu já podia ser desembargador!". Imaginava que, como desembargador, teria maior autoridade para derrubar os escrúpulos de Engraçadinha. Parecia-lhe fora de dúvida que, entre um juiz e um desembargador, qualquer mulher preferiria este último. — "A mulher é mercenária". Sem sentir e sem saber, está sempre se vendendo por alguma coisa: — ou posição, ou glória, ou dinheiro.

Quando o lotação entrou em Presidente Vargas, rumo à Candelária — o ódio contra o corregedor atingia o máximo da violência e da malignidade. Pensou: — "Desde que esse cara começou de marcação comigo, eu nunca mais dei uma dentro". E decide: — "Eu tenho que ser desembargador de qualquer maneira". Foi ao descer na Candelária que teve, subitamente, a ideia:

— E se eu telefonar para o Wilson Figueiredo?

Geralmente, ele gostava de parecer desprendido de certas vaidades. Fazia mesmo alarde de sua modéstia e repetia muito, como aquele personagem de Dickens: — "Eu sou humilde, muito humilde!". Todavia, a frustração doeu-lhe tanto que resolveu, impulsivamente: — "Vou telefonar para o Wilson e o resto que se dane!". O Wilson, chefe de redação do *Jornal do Brasil*, era (como o Otto Lara, o Hélio Pellegrino[39] e poucos mais), um dos valores saídos das Novas Gerações. Em plena Candelária, dr. Odorico faz a pergunta a si mesmo: — "Onde acharei um telefone?". O juiz gostava do Wilson. Este era um dos três ou quatro brasileiros (inclusive o Sette Câmara)[40] que ainda se ruborizavam neste país. E o dr. Odorico acreditava, piamente, que o simples rubor da face é uma indicação de sentimentos elevados. Caminhando pela avenida, atrás de um telefone, diz para si mesmo: — "Não creio que o Gustavo Corção se ruborize, nunca.[41] O Gustavo Corção é um pálido!". Dr. Odorico tinha-lhe, não propriamente ódio, mas uma forte antipatia. Achava que Corção não escrevia uma vírgula sem uma vaidade de prima-dona decotada.

Finalmente, achou o telefone. Pedindo ao homem da caixa uma prata de dois cruzeiros, ou duas de um (estava numa casa de petisqueiras portuguesas), dr. Odorico ainda lutava com os próprios escrúpulos: — "É uma fraqueza. E que ideia fará de mim o Wilson Figueiredo?". Dr. Odorico pensa em dar ao telefonema um tom ameno e divertido. Faz a ligação. "Bom menino, o Wilson!" E aquela capacidade de ruborizar-se revelava a sensibilidade moral das Novas Gerações.

Atendem do outro lado. Ele pigarreia:

— Senhorita, podia me chamar o Wilson Figueiredo?

E a telefonista, uma simpatia de voz:

— Seu Wilson? Ah, Seu Wilson está no outro telefone. Quer esperar?

Disse:

— Espero, sim, milha filha, espero!

Enquanto espera, sorri, sem ter de quê, para o homem da caixa; e repete, para si: — "É um pálido, o Corção!". Sim, ele fazia duas objeções ao Gustavo: — era um pálido e um magro. Do outro lado da linha, a telefonista perguntava:

— Já falou?

— Não, meu bem. Ainda não.

E a menina (com uma vozinha muito doce):

— Um momentinho, que o Seu Wilson vai falar.

— Obrigado.

Quando o Wilson apareceu na linha, dr. Odorico estava tão comovido que fez a reflexão: — "O ruborizado agora sou eu". De fato, sentia as faces em fogo. Todavia, procura parecer de uma alegre naturalidade:

— Wilson? Como vai, ilustre?

— Quem é?

Pilheriou:

— Aqui fala o mais obscuro, o mais humilde juiz das nossas varas!

Com a exuberância da sua juventude "informal" (muito usada atualmente a expressão "informal"), Wilson o saudava:

— Obscuro coisa nenhuma! Nem humilde!

Dr. Odorico insiste no tom leve e irônico, que lhe pareceu menos comprometedor:

— Ah, eu sou o juiz que nunca será desembargador! Não me querem lá, Wilson! Acham que eu tenho ideias muito avançadas!

Essa falsa lamentação que era lamentação mesmo — conduziu-o ao corregedor. E pensava: — "Se eu já fosse desembargador impressionaria mais Engraçadinha!". No telefone, falando com o Wilson, dr. Odorico pintou o inimigo com cores que ele próprio achou "cruéis". "Meu caro Wilson, o corregedor entra nos lugares dando patadas." E acrescentou:

— É um centauro!

— Centauro?

E o dr. Odorico:

— O corregedor é um centauro — um centauro que fosse a metade cavalo e a outra metade também!

Do outro lado da linha, o Wilson Figueiredo enchia a redação com o seu riso incontrolável, selvagem: — "Genial! Genial!". Então, mais animado, dr.

Odorico admite, para si mesmo, que fora feliz: "É uma piada de fazer inveja ao próprio Otto". O juiz trata de tirar partido do êxito:

— Escuta, aqui, Wilson: — eu precisava de um favorzinho teu.

— Vossa Excelência manda!

Tosse ligeiramente:

— Você conhece o Hermano Alves?[42] O que faz "Rondó"? Conhece, claro.

— Trabalha aqui comigo! Ao meu lado!

Baixa a voz:

— Que tal se você falasse com o Hermano pra botar um veneno? Um veneno na seção dele. Olha aqui: — dizendo, por exemplo, que o corregedor anda de marcação com o juiz tal. Você fala?

— Com o Hermano? Falo!

Dr. Odorico inflamou-se:

— Você sabe que sou um homem sem vaidades. Mas tudo tem um limite. Pois é: — e o homem vive me torpedeando e, afinal de contas, você não acha, Wilson? Seja sincero. Não acha?

Ao sair do telefone, dr. Odorico levava uma violenta sensação de vitória. Fazia bem em acreditar nos homens que ainda se ruborizam numa terra em que... Cumprimenta o sujeito da caixa e deixa aquela simpática (e asseada) casa de petisqueiras portuguesas. Pensa: "Um simples 'bom-dia' põe o Wilson vermelho!". Ao passo que o Corção era definitivamente um pálido, definitivamente um lívido. Estava mesmo disposto a não ler mais o Gustavo. Culpava-o de ter uma aridez de alma que podia também transmitir-se ao leitor. Quanto ao "Rondó" seria oportuno que, em plena paixão, seu nome saísse em jornal. "Uma publicidadezinha não faz mal a ninguém." Finalmente, entrando num táxi, disse, de si para si, num brado interior de guerra: — "Ao ginecologista!". E repetiu, feliz: — "Ao ginecologista!".

Leleco desceu na Praça Saenz Peña. Imaginava: — "A turma deve estar subindo pelas paredes!". Passou na esquina do Carioca e não viu nenhum deles. Foi até o Metro e nada. Queria dar uma explicação. Não lhe saía da cabeça o Bar do Pepino. Ah, o banho com Silene. Via-se a si mesmo passando a toalha naquela nudez molhada; e, sobretudo, não esquecia o momento (antes do chuveiro), em que seu suor pingara entre os seios da pequena. Pensava também: — "Sangrou tão pouco. Quase não sangrou". Ele acaba entrando no Ao Prato do Dia. Encontrou, lá, numa mesa de canto, os três: — Cadelão, Bob e Cabeça de Ovo. Aproxima-se (só o Cadelão metia-lhe medo).

Chega dizendo:

— Imagina vocês que...
Cadelão interrompe:
— Você é um sujo!
E Bob, virando-se:
— Isso é papel?
Puxa uma cadeira, senta-se, desorientado:
— Vocês não sabem o que me aconteceu. Quando eu ia pra lá. Mas escuta! Sob minha palavra de honra, eu...
Cadelão segura-o por um braço:
— Fica sabendo que o sujeito só me faz de palhaço uma vez!
Tem um ríctus de choro: — "Mas eu juro que...". O único que não diz nada é o Cabeça de Ovo. Está entretido em limpar as unhas com um pau de fósforo. Cadelão fala agora macio, sem nenhuma ferocidade:
— Eu devia é te partir a cara. Mas não há de ser nada. Vamos embora.
Os três levantam-se, ao mesmo tempo. Bob bate-lhe nas costas:
— Você também vem.
Começa a sofrer:
— Eu?
Cadelão traz o rapaz pelo braço:
— Temos outra "fria", num apartamento que o Bob arranjou.
Quis desistir: — "Escuta! Mas eu queria dormir cedo...". O outro trinca os dentes:
— Não quero conversa! Vamos embora!
Cabeça de Ovo começa a falar:
— Uma pequena infernalíssima! Você não gosta de mulher? Gosta ou não gosta? Vamos lá, rapaz! Vem, anda! Ou tens medo de mulher?
Apanharam o automóvel mais adiante. No caminho, Cadelão ia contando: — "Te esperamos, feito bestas! Ficamos lá um tempão!". Protestou: — "Mas eu juro!". Quando saltaram, na rua General Glicério, perguntou: — "Quem é a pequena?". Responde o Cadelão, sem olhá-lo: — "Surpresa". O apartamento, num nono andar, era de um vago conhecido do Bob. Sobem os quatro. Finalmente, entram no apartamento. Cadelão vira-se para Bob: — "Põe a vitrola alto". Silêncio enquanto Bob põe o disco.
Cadelão volta-se para Leleco:
— Você não desconfiou de nada?
— De quê?
Recua ligeiramente. A vitrola começa a tocar. Cadelão tem um meio riso pesado (ao mesmo tempo que o seu olhar parece vazar luz):
— Leleco, tua hora chegou! Quem vai entrar em fria é você!

CAPÍTULO 57

Cercado de caras, balbucia (tenta sorrir):

— Que piada é essa?

E o Cadelão:

— Piada, uma ova! Sério, rapaz! Sério e olha…

Leleco olha as três caras; balbucia:

— Não brinca.

Quer recuar. Mas o Cabeça de Ovo está por trás. Cadelão agarra-o:

— Escuta, Leleco: — não tem escapatória, nem adianta resistir.

— Somos três! — cutuca o Bob.

E o Leleco:

— Mas eu explico. Escuta, Cadelão e você, Bob: — a pequena é que, depois do cinema, cismou, não quis vir de jeito nenhum. Compreende? Cismou e eu insisti, mas…

Cadelão tem o olhar espantosamente fixo:

— Já que a pequena não veio, entende? — Faz de conta que você é ela.

Cabeça de Ovo bate-lhe nas costas:

— Ninguém vai saber, rapaz. Fica entre nós.

Com os olhos cheios de lágrimas, vira-se para o Cabeça de Ovo:

— Escuta: — a coisa que eu mais prezo é minha mãe… Juro pela minha mãe, juro! Foi a pequena, eu juro, Cabeça de Ovo… E, de mais a mais, escuta Cadelão, escuta: — essa menina, eu gosto dessa menina. Vamos casar. Vocês compreendem? Vai ser minha noiva e…

Cadelão mete-lhe a mão no peito:

— Noiva? Que noiva? Você nem homem é!

Começa a chorar:

— Sou homem, sim!

E Bob:

— Desde quando?

No seu apelo, segura o braço de Bob:

— Hoje, no Bar do Pepino, finalmente. Juro! Olha: — o médico tinha explicado que era inibição e… Hoje lá, pela primeira vez… Juro! A inibição passou, de repente, foi de repente… Descabacei a pequena!

Ria e chorava. Cadelão trinca os dentes:

— Acabaste?

— Por quê?

Bob o empurra pelas costas:

— Homem não chora!

Passando as costas da mão nos olhos, ele continua, ofegante:

— Vocês não podem fazer isso comigo! Eu sou homem! E vou me casar, Bob. Vou me casar com essa menina.

Cadelão berra:

— Segura, Cabeça de Ovo!

O louro quer agarrá-lo, por trás. Leleco, porém, num repelão inesperado e selvagem, desprende-se. Recua cambaleando. Cabeça de Ovo, que perdera o equilíbrio, cai por cima de uma cadeira. Levanta-se furioso. Atrás de uma mesa, Leleco berra:

— Ninguém me encosta a mão! Quem me encostar a mão, já sabe!

Repete para si mesmo: — "Vou me casar. Hoje, eu fiz tudo! Sou como os outros! Silene, eu te amo...". Bob passa pela vitrola e põe todo o volume.

Cadelão berra:

— Não deixa ele passar, Cabeça de Ovo!

Bob faz a volta pelo outro lado, Leleco sente que já não pode fugir. Grita:

— Cadelão! Escuta, Cadelão! Talvez eu seja pai! Ouviu? Pai! Eu vou ser pai!

Por um momento, os três estacam:

— Pai?

Sempre rindo e chorando, pensa: — "Estão espantados. Bob, que é o melhor deles — o mais liga —, Bob está com pena. Sinto que ele está com pena. Quem não presta mesmo é o Cadelão". Fala para Bob:

— A pequena pode pegar gravidez — ri, arquejante: — Hoje, eu não tive bandeira e... Com certeza, vou ser pai... Era virgem e...

Vão agarrá-lo. No seu desespero, Leleco pula. Lá adiante, o vento abriu uma janela. Passa por cima da mesa e corre. Cadelão uiva:

— Não deixa, Bob!

Bob se atira, mas Leleco, num último esforço, desvencilha-se. Deixa nas mãos do rapaz um pedaço da camisa. Rápido, senta-se no parapeito. Na vitrola, um *long-play* faz vibrar todas as taças da pequena cristaleira.

Os outros param, novamente. Leleco exulta:

— Vou avisando: — se vocês derem mais um passo! — e repete, no seu desespero: — um passo, estão me ouvindo? Eu me atiro lá embaixo!

Pensa: — "Silene, pode deixar, Silene! Eu sou homem! Eles têm que me matar primeiro. Se eu for pai; se, por acaso, Silene ficar grávida. É bem possível que ela apanhe gravidez, é bem possível. Não quero que, mais tarde, meu filho saiba e pense: — 'Ah, meu pai, naquele dia assim, assim, não foi cem por cento homem!' Eu sou cem por cento homem". Respira forte e repete, para si mesmo:

— "Eu sou cem por cento homem. Aquilo que eu tinha era inibição". O Cabeça de Ovo quer se aproximar:

— Escuta, Leleco…

Berra como um louco:

— Se der mais um passo! Eu me atiro lá embaixo!

Cadelão vira-se para os outros:

— Atira nada! Conversa! Quer ver como é conversa?

Leleco parece desafiar o mundo com um riso triunfal:

— Eu sou é homem! Aquilo que eu tive era inibição!

A saliva escorre pelo queixo. Enxuga-se com a manga da camisa; e pensa: — "Silene, eu gosto tanto de você, Silene. Pensei que era só desejo, mas é amor… Se eu sair daqui com vida, nós casamos. Eu arranjo emprego e nós casamos. Silene, nós casamos". Lembrava-se dela no Bar do Pepino, tão nua e molhada, pensava na virgindade que sangrara tão pouquinho. Nos cabelos, depois do banho, apenas gotas desgarradas. Ao mesmo tempo, lembra-se de Tinhorão no automóvel: — "Aquela besta só faltou cantar Silene na minha cara".

Bob puxa Cadelão:

— Vem cá.

E o outro, com o olhar turvo de ódio:

— Que é?

— Chega aqui.

Juntam-se os três numa das extremidades do apartamento. Bob começa:

— Vamos desistir?

Cadelão pula:

— Desistir?

O outro argumenta:

— Desistir, é. Deixa o rapaz. Se ele pula mesmo? Já imaginaste o galho, o bode?

Cabeça de Ovo está mordendo um palito quebrado:

— Também acho.

Cadelão faz uma boca de nojo:

— Mas, ó! Estão com medo do Leleco?

E Bob:

— Não é medo, ninguém aqui tem medo, mas… Vamos que o rapaz se atire… Olha o bolo formado e depois? Polícia não é sopa e olha: — não interessa.

Cabeça de Ovo enfia as duas mãos nos bolsos:

— Essa vitrola nos meus ouvidos, está me enchendo.

Cadelão decide:

— Bom. Vamos fazer o seguinte: — vocês vão e eu fico. Fico, pronto. Fico.

— Olha o que você vai arranjar!

Explode:

— Não chateia, e que mania! Faz a pista e você também. Eu cá me arranjo. Cadê a chave? Ah, não precisa! Pode ir. Vão.

Cadelão leva-os até a porta. Bob ainda quer convencê-lo: — "Larga isso de mão...". O outro era de uma obstinação obtusa e cruel: — "Comigo, sabe como é. Eu tenho um golpe e olha: — espera lá embaixo. Não vou demorar muito. Espera na esquina".

Antes de sair, Bob acena:

— Chau, Leleco.

Atônito, Leleco não responde. Pergunta a si mesmo: — "Os dois saem e me deixam aqui, sozinho, com o Cadelão!". Este já fechou a porta. Aproxima-se, lentamente.

— Leleco, pode vir. Vamos embora, vem. Você se assustou à toa. Fez um bicho de sete cabeças e sem motivo. Mas vem ou tem medo? Medo de quê, seu?

Vacila, ainda. Cadelão ri:

— Parei contigo! Te dou a minha palavra, rapaz! Os outros estão esperando lá embaixo. E me admira que você tenha acreditado, ora!

Decidiu-se, afinal. Sai da janela; não chega, porém, a dar dois passos. Cadelão se atira num salto brutal. Sua experiência de judô, luta livre, briga de rua, foi decisiva. Prende Leleco numa gravata potentíssima. O rapaz sente que as forças lhe faltam e que... Subjugado, teve tempo de tirar seu canivete americano.

Cadelão ri, pesadamente:

— Quietinho! Quietinho! Nunca tive nojo de homem. Só tive nojo, uma vez, de um velho...

Leleco enterra-lhe no ventre, até o cabo, a lâmina viva.

CAPÍTULO 58

Assim era Cadelão, um misto de força maciça e de agilidade, digamos assim, incorpórea. Sabia judô, praticava halterofilismo, nadava e, dois anos atrás, tirara o título de "melhor físico de 1957". Ele próprio dizia (tinha o riso curto, ofegante), dizia: — "Duvido que algum cara saia de uma gravata minha!". Não exagerava, ah, não. Usava camisa de manga curta, numa ostentação de antebraços de pedra ou de ferro.

Deu a gravata brutal. Leleco teve uma sensação de vertigem. Cadelão trinca o riso:

— Sim ou não?

A voz saiu estrangulada:

— Sim.

O outro afrouxou, ligeiramente, a gravata. Leleco tirou o canivete de filme. Costumava brincar com aquilo. Apertava uma mola, e havia, então, o jato da lâmina. Os conhecidos da Praça Saenz Peña riam: — "Você não é de nada!". O próprio Leleco reconhecia, para si mesmo: — "Eu não mato ninguém!". O canivete, ou *pen-knife*, servia-lhe de enfeite ou brinquedo (ao mesmo tempo, uma arma no bolso dava-lhe uma ilusão de segurança e de poder).

Se Cadelão apertasse um pouquinho mais a gravata, Leleco teria perdido os sentidos. Mas era tão mais forte que não se lembrou do canivete. E mal sentiu a penetração macia, quase indolor. Estava ferido de morte e não sabia.

Súbito, sente a vista turva. Larga Leleco, com a exclamação interior: — "Ué!". Olha para baixo e passa a mão no ventre. Leleco dá dois passos atrás. Antes do medo, Cadelão tem o espanto. Arranca da própria carne a lâmina cravada tão fundo. Cambaleando, deixa cair o canivete.

Diz, sem desfitá-lo:

— Você...

Cai de joelhos. Põe a mão sobre a ferida. No seu assombro, vê o sangue escorrer por entre os dedos. Tem o lamento:

— Você me matou, Leleco!

Entre uma faixa e outra, o *long-play* alucinante faz um silêncio. Leleco aproxima-se, lentamente. Assombrava-o que alguém pudesse ter tanto sangue. Começa, chorando:

— Eu não queria e foi você que...

O outro, sempre com a mão no ventre — a mão ensopada de sangue — deita-se, agora no soalho. Leleco curva-se:

— Você queria me forçar no dia em que eu... Hoje, eu fui homem, Cadelão... Ela foi toda minha e talvez esteja grávida... Eu sou homem!

Repetiu, com uma violenta nostalgia da vida (ah, o medo de ser enterrado!):

— Você me matou, Leleco!

E o outro, chorando:

— Vou chamar a assistência!

Agarra-o:

— Não! Pelo amor de Deus! Fica comigo! Não me deixe!

Leleco está de joelhos:

— É um instantinho só!

O outro segura-o com a mão livre:

— Não quero ficar só... Você me matou, Leleco, ó, Leleco, você me matou...

Tem que berrar mais alto que a vitrola:

— Eu chamo a assistência!

Pede, ainda:

— Não. — Assistência, não... Fica aqui...

Sua voz está mais pesada. Fora de si, Leleco atira-se contra a vitrola e corta o som. Estava tão saturado de barulho que o brusco silêncio foi, por um momento, ensurdecedor. Volta para junto do ferido.

Cadelão fala sem ódio, com uma doçura de menino:

— Diz a meu irmão, meu irmão... Diz... Meu irmão... Diz, Leleco...

A voz lhe foge, ele não pode completar uma frase. Leleco está com o ouvido quase encostado na sua boca. Novo esforço:

— Diz ao mano... Ao mano... Que eu mandei pedir perdão.

Leleco agarra-se:

— Escuta! Eu quero me casar... Ouviu, Cadelão? Eu vou ficar noivo e escuta aqui: — está me ouvindo? Você me ouve, Cadelão? Mas olha: — eu não podia, logo hoje, justamente hoje, eu não podia, você está ouvindo?

O ferido ainda respirava. Mas a agonia fechara sobre ele uma solidão tão intensa que nada, que ninguém poderia romper. Leleco agarrou-o pelos cabelos; fala, rosto com rosto:

— Eu não quero que você morra! Você está me ouvindo, Cadelão? Eu não quero que você morra! Eu não posso ser assassino! Eu não sou assassino... Não morre, Cadelão!

Para. Espia a cara do amigo. O moribundo tomava uma expressão de paz, de gelada serenidade. Estupefato, Leleco vê que a cabeça do rapaz tomba, docemente. Levanta-se e recua:

— Morreu — diz, baixo, para si mesmo.

Ainda não sofre, ainda não começou a sofrer. Pensa: — "Eu sou assassino". Experimenta a necessidade de repetir, em voz alta:

— Eu sou assassino. Eu matei. Eu sou assassino.

A própria voz pareceu-lhe de outra pessoa. Continua, de si para si: — "Se eu não matasse...". Recua; encostado à parede, decide: — "Eu não vou olhar mais pra lá, não quero!". Pensa ainda: — "Se eu não matasse, ele...". Tinha nos ouvidos a voz do psiquiatra: — "Essa inibição passa. Passa. Pode crer que passa".

Lembrava-se, ao mesmo tempo, do Bar do Pepino. Silene nua e molhada; ele passando, nas suas costas, a toalha grande e felpuda. E a virgindade tênue, rósea, translúcida. "Logo no dia, em que eu, pela primeira vez...". Diz alto:

— Eu não fui culpado de nada!

Nesse momento, sente que o elevador parara no andar. Pergunta: — "Será que é pra cá?". Alguém introduz a chave na fechadura. Corre para o banheiro. "Vão descobrir! Vão me prender!" Mas coisa curiosa! O medo desaparecera no fundo do seu ser até o último vestígio. Por um momento, sua vontade foi de abrir a porta, ele mesmo, e entregar-se. Imaginou-se erguendo os braços:

— Prendam-me! Eu sou o assassino!

Bob e o Cabeça de Ovo desceram e caminham, lentamente, até a esquina. Bob cospe o fósforo que estava mascando:

— Por essas e outras é que o Cadelão me chateia!

Cabeça de Ovo apanha um cigarro:

— Chato, sim!

E o outro:

— Pois é. Quando ele me chamou, disse que era só pra ver, pra assistir. Eu estou pensando que o Leleco ia topar. Vocês não dizem que o Leleco não é homem, que não sei o quê? Olha aí. Homem pra burro!

Entram no bar da esquina. Ocupam uma mesa dos fundos. Pedem cerveja e Bob explica:

— Com mulher eu topo tudo. Mas o Cadelão tem essa mania…

Chega o garçom com a cerveja e os dois copos. Bob prossegue:

— Não pode ver um menino mais jeitoso. Até aí, vá lá. Mas o Leleco, que diabo! O Leleco, não! Anda com a gente e por quê, pra quê?

Bebem em silêncio a cerveja. Por fim, o Cabeça de Ovo bufa:

— E se, naquela hora, o Leleco se joga lá de cima?

Antes de dormir, Engraçadinha veio falar com Silene, na sala (Zózimo ainda não chegara). A menina estava em cima do caderno, fazendo os deveres do dia seguinte. Engraçadinha avisa:

— Olha: amanhã, já sabe, você não vai à aula.

— Por quê?

E ela:

— Você vai sair comigo.

Deu muxoxo:

— Ó, mamãe! Logo amanhã que…

— Sossega. Preciso de você. Fica quietinha.

Volta para o quarto. Silene fazia questão de ir à aula no dia seguinte para contar tudo à Vanda. Imaginava: — "A Vanda vai cair de cara no chão!". Apanha os cadernos e boceja. Já que não vai à aula, decide: — "Vou dormir. Faço o resto amanhã". Ia mentir para Vanda, inventar uma hemorragia. Nesse momento, aparece Durval e, logo em seguida, Zózimo. O pai foi direto para o quarto.

Durval tira o paletó:

— Procurei o Leleco. Sabe que... Fiquei com pena, coitado! Não gosto de humilhar ninguém e... Mas amanhã falo com ele. Só quero que ele não se meta com você.

Ela sorri, muito doce e muito linda:

— Você acha que eu vou dar confiança a Leleco? Tem dó!

Zózimo entra no quarto. Fecha a porta à chave. Diante da penteadeira, Engraçadinha arruma o cabelo. O marido aproxima-se. Anda arrastando os pés, pesadamente, como um escafandro. Para diante da mulher e inclina-se sobre ela:

— Querida, hoje, vamos fazer amorzinho, vamos?

Engraçadinha ergue-se, insultada:

— Você bebeu! Chega pra lá!

Aquilo doeu-lhe na carne e na alma:

— Você me enxota? Afinal, sou ou não sou seu marido?

Tem um esgar de nojo: — "Álcool puro!". E ele, rouco:

— Bêbado ou não, sou teu marido. E olha: — acabou esse negócio de luz apagada! Quero te ver nua pela primeira vez, nua!

CAPÍTULO 59

ZÓZIMO QUIS SEGURÁ-LA:

— Vem cá!

E ela, recuando ligeiramente:

— Não me toque!

Engraçadinha pensa, desesperada: — "Não tenho direito de odiá-lo. É meu marido. Está bêbado, mas é meu marido". Olha-o com uma curiosidade nova e atônita, como se o visse pela primeira vez. "É meu marido", repete para si mesma.

Zózimo balbucia:

— Sou teu marido!

Silêncio. Ela não se contém:

— Bêbado!

E ele:

— Mas sou teu marido!

Engraçadinha vira o rosto:

— Fala, mas de longe!

Nada a exasperava mais que o bafo de bebida ordinária. "Cachaça!", foi seu ódio. Zózimo apoia-se no guarda-roupa:

— Olha! Eu bebi, sim, eu bebo, porque... Olha pra mim, sua!

Pausa. Tem um riso estrangulado:

— Você sabe por que é que eu bebo. Sabe. Não sabe? Fala. Sabe?

Chora:

— Cala a boca!

Prosseguiu, na sua tenacidade obtusa de bêbado:

— Eu bebo — você sabe — bebo porque nunca vi minha mulher nua. É ou não é? Confessa. Alguma vez te vi nua?

Disse, quase sem voz:

— Não respondo.

Teria vontade de gritar: — "Escuta, Zózimo, escuta: — tenho nojo de ti! Sabes o que é nojo? É o que sinto!". Estavam casados há vinte anos, talvez mais. Jamais, em momento nenhum, desejara esse homem. Não lhe devia um único instante de prazer. "Certos maridos fazem a esposa odiar o sexo", eis o que ela pensava por outras palavras.

Ele arquejava:

— Mas hoje — ouviu? — eu acho que tenho o direito... Sou teu marido. O marido pode ver a mulher nua...

De olhos fechados, Engraçadinha começa, em voz baixa, mas nítida:

— Pai Santo e Glorioso Deus...

Zózimo explode:

— Não sou teu marido?

Diz, cortante:

— Você está bêbado! — e continua: — Pai Santo e Glorioso Deus... Não me segura! Tira a mão! — prossegue, erguendo a fronte: — Pai Glorioso...

E ele, falando, ao mesmo tempo:

— Pra te ver nua, eu tive que olhar pelo buraco da fechadura!

Engraçadinha baixa, agora, a cabeça:

— ...pedimos, ó, Senhor! Pedimos, também, que tu nos conceda o pão...

O marido tem uma cólera exultante:

— Mas olha! Escuta! Para com essa reza! Uma vez, pelo menos uma vez, escuta: — uma vez eu te vi nua! Ou não foi? Foi! Aquela vez!

Engraçadinha alteia ligeiramente a voz:

— … nos conceda o Pão do Espírito!

Zózimo a segura pelo braço:

— Quando eu falar, presta atenção! Eu sou o marido…

Puxa o braço:

— Bêbado não é marido de ninguém! — muda de tom: — Pai Santo, Glorioso Deus!

Ela ia dizer-lhe que não ouvia uma única de suas palavras, ou por outra: — que apenas ouvia a própria oração. Zózimo ri, sórdido:

— Naquele dia do buraco da fechadura, naquele dia…

Perdia-se em repetições. Prosseguiu:

— Naquele dia, eu vi você… Você ficou de frente para o buraco da fechadura… Enxugou-se de frente para o buraco da fechadura… Enxugou-se, eu vi… Você se enxugando, eu vi!

Engraçadinha perde a cabeça:

— Seu indecente!

Avança para ela:

— Tira tudo… Tira a roupa… Agora!

Ela foge com o corpo e, fora de si, o esbofeteia:

— Bêbado!

Recua, cambaleando:

— Engraçadinha!

Encostando-se no espelho, a mulher pensa: — "Esbofeteei meu marido!". Chora de raiva, de vergonha, de remorso. E, súbito, o marido cai de joelhos. Abraçado às suas pernas, soluça a sua dor de bêbado:

— Meu amorzinho!

A mulher não faz um gesto, não diz uma palavra. Está hirta de nojo.

Bob e Cabeça de Ovo saem do elevador e, por um momento, ficam, junto à porta, escutando. Cabeça de Ovo arrisca:

— Parece que o Leleco topou.

Bob enfia a chave:

— Pelo jeito, parece.

Abrem a porta. No banheiro, Leleco diz para si mesmo: — "Cadelão morreu. Eu matei. Sou assassino: Vai ser enterrado". Repete, no seu espanto: — "Cadelão morreu". Todavia, o que há nele, mais do que a dor e o medo — é o espanto. Aperta a cabeça entre as mãos: — "Eu não sou assassino". Sente, no mais profundo de si mesmo, que não mataria ninguém. Não é mau: — "Eu sou bom", pensa. Quando Silene soubesse, quando a mãe, a mãe, todos soubessem.

Bob entra e, logo, estaca. Cabeça de Ovo, que vinha em seguida, esbarra nas suas costas. Bob tem um gemido:

— Cabeça de Ovo!

O outro olha por cima do seu ombro:

— Meu Deus!

Por um momento, não se mexem. No banheiro, Leleco imagina: — "Eles vêm aqui, já, já. Vão me encontrar aqui e...". Bob e Cabeça de Ovo avançam alguns passos. De olhos semiabertos, em cima do próprio sangue, Cadelão tem no rosto uma espantosa doçura.

Cabeça de Ovo balbucia:

— Morto?

E Bob:

— Morto.

O canivete está no chão, ao lado. Bob recua, puxando o outro:

— Vamos embora.

Recuam, de frente para o cadáver. Cabeça de Ovo pergunta:

— Foi Leleco?

— Sei lá.

— Mas só pode ser o Leleco.

— Vamos embora.

Fecham a porta. Sem rumor, descem pelas escadas dois andares. Só então chamam o elevador. Lívido, Cabeça de Ovo diz:

— Não temos nada com isso!

— Vai dar o maior galho!

O elevador para. Entram. Antes de chegar ao térreo, Bob vira-se para o companheiro. Pensa: — "Foi o maior fora que eu dei. Por que é que eu topei esse troço? Sou uma besta". Agarra o Cabeça de Ovo:

— Vamos voltar?

O outro recua.

— Pra lá?

— Vamos?

Esbraveja:

— Está de porre?

Bob quer explicar:

— Escuta, deixa eu falar! Olha: — a gente pode...

O elevador chegava ao andar térreo. Bob aperta o botão do nono andar. Felizmente, ninguém esperava o elevador. Furioso, Cabeça de Ovo empurra Bob: — "Subir pra quê?". Novamente, Bob tenta explicar:

— Tenho uma ideia, ouviu? Uma *big* ideia. Escuta, rapaz!

— Temos que dar no pé!

— Primeiro, ouve.

Naquele momento, Leleco saía do banheiro. "Não olho", pensava. — "Passo sem olhar". Não queria ver o morto nunca mais. Rente à parede, de costas para o cadáver, aproximava-se da porta. Lembrava-se do pacto de morte falhado, no Bar do Pepino. Ele podia estar morto, lado a lado de Silene. Mortos os dois e abraçados. Quietos na morte para sempre. Ele não seria assassino. Os dois mortos numa cama do Bar do Pepino. Silene morta e linda, morta e nua. "Silene nuazinha!" A virgindade ferida de Silene. Mas não seria assassino.

Quase ao chegar à porta, estaca. — "Mas eu ainda podia morrer". Se morresse, não seria mais assassino. Não pensaria mais em Cadelão; imagina:

— Posso correr até a janela e me jogar de lá.

Não queria, porém, passar pelo cadáver, perto do cadáver. Súbito, tem uma outra ideia: — atirar-se dos fundos do apartamento e cair no pátio interno do edifício. Nunca mais ver Silene. Morrer.

CAPÍTULO 60

Estava rente à parede, de costas para o cadáver. Balbuciou, para si mesmo: — "Silene". Repetiu: — "Silene". Lembrou-se da menina aos cinco, seis anos, correndo na calçada e já com um brilho atrevido no olhar (as pernas e coxas tão bem-feitas). Vira — há muitos anos — d. Engraçadinha ralhar:

— Senta direito, menina! Você tem um modo muito feio de sentar. Fecha as pernas, anda, fecha as pernas! Mas que menina!

Leleco, quatro anos mais velho, taludo, já gostava da garota. E não se esquecia de uma vez em que Silene subira na goiabeira e ele, de baixo, a garganta apertada — olhava para cima. Do alto, Silene ria bonito:

— Pode olhar, que eu estou de calça!

E, agora, que era assassino — acabara de matar — ele sentia uma brusca e desesperadora solidão de Silene. Estar sem ela, era estar tão só! Ah, se pudesse, chegaria à janela. Lá, gritaria seu nome, até ver seu nome perdido no fundo da noite:

— Silene!

— "Não quero morrer", disse para si mesmo. Naquele dia, acontecera tanto ou antes: — naquele dia, acontecera tudo. Recusara a morte duas vezes — no Bar do Pepino e, agora, no apartamento; pela primeira vez, possuíra uma mulher (o psiquiatra ia bater-lhe nas costas: — "Eu não disse?"); e matara um homem. "Eu não me mato", repete. Morreria com Silene e não sozinho. Talvez se matasse, mas depois de vê-la uma última vez. Matar-se diante de Silene e aos pés de Silene. Ela gritaria ao vê-lo agonizar e morrer aos seus pés. Imaginou-se abraçado à Silene e confessando:

— Eu matei, Silene! Matei, porque eu sou homem! Ouviu, Silene? Matei para não deixar de ser homem! Sou homem, Silene!

— "Ah, ser homem!" Antes, até o canivete de filme metia-lhe medo. Quando apertava a mola e via o jato da lâmina — sentia um misto de nojo e deslumbramento. E não mataria ninguém, nunca. Só mataria para não deixar de ser homem.

Súbito, deflagra-se o impulso da fuga. Corre, abre a porta e sai. Por um momento, não sabe o que fazer. Há entre ele e o cadáver — entre o assassino e a vítima — uma porta fechada. Respira fundo: — "Ó, graças! Graças!". Cola o ouvido, como se pudesse sentir, através das portas, o rumor da morte, as palpitações do morto. Precisava descer, correr daquele edifício, ir para o outro lado da cidade, para que caísse entre ele e o morto — a sombra de outras ruas, outros bairros, outros edifícios.

Eis o que pensa: — "Se aparecer alguém agora, neste momento, seja conhecido ou desconhecido. Se aparecer alguém, eu cairei de joelhos, gritando: — 'Fui eu! Fui eu!'". Então, correu para a escada e foi descendo, um a um, todos os andares. Continua repetindo, para si mesmo: — "Se aparecer alguém...". E, sobretudo, tinha medo de ser olhado. Se alguém o olhasse, diria, soluçando:

— Eu sou o assassino!

Eram quase dez horas. Chegou embaixo, sem ter encontrado ninguém. Já no térreo, pensa: — "Vou passar pelo porteiro. O porteiro vai me ver". Ah, desejaria encontrar todas as ruas desertas, como imensos corredores gelados. Atravessa o *hall* do edifício e não vê ninguém. O porteiro estava no cubículo cochilando. Não o viu passar, rente à parede, quase correndo.

Na rua teve uma sensação brutal de liberdade. Sua cara se contraiu num espasmo de alegria. O cadáver ficara lá em cima, trancado, com o canivete ao lado. Ali, na rua, não há morto nenhum. Estava livre e...

Súbito, escuta a voz:

— Leleco!

Podia ter desatado a correr. Mas sentia as pernas tão bambas, que se desse um passo, cairia, irremediavelmente. Encostou-se à parede. Essa pessoa, cuja voz ainda não identificara, sabia, certo, que ele era assassino. "Eu me entrego. Quem quer que seja, eu me entrego."

Estava tão indefeso e tão perdido que se entregaria a um menino, a uma criança, a uma mocinha. Pensou: — "Eu fui obrigado a matar. Eu tenho pena de Cadelão".

Antes de ir para casa, dr. Odorico passou no largo do Machado. Ia comprar cigarros. Aliás, não tinha pressa nenhuma de chegar em casa. Nos seus desabafos interiores, gemia: — "O lar é o mais cretino dos túmulos!". E admitia que fosse esta a opinião de noventa por cento dos casais brasileiros. Daí a dois ou três anos faria as suas bodas de prata. Eis o que dizia a si mesmo, num sarcasmo secreto e inapelável: — "A troco de quê, eu e minha mulher, dormimos na mesma cama?". Ele a considerava, textualmente, "uma víbora de túmulo de faraó". Pagava os cigarros quando sente alguém bater nas suas costas:

— Como vai Vossa Excelência?

Vira-se e tem a alegre surpresa: — era o José Carlos de Oliveira,[43] crítico literário, e um dos valores mais pujantes das Novas Gerações. Certa vez, na redação do *Diário de Notícias*, dr. Odorico vira o rapaz identificar-se ao telefone: — "É o Carlinhos!". Pareceu-lhe que um sujeito que se chama a si mesmo pelo diminutivo é — como direi? — um passarinho. E, de fato, José Carlos de Oliveira dava essa impressão de fragilidade pânica. O próprio Otto Lara espalhara, já, aos quatro ventos: — "O Carlinhos é uma cambaxirra!". E sempre que via o crítico, dr. Odorico tinha vontade de oferecer-lhe alpiste na mão. A presença do Carlinhos (ou, por extenso, José Carlos de Oliveira) foi uma satisfação para o juiz. Tinha um pretexto a mais para demorar-se na rua. Carlinhos chamava-o, com jovial ênfase, de "Vossa Excelência". E perguntava:

— Ainda fuma aquele mata-ratos?

Era célebre, em todo o Judiciário, a preferência do dr. Odorico pelos cigarros fortes. Achava o fumo suave, uma espécie de ópio de gafieira: — "Gosto de cigarro que me queime a garganta". E, agora, depois de receber o troco do charuteiro, virava-se para o crítico:

— Tem visto o Otto?

E Carlinhos:

— Pois é. Nunca mais.

Dr. Odorico dá-lhe um tapa afetivo no braço:

— Você foi injusto com o Otto naquele artigo! Muito severo!

O crítico tomou-se de um alegre pânico:

— Mas não era o Otto! Absolutamente!

O juiz ria, convicto:

— Era, sim, senhor, era o Otto! Você não deu nome aos bois, mas era o Otto, ó, se era!

Carlinhos teve um riso interno que o sacolejava como um liquidificador. Tempos atrás, com efeito, o crítico escrevera um imenso artigo, no qual descrevia um sujeito que era um Rimbaud do bate-papo, um Miguel Ângelo da piada. Exaurindo-se no puro e irresponsável brilho oral, o Fulano produzia escassamente. E, no tal artigo, o Carlinhos só faltava aconselhar que aquele gênio verbal pagasse um taquígrafo para perpetuar-lhe os bate-papos, as piadas.

Dr. Odorico insistia:

— Era o Otto! Confessa, aqui, entre nós: — não era Otto Lara? Era o Otto! Aliás — eu vou fazer também o meu venenozinho — o Otto me lembra, sabe o quê? Um cano furado.

Carlinhos recua, num fingido horror:

— Cano furado?

Então, o juiz, subitamente grave e mesmo nervoso, tentou uma frase original, que vinha elaborando há quinze dias:

— Perfeitamente, cano furado! Não lhe parece que...

Eis o que, por outras palavras, ele queria dizer: — assim como o cano furado esbanjava água num esguicho perdulário, assim o Otto Lara esbanjava espírito na conversa fiada. Aflito da própria originalidade, dr. Odorico respirou fundo:

— Não lhe parece correta a analogia? Nem a água chega à torneira, nem o espírito à página impressa e perdurável. Falei bem?

O Juiz queria ouvir, a todo transe, a opinião de um crítico das Novas Gerações. Carlinhos entornou o riso pela boca. Mas a figura e o assunto "Otto Lara" deflagravam, nele, um sentimento de culpa. Quis saber, inesperadamente:

— Vossa Excelência vai pra Brasília ou não vai?

A pergunta, de supetão, deu-lhe quase um susto. Puxa um pigarro: — "Bem...". E pensa: — "Esse negócio de Brasília é meio pau, meio chato". Em seguida, faz uma nova e mais alarmante reflexão: "Se eu for para Brasília, deixo Engraçadinha!". Responde:

— Depende, depende. Eu sou um soldado disciplinado. Se o Judiciário for para debaixo de uma ponte, lá estarei, firme.

Despede-se do Carlinhos. Mais do que nunca, achou que o Otto Lara tinha razão de chamar aquele rapaz (brilhante e iconoclasta) de cambaxirra. A caminho de casa gemia. ("Ó, que mulher abominável, a minha!")

ERA UMA VOZ feminina, que ele não conhecia. Vira-se e balbucia, aterrado:

— Janet!

E ela (tão linda e tão doce):

— Está doente? Tão pálido!

Leleco conhecia Janet há anos. Sempre que a via pensava: — "Se não existisse Silene, o meu amor seria Janet". E não entendia por que ela o chamava no momento em que ele se fizera assassino. Por um instante, não diz nada. Se falasse, rebentaria em soluços.

Ela pergunta, ainda:

— Mas está sentindo alguma coisa?

E o rapaz, com um esgar de choro:

— Janet, eu... Realmente, eu...

Decide: — "Vou dizer tudo. Janet vai ter pena de mim. Já sinto que tem pena de mim". Naquele momento, a ternura inquieta e instintiva de Janet foi para ele o mais lindo e desesperador bem da Terra.

CAPÍTULO 61

ADMIROU-SE:

— Leleco, você está gaguejando, Leleco!

Desesperado, ele passa as costas da mão no suor da testa. "Devo ter cara de assassino", eis o que pensava; ajuntou com tumultuosa incoerência: — Sabe que eu gosto do seu nome? Janet é um bonito nome. Janet, bonito nome. Eu acho bonito, Janet. Nome bonito, Janet. Nome bonito!

Ia numa saraivada de repetições e já não se controlava. Diz para si mesmo: — "Ou eu paro ou enlouqueço!". E, ao mesmo tempo, pensa: "Ela sabe que eu matei!". Janet põe a mão no seu braço:

Admirou-se: — Você brigou com sua namorada?

A pergunta fê-lo cair em si. "Não sabe, nem desconfia." Tem um riso baixo e entrecortado. Vacila (— "Ou está fingindo?") Toma coragem e ergue o busto:

— Briguei.

E ela, com uma brusca alegria (a princípio, chegara a imaginá-lo bêbado ou louco):

— Logo vi!

Momentos atrás, Janet vinha passando, com um grupo de rapazes e moças, quando o vira romper da porta do edifício, numa alucinação. Voltara atrás, enquanto os outros a esperavam, mais adiante. Os dois se conheciam há anos.

Tinham sido vizinhos e ela, com seu instinto de mulher, sentia nele qualquer coisa de atormentado e puro. Agora, moravam em bairros diferentes e só se viam por acaso, de passagem.

No seu jeito, doce e alegre, disse:

— Vocês brigaram, mas olha: — não liga. Amanhã, aposto como vocês fazem as pazes.

Uma moça do grupo chama:

— Janet!

Vira-se:

— Já vou.

E para Leleco:

— Escuta, eu...

Ele interrompe a fala, com apaixonada humildade:

— Janet, eu não sou nada teu. Apenas um amiguinho, mas escuta: — às vezes, um amiguinho ou nem isso: — às vezes, um desconhecido, na rua...

Para; pergunta a si mesmo: — "O que é que eu estava dizendo?". Gostaria de continuar: — "Janet, um desconhecido pode dar a vida por uma desconhecida". Acha, porém, que se falasse assim ela não entenderia nada. Janet sorri:

— Fala.

Respira fundo:

— Bobagem. Coisa à toa.

Novamente, o grupo grita por Janet. A menina quer se despedir:

— Escuta: — você está só?

— Por quê?

— Nós vamos, ali, numa brincadeira. Rapazes e moças. Quer vir? Vem.

Recua, trincando os dentes:

— Ir a uma festa, agora? Agora, Janet? Não, não posso ir.

Sem entender a agitação do rapaz (que coisa!), estendia-lhe a mão:

— Então, chau e olha: — você vai estar com o Durval?

— Talvez.

— Diz a ele, ouviu? Diz que eu estou muito zangada e que se ele não me telefonar, eu nunca mais falo com ele. Diz assim, diz! *So long*!

— *Bye*.

Ficou em pé, na calçada, vendo-a afastar-se. Mais adiante, Janet vira-se para dar-lhe adeus. Então, Leleco não se conteve, gritou:

— Janet!

Foi ao seu encontro, apressando o passo. Chega, ofegante. O grupo caminhava mais na frente, devagar.

— Janet, eu vou, Janet.

Gostava de dizer, repetir o seu nome. Andando a seu lado, sentia uma calma vibrante, uma intensa serenidade. Ia à festa para tê-la junto de si. Até o fim de sua vida, não esqueceria que, minutos após o crime, no momento em que ele estava tão perdido — ela voltara atrás e o chamara. "Se Janet não me chama naquele instante, se não vem falar comigo... Ela me salvou", diz para si mesmo. Crispa-se ao pensar que, depois da festa, a pequena iria embora e ele ficaria novamente só e perdido.

Janet insiste:

— Você não deixa de dar esse recado ao Durval. Dá mesmo. Ele não me liga, não me dá a menor pelota!

— Pode deixar que eu dou.

Chegavam no edifício da festa. Era no apartamento de uma amiga de Janet, a Sônia. Pelo telefone, esta dissera: — "Traz quem você quiser. Rapazes, moças". E, agora, junto ao elevador, Janet fazia a apresentação:

— Pessoal! Aqui é o Leleco!

Com Janet por perto (a menina o salvara com um pouco, um mínimo de carinho, de um instintivo e apiedado carinho), Leleco sentia-se forte. Pensou, com uma euforia maligna: — "Ninguém, aqui, sabe que eu matei. Falam comigo, olham para mim, e não sabem que eu matei".

Bob e Cabeça de Ovo entram e fecham rapidamente a porta. Por um momento, calados, olham o cadáver. Cabeça de Ovo fala baixo e violento:

— Voltar, pra quê?

O outro foi duro também:

— Ó sua besta! Você se esquece que o Tameirão me deu a chave e o responsável sou eu? Se descobrirem o cadáver aqui, o que é que acontece? Primeiro: — a bomba estoura na minha mão, claro! Na minha e na tua!

— Mas eu não matei ninguém, ora que conversa! Nem eu, nem você!

Ri, feroz:

— Gracinha! Você acha que a polícia, ó, Cabeça de Ovo, não te mete! Você não dá uma dentro!

Cabeça de Ovo olha outra vez o morto. Volta-se:

— O que é que se faz?

Bufa: — "É o que eu estou pensando!". Põe a mão na cabeça e, de costas para o cadáver, diz: — "A salvação é o seguinte: — o Tameirão ainda vai ficar em Petrópolis uma semana. Até lá, quem sabe?". Cabeça de Ovo jura para si mesmo: — "Nunca mais na minha vida! Ah, se eu sair dessa!". Bob decide:

— Bem. Presta atenção. Vamos tirar o cadáver daqui.

O companheiro recua:

— Mas escuta! Eu não matei ninguém e por que é que eu vou botar a mão num sujeito que outro matou?

Bob salta:

— Ora, deixa de conversa! Já está enchendo! — muda de tom: — Vamos tirar o Cadelão daqui e já. Não enche!

— E o sangue?

Bob coça a cabeça: — "O sangue não tem problema. Ainda bem que esse plástico salvou a pátria. Passa-se o pano e pronto. Tem um porém: — onde é que se põe o cadáver?". Olha para um lado e outro. Cabeça de Ovo arrisca:

— Que tal jogar pela janela?

Vacila, mas decide:

— Não! Que pela janela!

— Por quê?

— Sempre há um chato, ou uma chata, que vê e vai dizer na polícia: — "Caiu do andar tal!". E além disso — eu sei usar a cabeça — antes do corpo cair, toda a polícia, radiopatrulha, jornal, o diabo, já está lá. Espera! Bolei outra ideia.

Puxa o braço do Cabeça de Ovo.

— Vamos jogar com a sorte! E tomara que dê certo. É o seguinte: — nós puxamos o corpo pelas escadas e deixamos sabe onde? Três andares abaixo. Entre um andar e outro, naturalmente.

Cabeça de Ovo ainda resmunga: — "Por que é que eu fui me meter numa fria dessas?". O outro repete: — "É o jeito!". Com um ríctus de medo e nojo, Cabeça de Ovo olha o cadáver:

— O Cadelão pesa pra burro!

Bob vai, um momento, espiar pela porta: — ninguém. Volta, mais seguro de si: — "A hora facilita. Ou o pessoal está vendo televisão ou no cinema. Vamos, segura". Ao mesmo tempo que, com uma náusea de medo, chega-se para o cadáver, Cabeça de Ovo balbucia:

— O Cadelão te achava o mais inteligente do grupo! Dizia que você...

Para. Geme, com um suor grosso como óleo: — "Não tenho coragem. Vomito, já, já!". Bob vocifera:

— Seja homem! Temos que sair daqui antes que fechem a porta lá embaixo! Você é um frouxo!

SILENE BATE NA porta de Engraçadinha:

— Mamãe! Dona Araci está aí!

Com o marido de joelhos, abraçado ainda às suas pernas, responde:

— Já vou.

Disse, baixo: — "Levanta". O marido obedeceu. Ela abandona o quarto. Não se perdoa de ter esbofeteado o marido. Pensa: — "Não devo erguer minha mão, nem para meu marido, nem para um filho, Deus não me deu direito de esbofetear ninguém". D. Araci ergue-se ao vê-la:

— Imagina que...

— Senta.

E a outra:

— Engraçadinha, estou muito preocupada. O Leleco ficou de chegar mais cedo e ainda não apareceu, Engraçadinha. Será que aconteceu alguma coisa?

Pensando na humilhação do marido, quis ser otimista: — "Nem vai acontecer nada". A outra, aflita, já querendo despedir-se:

— O pior é que... Você conhece o Ceguinho?

Foi delicada, mas firme: — "Eu não acredito nessas coisas". A outra, porém, com o espírito trabalhado por uma ideia fixa, abre o coração:

— O Ceguinho que é médium vidente. Eu também não acredito. Mas o Ceguinho disse que ia acontecer uma desgraça ao Leleco, dos dezoito aos dezenove anos. Eu já vou, Engraçadinha. Boa noite.

O marido fora ao banheiro, molhar a cabeça na pia. Voltava. Pela primeira vez, em vinte e poucos anos de convivência conjugal, teve uma pena brusca daquele homem.

— "Jamais fui sua mulher". Era verdade: — deixava-se possuir por obrigação e nas trevas.

Zózimo deitou-se na cama. Uniu os pés, entrelaçou as mãos na altura do peito, fechou os olhos como um morto. Disse:

— Ou eu vejo minha mulher nua, uma vez, uma única vez ou...

CAPÍTULO 62

De vez em quando, vinha um rapaz tirar Janet para dançar. Leleco ficava então só, de braços cruzados, uma tristeza quase doce no olhar. Sempre que voltava, Janet fazia a pergunta:

— Você não toma nada?

— Nada.

— Aceita um doce?

— Obrigado.

E ela:

— Pelo menos, um salgadinho?

Sorria:

— Estou sem fome, nenhuma, nenhuma.

Houve um momento em que, com a garganta em fogo, disse:

— Um copo d'água, aceito. Um copo d'água.

— Mineral?

— Do filtro. E gelada, Janet, ouviu? Gelada.

A moça afasta-se. Ele estremece: — "Eu não estava pensando no crime!". De vez em quando, sofria certos lapsos e precisava perguntar a si mesmo: — "Estou sofrendo por quê?". Vinha a resposta: — "Eu matei. Sou assassino". Na copa, a dona da festa, Sônia, pergunta à Janet:

— Escuta. O que é que há com teu amigo?

Janet apanhava na geladeira a garrafa de água. Vira-se: — "Por quê?". E a outra, que estava comendo uma mãe-benta (aliás, fabulosa):

— Ainda não dançou e...

Janet enche o copo:

— Dor de cotovelo.

Sônia tira outra mãe-benta:

— Dança com ele, dança!

Janet vai atravessando a sala e pedindo licença. Súbito, um rapaz que estava junto à mesa de doces, e que já tomara vários ponches, chama: — "Janet". Ela responde, sem se voltar: "Um momentinho". Mas o outro, mal seguro nas pernas, uma cintilação ameaçadora no olhar, veio, esbarrando em todo o mundo, ao seu encontro. Chama, outra vez:

— Escuta aqui, Ana Karenina!

Ela para:

— O quê?

O outro ri, áspero:

— Descobri que você é Ana Karenina.

— Isola!

Na sua obstinação alcoólica, Lázaro a acompanha. Repete, com a voz pesada:

— Ana Karenina ou Natacha, do *Guerra e paz*.

Na varanda, Leleco apanha com as duas mãos o copo e bebe de uma vez só, com desesperada felicidade. Pensa: — "Água gostosa!". Lera, certa vez, que um santo qualquer chamava: "nossa irmã, a água". Janet ri para Lázaro:

— Fica quieto!

O bêbado, ou semibêbado, porém, não a deixa em paz. Normalmente tímido e, mesmo, doce, três ou quatro chopes o transfiguravam. E, então, aquele contido, aquele terno, tornava-se inconveniente, agressivo e pomposo. Erguia a voz:

— Janet, você vai morrer de amor e por amor.

Volta-se para Leleco e o agarra:

— Nossa amizade, olha aqui. Diz: — ela não vai morrer? Fala! Não vai morrer de amor? Por amor?

Espetou o dedo no peito de Leleco. Lívido, o rapaz não responde. Lázaro exalta-se:

— Ela vai morrer, sim, de amor. É uma Ana Karenina. Não mataram a Ana Karenina? Ou foi suicídio? Mataram. E talvez...

Lázaro gira sobre si mesmo. Querem levá-lo dali. O rapaz tem um repelão indignado:

— Tira a mão, que eu, bom! Tira a mão! — pausa, olha as caras que o cercam; com riso torcido, continua com a mesma fúria exultante: — Talvez o assassino já esteja aqui! Ouçam! Ouçam! Talvez um de nós seja o futuro assassino dessa menina!

Puxam Lázaro:

— Vem cá!

O rapaz desprende-se e com tal violência, que, por um momento, perde o equilíbrio e cai por cima de Leleco. Recupera-se e ri, sórdido, para Janet:

— Quem sabe se eu não vou ser teu assassino. Eu ou...

Hesita. Olha as caras, uma por uma. Finalmente é em Leleco que se fixa:

— Ou eu ou você. Você tem uma boa cara de assassino. Você...

Leleco, atônito, não sabe o que dizer. Raciocina: — "Mas ele não viu, ele não sabe!". Janet sopra no seu ouvido: — "Dança comigo, dança!". Deixa-se levar, Lázaro berra:

— Olha a Janet dançando com o próprio assassino!

Outros rapazes dominam Lázaro. Foi arrastado. O bêbado ainda esbraveja:

— Ana Karenina! Natacha!

Muito olhada, Janet está dançando com Leleco. É um fox. Sentindo aquele corpo viver junto ao seu, ele tem bruscamente a vontade de beijá-la. Mas seria um beijo sem sexo, um beijo... Pensa: — "Eu amo Silene. Mas sinto que Janet...". Baixa a voz, atormentado:

— Você viu?

— O Lázaro?

E ele:

— Me chamou de assassino.

— Não liga... O Lázaro, eu gosto dele. Mas quando bebe, fica impossível...

No seu desespero, ele faz a pergunta:

— Você acha que eu... É uma curiosidade. Acha que, por acaso, eu tenho cara de assassino? Ou por outra: — você acha que eu seria...

Cala-se. "Não digo mais nada. E pra quê?" Recua o rosto, para olhá-lo:

— Mas que bobagem!

Sofrendo como nunca, e realmente com lágrimas nos olhos, ele começa:

— Janet, eu queria que se, num dia, você soubesse alguma coisa de mim. Queria que você me perdoasse e compreendesse, ouviu, Janet? E, sobretudo, queria o seu perdão ou um pouco de perdão.

Neste momento, entra o Rodolfo, irmão de Sônia, que descera, um momento, para acompanhar uma família conhecida. Vem iluminado:

— Houve um crime!

— Onde?

— No edifício ao lado.

— Crime?

Janet vira a cabeça. Rodolfo vibra:

— Mataram um rapaz.

Moças e rapazes correm para a varanda. Leleco trinca os dentes. Ouve alguém falando: — "Duas radiopatrulhas". Novamente, a voz de Rodolfo:

— Interditaram o edifício.

Janet quer ver também. Fora de si, Leleco pede:

— Fica comigo, Janet. Não me deixe.

No meio da sala, enquanto os convidados se amontoam na varanda, os dois se olham. Ao que a moça nada dissesse, ele, varado de febre, murmura:

— Eu não sou infame.

Durante alguns momentos, não houve, entre marido e mulher, uma palavra. Quando Zózimo abriu os olhos, Engraçadinha continuava de pé, no meio do quarto, de cabeça baixa, rezando. Ele que deixara a frase pelo meio, quer completar:

— Engraçadinha, eu não aguento mais...

Ela interrompe, vivamente:

— Você me acusa, Zózimo?

Senta-se na cama:

— Não, não acuso. Ninguém tem obrigação de gostar de mim, nem minha esposa.

Responde, sóbria:

— Eu gosto, Zózimo, gosto de você, mas gosto à minha maneira.

O marido levanta-se: — "Você não me ama". Ela não consegue reprimir um movimento de irritação: — "Vocês só pensam em sexo!". Zózimo fala, andando de um lado para outro:

— Você não tem obrigação de me amar. E já que a minha mulher não me ama, já que tem horror de mim...

Balbucia: — "Horror?". E ele:

— Claro! Uma mulher que, em vinte anos. Vinte anos não são vinte dias. Quem, em vinte anos, não se deixou ver nua uma única vez! O que é isso? Horror! Você exige que eu apague a luz. Você não se entrega de dia. Você, ah, Engraçadinha, você tem horror de mim, horror!

Disse, com surdo sofrimento: — "Eu sou crente! Você se esquece que eu sou crente?". Ele continua:

— Mas eu não condeno você e talvez o errado seja eu. Mas eu queria avisar que... De hoje em diante, Engraçadinha, vou beber de cair! Todos os dias, vou beber de cair! Eu não devia nem dizer isso, mas vou beber de cair. Não está em mim! Eu sou humano, Engraçadinha, afinal eu sou humano!

Pergunta, de perfil para ele:

— O que é que você quer de mim?

Baixa a voz (a esperança está nascendo da angústia):

— Eu quero... Olha! Queria te ver sem roupa, uma única vez. Apenas isso, Engraçadinha! Uma vez e só essa vez! Eu apenas olharia sem tocar em você.

Agora de costas, pergunta:

— E você não beberia nunca mais?

Diz, com a voz estrangulada:

— Se agora, neste momento, você tirasse a roupa — e eu não tocarei em você — eu nunca mais... Eu sou teu marido, Engraçadinha! Tira tudo e eu não tocarei em você. Escuta: — você faria isso?

— Só essa vez?

— Só.

Fica de frente para o marido. Começa a tirar o quimono.

CAPÍTULO 63

Engraçadinha abre o primeiro botão do quimono, o segundo. Para. Vira-se para o marido, com surda irritação:

— Mas por quê? Responde: — por quê?

Estende a mão crispada:

— É uma vez, só essa vez e nunca mais!

Está rouco de angústia. Engraçadinha aperta a cabeça entre as mãos:

— E a minha religião?

Aproxima-se. Seu rosto é uma máscara de apelo:

— Eu sou humano! E você é humana!

Responde, com violência:

— Eu não sei se sou humana! Quem disse a você que eu sou humana?

Os dois sabem que, em vinte anos de vida conjugal, ela jamais conheceu um minuto de volúpia. Quando apagava a luz e o marido pesava sobre seu corpo — tinha vontade de gritar. Precisava repetir para si mesma: — "É meu dever". Mas sentia a náusea contraída no fundo do seu ser. (Tinha ódio de todos os deveres, de todas as obrigações sexuais.) E ao ouvir falar no filme *Les Amants*, e numa cena que punha a plateia atônita e gelada, Engraçadinha inflamara-se, um dia:

— Eu sou casada. Mas se meu marido tivesse a audácia, o atrevimento de me propor, eu era capaz até de, nem sei!

Falara assim, com uma cara de nojo total, na porta da igreja. Outras senhoras (eram só mulheres) baixaram a cabeça ante esse pudor agressivo e triunfante. Uma delas balbuciou:

— Eu também! Eu também!

Suas amigas mais chegadas sabiam que ela jamais se despira para o marido. E, agora, no quarto, Engraçadinha resistia ainda. O marido repete:

— Só essa vez, Engraçadinha, só essa vez!

Silêncio. Disse com os dentes trincados:

— Vira pra lá.

Zózimo está de costas. Lentamente, Engraçadinha vai desabotoando o quimono. Está só de camisola. Faz, bruscamente, a pergunta:

— Você viu o tal filme? Mas não olha, não olha. Viu?

Balbucia:

— Que filme?

Sabia que ela se referia a *Les Amants*. Engraçadinha continua (está só de camisola):

— Esse que... Como é o nome? Mas não olha! Viu?

Arqueja:

— Não.

— Ou viu?

— Juro!

Vira, sim, vira. Entrara num cinema, depois de passar uma hora na fila. Metera-se numa cadeira de canto e quando chegou o grande momento, pensou, abrindo o colarinho: — "Eu e Engraçadinha! Nós dois. Eu e...". Saíra do cinema, fora de si. Prometera a si mesmo: — "Não hei de morrer, sem...".

Há uma pausa. Engraçadinha fala, novamente:

— Escuta. Não olha ainda. Você prometeu que não me tocaria. Prometeu. Não se esqueça.

Disse:

— Prometi.

Novo silêncio. Por fim, Engraçadinha fala, quase sem voz:

— Pronto.

NA REDAÇÃO DA *Última Hora*, o garoto do departamento fotográfico vem trazer o serviço de Petrópolis. Aroldo Wall,[44] o secretário da noite, apanha as fotografias:

— Que é isso?

— O tal desabamento.

Passa a vista no serviço e pula:

— Mas não é possível! Cadê o Estrela? Chama o Estrela! Zé Miguel, chama o Estrela![45]

Aroldo, moreno, com um olhar meio fatal de Werther, abre os braços, valorizando e, mesmo, dramatizando as suas atribulações funcionais. Saiu da mesa e vem para a seção de polícia:

— Não há cristão que aguente! Vê isso! Espia só!

Derramou, com triunfal desprezo, as fotografias em cima da mesa. Toda a reportagem de polícia, com uma avidez imensa e gratuita, veio olhar. Eram flagrantes de uma pequena (e por que pequena?) catástrofe. Desabara um andaime, na altura de um décimo segundo andar, e o abismo súbito devorava de doze a quinze vidas. O grande, o pomposo argumento do Aroldo Wall era a cor das vítimas:

— Só cadáver de preto! Mas não é possível!

Naquele momento, aparece o Estrela:

— Qual é o drama?

Aroldo Wall arrasta o chefe do departamento fotográfico:

— Vem cá, Estrela, vem cá. Olha esse troço aqui! Olha que serviço de porco! Estás vendo, Estrela?

O companheiro examina e ainda não entendeu:

— E daí?

Aroldo Wall dramatiza mais:

— Escuta, Estrela! Será que só morreu preto? Dez cadáveres e nenhum branco? Tem paciência, Estrela! Essa, não!

Estrela reage:

— Não faz carnaval, Aroldo! Mania de fazer carnaval!

— Ou você me acha com cara de publicar cadáver de preto na primeira página? Na primeira página, Estrela! Eu ia dar uma chamada e não posso! Estrela, vê se eu tenho ou não tenho razão? Gasta-se jipe, papel, revelador e o Luís Santos[46] não bate nenhum cadáver branco?

Nesse momento, o Honório Pinguim dá um berro:

— Amado Ribeiro![47]

O repórter, que espiava as fotografias, quer saber: — "Homem ou mulher?". O Honório Pinguim responde: — "Homem!". Lá vem o Amado Ribeiro e furioso também:

— Avisa a essa telefonista pra me chamar noutro ramal!

Atende, e do outro lado da linha alguém, frenético, chama:

— Chispa, rapaz! Chispa!

E o Amado Ribeiro:

— Mas que é que há?

O outro despeja o fato:

— Prepara a minha quina, que mataram um bacana!

— Onde?

— Aqui, em Laranjeiras. Olha: — Rua General Glicério. Aquele edifício quase de esquina. Encestaram o sujeito, um rapaz, ouviu? Filho do provedor não sei da onde.

— Provedor?

— Isso. Mergulha de cara porque só agora é que…

Amado Ribeiro bate com o telefone. Vem correndo:

— Dá uma requisição, anda, uma requisição!

Ao mesmo tempo que apanha o papel, faz a pergunta geral:

— Tem jipe?

O Zé Miguel vai carregando uma máquina para o Agnaldo de Freitas.[48] Responde, de passagem:

— Ainda não voltou de Copacabana.

Amado Ribeiro esbraveja:

— É fantástico! O jornal tem uma garagem que é uma catedral. Mas nunca há jipe! Olha, Antônio! Pede um fotógrafo, ó gordinho!

Mas viu Estrela. Corre para este:

— Estrela, fotógrafo, tem fotógrafo?

Acontece que continua, e cada vez mais veemente, o debate racial. Estrela atira a acusação grave: — "Você é racista, é?". Aroldo tem um repelão indignado:

— Racista, vírgula! E escuta! Vem cá, Estrela!

O outro está zangado: — "Não quero conversa!". Aroldo disse o resto:

— Você quer me convencer, a mim, quer? Que o cadáver de um preto... Qualquer defunto é um bucho. Mas o preto morto é pior! É um chute!

Já o Amado Ribeiro pedira o fotógrafo ao Estrela. Segura o Aroldo:

— Olha, o meu "Cachorrinho Presidencial"...

Ainda inflamado da discussão, Aroldo está sem agilidade mental. No primeiro momento, acredita tratar-se de um canino mesmo do Juscelino. Amado Ribeiro tem que explicar:

— Ó Aroldo! "Cachorrinho Presidencial" é o cara, é o lavador de automóvel, lá de Laranjeiras, que eu pago pra me dar furos! Preciso de um jipe. Mas não tem. A nossa garagem é uma catedral, que nunca tem jipe!

Aroldo atira-se para o telefone:

— Tem jipe, sim! Como não tem? Tem que ter!

O fotógrafo já compareceu. Pergunta: — "Onde é?". Anda de um lado para o outro, com um boné de jóquei. É o Paulo Reis.[49] Finalmente, vem a resposta lá de baixo. Aroldo, com seu olhar de cinema mudo, anuncia:

— Tem jipe, sim. Não disse? Tem jipe. Não afoba, Amado, não afoba. Eu disse que tinha e tem.

Amado Ribeiro e Paulo Reis despencam-se pelas escadas. O Cachorrinho avisara que o morto era um tal de Cadelão, da Praça Saenz Peña, e que aparecera estripado, junto à porta do elevador, num sexto andar de General Glicério.

Zózimo virou-se. Diante dele, ereta e vibrante, a nudez de Engraçadinha. Nua, tão nua e, pela primeira vez, em vinte anos.

CAPÍTULO 64

Varando os buracos da cidade, lá partiu o jipe, numa frenética velocidade, para Laranjeiras. Foi feito o itinerário normal: — Joaquim Palhares, Salvador de Sá, Mem de Sá, Lapa etc., etc. Paulo Reis, o fotógrafo, descendente de sírios, com suas pretensões a bonito (tricolor fanático), vinha cutucando o chofer:

— Chato ser Fluminense!

Amado Ribeiro era o repórter de polícia, nato e hereditário. Quando não havia crime sofria como um pobre-diabo irremediável, sem destino, nem função. Naquele dia, justamente, fora visto na redação, errante de mesa em mesa, exalando melancolia e impotência: — "Não morre ninguém!". E insistia, numa alegre indignação: —"Ninguém mata ninguém!". Súbito, o Cachorrinho Presidencial avisa: — "Mataram o Cadelão!".

Diante do crime, eis que Amado Ribeiro começa a viver. A boca fica pesada de saliva. O nome, ou apelido da vítima — Cadelão — era uma promessa. Repetiu, para si mesmo, em voz alta:

— Cadelão!

Imaginou que seria um misterioso ser, andrógino de cachorro e gente. O Paulo Reis, que se afundara numa discussão de futebol, exige o seu testemunho:

— Dá um palpite, uma opinião. Você não acha que o Zezé Moreira é quinhentas vezes melhor que o Fleitas Solich? Fala: Solich ou Zezé?[50]

Amado Ribeiro, rubro-negro eterno e que se confessava quase "viúva de Solich", foi sucinto e inapelável:

— Solich.

Discutiram futebol até a esquina de General Glicério com Laranjeiras. Todavia, Amado, ao mesmo tempo que punha o paraguaio nas nuvens, pensava mesmo no Cadelão. Concluía que este era muito mais nome de assassino que de vítima. Especulava: — "Cadelão é, sim, nome de homicida sexual". Cadelão, repetiu como se o mistério todo do crime estivesse numa alcunha.

Na esquina, o Cachorrinho, de macacão, os esperava. Sem dentes, um riso de boca murcha, o sujeito estende a mão:

— Minha quina!

Enfiou uma cédula de cinquenta:

— Toma!

O outro embolsa. Deu mais dados:

— O cadáver estava na porta do apartamento 606.

— Você viu?

— O cadáver?

— Viu?

O Cachorrinho exulta:

— Vi. Eu quem descobri o homem. Fui consertar uma tomada no quinto e não era lá. Subi e, no sexto, dou com aquele sujeito entornado.

— Morto?

— Mortíssimo. E olha: — forte pra burro! No mínimo, deve ser lutador. Moço, bonitão. Olha. — Baixa a voz e completa: — Tem uma boa no 606.

— Boa?

Mastiga em seco:

— Boa é apelido! De fechar! E o marido pode ser, mas não é homem pra aquela dona. Não faço fé. E quando eu toco a campainha e o casal vê — a boa teve um ataque.

Amado Ribeiro gravara o número do apartamento. Com o 606 na cabeça, afunda-se outra vez no assento: — "Pode ir". O jipe parte e ele sonha em voz alta:

— Eu sou o repórter que não se vende. Nada me compra, nem todo o ouro do Banco da Inglaterra. Só uma coisa me compra: — mulher.

Pensava: — "Tem mulher no meio". Saltou na porta do edifício e já desejava a desconhecida bonita do 606.

Murmurou, lívido:

— Engraçadinha!

E ela:

— Não se aproxime!

Zózimo pensa: — "Como se pode ser tão linda!". Ela, de cabeça baixa, diz:

— Apaga a luz.

Balbucia:

— Ainda não. Eu não me aproximo. Um momento só. Engraçadinha, eu não me aproximo! E sou teu marido! Estou longe, querida!

A mulher não faz um movimento. Murmura: — "Pai Santo, glorioso...". Pede ainda:

— A luz! Apaga!

O marido aproxima-se. Recua: — "Você prometeu, Zózimo!". Encostada à parede, não pode fugir mais. Zózimo repete:

— Eu sou humano!

Cruza os braços sobre os seios:

— Nunca mais, Zózimo!

O marido dirá ainda: — "Humano, eu sou humano". E ela: — "Eu te odeio!". Diz, agora rosto com rosto:

— Apanha minha camisola!

E ele:

— Eu não toco em ti. Sou humano. Nua.

Sob a obsessão do "humano" olha ainda e com uma brutal euforia. Súbito, ele cai de joelhos diante da mulher. Aquela boca ávida. Ela balbucia:

— Não! Não quero! Não, Zózimo!

O marido não responde. Engraçadinha já não reconhece a própria voz:

— Você, Zózimo… Você viu… Não deixo… Viu… Viu o filme…

A princípio, hirta, ereta, a nudez começa a viver, a ondular. Engraçadinha quer falar, mas a voz lhe foge. Enterra as unhas na palma das próprias mãos.

QUANDO JANET, LELECO e o grupo descem — Rodolfo vem ao seu encontro. Lázaro ficara, lá em cima, no quarto de um dos rapazes. Atirado na cama, chorava, na obsessão de Ana Karenina: — "Você vai morrer, Janet, vai morrer de amor…". Janet, no elevador, suspirava (para Leleco):

— Bom rapaz, o Lázaro! Mas quando bebe é um caso sério!

Leleco, pensando no crime, e muito pálido, quis sorrir:

— Ele me chamou de assassino.

Embaixo, no edifício ao lado, continuam as duas radiopatrulhas.

Alguém aponta:

— O rabecão.

De fato, o carro de alumínio encostava no meio-fio. Rodolfo andara ouvindo aqui e ali; conversava com um repórter da *Última Hora* (um rapaz moreno, tipo pau de arara) e com o porteiro do edifício. Janet pergunta:

— Foi crime mesmo?

— Batata.

— Descobriram o criminoso?

Cercado por conhecidos e desconhecidos, Rodolfo explica o que sabe:

— Ainda não. Desconfia-se. Encontraram o cadáver na porta do 606 e não sei, mas parece que o professor de música…

Sônia, que descera com o pessoal, puxa o braço do irmão:

— O professor Petruscu?

E Rodolfo:

— O professor Petruscu — e continua: — A polícia desconfia, mas sabe como é. O professor Petruscu nega.

Sônia protesta:

— O professor Petruscu não mata uma mosca!

Leleco baixa a voz, suplicante, para Janet: — "Vamos?". Podia despedir-se, partir. Mas tinha medo de atravessar, sozinho, a porta do edifício. Janet dava-lhe uma sensação de ternura total. Sua fragilidade o protegia e salvava. O simples fato de vê-la, ouvi-la, fazia-o sentir-se menos assassino. Pensava: — "Olhando para Janet, eu me esqueço de tudo". Sônia vira-se para Janet:

— O professor Petruscu é romeno, mas muito distinto. E dona Maria Aparecida é a mulher dele.

Janet crispa-se. Fala baixo, para Leleco: — "A única coisa que eu não perdoo é que se tire uma vida. Eu acho que o assassino não tem mesmo perdão". Balbucia: — "Mas, Janet! Depende do motivo, Janet!". Por um momento, o olhar de Janet perde a doçura:

— Tirar a vida, não!

Rodolfo continua:

— O morto ia muito no edifício, tinha um amigo lá. Passou a frequentar a casa do professor Petruscu e parece que o marido ficou enciumado e...

QUANDO AMADO RIBEIRO e Paulo Reis iam saindo, o comissário Piragibe vira-se, um momento:

— Esse é um que merece um tiro na cara! Vive metendo o pau na polícia!

Amado Ribeiro já andara no sexto andar. Vira o cadáver, conversara com o porteiro, com alguns moradores. Não falara ainda com o casal do 606 que, no momento, estava sendo interrogado. Depois de ouvir dois ou três vizinhos, pretendia subir. Cruza com o comissário Piragibe na escada. No *hall* do edifício, quando se dirigia para o elevador, ouve um chamado:

— Moço! Moço!

Vira-se e tem a exclamação interior: — "Que boa!". Uma desconhecida, com um nariz de Marilyn Monroe, sem pintura, faz a pergunta sôfrega:

— O senhor é jornalista?

— Repórter.

E ela, passando as costas da mão no nariz:

— Eu vi pelo fotógrafo. O senhor quer chegar aqui um instantinho?

Olha para um lado e outro. Amado Ribeiro diz para si mesmo: — "A cara é sexo puro!". Perto do balcão do porteiro, ela começa:

— Eu sei quem é o assassino! Eu sei quem matou.

CAPÍTULO 65

A MULHER (ALIÁS, UMA moça lindíssima) crispa a mão no braço de Amado Ribeiro:

— O senhor vai pôr um anúncio no seu jornal!

Breve espanto:

— Anúncio?

Desesperada, balbucia:

— Anúncio! Sim, anúncio!

— Ou notícia?

E ela:

— Notícia, anúncio, sei lá! Qualquer coisa! — e continua, na sua violência contida: — O senhor vai pôr um anúncio dizendo. Quer tomar nota? O senhor escreve aí.

Amado, rápido, apanha um papel, lápis:

— Quem é o assassino, minha senhora?

Ela, que amassava um lencinho, assoa-se, rapidamente. Diz, com ênfase:

— No anúncio que o senhor vai pôr, o senhor diz. Pode dizer, por minha conta. Diz que o assassino é — interrompe-se. — Mas o senhor não está escrevendo nada?

Para si mesmo, o Amado Ribeiro exclama: — "Que espetáculo de mulher!". Doeu-lhe não ser forte, maciço, quase belo como o Cadelão. Pragueja, interiormente. — "Onde é que eu fui arranjar esta cara de pau de arara?". Explica:

— Não se incomode, que eu cá me arranjo. Mas o assassino é…

Na sua ênfase vibrante, responde:

— Meu marido!

O repórter toma um choque. Olha para trás. Sente que toda a reportagem já chegou. Fotógrafos e repórteres de outros jornais, assanhadíssimos, ocupam o local. Trata de andar depressa. Baixa a voz:

— Escuta: — como é seu nome, minha senhora?

— Maria Aparecida.

Amado Ribeiro faz uma garatuja, repetindo: — "Maria Aparecida". Acha o nome gostoso de dizer. Ela continua, numa excitação que a embeleza:

— Eu moro no 606.

— Ah, o tal apartamento?

Começa a chorar:

— O rapaz apareceu morto na minha porta. Sabe lá o que é isso? Morto na minha porta. Morto — um rapaz que, ainda há pouco, ó, meu Deus!

Novamente, assoa-se no lencinho. Amado Ribeiro não perde tempo:

— Minha senhora, vamos fazer o seguinte. Precisamos sair daqui. Não tem um bar aqui por perto?

— Bar, não, não convém. O melhor é… Vem cá. Olha: — no primeiro andar, aí em cima, eu tenho uma amiga. O marido está viajando. Lá, podemos conversar melhor. Vamos?

— Ótimo.

HÁ UM SILÊNCIO longo. Ainda encostada à parede, os dentes cerrados, ofegante, Engraçadinha parece esquecida do pudor (nem cruza mais os braços sobre os seios, firmes e lindos). As últimas contrações extinguem-se docemente no fundo do ser.

Zózimo levanta-se. Foi a sensação de que estava sendo muito olhada, que a despertou do selvagem abandono. Instintivamente, cobre os seios com as mãos. Diz, de rosto virado:

— Dá a camisola!

Numa triunfante humildade, balbucia:

— Engraçadinha...

Cerra os dentes:

— A camisola!

Zózimo vira-se. Ela pede: — "Não olha". O marido estende a mão:

— Toma.

Olha ainda com a violenta doçura de uma última vez. Num gesto ávido, Engraçadinha apanha a camisola. Veste-se. Fora de si, corre para a cama e põe o quimono. Depois de abotoar-se, encara-o:

— Se não fosse minha religião — e se eu não tivesse cinco filhos...

— Escuta, Engraçadinha!

Alteia a voz:

— Deixa eu falar! Se não fosse minha religião eu saía por essa porta afora!

Quis tocá-la com a mão. A esposa foge com o corpo. Zózimo gagueja:

— Olha, meu bem.

— Não me chama de "meu bem".

E ele:

— Você tem razão. Tem e não tem. — Repete, sôfrego: — Tem e não tem. Você que se esquece que há vinte anos...

A obsessão dos vinte anos não o largava. Durante todo esse tempo, possuíra nas trevas uma esposa em combinação ou camisola. Essa nudez sempre negada era a sua humilhação e sua miséria.

Engraçadinha ergue o rosto:

— Você só pensa nessas indecências!

— Engraçadinha, olha!

— De mais a mais, você viu o filme!

Protesta: — "Não!". Teima:

— Viu!

Acaba admitindo:

— Vi.

Recua:

— Viu e ainda confessa! Viu e…

Cobre o rosto com uma das mãos; chora agora em silêncio. Durante alguns momentos, o marido não sabe o que dizer. Balbucia:

— Perdão.

Engraçadinha pensa: — "Ele não presta, nem eu. Eu sou pior. Eu sou crente…". Na sua tristeza atônita, repete para si mesma: — "Eu não presto". O que a espantava era a violência do próprio prazer. Houve um momento em que sentira a garganta fechar-se.

Teve ódio de si mesma. Acusava-se ainda mais de ter, pelas próprias mãos, arrancado toda a roupa. Volta-se para o marido:

— Eu não sou como certas esposas que… Se você pudesse imaginar o horror, ouviu? O horror! E olha, Zózimo, eu não amava você e agora menos do que nunca! Agora mesmo é que… Eu seria uma prostituta se aceitasse, se admitisse! Zózimo, você me tratou como se eu fosse uma prostituta! Eu sou esposa, Zózimo!

E o que a enfurecia é que só de lembrar-se da experiência abominável sentia-se gelar de volúpia.

AMADO VIRA-SE PARA Paulo Reis:

— Manja a barra e vê se sai alguém assustado. Se sair, você prende em nome do comissário!

Paulo Reis masca um palito de fósforo:

— Pode ir, meu chapa!

Amado Ribeiro sobe pela escada com Maria Aparecida. A moça explica:

— Meu marido, que é — Deus me perdoe! —, mas é um cavalo — saiu. Acho que foi falar com o advogado. E eu aproveitei.

Em cima, ela apresenta o repórter:

— Celina, aqui é o diretor da *Última Hora*.

A dona da casa toma um susto: — "Eu leio muito a *Última Hora*. Mas tenha a bondade". Não estava reconhecendo no repórter os traços do jornalista Samuel Wainer. Tosse ligeiramente, na ânsia de ser uma anfitriã inexcedível:

— O senhor esteve na China, não foi?

E o Amado, com total naturalidade: — "Passei por lá". Enquanto Maria Aparecida, agoniada, quer continuar, d. Celina tem um susto retardatário:

— Mas olha! O senhor vai pôr o meu nome? Não põe meu nome! Pelo amor de Deus, não põe meu nome.

Amado Ribeiro jura que não vai pôr o nome de ninguém. Maria Aparecida começa a chorar:

— O meu marido, que tem ciúmes até de poste. O senhor não faz uma ideia. Ciúme é uma coisa; ciúme doentio, outra. E meu marido começou a desconfiar de Robson.

— Que Robson?

Teve de explicar: — "O morto". Amado Ribeiro exclama: — "Ah, o Cadelão!". A outra continua:

— O rapaz ia num andar de cima, onde tem um amigo nosso, o Tameirão Curvelo. De vez em quando, passava lá por casa. Meu marido começou a dar o teco. Mas a Celina sabe, não sabe, Celina? Eu tive alguma coisa com o Robson? Diz. Pode dizer.

— Absolutamente.

Maria Aparecida exulta:

— Está vendo? E Celina é minha amiga, minha confidente. Mas onde é que eu estava? Ah, sim! O meu marido começou a desconfiar e me disse: — "Dou um tiro nesse sem-vergonha!".

Amado Ribeiro interrompe:

— Quer dizer que não havia nada mesmo?

Alterou-se:

— A Celina está aí de prova. Não havia nada. O senhor acredita em Deus?

— De vez em quando.

Ergueu o rosto duro:

— Quero que Deus me cegue se... Mas continuando: — eu, hoje, estava em casa, muito bem, vendo televisão. Meu marido tinha descido para comprar cigarros. Batem a campainha, vou abrir e quase tropeço no cadáver. Pouco depois, entra meu marido. Veja a coincidência. Não é coincidência?

D. Celina secunda:

— Coincidência, batata!

A outra chora mais forte:

— Veja a minha situação. Um rapaz que, afinal, era meu amigo; que eu tinha visto, pouco antes, vivinho; e que, de repente, aparece morto, na minha porta. Quando eu olhei, disse: — "Bom. Foi meu marido!". Tive tanta raiva, mas tanta, que... Eu não devia dizer isso, mas vou dizer, de propósito.

A amiga quis contê-la: — "Calma, calma!". Deu um repelão:

— Digo, ah, digo! É o seguinte — ao ver o rapaz — eu tive um arrependimento — e que arrependimento! — de não ter traído meu marido com Robson. Se eu pudesse voltar atrás, juro ao senhor que... Mas ainda vou trair meu marido! Com o primeiro que apareça!

Quando Leleco e Janet passam pela porta do edifício, ia saindo o caixão de alumínio. O rapaz aperta o braço da moça:

— Janet, se eu fosse o assassino. Se eu fosse o assassino desse rapaz, você, Janet, me perdoaria? Ou você...

Estavam na esquina. Súbito, ele estaca. Sentiu uma brusca vertigem. Agarrou o braço da moça e quase a arrastou na sua queda.

CAPÍTULO 66

Quando Leleco caiu, houve um corre-corre, na esquina. Uma senhora grávida, da vizinhança, que ia passando com o marido, assustou-se e quis fugir. Tropeçou nas pernas do próprio marido, ia caindo também. Deu um grito. Ao mesmo tempo, Janet curva-se sobre o rapaz:

— Leleco!

Ele gemia:

— Janet!

Juntou gente. Na porta do edifício, o comissário Piragibe, de branco, paletó aberto, o suor farto e grosso, avisava ao guarda-civil, que o acompanhava:

— Você conhece o Amado Ribeiro?

O guarda, um crioulo gigantesco, estaca:

— O tal?

— O da *Última Hora*, sim. Já sabe. Se ele se meter a besta, você baixa o pau, mas baixa mesmo. Comigo jornalista não folga, porque eu sou pior que o falecido Dulcídio.

Neste momento, viu o ajuntamento mais adiante. Estica o pescoço:

— Olha briga ali!

Os dois correm, guarda e comissário. Piragibe abre passagem, aos empurrões. Leleco está sentado; Janet, de joelhos, ao lado, pergunta:

— Está melhor?

Ofegante, responde:

— Janet, eu não matei ninguém, Janet!

E ela, baixo (ainda uma vez, ele sente que a menina o salvava com a sua ternura):

— Escuta: — eu chamo um táxi. Vai pra casa de táxi. Eu chamo.

O comissário Piragibe põe-se de cócoras:

— Como é o seu nome?

Crispa-se:

— Por quê?

Ainda sem entender, percebe o perigo, a ameaça. Instintivamente, procura Janet com o olhar. Esta é que se interpôs. Sentindo o policial, quis explicar:

— Desmaiou.

Com uma suspeita aguda e cruel, o comissário encara duramente Janet:

— Quando eu cheguei, ele estava dizendo... Que negócio é esse?

Leleco sentia-se tão fraco, indefeso, tão perdido, que olha em torno. Por um momento, teve a ideia de correr, dentro da noite, numa fuga pânica. Pensa: — "Se me derem um tapa, eu confesso tudo!". Sempre ouvira dizer que lá na polícia batem nos presos, torturam, põem no pau de arara.

O comissário não tira os olhos de Janet. Faz, instantaneamente, suas deduções: — "Bonitinha, família, cheirosa, mas essas é que são as piores". Tinha o cinismo do *métier*. Janet continua:

— Estava na festa.

Piragibe atalha:

— Bebeu?

Teve uma brevíssima hesitação. Sorriu, numa afetação de candura:

— Um pouco. Sim, bebeu!

Ela própria não saberia explicar a mentira. Leleco bebera, em toda a noite, um único e puríssimo copo d'água filtrada. O comissário, que estava de cócoras, ergueu-se. Janet dizia para si mesma: — "Menti, como se ele fosse culpado".

Piragibe coça a cabeça, descontente, confuso:

— Em todo o caso — decide: — deixa o nome e o endereço. Convém deixar.

Foi ainda Janet que falou:

— Leleco, aliás, Osvaldo... — pergunta a Leleco: — Soares o quê, Leleco?

Respondeu, de olhos baixos:

— Soares Lima.

O Paulo Reis, da *Última Hora*, ergue a máquina, cantarolando: "Samariquinha, o seu gato deu...".

Estoura o flash. O comissário pula, furioso:

— Logo vi! A *Última Hora*! — rosna: — Esse pasquim!

Paulo Reis bate na ponta do boné de jóquei:

— Como é, Piragibe, tudo azul?

Fala e, ao mesmo tempo, faz uma ginga que enfurece a autoridade. Passando o lenço na cara lustrosa, Piragibe arqueja:

— Vocês lá da *Última Hora*! Olha aqui, Paulo Reis: — um dia é da caça, outro do caçador!

Volta-se para Janet. Ensopa agora o lenço na própria nuca. Janet e mais outros do grupo cercam Piragibe:

— Esteve na festa, sim! É bom rapaz! Bebeu!

Piragibe não se esquece da ginga insolente do Paulo Reis. E, sobretudo, não admitia que aquele moleque (— "Moleque, sim!") cantasse para a polícia a tal melodia obscena, que começava assim: — "Samariquinha, o seu gato deu!". Embolsa o caderno com o nome e o endereço do Leleco e afastou-se, praguejando: — "Só um tiro na cara!."

DEITAM-SE. ENGRAÇADINHA o empurra:

— Chega pra lá!

Zózimo afasta-se para a outra extremidade:

— Escuta, meu anjo!

Corta:

— Não quero conversa! E agora, meu Deus, com que cara vou olhar para minhas filhas!

E ele:

— Tão natural!

Sentou-se na cama:

— Natural? Você diz que é natural? Mas olha! Eu não sou como certas mulheres. Não sou. Vocês trazem pra casa o que aprendem na rua!

Zózimo não fala. Sonha, de olhos escancarados, no escuro do quarto. Sentia uma dessas felicidades absurdas e mortais: "Se eu morresse agora", eis o que pensava. Morreria pensando: — "Agora, posso morrer!".

Os dois passaram o resto da noite, lado a lado, em claro. Ela pensava: — "Zózimo percebeu. Deve ter percebido. Houve um momento, em que eu...". Ah, o prazer vil!

Engraçadinha levantou-se bem cedinho. Pouco depois, na cozinha, lavando o pano do café, não se livrava do sentimento de culpa. Encheu a panela e, por um momento, ficou parada, refletindo:

— Imagine se o dr. Odorico, que quer se converter. Imagine, se ele sabe, se desconfia que eu...

Pondo a água no fogo, tem uma reflexão cruel: "Estou me sentindo uma prostituta". Gradua o fogo e faz uma breve prece, junto ao fogão.

ÀS NOVE HORAS, o dr. Odorico toma café. A mulher, sentada na outra extremidade da mesa, dá muxoxo. Estava descobrindo formigas no açucareiro:

— "Pipocas!". Vai lá dentro, volta. Dr. Odorico tinha uma decidida preferência por pão com manteiga. Achava mesmo que pão com manteiga é uma comida bíblica. Súbito, a esposa faz-lhe a pergunta:

— Você sabe há quanto tempo eu não sou sua mulher?

Toma um choque. Pigarreia: — "Como assim?". E ela, fremente (pertencia a uma família de nervosos, de irritados):

— Não se faça de tolo! Você ouviu! Ouviu perfeitamente! — toma fôlego e anuncia, triunfante: — Há dois anos que eu não sou sua mulher!

Dr. Odorico enxuga a manteiga nos lábios. Era verdade: — dois anos! Sentiu que, como marido, estava numa situação delicada. Não podia dizer-lhe, com bestial sinceridade: — "Acho você uma víbora de túmulo de faraó!". Trata de dourar a pílula.

— Meu anjo, o sexo é, no casamento, um detalhe.

A mulher recua, na cadeira, estupefata. A manteiga chegou a escorrer-lhe da boca como uma baba: — "Detalhe?". Naquele momento, ele sofreu por não ter a inestancável facilidade verbal do Otto Lara, com suas improvisações diabólicas. Otto provava tudo com um pé nas costas. Seus paradoxos punham abaixo verdades eternas. Gemeu, interiormente: — "Ah, o Otto aqui!". Novamente, foi obrigado a pensar por conta própria:

— Nós vamos comemorar daqui a pouco as bodas de prata. E olha: — depois de certo tempo, o amor conjugal vira amizade e o desejo entre marido e mulher passa a ser quase incestuoso.

A esposa pulou: — "Continua com essa lógica, que o jacaré te abraça!". Era uma senhora de educação escassa. Dr. Odorico sofreu impessoalmente, como se o ultrajado fosse, não ele, mas o próprio Judiciário. Levantou-se. Um pouco acuado, exagerou os efeitos da idade:

— Eu já não sou criança. De mais a mais, tenho andado muito indisposto.

A outra replicou com um argumento considerável: — "Dois anos!". Mostrava-lhe os dois dedos: — "Dois anos!", repetiu, triunfalmente. Perturbado, quis sair. Ela, porém, agarrou-o pelo braço. Dr. Odorico sofria duplamente: — como homem e como juiz. Acabou perdendo a paciência e pregando a mentira humilhante e salvadora:

— Eu não queria dizer, porque, enfim, tive escrúpulo, vergonha. Mas fui ao médico e ele me disse que eu estava incapaz.

Apanhada de surpresa, a esposa recua: — "Incapaz?". Repete, lúgubre: — "Incapaz". Insiste, fora de si:

— Definitivamente?

Suspira:

— Definitivamente.

Pôde sair, afinal. A caminho do lotação, decide eufórico: — "Não posso me gastar com a esposa. Preciso me reservar para Engraçadinha". Entrou num armazém próximo e ligou para o ginecologista:

— Preciso de um favor teu. Um grande favor.

O outro, que se chamava Alceu, dr. Alceu, desmanchou-se no telefone:

— Você manda e desmanda. Por você, eu sou capaz até de uma boa ação. Novos amores?

O dr. Alceu era, segundo todos os critérios de julgamento, um gângster da profissão. Mas, coisa curiosa! Ninguém mais generoso, terno, feliz, realizado. Às vezes, o dr. Odorico, a ouvir-lhe as anedotas, as gargalhadas, punha-se a pensar: — "Tem mais sanidade mental que um passarinho!". O juiz baixa a voz:

— Nada disso. O caso é sério. Uma menina de catorze ou quinze anos. Nada minha. Mas olha: — é um exame a que eu preciso assistir.

Ao meio-dia, Engraçadinha liga para o dr. Odorico. Disca e vai pensando: — "Como é que posso falar contra esse filme, *Les Amants*, se eu própria, eu, eu deixei, como se fosse uma prostituta...". Do outro lado da linha, dr. Odorico atende. Ela fala:

— Sou eu, Engraçadinha.

CAPÍTULO 67

Ao ouvir-lhe a voz, tremeu no telefone:

— Ah, Engraçadinha!

Era meio-dia, exatamente. Tal pontualidade pareceu-lhe uma delícia completa. Um riso gratuito vibrou nos seus maxilares:

— Como vai? E o nosso Zózimo?

Essa efusão do homem a perturbou. Num enleio de menina, responde:

— Vou bem. Muito amolada. E o senhor, aliás, desculpe: — você?

Exultou:

— Assim, assim. Mas olha! Tem um lápis? Tem?

— Um momentinho.

Engraçadinha estava falando da casa de um vizinho. Dr. Odorico suspira para si mesmo: — "Dou-lhe a geladeira!". Superara, já, a fase das dúvidas. —

"Ela merece", disse para si mesmo, pensando na Sheer Look de sete pés. Engraçadinha voltava.

— Pode dizer. Onde é?

Ditou:

— Rua da Assembleia. Tomou nota? Assembleia, 1.101. Segundo andar. É na frente, ouviu? Na parte da frente.

Escrevia, quase soletrando:

— Assem-bleia. Como é o número? Ah, 1.101.

E ele:

— Segundo andar. Prédio antigo. Escuta, Engraçadinha.

— Estou ouvindo.

Baixa a voz:

— Eu te espero, embaixo, na porta. E outra coisa: como vai a nossa amiguinha? Você notou alguma coisa de especial ou...

— Nada.

— Antes assim. Tomara que não tenha acontecido nada e que...

— Tomara!

Ele acrescentou, vivamente:

— Mas convém o exame! — e repetia, incisivo: — convém o exame! É indispensável! Nada como o preto no branco.

Engraçadinha suspira:

— Não quero mais tomar o seu tempo e...

O juiz repetia:

— Duas horas, ouviu? Estarei lá. Duas horas.

Quis dar um certo charme à despedida:

— *Au revoir*, Engraçadinha, *au revoir*!

Larga o telefone. Ia com as pernas bambas de felicidade.

ENGRAÇADINHA FALARA DA casa de d. Araci. Ao desligar, pensa: — "Estou natural como se não tivesse acontecido nada". Entrara na casa da vizinha, risonha, quase feliz; dera um tapinha na face de Iara. D. Araci estava nos fundos da casa. Depois de pedir licença, encaminhara-se para o telefone. Começou a discar, cantarolando. Súbito, estaca: — "Estou cantando, meu Deus!". E essa naturalidade doce pareceu-lhe quase cinismo. Como é que, depois de ter sido acariciada de uma certa forma, uma esposa... — "Eu devia estar sofrendo e não sofro. Sofro muito pouco. Quase não sofro".

Deixa o telefone. D. Araci vem entrando:

— Escuta, Engraçadinha — vira-se para Iara: — Minha filha, sai um pouco.

Ao mesmo tempo que Iara abandona a sala, d. Araci puxa Engraçadinha:

— Senta. Estou desesperada, Engraçadinha!

Olhando-a, Engraçadinha pergunta a si mesma: — "Será que ela passou por isso?". Queria acreditar que na intimidade sexual tudo acontece ou, pelo menos, tudo pode acontecer. D. Araci começa a chorar:

— Imagina que o Leleco chegou, hoje, sabe a que horas? Faz uma ideia?

— O Leleco?

— Quatro horas, Engraçadinha! Quatro da manhã!

— Mas, ó, não se aborreça!

D. Araci põe a mão no braço da outra:

— Eu te contei o negócio do Ceguinho? Sim, o Ceguinho, o médium vidente? Contei, sim. Não contei? O Ceguinho, que faz muita caridade. Contei. E sabe que ele não cobra? Pois o Ceguinho disse que, dos dezoito aos dezenove anos, ia acontecer uma desgraça ao Leleco!

Engraçadinha tem um muxoxo:

— Palpite!

E a outra:

— Mas escuta. Leleco chegou, hoje, às quatro, branco como esse papel. Perguntei: — "Está doente, meu filho?". Nem me respondeu e foi para o quarto. E, hoje, de manhã fui ver os bolsos do Leleco. Ele saiu com seis contos pra pagar a casa. Não pagou e estão faltando três contos.

Engraçadinha tomou, entre as suas, as mãos da amiga:

— Pode ter perdido, quem sabe?

D. Araci ergue-se:

— Não creio. O Leleco anda com umas companhias que... Um amigo dele, o tal de Cadelão, dizem até que fuma maconha. Além disso, o Ceguinho... Você não acredita, mas olha: — o Ceguinho é batata!

Engraçadinha levanta-se:

— Tenho que ir. Passo depois pra conversar melhor.

Gemeu:

— Passa. Vou te levar na porta. E outra coisa que também me preocupa: — dizem que esse Cadelão — só o nome, vê se pode? —, mas o Cadelão não gosta de mulher. O que é que eu vou fazer, minha Nossa Senhora?

Antes de falar com Engraçadinha, no telefone, dr. Odorico resolvera passar na casa do Otto. O diálogo com o escritor mineiro era, para ele, se assim posso dizer, um excitante, um afrodisíaco espiritual, de primeira ordem. A inteligência jorrava do Otto Lara assim como a água dos tritões de chafariz. Foi encontrar aquele jovem espírito remexendo uma papelada imensa. Dr. Odorico deduziu que estaria, ali, a obra que o escritor ia construindo nos intervalos dos seus bate-papos antológicos.

O juiz observa, com uma cálida simpatia intelectual:

— O amigo produz muito!

De cócoras, a mão enfiada naquele torvelinho de papéis rabiscados, o Otto Lara deixa escapar um dos seus lampejos inumeráveis:

— Eu sou o autor de muitos originais, e de nenhuma originalidade!

Foi tal o deleite do juiz que chegou a perder a fala. Mais do que nunca, pareceu-lhe humilhante o brilho do Otto Lara. E lamentou que um taquígrafo não andasse atrás dele, as vinte e quatro horas do dia, pago pelo Estado, para imortalizar-lhe as frases perfeitas, irretocáveis. Só uma coisa admirava o dr. Odorico: — é que esse gênero verbal não arrancasse de si mesmo, todas as semanas, uma *Comédia humana*, uma *Divina comédia* ou *As vidas dos doze Césares*.

Dr. Odorico dá uma voltinha pela sala. Quis arrancar mais uma faísca daquele talento. Pergunta (ao mesmo tempo que imagina: — "Lá vem bomba!"):

— Que me diz o amigo desse levante armado?

Atracado à papelada, Otto Lara deu um rútilo piparote na sedição que abalava o País:

— Isso é uma curra aérea! É a juventude aerotransviada! Em vez da lambreta, o avião!

Para o dr. Odorico era demais. Pálido de admiração, praguejou interiormente: — "Ah, se eu tivesse esse brilho, não precisava geladeira, não precisava conversão. Levava Engraçadinha direitinho, na conversa!". Estende a mão:

— Meu caro Otto, o diabo é que nós não temos coragem nem pra curras aéreas, nem pras propriamente ditas!

Eis a verdade: — o dr. Odorico, que se considerava um pusilânime, respeitava a coragem, onde quer que a encontrasse, inclusive nos gângsteres. Sem querer, escapou-lhe o comentário meio gratuito: — "O homem honrado é um gângster sem coragem!". Em cima da mesa do Otto, estava um volume de Molière, autor que dr. Odorico considera, textualmente, "meio gaiatote".

O DR. ALCEU ABRIRA dois consultórios. Um na cidade, outro em Del Castilho. Em ambos, atendia três vezes por semana. Na Zona Norte, fazia o aborto pobre ou, na pior das hipóteses, grátis. Já na cidade, os preços eram bem mais puxados. Naquele dia, precisava estar em Del Castilho. Mas não negava nada ao dr. Odorico que, certa vez, o salvara num processo de estelionato. Uma hora antes, lá aparecia o juiz. (Subira a escada devagarzinho.) O ginecologista abriu-lhe os braços numa efusão total. Já queria saber, de olho a um tempo terno e rútilo: — "Algum galho? Catorze anos? Grande idade! E quem é o feliz autor? O meritíssimo?". O dr. Odorico, que, comumente, sentia-se um triste, um deprimido, gostava daquela plenitude jucunda e um pouco ordinária. Explicou tudo. Concluía: — "Não há certeza, percebeu? Não há certeza!". Toma respiração, e baixa a voz, cavo: — "É como se fosse minha filha!". Dr. Alceu põe-lhe a mão em cima do joelho:

— Sei, sei. É como se fosse sua filha, compreendo. Mas escuta cá: — o meritíssimo há de querer dar uma espiadinha, não quer?

Silêncio. Dr. Odorico pensa: — "Se eu disser que sim, vou parecer um bandalho, um cínico". Vacila ainda. Mas argumenta consigo mesmo: — "Quem, no meu lugar, não aproveitaria a situação?". Dr. Alceu percebe o conflito:

— Meu caro juiz, eu sou ginecologista. O ginecologista entende tudo, sabe tudo e não acredita em nada.

Já com uma certa dispneia emocional, dr. Odorico arrisca:

— Seria correto? De mais a mais, a mãe vai estar presente e eu não quero, em absoluto, não quero, entenda bem!

Dr. Alceu ri com um salubre cinismo:

— Não se incomode, meritíssimo! Pode deixar! Eu dou um jeitinho!

Larga uma gargalhada, incontrolável, soberba, que inundou o consultório. Dr. Odorico pensa, fascinado por essa alegria irresponsável, pensa que só os canalhas sabem rir.

Cochicha o apelo:

— Mas não me comprometa!

UMA HORA DEPOIS, está o dr. Alceu segurando as extremidades da toalha, na frente de Silene. Diz com uma naturalidade melíflua:

— Sobe aí, milha filha, sobe!

Silene obedece, um pouco atônita. Engraçadinha está ao lado da mesa. Dr. Alceu indica os estribos de metal:

— Olha: — põe os pés aqui. Assim.

Dr. Odorico mantém-se a distância, de costas para a cena.

CAPÍTULO 68

DE MANHÃ, SILENE ainda fez uma tentativa:

— Mamãe, eu precisava ir ao colégio, hoje!

As outras filhas tinham acabado de sair para o trabalho. O último a tomar café fora Durval (estava no quarto). Tirando a toalha, Engraçadinha nem olha a filha:

— Você fica!

Silene dá um muxoxo:

— Por quê?

E a mãe:

— Vou ao médico. Quero que você vá comigo.

Ainda geme:

— Puxa vida!

Durval sai do quarto, ainda dando o nó na gravata:

— Mamãe, sabe se o doutor Odorico falou com o Benício?

Engraçadinha põe a toalha na gaveta:

— Fala, hoje, sem falta!

Durval veste o paletó: — "Tenho que ir chispado. Vê que horas são? Tarde pra chuchu!". Beija Engraçadinha, de passagem; e ainda brinca:

— Velha enxuta!

Engraçadinha ergue o rosto, com uma viva doçura no olhar:

— Deus te abençoe!

Quando ele passou, com as suas costas maciças, o perfil irretocável de John Barrymore, uma vizinha, do lado, senhora portuguesa, suspira: — "Bonito como uma virgem!". Até a hora do médico, Engraçadinha só pensou no que acontecera de madrugada. Ainda bem que Silene era menor e *Les Amants* fora proibido até dezoito anos. Suspira para si mesma: — se todos conhecessem a intimidade sexual uns dos outros, ninguém cumprimentaria ninguém. Pensa: — "Se minha filha soubesse. Minha filha ou Odorico. Se o Odorico soubesse o que houve, esta madrugada, entre mim e Zózimo!".

Pouco depois, ao tomar banho, teve uma brusca vergonha (e um agudo sentimento de culpa) da própria nudez. Houve um momento em que, passando o pente, diante do espelho, saltou-lhe uma reflexão pânica: — "Desde que acordei, até agora, não pensei no Senhor. Nem fiz a oração na mesa".

Antes de partir (Silene já estava pronta) perguntou bruscamente:

— Qual é a tua calça?

— A azul.

— Põe outra, anda, põe outra. Vai ao médico, põe outra.

Para, meio insolente, com as duas mãos nos quadris:

— Quem vai ao médico? Eu ou a senhora?

Bate no braço da filha:

— Ele te examina também. Anda, Silene! Tira essa e põe a cor-de-rosa, aquela, põe!

Silene obedece. Pouco depois, saem as duas. Silene vai pensando: — "Essa piada do médico, que mágica besta!". A menina não sabia de nada. Dr. Odorico recomendara muito: — "Olha! Ela não pode saber. Não convém".

ERAM DEZ PARA as duas, quando Engraçadinha e Silene chegaram na porta do dr. Alceu. Gravíssimo, quase fúnebre, dr. Odorico inclina-se diante de Engraçadinha, beija-lhe a mão. Em seguida, vira-se para Silene e, numa ternura ainda grave, dá-lhe um tapinha na face. Engraçadinha diz para a filha:

— Minha filha, vai ver aquela vitrina, ali, vai, minha filha!

Um pouco inquieta, Silene afasta-se. Engraçadinha, muito nervosa, baixa a voz:

— Ela não sabe, nem desconfia — suspira. — Tenho remorso, vergonha, de fazer isso com minha filha. Mas como é preciso, não é mesmo?

Dr. Odorico pigarreia:

— Claro e olha: — hoje não era dia de consulta, mas o doutor Alceu veio expressamente e outra coisa: — estarei no consultório. Sem olhar, claro. Mas a minha presença é indispensável — e repete, com uma cintilação no olhar: — Indispensável!

Olhando-o, aflita, Engraçadinha está pensando: — "Se ele soubesse o que houve, entre mim e o Zózimo, esta madrugada!".

Dr. Odorico faz um gesto largo:

— Vamos subir?

Engraçadinha chama a filha. Os três começam a subir. Dr. Odorico, que vinha atrás, avisa: — "Segundo andar". Ele vai pensando: — "Se o Otto Lara estivesse aqui, havia de me chamar de 'fauno do Judiciário'!". E, apesar de toda a sua deliciosa angústia, chegou a sorrir. No primeiro andar, arqueja de uma maneira humilhante. Olhou, com terror, para o novo lance de escada. Engraçadinha pergunta:

— Cansado?

Teve pudor da própria dispneia. Seu sorriso foi um esgar miserável:

— Absolutamente.

O coração dava batidas furiosas. Por sua vez, a úlcera tinha palpitações desesperadas. Fez, para si mesmo, a reflexão de humor lúgubre: — "Vou chegar lá em cima de rabecão!". E a sua vontade era desvencilhar-se de todos os escrúpulos e os pudores e sentar-se num degrau redentor. "Sou um velho", pensava. No meio da escada, apoiava-se no corrimão. O pior é que já sentia as pernas bambas e a vista turva. Parecia-lhe meio desrespeitoso para o Judiciário que uma escada fosse tão árdua para um juiz como para todo o mundo.

Quatro ou cinco degraus mais acima. Engraçadinha vira-se um momento:

— Cansado?

Gemeu como um afogado:

— Um pouco.

Quase asfixiado, queria acreditar que nenhum amor valia os dez ou doze degraus restantes. Ao mesmo tempo, concluía que aquele esforço dava-lhe o direito de acompanhar qualquer exame ginecológico. Engraçadinha retrocede. Pergunta, baixo, quase com ternura:

— Sentindo alguma coisa?

Balbucia:

— Não.

Dr. Odorico encosta-se no corrimão. Mas a verdade é que se sentia um moribundo irremediável. Estava tão pálido, tão desfigurado, que, sem pensar, Engraçadinha passa o próprio lenço (com infinita delicadeza) no rosto do juiz. Esse gesto, de uma feminilidade tão delicada, fez-lhe um bem desesperador. Teve, então, forças para sorrir. Pensa: — "Essa mulher não existe!". No alto, Silene espera.

Engraçadinha pergunta:

— Pode subir agora?

Sem desfitá-la, e numa gratidão feroz, decide: — "Juro que, ao sair daqui, irei ao Rei da Voz comprar a geladeira. Vou falar com o Medina;[51] me apresento como juiz e arranco essa geladeira". E mesmo que, numa eventualidade improvável, o Medina não abrisse mão da entrada, mesmo assim ele encheria o cheque na mesma hora e mandaria levar a Sheer Look no mesmo dia.

Disse, redimido:

— Vamos.

E ela, ansiosa:

— Devagar.

Veio a seu lado, passo a passo. Quando chegaram lá em cima, dr. Odorico experimenta uma brutal euforia. "Ah, que delícia não ter mais degrau nenhum para subir!" O médico, que sentira passos na escada, abria a porta. Saudava-o, com a sua efusão exagerada e plebeia:

— Meritíssimo!

O DR. ALCEU VIRA-SE para Silene. Pensa: "Onde é que o meritíssimo me foi descobrir esse material?". Com uma ternura risonha, pergunta:

— É essa a nossa amiguinha?

Dr. Odorico está novamente fúnebre:

— Exatamente.

Silene vira-se para a Engraçadinha:

— Eu?

E o dr. Alceu:

— A senhora quer acompanhá-la? Ali. O banheiro é ali. A senhora prepara a menina, sim?

Silene recua, ligeiramente: — "Mas sou eu? Não é a senhora?". Engraçadinha a puxa pelo braço:

— Vamos.

Entram no toalete. Silene quer reagir: — "Mas eu não tenho nada!". Engraçadinha baixa a voz (começa a sentir pena da filha):

— Tira a calça, tira, minha filha!

Encosta-se na parede. Balbucia: — "Precisa?". O medo dá-lhe uma contração de náusea. Diz para si mesma: — "Mas ninguém sabe nada!". E como não se decide, Engraçadinha quer levantar o seu vestido. Transida, foge com o corpo:

— Eu mesma tiro.

Pouco depois saem as duas. O médico está acabando de colocar a luva. Ri para a menina:

— Chega aqui, figurinha difícil da bala Ruth!

Desesperada, Silene olha para a Engraçadinha: — "Eu tenho vergonha!". E a mãe:

— Minha filha, é preciso, Silene!

E o dr. Odorico, grave:

— Olha! Eu vou ficar ali, de costas para cá.

Dr. Alceu segura a toalha pelas extremidades e a abre diante da menina. Explica ainda para a Engraçadinha: — "Eu dei folga à enfermeira, porque o meritíssimo pediu a máxima discrição!". Afastando-se, dr. Odorico diz, para si mesmo: — "Boa situação para o Otto Lara explorar num conto!". Lembrava-se de outros rapazes divertidos, do jornalismo, que haviam de vibrar com o episódio, o Batista de Paula, o Xavier, o Luís Renato e, em suma, toda uma rapaziada moderna e jucunda. Ele, porém, começava a ofegar como se estivesse subindo outra escada. De costas para a cena, dr. Odorico repetia: — "Qualquer homem de bem, que estivesse aqui, havia de querer dar uma olhada. Eu sou humano e nada mais!". Imaginava o incidente descrito pela ficção do Otto Lara.

Silene já está na mesa. Silêncio. Engraçadinha, ao lado, segura a mão da filha. Súbito, pensa: — "Eu devia estar orando". Dr. Alceu ergue-se do banquinho:

— Doutor Odorico, quer vir aqui, por obséquio?

CAPÍTULO 69

E PARA ENGRAÇADINHA:

— Minha senhora, quer ter a bondade?

O juiz, perplexo, dá dois passos e estaca. As palpitações da úlcera são incontáveis. Engraçadinha segue o ginecologista. Silene acompanha os três com o olhar.

— Alguma novidade?

Por sua vez, Engraçadinha quer saber:

— Ela já pode se vestir?

E o médico:

— Um momento, minha senhora.

Passa o braço em torno do juiz. Suspira:

— Infelizmente, a menina — desculpe, minha senhora, e creia que lamento, mas a sua filha não é mais virgem.

Engraçadinha recua, atônita:

— Não é mais... Escuta, doutor: — deve haver engano!

Dr. Odorico parece também estupefato:

— Tem certeza?

— Absoluta.

Engraçadinha agarra-o por um braço:

— Mas doutor! O senhor não se lembra daquele caso?

Volta-se para o juiz:

— Odorico, aquele caso, daquela menina! O médico também disse. Examinou e disse. Saiu no jornal. Disse que a menina não era mais virgem e era. Saiu no jornal. Eu li. A menina matou-se, eu li. Examinaram o cadáver e ficou provado que era virgem.

Delicado, mas firme, o dr. Alceu repete:

— No caso presente, não há dúvida. E foi recente, minha senhora. Recentíssimo. Defloramento recente.

A palavra doeu-lhe na carne e na alma. Começa a chorar:

— Escuta, doutor. Um momento, Odorico. Doutor, o senhor vai me fazer um favor. O senhor tem filhas, doutor?

Inclinou-se:

— Duas, minha senhora.

E ela, fora de si:

— Muito bem. Então o senhor vai me fazer um favor. Faz, não faz, doutor?

Na sua polidez apiedada, inclina-se:

— Perfeitamente.

E ela:

— Doutor, examina outra vez, sim, doutor?

— Pois não. Eu vou lhe mostrar. Tenha a bondade.

Engraçadinha passa. Dr. Alceu pisca o olho para o juiz:

— O senhor também, meritíssimo!

Engraçadinha estaca. Pergunta, vivamente:

— A minha filha vai ficar exposta?

Dr. Alceu, embora firme, incisivo, teve tato:

— Minha senhora, o pudor não cabe neste momento. Eu tenho alguma prática. O doutor Odorico me conhece e sabe.

Dr. Odorico quis intervir:

— Escuta, Alceu...

E o outro:

— Um momentinho! Eu falo, minha senhora, em nome de quinze anos de clínica. Entende? Não é a primeira vez e...

Desesperada, interrompe:

— Mas minha filha é uma menina!

— Minha senhora, justamente por isso. É uma menina, que deve ser amparada. Perfeitamente, amparada! E quem melhor do que um juiz? O doutor Odorico está aqui, impessoalmente. Não é isso mesmo, doutor Odorico? Impessoalmente... Não é o homem, mas a Lei, a Justiça.

Inflama-se. A veemência era quase impolidez, quase desfeita. Um pouco atônita, Engraçadinha deixa-se intimidar. O médico apontava o juiz como se este fosse o símbolo pessoal e maciço do Judiciário. Crispado, dr. Odorico olha a mulher de sua paixão. Sentiu Engraçadinha como uma pobre e indefesa alma de Vaz Lobo. Experimenta uma pena brusca, uma compaixão brutal.

Adianta-se:

— Olha, Alceu! Engraçadinha tem razão! Realmente, é uma situação desprimorosa!

Usou a expressão "desprimorosa", embora taxando-a intimamente de inatual, retardatária e burlesca (o Otto Lara não a usaria, jamais).

Dr. Alceu vira-se, desconcertado:

— Não quer assistir?

E ele, abandonando-se ao impulso nobre:

— Absolutamente! Basta você, basta esta senhora, que é a mãe. Eu não teria função! — exaltou-se, num repelão ainda mais violento: — Seria uma indignidade!

De fato, não se perdoava o ter premeditado, com o médico, aquela miséria. Repetia para si mesmo: — "Que direito teria de olhar? Por que e a troco de quê?". Nervoso, arquejante da própria dignidade, foi taxativo:

— Eu não devia estar nem aqui. Devia estar lá fora, na sala de espera. E é pra lá que eu vou, neste momento. Com licença, Engraçadinha.

Caminha na direção da porta. Volta-se ainda, antes de sair:

— Só voltarei quando esta menina estiver composta.

Ninguém mais espantado do que o juiz com os próprios escrúpulos.

VEIO SENTAR-SE NA sala de espera. E, ainda excitado, pensa: — "O ser humano é um débil mental imprevisível. Eu entro aqui como um sátiro...". Sim, entrara como um sátiro que ele próprio classificava de imundo; e saía como um homem de bem. Apanha um jornal, que estava abandonado na cadeira ao lado. *Diário de Notícias*, janista furioso. No suplemento feminino, viu uma senhora de peruca. E, então, fez uma reflexão de enorme sarcasmo: — todas as senhoras que usam peruca deviam ser internadas no SAM[52] para uma recuperação problemática. Ele próprio riu: — "Boazinha, boazinha". Sua visita ao Otto Lara servira-lhe de irresistível afrodisíaco espiritual. Sentia-se mais lúcido e agudo. Apanha outro caderno do *Diário de Notícias* e lá vê o artigo dominical do Gustavo Corção. Ó, esse homem, esse católico apenas irritado e sem paixão! Ó, essa virtude sem amor! Cada artigo do Corção era uma golfada ácida na cara do próximo.

Pensa:

— Esse homem compromete os valores que defende. O sujeito lê o Corção e tem vontade de roubar galinhas!

Neste instante, abre-se a porta e aparece dr. Alceu:

— Pode vir.

Dr. Odorico desvencilha-se da golfada ácida do Corção. Ergue-se. Pergunta ainda, quase lúgubre:

— A menina já está composta?

— Já.

E ele:

— Agora, sim.

O que mais o surpreendia é que não estava sendo hipócrita. Achava ou passara a achar, sinceramente, que teria sido uma indignidade. "A mulher que sofre um exame ginecológico é quase uma violada. E, ainda por cima, queriam que, além do médico, mais duas pessoas, ora!" Entra, mais empertigado do que nunca. E pensava: — "Sou um homem de bem. Se não fosse um homem de bem, teria ficado de olho vivo".

Sentada, Engraçadinha chora. Mas foi ao ver Silene saindo do toalete — Silene com o implacável frescor dos seus catorze anos —, foi ao ver Silene, dizíamos, que o dr. Odorico experimenta um súbito e pesado arrependimento. Inclina-se para Engraçadinha, mas repete, de si para si: — "Como é que eu fui perder essa preciosidade? Que bicho me mordeu?".

Depois de assoar-se, Engraçadinha ergue o rosto.

— É verdade, sim! É verdade, ó, meu Deus!

Na ausência do juiz, o dr. Alceu fora meticulosamente didático:

— A senhora está vendo? Aqui. Isso quer dizer que...

Silene começara a choramingar, na sua pusilanimidade mansa de menina: — "Eu não fiz nada". Dr. Alceu iluminava com uma pequenina lâmpada:

— Está vendo?

Agora, o dr. Odorico, na mágoa de ter perdido a cena, pôs a mão no ombro de Engraçadinha:

— Calma, calma!

Súbito, Engraçadinha tem um repelão:

— Minha vontade é te dar na cara, sua!...

Rapidamente, dr. Odorico coloca-se entre as duas:

— Que é isso? Não faça isso!

O dr. Alceu assiste, imóvel, de uma maneira impessoal, desinteressada. Sente apenas o tédio cruel de um episódio que se repetira, na sua clínica, umas quinhentas vezes. Sugere, com a vontade reprimida de bocejar: — "Agora é apurar quem foi, quem não foi. É chamar à responsabilidade. Trata-se de uma menor. Tem quinze anos? Catorze. Pois é: — menor". Engraçadinha agarra, de novo, o braço de filha:

— Diz quem foi ou te arrebento!

Dr. Odorico puxa Engraçadinha:

— Escuta! Um momento, um momento! — baixa a voz: — O local não é próprio. Vamos discutir lá fora, em casa, vamos!

O médico vem levá-los até a porta. Engraçadinha aperta a mão do dr. Alceu:

— Muito obrigada e desculpe. Naturalmente o senhor não tem culpa e...

O outro curva-se:

— Disponha. Quando quiser; segundas, quartas e sextas. Muito prazer.

Quando chegam embaixo, Janet vem passando. Para. Há, de parte a parte, muita festa: — "Ó, como vai? Há quanto tempo!". Dr. Odorico a conhecia, ligeiramente. Vira Janet, uma vez, numa festinha, em casa de um desembargador. Cumprimenta a moça gravemente. Considera: — "Bonita pequena. Parece equilibrada". Ele achava, porém, que uma pequena aragem desfaz qualquer equilíbrio feminino.

Janet despedia-se. Engraçadinha ri, vermelha, sem ter de quê:

— Olha: — aparece, ouviu?

Só no táxi é que, crispando a mão no braço da filha, ela pergunta: — "Quem foi?". Silene olha a mãe de lado. Balbucia:

— Tinhorão.

CAPÍTULO 70

Foi dr. Odorico quem chamou o táxi (mais uma despesa!). Os três entraram e o juiz fala para o chofer, com uma efusão de perdulário:

— Vaz Lobo!

O motorista teve um escrúpulo:

— Mas é Zona Sul!

Fazê-las saltar, por motivo confesso de economia, seria desprimoroso (novamente a palavra fatal). Há, nele, uma brevíssima vacilação. "Vou à falência", pensa. Mas foi taxativo:

— Não faz mal! Adiante!

O carro partiu. Dr. Odorico cochicha para Engraçadinha:

— Vamos falar baixo, por causa do...

Com o olhar, indica o chofer. Mas Engraçadinha não se controla. Com palpitações, faltas de ar, dá um beliscão em Silene. Esta pula no assento:

— Ai, mamãe!

Dr. Odorico intervém — "Não faça isso!". Novamente indica o chofer: — "Aqui, não". Silene tem vontade de dizer um nome feio: "Se mamãe soubesse a raiva que me dá beliscões, puxões de orelha!". Engraçadinha espeta a filha com o cotovelo:

— Quem foi?

Quando ouviu falar em Tinhorão, perdeu a fala. Estupefata, vira-se para o juiz. O espanto do dr. Odorico foi também imenso. Engraçadinha repete, para si mesma: — "Tinhorão?". Segura a filha pelo braço:

— Quem é?

Responde, com uma inocência afetada:

— Um rapaz.

E a mãe:

— Sua burra! Que é rapaz, eu sei! E, de mais a mais, isso não é nome!

— Apelido.

— Quero o nome.

Suspira:

— Não sei.

Balbucia:

— Não sabe?

— Não.

Aquilo a enfurece:

— Quer dizer que... — volta-se, impulsivamente, para o juiz — Está vendo, Odorico? Se é possível? Olha que eu te...

Viajando lado a lado com a Engraçadinha, sentindo a sua coxa — ele mergulhava num estado de exaltação, digamos, dionisíaca. E, além disso, o preço da bandeirada era um estímulo a mais. Sóbrio e incisivo, tratou de aquietá-la:

— Não se exalte! Quem sabe se Tinhorão não é nome? Não há sujeitos que se chamam Varanda, Passarinho, Cinésio? Eu vejo na lista telefônica. Pode deixar.

Ela, porém, estava uma fúria: — "É mentira! Está mentindo!". Novamente, dr. Odorico foi, ali, o homem que apazigua, que consola: — "Olha, Engraçadinha, vamos fazer o seguinte: — eu interrogo e...". Engraçadinha, chorando, tira o lenço da bolsa. O juiz senta-se entre as duas. Promete a si mesmo: — "Hoje vou, de qualquer maneira, ao Rei da Voz. Falo com o Medina".

Segura a mão de Silene e pigarreia:

— Vamos por partes. Onde é que ele mora? Esse rapaz. Mora onde?

— Não sei.

Mas o dr. Odorico, que possuía um *métier* bastante razoável de interrogatório, não se deixou impressionar pela primeira negativa. Sabia que, nessas ocasiões, a mulher começa mentindo. Insiste, com uma ternura de avô:

— Trabalha onde?

E a menina:

— Não sei onde trabalha, não sei onde mora...

Dr. Odorico faz um risonho espanto. Refletiu: — "Bem cinicazinha!". E continua:

— Meu anjo, espera lá! Presta atenção: — o que houve entre vocês exige uma certa intimidade. É evidente que se fosse um desconhecido... Mas escuta, Silene, escuta! Você está com medo, é isso? De quê? Medo de quê?

Engraçadinha não se contém:

— Menina, eu te dou uma surra de vara!

Com dr. Odorico entre as duas, Silene responde:

— Mamãe, eu não sei! Juro, mamãe!

O juiz atalha para Engraçadinha:

— Não se exalte! Ela diz pra mim. Silene, escuta: — nós aqui só queremos teu bem. Você é menor, compreende? E esse Tinhorão quero crer seja solteiro. É solteiro?

— Não sei.

Por um momento, ele a olhou, em silêncio. Inclinava-se a acreditar que a surra seria a solução. Pensa: — "Menina dissimulada, mau caráter!". Ao mesmo tempo, pensava nesse desconhecido que tivera nos braços aquela pequena tão linda. O nome (ou apelido) do culpado tinha qualquer coisa de sinistro. Os únicos tinhorões que ele conhecia eram os que se plantam nas latas de banha Rosa, de Aldeia Campista para baixo.

Quase ao chegar a Vaz Lobo, Engraçadinha faz-lhe a ameaça:

— Vou contar a teu irmão!

Arremessou-se:

— Não, mamãe, não! A Durval, não!

Soluçava. Dr. Odorico tratou de tirar partido do desespero:

— E agora? Você diz?

Passa a mão no nariz:

— Digo.

Baixa a voz:

— Esse rapaz? O que é que ele faz? Deve ter uma profissão...

Disse:

— Jornalista.

A conquista dessa informação envaideceu dr. Odorico como um êxito pessoal. Respira fundo: — "Meio caminho andado". Esfrega as mãos, numa satisfação profunda:

— Engraçadinha, não há mais problema. Eu tenho relações em jornais. O Wilson Figueiredo, rapaz de talento, meu amigo, deve conhecer o sujeito. Não acredito que haja na imprensa brasileira outro Tinhorão.

O carro vinha chegando em Vasconcelos Graça. Dr. Odorico espiou o taxímetro: — era uma quantia astronômica. Pensa: — "Ladrões!". Engraçadinha ainda explode:

— Ou esse Tinhorão casa ou leva um tiro!

QUANDO JANET PASSARA pela porta do médico, e vira os três saindo, ia, justamente, ao encontro de Leleco. O rapaz telefonara, cerca de meio-dia:

— Janet, sou eu! Olha!

E ela:

— Estou ouvindo.

Continuou com a voz pesada, a articulação difícil:

— Precisava falar contigo, Janet. Você pode se encontrar comigo? Agora?

Falava com tanta angústia, que, impressionada, perguntou: — "Alguma novidade?". Balbuciou: — "Só pessoalmente". Ela combinara com uma turma de colegas uma visita ao Museu de Arte Moderna. Vacila:

— Estão me esperando lá.

Perdeu a cabeça:

— Janet, é um assunto de vida ou de morte. Só você pode me salvar, só você. Nem minha mãe pode fazer nada por mim. Só você.

— Está bem. Vou. Onde?

Respira forte:

— Tem uma leiteria no largo da Carioca. Aquela. Vou pra lá agora. Te espero lá.

Janet ainda saltou na porta do Museu de Arte Moderna. Avisou aos amigos: — "Fica pra outra vez. Hoje, eu não posso". Insistiram: — "Vem, anda, vem. Deixa de ser mascarada". O Lázaro, o rapaz da véspera, ainda amargo da ressaca, faz-lhe a pergunta: — "Como vai a Sônia, do Raskólnikov?". Fez um espanto divertido: — "Detesto assassinos". Despediu-se, com medo de chegar atrasada. Cruzara com Engraçadinha. Falam-se rapidamente. Janet deduz: — "Estão frias comigo. Por quê?". E não lhe saía da cabeça a imagem de Sônia, de *Crime e castigo*.

Quando chegou na leiteria, Leleco já a esperava na última mesa. Ergueu-se ao vê-la. Sentando-se, Janet imagina: — "Está com febre". Todavia, a mão do rapaz estava tão fria! Realmente, Leleco sente uma espécie de febre gelada. Vem o garçom e Janet olha, distraída, o menu. Diz:

— Mineral.

— Não tem.

— Então, guaraná.

Sai o garçom. O rapaz não fala nada. — "Se eu estivesse sozinho com Janet, estaria chorando." Ela baixa a voz:

— Está doente?

O garçom chegava com o guaraná. Leleco vira o copo: — "Eu não quero". Janet é servida. Assim que o homem se afasta, Leleco começa:

— Janet, eu tenho uma mãe. Adoro minha mãe. Tenho também uma irmã e uma namorada, Silene, que você conhece. Mas eu não diria a ninguém... Escuta, Janet: — não diria a ninguém o que eu vou dizer a você. Nem à minha mãe.

Por cima da mesa, segura a mão da moça. Ela sente, de uma maneira obscura, que o único homem realmente belo é aquele que está perdido. Há no olhar de Leleco uma doçura desesperadora. Dir-se-ia um menino batido, um menino que...

Sem desfitá-la, Leleco vai dizendo:

— Eu matei, Janet. Eu sou assassino.

Com o lábio inferior tremendo, e quase sem voz, pergunta:

— Você?

CAPÍTULO 71

DESCEU NA FRENTE. Em cima do meio-fio, oferece a mão à Engraçadinha e, depois, à Silene. Volta-se, então, para o motorista.

Ao mesmo tempo que puxa a carteira, seu rosto toma a expressão de um descontentamento cruel:

— Quanto é?

O motorista enfia a cabeça:

— Duzentos e...

Dr. Odorico balbucia num amargo escândalo:

— Duzentos e cinquenta? Mas meu amigo!

E o chofer:

— Vim pela bandeira dois! Sou Zona Sul! Avisei!

Aquilo pareceu ao dr. Odorico um assalto:

— Absolutamente! O senhor não avisou! Ou o senhor acha que eu sou alguma criança? Tenho testemunhas!

O profissional olha o juiz, de alto a baixo:

— Escuta, meu chapa! Com licença!

Mas dr. Odorico já não se continha:

— Chega aqui, Engraçadinha! Vem cá! Ele avisou que era Zona Sul, avisou?

Varada de vergonha, murmura:

— Não.

A mentira doeu-lhe, fisicamente, como uma nevralgia. O motorista ri, sórdido:

— Olha, meu amigo! O senhor nasceu pra andar de taioba! O senhor não deve andar de táxi!

Por um momento, dr. Odorico perdeu a fala. A presença, ali, de Engraçadinha, tornou a humilhação ainda mais abominável. Com a voz espremida pela asfixia, reage:

— O senhor está falando com uma autoridade! Meto-lhe na cadeia! Lê isto aqui!

Só faltava esfregar na cara do outro a carteirinha de juiz. Insistia: — "Lê!". E continuou, na sua cólera exultante:

— Sou juiz! E olha: — já da primeira vez que vim aqui, o chofer também quis me esfolar... Vocês, olha: — mas que classe, e presta atenção, seu!

E o outro:

— Escuta, doutor!

Dr. Odorico corta:

— Quanto é? Duzentos e cinquenta cruzeiros?

— Ó, doutor, escuta, doutor, não vamos brigar...

Dr. Odorico, num silêncio cruel, apanhava duas notas de cem e uma de cinquenta. A escorrer humildade, o motorista gagueja:

— Mas eu não sabia...

Dr. Odorico interrompe:

— Nem mais uma palavra! Que te sirva de lição: — para mostrar que não é pelo dinheiro, mas pelo desaforo, eu vou fazer isso. Espia!

Engraçadinha estava ao lado, no pânico de uma luta corporal. E, com uma fúria alegre e metódica, o dr. Odorico rasga, em pedacinhos, as três notas. Ela ainda murmurou:

— Que é isso?

O efeito máximo, porém, foi quando o juiz, com a mão cheia, atira o dinheiro picado na cara do motorista, como confete.

Num gesto largo, que parecia escorraçar, a um só golpe, o volante e o carro, dr. Odorico trinca os dentes:

— Suma!

O chofer arranca. Ainda com a dispneia da indignação, vem caminhando com Engraçadinha:

— Você viu? E olha que eu não gosto de alegar a minha qualidade de juiz. Não é de meu feitio. Mas há ocasiões em que não é possível. É a falta de caráter do Brasil! Se ele tivesse dito que era Zona Sul...

— Disse.

Dr. Odorico tem um movimento de contrariedade:

— Como?

Silene repete:

— Ele disse, sim, falou que era Zona Sul.

Engraçadinha curva-se, zangada:

— Não dá palpite! Mania de dar palpite!

Com um lívido sorriso, dr. Odorico pragueja interiormente: — "Menina intolerável! Bonita, mas intolerável! Eu fui idiota de não olhar na mesa ginecológica!". Disfarça a sua irritação com uma falsa e melíflua generalidade:

— Não liga, Engraçadinha, não liga! É a idade, compreende? Nessa idade, a imaginação altera e, mesmo, cria os fatos.

SEMPRE QUE SAÍA, Engraçadinha deixava a chave com a vizinha do lado. Mandou Silene passar por lá. A menina volta: — "Mamãe, dona Araci já apanhou". Entram. A mãe de Leleco as esperava na sala.

Ergue-se, desconcertada. Engraçadinha, ao mesmo tempo que apanhava uma cadeira para dr. Odorico, fazia a apresentação sumária e contrafeita:

— Aqui, o juiz.

Naquele momento, dr. Odorico começava a ter uma pena aguda e retardatária do chofer. — "No mínimo" — eis o que pensava — "tem família, filhos. Duzentos e cinquenta cruzeiros faz falta, hoje em dia". Com a sua distinção de Adolphe Menjou póstumo, inclina-se diante de d. Araci:

— Satisfação.

E ela, vermelhíssima:

— Igualmente.

Vira-se para a amiga:

— Com licença. Engraçadinha, quer vir aqui um instantinho?

Na fruteira, as bananas tinham pequeninas porcarias de mosca. Descontente com a visita (ó, que amolação!), Engraçadinha segue a outra. D. Araci cochicha:

— Preciso falar contigo.

Com surda irritação pergunta:

— Não podia ser noutra hora?

E a outra:

— Tem que ser já. Agora.

Desesperada, Engraçadinha volta-se para o juiz. Faz segredo:

— Você vai dar licença um instantinho. Não demoro...

O outro ergue-se:

— Escuta, vamos fazer o seguinte: — eu vou...

Assusta-se: — "E não volta?". O rosto de Engraçadinha estava tão próximo e sensível que precisa se conter. Pensa: — "Dava-lhe um beijo no pescoço! Um chupão!". Responde, vivamente:

— Volto, sim, é claro. Mas olha...

Fala ainda mais baixo: — "Você não fala. Nem diz nada. Espera minha volta. Mas não diz a ninguém! Eu resolvo tudo!". Engraçadinha assentiu. E antes que ele saísse, diz-lhe, com sofrida doçura:

— Olha, Odorico. Eu queria te dizer o seguinte...

Respirava forte, realmente comovida e mesmo com vontade de chorar. Continua: — "O que você fez no consultório". A princípio, não entendeu: — "Como?". E ela, nervosa:

— Você, lá no ginecologista, não veio olhar, não quis olhar e eu... Olha: — achei a sua atitude formidável. Muito nobre!

O juiz comoveu-se também. Disse um "ora" de quem vive assumindo outras atitudes assim nobres e assim formidáveis. Admitia, porém, de si para si: — "Sem querer, dei um grande golpe". Engraçadinha repetia:

— Posso ter todos os defeitos, mas sou grata.

Engraçadinha encontra d. Araci chorando. Inclina-se:

— Mas o que é que há?

Sem uma palavra, mostra-lhe uma primeira página de jornal. Engraçadinha olha e toma um susto. Era *A Luta Democrática*.[53] A manchete, com seus tipos colossais, sacudia o leitor como uma agressão gráfica. "Tragédia em Laranjeiras", dizia lá. Atônita, Engraçadinha vai lendo. Outros cabeçalhos resumiam tudo: — o Cadelão da *juventude transviada* da Praça Saenz Peña, fora esfaqueado e morto. Engraçadinha ergue o rosto:

— E daí?

Perto, Silene olha e escuta. D. Araci continua, ofegante:

— Esse Cadelão, você deve ter visto lá em casa. Foi lá várias vezes. Silene deve conhecer. Você não conhecia o Cadelão?

— Vi uma vez.

E a velha:

— Era amigo de Leleco. Ontem, telefonou lá para casa. Perguntando por Leleco e pouco antes de morrer. Eu acho, até, não sei, mas acho, sei lá: — que Leleco encontrou-se com ele.

Há um silêncio. Engraçadinha arrisca:

— Bom, mas... Você supõe ou...

Agarra a mão de Engraçadinha:

— Não te disse que o Ceguinho era batata? Ele avisou que dos dezoito aos dezenove anos... Engraçadinha, me palpita que o Leleco está envolvido...

Engraçadinha põe a mão no peito:

— Deus o livre e guarde!

Silene levanta-se:

— Dona Araci, Leleco não mata ninguém! E, ontem, eu vi o Leleco e até muito satisfeito! Falei com ele...

D. Araci agarra-se à Engraçadinha:

— O pior você não sabe. Leleco saiu e disse, ouviu? Que não voltava mais, Engraçadinha. Escuta: — você deixa, Engraçadinha, que Leleco more aqui? Ele disse que lá pra casa não volta.

Muito pálida, Janet balbucia:

— Repete. Você matou?

E ele:

— Matei para não deixar de ser homem.

CAPÍTULO 72

Janet olhou-o com uma curiosidade nova e sofrida. Respira fundo:

— Olha para mim.

— Estou olhando.

Começa:

— Você está falando sério ou...

Geme:

— Duvida?

Ergue-se, transtornada:

— Leleco, vamos sair daqui?

O rapaz levanta-se também:

— Vamos.

Cochicha:

— E a despesa? Paga.

Leleco cata o dinheiro nos bolsos. Pensa: — "Não volto pra casa. Não tenho pra onde ir". Entrega o dinheiro ao garçom e diz para si mesmo: — "Eu queria que Janet ficasse comigo, que dormisse comigo e não me deixasse nunca". Quer sair, novamente, mas a pequena o segura:

— Olha o troco.

Repete, como se não entendesse:

— O troco?

Apanha o dinheiro que o garçom trouxe na pequenina bandeja. Sai, sem deixar a gorjeta. Lá fora, a aragem leve e fina gela o suor do seu rosto. Dobram a esquina de São José, entram na avenida e vão caminhando, lado a lado, na direção do obelisco. E o que a dilacerava era a coincidência. Pouco antes, com efeito, Lázaro a chamara, com alegre e irresponsável frivolidade, de Sônia, de Raskólnikov, o assassino. Era como se Lázaro soubesse, pois uma dessas vidências luminosas e implacáveis... Balbucia, fora de si:

— Eu não acredito que você... Olha, Leleco, você é bom e... Você não matou!

Torturado de febre, com uma sensação de fogo na fronte e nos olhos, arqueja:

— Eu matei porque...

Contou-lhe tudo. Foi uma confissão prolixa, que ia ao detalhe miúdo e cruel: — "Ele era muito mais forte do que eu. Sabia judô e me deu uma gravata. Quase perdi os sentidos". Súbito, para; faz a pergunta:

— Você me perdoa?

Passavam pela calçada do Senado. A moça olhou-o desorientada:

— Eu?

Crispou a mão no seu braço:

— Perdoa?

Por um momento, olham-se apenas. Janet sente pena e medo. Pergunta a si mesma: — "E se foi um delírio e nada mais?". Disse, com a voz estrangulada:

— Você deve se entregar à polícia.

Recua, atônito:

— Por quê?

— Você matou e...

Janet está pensando no livro: — lembra-se que no romance, Raskólnikov fora preso, condenado. Sônia o acompanhara à Sibéria. "Eu não sou Sônia", eis o que pensa, com uma angústia tão funda que a desfigurou. Continua:

— Leleco, é para teu bem, Leleco. Você acha que um assassino... Um assassino tem que sofrer, pagar...

Interrompe, violento:

— Não me chame de assassino! Eu matei, porque não quis ser mulher de ninguém! Queriam me fazer de mulher!

Dr. Odorico veio para a cidade. No lotação (nem lhe ocorrera a ideia de táxi), já admitia que Engraçadinha chegasse a amá-lo. "Afinal, eu sou um juiz e, nesta terra, o Judiciário ainda tem o seu valor". Com uma crueldade triunfante, lembrou-se da primeira vez em que vira o Zózimo, em Vaz Lobo. Aquele marido, com camisa rubro-negra, sem mangas, não convidava à paixão. De mais a mais, um marido perde todo o interesse sexual. Já na avenida Brasil, ele se pôs a fazer cálculos: — "Quanto tempo me resta de vida amorosa? Tenho quarenta e oito anos. Quarenta e oito. Muito bem. Dos quarenta e oito aos cinquenta e oito e, portanto, dez anos, estarei ainda fisicamente apto". Precisava apenas tratar-se, não exagerar, dormir bem. O sono era importantíssimo. Continua:

— "Preciso cuidar também da alimentação. Dizem que Ovomaltine faz bem". E, trêmulo de felicidade, já não queria mais do que dez anos. Sonhava: — "Dez anos com Engraçadinha. Ou menos. Nove. Digamos: — nove". A rigor, nove anos bem aproveitados, significariam a própria eternidade. Uma eternidade de nove anos. Respira fundo: — "Durante nove anos, ver Engraçadinha nua, três vezes por semana". Nos seus braços e nua.

Às CINCO HORAS, entrava, finalmente, no Rei da Voz. Estava decidido: — "Arranco esta geladeira nem que seja a muque". Antes de mais nada, andou olhando os mostruários. Diante de uma televisão, coça a cabeça: — "Se eu fosse um Arnaldo Guinle[54] ou um Galdeano.[55] Se eu fosse um Schmidt. Galdeano ou Schmidt. Dava à Engraçadinha, além da geladeira, a televisão". Disse para si mesmo que a televisão tem bons programas. Riu, sozinho, lembrando-se do Golias. E havia uma pequena de TV, que ele acompanhava com um agrado quase terno: — a Nádia Maria. Havia nessa menina (um talento!) uma delicada pungência e outra coisa: — sua alegria era aparente, era o disfarce de uma tristeza doce, macia, mas sem consolo... Na porta do Rei da Voz, dr. Odorico pensa:

— Acho que essa garota vai morrer cedo. E linda e triste, essa menina é triste...

Decide-se, finalmente, e entra. "Engraçadinha não vê a Nádia Maria, nem o Golias, nem o Jorge Loredo." — "Formidável o Francisco Anysio, com Mara Di Carlo!".[56] No interior do Rei da Voz, dirige-se a um empregado. Empertiga-se:

— Boa noite.

O caixeiro, com gravatinha-borboleta, inclina-se:

— Às suas ordens.

Pigarreia:

— Eu desejava falar com o seu Medina.

E o outro, reverente:

— O seu Medina não está. Aliás, não é aqui.

Faz um espanto amargo:

— Não é aqui?

O caixeiro trata de explicar: — "O seu Medina vem aqui, mas não é sempre. Por acaso, veio hoje e acaba de sair. Agorinha mesmo estava aqui". A contrariedade do juiz foi tão evidente que o outro apressa-se em perguntar:

— Só com ele?

Na sua frustração, dr. Odorico chega a considerar a ausência do Medina quase que uma desfeita pessoal. Vacila. Estava disposto, porém, a resolver o caso da Sheer Look, de qualquer maneira.

Disse na sua irritação contida:

— O gerente. Quem é o gerente? Quero falar com o gerente!

O rapaz foi na frente, abrindo o caminho:

— Tenha a bondade. Por aqui.

Acompanhou-o. Nova e amarga decepção lhe estava reservada. O gerente saíra: — fora tomar café. O caixeiro explica: — "Não demora. Senta um momentinho!". E, então, enquanto espera, resolve telefonar para o Wilson Figueiredo. Faz a ligação. Teve um choque quando a telefonista avisou:

— Seu Wilson não está na redação. Vou ligar pra cima. Deve estar no café. Um momentinho.

Teve de esperar que o Wilson voltasse para a redação.

Atende. Dr. Odorico não pode perder tempo:

— Escuta, Wilson. Você, por acaso, conhece um colega seu, um rapaz, que se chama Tinhorão? Jornalista e...

Foi alegremente taxativo:

— Tinhorão? Claro!

— Conhece?

— Meu companheiro! Trabalha aqui comigo!

Exultou:

— Mas que coincidência! E olha, Wilson, presta atenção: — que tal esse rapaz?

Wilson vacila: — "Escuta, meritíssimo: — estou atolado de serviço. E eu ia descer...". Dr. Odorico atalha:

— Mas é assunto de certa urgência, entende? Responde só uma coisa. Em primeiro lugar: — o homem é solteiro?

— Solteiríssimo.

Continua:

— Você acha que ele casa?

Wilson Figueiredo foi definitivo:

— Nunca!

O juiz pula: — "Como assim?". Explica:

— O Tinhorão é o solteiro nato, compreende?

Neste momento, apareceu o gerente da filial do Rei da Voz.

Engraçadinha não entende:

— Você quer que o Leleco more aqui?

— Engraçadinha, pelo amor de Deus, escuta: — eu acho — é minha impressão — acho que o Leleco está ameaçado de morte. Não sei, mas acho… Você é mãe, Engraçadinha! Você é mãe!

— Por quem? Ameaçado por quem?

D. Araci baixa a voz:

— Hoje, um tal de Cabeça de Ovo. Outro que não vale nada. Pois o Cabeça de Ovo telefonou pra casa e o Leleco não queria atender. Eu suponho, ouviu? Suponho que esse sujeito ameaçou o Leleco…

Engraçadinha olha em torno:

— Você sabe que eu gosto de Leleco. Muito até. Gosto mesmo. Mas é que aqui não tem lugar. A casa é pequena e…

D. Araci ia falar, quando entrou Iara. Vinha ofegante. Na sala, rebentou em soluços:

— Mamãe, telefonaram dizendo que o Leleco matou um homem!

CAPÍTULO 73

Em pé, o gerente esperava. Dr. Odorico fazia espanto no telefone:

— Como "solteiro nato"?

Do outro lado, o Wilson estava com torrentes de matéria em cima da mesa. Com um mínimo de polidez interrompe:

— Escuta, meritíssimo. Vamos fazer o seguinte: telefona mais tarde. Essa é a pior hora!

O juiz teima:

— Mas o Tinhorão…

Corta, novamente:

— Doutor Odorico, estou atolado! E me chamam noutro telefone. Liga mais tarde, sim? O Tinhorão é um grande sujeito e… Telefona às dez horas. É boa hora e a gente conversa. Chau.

Meio perdido e mesmo humilhado, dr. Odorico desliga. — "Afinal, eu sou um juiz", pensa. Julgara notar no Wilson Figueiredo uma certa pressa incivil, uma urgência irritada. Repetia para si mesmo: — "Me tratou como se eu fosse um chato qualquer". A presença, porém, do gerente, espicaçou-o. Afinal, um incidente de pouca monta não podia, em absoluto, afetá-lo a ponto de...

O funcionário do Rei da Voz inclina-se:

— Deseja falar comigo?

O ideal seria o Medina. Dr. Odorico empertiga-se novamente. Acaba de decidir: — "Não telefono mais para o Wilson Figueiredo. Ele que me telefone! Que me procure!". Ao mesmo tempo, lamentava a ausência do próprio Medina. O Medina não é bobo. Um sujeito que faz, na TV, programa de 800 mil cruzeiros por vez é tudo menos um bobo. Ora, o Medina sabe que, no Brasil, pode-se brigar com todo o mundo e nunca com o Judiciário.

Tosse ligeiramente:

— Vim aqui falar com o Medina e...

— Seu Medina saiu há coisa de dois minutos.

E o juiz:

— Talvez o senhor... Eu sou o juiz Odorico Quintela.

— Ah, pois não.

Dr. Odorico dá voltinhas no espaço exíguo. Sem olhar o gerente, ia falando, com uma premeditada negligência:

— O caso é o seguinte. Em poucas palavras, porque não desejo tomar o seu tempo...

Tira o relógio do bolso do colete e espia a hora (era uma pausa estudada. Queria dar uma sensação de extrema naturalidade). Guarda o relógio e continua:

— Estou interessado numa geladeira. Assim do tipo e preço da Sheer Look. E o que eu queria do Medina, justamente, era uma diferençazinha. Um preço mais em conta, entende?

Andando de um lado para outro, não concedera ainda um único olhar ao gerente. Subitamente, estaca e, pela primeira vez, o encara. O outro faz a pergunta hesitante:

— Como é mesmo a sua graça? Eu não ouvi direito.

Repete:

— Eu sou o juiz Odorico Quintela. Odorico. Juiz.

Alterara a voz porque, realmente, uma vitrola fazia, ali, uma barulheira alucinante. O gerente arremessou-se:

— Tenha a bondade. Por aqui. E o senhor me desculpe. Não entendi quando o senhor disse, por causa do barulho.

Feliz, dr. Odorico ia atrás. Sem ter de quê, numa cordialidade gratuita e indiscriminada, cumprimentava risonhamente todo o mundo.

Constatava, mais uma vez, que todo o mundo adulava o Judiciário. Pensava no Wilson Figueiredo que o despachara sumariamente: — "O Otto não! O Otto Lara sempre me tratou com um respeito filial!". O gerente parava:

— Essa aqui, por exemplo. Tenha a bondade.

O juiz toma um susto. Era uma geladeira pomposa, compacta, majestática, como uma catedral branca. O gerente abre as portas pesadas. No interior, havia uma iluminação mágica e lunar. Por um momento, dr. Odorico sentiu na carne e na alma a dor de não ser um Schmidt, um Galdeano, um Sebastião Pais de Almeida.[57] "Nós, juízes, somos mal pagos!", gemeu. Mas o gerente estava de uma gentileza tão sôfrega e obstinada que o dr. Odorico fez um cordial escândalo:

— Meu amigo! Os juízes são quase barnabés!

O outro, de olho rútilo, cicia:

— Olha, cem contos, mas vale!

Passam adiante. Finalmente, encontram, lá num canto, meio esquecida e humilhada, uma geladeira bem menor. A subserviência do empregado deu ao juiz autoridade bastante para regatear até o último tostão. Pensava: — "Se fosse o próprio Medina, talvez eu levasse esse troço dado, de presente". Ficou tudo por 35 contos. Por fim, dr. Odorico dá o golpe de misericórdia: — "Há um detalhe ainda, de somenos importância". O que ele chamava "o detalhe" era dispensa da entrada. Há um silêncio. O gerente gagueja: — "Eu teria que falar com o seu Medina". Dr. Odorico abre os braços:

— Mas, meu amigo! O que é que há? Afinal de contas, o Judiciário é um Poder que, graças a Deus, resistiu à degringolada. Ou o senhor pensa, talvez, que eu, um juiz... Meu amigo, olha aqui a minha identidade. Eu não vou fugir com a sua geladeira!

Enfiou a carteirinha nos olhos do gerente. Este, com a cara incendiada, pôs as mãos na cabeça:

— O senhor me interpretou mal. Lógico! Não precisa entrada!

Esbaforido, com a sensação de uma gafe abominável, o gerente arrasta o juiz: — "Claro! Claro!". Sob a adulação direta e maciça, dr. Odorico pensa na pequena descortesia do Wilson Figueiredo: — "O Otto não faria isso! O Wilson me tratou como se eu fosse um pé-rapado!". Mas quando fechou o negócio, e embolsou o comprovante, sentiu-se tão feliz, tão realizado, que se deixou banhar numa onda de indulgência total. Disse para si mesmo, erguendo a fronte: — "O Wilson é bom rapaz! Não teve intenção de melindrar". Levanta-se e estende a mão ao gerente:

— Quero que seja entregue ainda hoje! É importante! Hoje, sem falta! — e mentiu, com um cordial descaro: — Presente de aniversário e, portanto, com data! Veja lá, hoje!

Para, ao lado do Rei da Voz, para tomar café em pé. Encontra, lá, o Ib Teixeira, jornalista. — "Tamanho não é documento", pensa o dr. Odorico ao cumprimentá-lo. E, com efeito, o juiz não entendia que, sendo Ib tão pequenino, fosse ao mesmo tempo tão feroz.

Pondo açúcar na xícara do dr. Odorico, o jornalista abre o riso:

— Como vai sua "Aragarças"?

Dr. Odorico mexe o próprio café e não entende:

— Minha como?

Ib explica:

— Hoje em dia não há brasileiro que não tenha no bolso a sua Revolução, a sua Ditadura, a sua Matança. Michou a "Aragarças" do inimigo.[58] Agora, vem a nossa!

Em tom cavo, dr. Odorico atalha:

— Nada de violências!

O outro insiste, na euforia sanguinária:

— O senhor também tem no bolso a sua "Aragarças"! Até o Juscelino tem!

Na própria noite do crime, o Amado Ribeiro tratou de convencer Maria Aparecida. A bonita senhora estava impressionadíssima com o repórter. Achava que ele falava bem, usando expressões que, inclusive, ela não entendia. Depois de certificar-se que Maria Aparecida não contara para ninguém suas suspeitas, anunciou, à queima-roupa:

— Vou raptá-la!

Toma um susto: — "Como?". Estava sentado e ergueu-se. Na gana de repórter, com uma excitação que rompe das profundezas e se irradia por todo o ser, fala com uma abundância triunfal:

— Olha: — é um rapto de araque. Pego a senhora, ponho a senhora num hotel e a senhora fica lá escondida. Entendeu? A senhora não fala com ninguém. Só comigo. Nem com a polícia.

Meio atônita, vira-se para a amiga. O romanesco da ideia excitava a imaginação de ambas. Maria Aparecida balbucia: — "Mas pra quê tudo isso?". Responde com outra pergunta:

— A senhora quer que seu marido seja o assassino? Não quer?

Responde: — "Não se trata de querer. Ele é o assassino". Então, com um descaro que as fascinou, ele quis demonstrar que a veracidade nunca foi problema jornalístico. Argumentou com o caso presente do Cadelão. O professor Pretruscu era ou não era o assassino? Dizia o Amado Ribeiro:

— Ser ou não ser, não importa. Importa o que o jornal quer, o que o jornal diz. O jornal manipula os fatos e as pessoas. Com um pé nas costas, um repórter de setor, veja bem: — um repórter de setor transforma um Judas num Cristo e vice-versa. E, na Sexta-Feira da Paixão, lá estaremos beijando o pé do Judas e, no sábado de Aleluia, malhando o Cristo.

As duas senhoras ouviam Amado Ribeiro com uma espécie de deslumbramento. Ele dizia qualquer coisa com uma ênfase de verdades eternas. Seu exagero caricatural como que dava à imprensa uma dimensão gigantesca e sinistra:

— Seu marido é assassino, desde já! Assassino, compreendeu? Primeiro, porque a senhora quer. Não quer? Quer, sim. Sejamos humanos: — a senhora quer. E como a senhora quer, eu vou funcionar, aqui, como seu amigo incondicional. Sou macaco velho da imprensa e sei como se fabricam inocentes e culpados. É pinto!

— Mas então o senhor acha que...

Sem lhes dar tempo de raciocinar, ele acrescentou um detalhe gratuito, mentiroso e surpreendente: — "Eu sou neto de índio, percebeu?". Isso não queria dizer nada. Mas ele achou que um toque de Alencar seria um efeito a mais. De fato, as duas arregalaram os olhos. Continuou: — ela iria, já, em sua companhia, para o Hotel das Paineiras. Repetia, incisivo: — "Já! com a roupa do corpo! Todas as despesas pagas!".

No dia seguinte, toda a imprensa abria cabeçalhos colossais sobre o crime. Lá estava também a notícia de que desaparecera, em circunstâncias misteriosíssimas, a esposa do professor romeno. A imprensa insinuava a hipótese de um novo crime. Só o jornal de Amado Ribeiro é que anunciava, para o dia seguinte, a palavra da "testemunha bomba". O repórter conseguira levar Maria Aparecida e encerrá-la num quarto de hotel. Já insinuara:

— Sou honesto pra burro! A única coisa que me compra é a mulher bonita.

Maria Aparecida pasmava para aquele falso neto de índio.

Em Vaz Lobo, d. Araci lança-se aos braços de Engraçadinha: — "Pois é! — e soluçava: — O telefone não para, hoje!". Choraram todas: — as duas meninas e as duas senhoras. Finalmente, Engraçadinha suspira:

— Está bem, Araci. Leleco fica aqui. Dorme na sala com Durval. Mas olha: — por uns dias! Só por uns dias!

Neste momento, encosta na porta o caminhão do Rei da Voz trazendo a geladeira.

CAPÍTULO 74

Estavam sentados no Jardim da Glória. Do aterro, erguia-se uma poeira cor de canela. Leleco pergunta:

— É só isso que você tem para me dizer?

Janet começa a chorar:

— Mas compreenda! Você matou, Leleco! Você é culpado!

Negou, violento (naquele momento, odiou a pequena): — Não sou culpado de nada! Queriam me fazer de mulher! Eram três! Eu ia ser mulher de três! Dois saíram e eu matei um, matei o que ficou! Você diz que eu sou culpado. Quero saber: — onde está minha culpa?

Respondeu, trincando os dentes:

— Ninguém tem o direito de matar!

Ela pensava em Raskólnikov, o assassino do livro. Entregara-se à polícia, fora julgado e condenado (condenado a trabalhos forçados). Janet apertou o seu braço:

— Você acha que, depois de matar, pode andar pela rua, ir ao cinema, ao teatro, acha?

O rapaz passa na boca as costas da mão. Tem um riso pesado:

— Por que é que você não me denuncia? Vai ao distrito e diz que fui eu! Vai! Olha aquele Cosme e Damião. Me denuncia, Janet! Mas uma coisa eu te digo!

Pausa. Ele sente, ainda, a febre gelada. Ofegante, completa:

— Eu não me entrego! Eles que me prendam! E nunca se esqueça: — você me negou o seu perdão.

Levantou-se. Atônita, balbucia:

— Vem cá! Leleco!

O rapaz não ouviu ou não quis voltar. Ela apanha o lencinho na bolsa. Enxuga os olhos e, depois, assoa-se ligeiramente, o carrilhão da Mesbla tocava uma hora qualquer.

Dr. Odorico despede-se do Ib. Na esquina da Câmara dos Vereadores tem uma vacilação. Decide, finalmente: — "Vou dar um pulo lá em casa. Tomo banho. Ponho perfume". Vinha um táxi livre e, impulsivamente, manda pará-lo. Vivia um desses momentos de plenitude, que não comportam economias pequeninas e sórdidas. Embarca, radiante. Talvez com exagero ou injustiça achava que o brasileiro cheira mal. Por isso mesmo, não dispensava um perfume discreto, mas sensível. Desembarca em casa. Mal podia imaginar que estava cometendo uma imprudência fatal.

Entra e vai encontrar a mulher, no quarto, limando as unhas. Admirada, pergunta:

— Que bicho te mordeu?

Tira o paletó:

— Por quê?

Coloca o paletó na cadeira e pensa: — "Lá vem bomba!". Abre o colarinho e puxa a gravata. Entretida com as unhas, a mulher continua:

— Você aqui em casa, a essa hora!

Ele senta-se na cama para tirar os sapatos. Pensa: — "Quanto menos conversa, melhor". De uma maneira geral, achava que deve haver pouquíssimas palavras entre marido e mulher. A esposa fala, ao mesmo tempo que vai passando a serrinha nas unhas:

— Em que ficamos?

Sem meias, calça os chinelos. Queria estar presente, em Vaz Lobo, quando chegasse a geladeira. Fazia questão de ver o impacto. Vira-se para a esposa:

— Não entendi.

Ergue o olhar:

— Você veio com aquela conversa, ontem.

Seu espanto foi sincero: — "Que conversa?". Irritou-se:

— Ó, criatura! Você não me disse, ontem? Disse. Você disse. Disse que estava incapaz, não sei que lá.

Em voz cava, admite: — "Pois é, infelizmente". Arranca a camisa e vai apanhar outra, fresquinha e limpa. Ela abandona a serrinha junto ao pequenino frasco de verniz; pergunta, com uma doçura ameaçadora:

— E eu?

O marido estende a camisa fina e cara, em cima da cama. Vira-se: — "Como assim?". Já sente as palpitações prévias da úlcera, anunciando contrariedades iminentes. A mulher ergue-se:

— Você se diz incapaz...

Atalha, vivamente, num desafio:

— Ou você duvida? Querendo eu trago um atestado médico, amanhã mesmo, quer? Trago!

Encarou-o dura:

— Deixa de conversa! Quero saber: — em que ficamos? Eu me casei com um homem. Ou você não é homem?

Ele precisava correr contra o tempo para receber a geladeira, em Vaz Lobo. Hora mais imprópria aquela para um bate-boca conjugal. Ao mesmo tempo, não podia deixar a mulher falando sozinha. Quis argumentar:

— Escuta aqui. Nem eu, nem você somos mais crianças. Tenho quarenta e oito…

Corta:

— Cinquenta e dois!

O golpe inesperado abalou-o, materialmente. Cambaleou e, por um momento, não teve o que dizer. Ela exultava:

— Sim, senhor! Você é de 907, ou não é? É. Tenho ali sua certidão de nascimento, 907. Cinquenta e dois anos.

A mulher tem um riso curto e áspero de bruxa. Sim, bruxa de disco infantil. O juiz teria preferido uma bofetada e nunca… Em desespero de causa, agarrou-se ao argumento do inimigo:

— Mais uma razão. Se eu tenho cinquenta e dois.

Corta, outra vez:

— Isso não é documento! Você nunca foi grande coisa, ouviu? Já na lua de mel, pois é: — na lua de mel, imagine! Você nunca se explicava, ora que conversa!

Era demais. Esse humilhante sarcasmo o pôs fora de si. E pensa: — "Eu, um juiz!". Parecia-lhe que o desrespeito ao Judiciário antecipa e anuncia uma degringolada de valores. Imagine o Otto, que tinha sempre um riso no bolso, o Otto Lara ali, assistindo. O Otto puxando o riso do bolso!

Começa:

— Criatura! Eu chamo o médico! Ele vem aqui! Entenda: — a velhice é um problema da natureza e não meu. Ninguém é velho por gosto! Por exemplo: — você acha que eu inventei a arteriosclerose?

Há um silêncio. No seu desespero, ele reflete: — "Acabo chegando lá depois da geladeira!". O curioso é que, em plena humilhação, decide: — "Não pago as prestações do Rei da Voz. O Medina, que não é bobo, vai fazer vista grossa. Duvido que ele me encoste à parede!".

Fora de si, dramatiza:

— Sou incapaz! E você quer que eu faça…

Olham-se. Em vez de responder, ela pergunta:

— Afinal, você veio aqui fazer o quê?

Disse, quase chorando:

— Tomar banho.

Crispa-se ouvindo o riso de bruxa de disco infantil. Ela faz pouco caso:
— A princípio, pensei que... Mas logo vi. Olha: — vai. Vai tomar teu banho, e depois conversaremos.
Abandona o quarto, entra no banheiro. Pragueja para si mesmo: — "Que ideia sinistra de vir em casa. Eu sou uma besta!". No seu pavor, imaginava que a mulher ainda lhe reservava alguma provocação hedionda.
Ensaboando-se, debaixo do chuveiro, pensava no seu tédio conjugal. Jamais tolerara a mulher fisicamente: — não tinha quadris, não tinha curvas, era chata e reta como uma tábua. Ao passo que Engraçadinha, ah! Engraçadinha! Se lhe perguntassem: — "Você quer ver Engraçadinha nua e, em seguida, morrer?". Diria: — "Quero!". Morreria satisfeitíssimo. Depois do banho, passa álcool debaixo do braço e água de colônia pelo peito e pescoço. Seu perfume de velho limpo era célebre no Judiciário.
Sai do banheiro. Vinha, porém, com as suspeitas mais desagradáveis. A esposa tirara o vestido e pusera um quimono, digamos, nupcial. A úlcera estava certa. A úlcera era, por vezes, profética. Ele calcula, com o coração dando batidas fortes: — "O quimono em cima da pele". Sua infelicidade é total. Pigarreia:
— Imagine que eu estou com hora marcada...
Sem desfitá-lo, interrompe:
— Você fica.
Recua:
— E o compromisso?
Há, nela, um sorriso muito leve, mas suspeitíssimo:
— Compromisso, olha: — compromisso você tem comigo, percebeu? Compromisso que há dois anos você não cumpre e que vai cumprir agora. Agora, sim, agora!
Fala sem agressividade. Mas o marido não se ilude com a ironia, quase imperceptível. Não consegue, porém, atinar com as intenções da companheira. E o que o enfurece é a ideia de chegar em Vaz Lobo depois da geladeira. Sem uma palavra, a mulher vai fechar a porta do quarto à chave.
Ele balbucia:
— O que é isso?
Volta:
— Estou à sua espera.
Perdeu a paciência.
— Escuta! Eu já disse qual era a situação. Quer que eu faça o quê?
Pergunta com a voz muito leve:
— Você viu aquele filme *Les Amants*?
— Por quê?

— Viu?

— *Les Amants*?

A mulher trinca os dentes, ao mesmo tempo que está abrindo o quimono:

— Você quer me descrever aquela cena? Aquela. Descreve? Aquela cena, descreve a cena. A cena.

O quimono escorregou do corpo sem curvas.

CAPÍTULO 75

QUANDO, FINALMENTE, DESVENCILHOU-SE da esposa, era tarde, muito tarde. "Vou chegar depois da geladeira", eis a certeza que o varava, materialmente. Com asco de si mesmo e da mulher — e uma sensação de mácula irremediável — acabou de dar o nó na gravata. Pensava: — "Tenho que apanhar outro táxi". Duzentos e cinquenta cruzeiros, ou por outra: — menos um pouco, porque, desta vez, não iria num Zona Sul.

Disse, na sua cólera contida:

— Já vou.

A esposa vestia novamente o quimono de dragões bordados. Sugere, melíflua:

— Não me beija?

Era demais! Pragueja para si mesmo: — "Mulher insaciável!". No seu desespero roça com os lábios a face de Hermínia. Pensa: — "Ainda faz ares de menina!". E odiou, com todo o ressentimento de sua humilhação, o filme *Les Amants*. A mulher veio levá-lo até a porta:

— Vem cedo, ouviu? Vem cedo!

Vira-se, quase chorando (de raiva, chorando de raiva):

— Não sei a que horas venho. Depende. Tenho um jantar. Talvez chegue tarde.

Bufava, no elevador: — "Essa fita miserável envenenou a imaginação de todo o mundo!". Casais que viviam tranquilos e consolidados, no seu estável tédio sexual, casais enveredam por experiências abjetas. E não só as senhoras, as mães de família, mas as mocinhas, meninotas, colegiais. Na caça angustiosa de um táxi, geme: — "Como é que filmam aquela cena? Como é que deixam!". Ri surdamente, com impiedoso sarcasmo: — "Antigamente, o homem era sórdido na rua". Mas no lar só admitia o amor convencional, com os seus limites implacáveis. — "Hoje, não. Hoje, o sexo é tão vil nos alcouces, como em casa".

Põe-se no meio da rua, abre os braços, porque vinha um táxi livre. O carro para e dr. Odorico o invade. Já examinara o vidro: — por coincidência, Zona Norte. Senta-se e berra, aflito:

— Vaz Lobo! Vaz Lobo!

E não lhe sai da cabeça a cena, pouco antes, com a mulher: — "Fui humilhado! Ou melhor: — violentado! Eu me violentei!". Estava cada vez mais convencido de que era uma iniquidade a exibição de *Les Amants*. O irrisório era o seguinte: a única mulher que, no seu interesse, devia assistir ao filme (Engraçadinha), jamais o faria, por escrúpulos religiosos. Uma esposa protestante impõe a si mesma uma digna e irredutível monotonia sexual. E não admite as fantasias eróticas.

Quando viu o caminhão do Rei da Voz, Silene pensou, claro, num engano. Um morenão forte, de peito maciço e beiço largo, pergunta com a voz pesada de Paul Robeson:

— Dona Engraçadinha, é aqui?

Atônita, a garota chega ao portão:

— É, sim. O que é que há?

Dois homens do caminhão estão arrancando a geladeira. Silene grita para dentro:

— Mamãe!

Aparece Engraçadinha. O moreno que fala grosso como Paul Robeson diz, simplesmente:

— A geladeira.

Engraçadinha está pálida:

— Mas que geladeira?

Mãe e filha entreolham-se. Por um momento, deixam de pensar em Leleco que, naquele momento, devia andar perdido na sua angústia. A própria d. Araci, ao lado, olha com uma espécie de terror o caminhão gigantesco.

Engraçadinha insiste:

— Mas eu não comprei nada!

O Paul Robeson confere a nota de entrega:

— Está aqui: — Engraçadinha.

E ela, com o papel na mão:

— Sou eu, mas… Escuta: — o senhor tem certeza?

— Olha aqui, minha senhora!

Desorientada, olha para a filha, para Iara, para d. Araci. Volta-se para o barítono:

— Geladeira?

Ao mesmo tempo, Silene abre, de par em par, o portão de ferro, o homem não sabe quem mandou. A vizinhança veio toda espiar. Repete: — "Eu não comprei geladeira nenhuma!".

— Da parte de quem?

E, nervosa, vai na frente:

— Põe aqui. Não. Aí, não, aqui. Pode pôr.

Arranja um lugar, entre a sala e a cozinha, perto de uma tomada. Silene, também maravilhada (e com um pouco de angústia), sopra para Engraçadinha: — "Alguém mandou, mamãe, alguém mandou!". Engraçadinha especulava: — "Zózimo não foi. Zózimo não tem onde cair morto!". Era a primeira vez em que, depois de vinte anos de Rio, ganhava uma geladeira. Sonha com água gelada no calor.

Nervosa, indaga:

— E agora?

— É só ligar.

O próprio sujeito pôs-se de cócoras e enfiou na tomada. Em pé, Engraçadinha pensa que uma geladeira nova é linda na sua brancura, digamos, nupcial. Sem consciência do que fazia, acariciou-a. Os homens esperam, em silêncio. Assusta-se:

— Tem que pagar alguma coisa?

Riso largo:

— Gorjetinha.

Ri, também. Subitamente séria, fala:

— Um momento.

Vai até o quarto e apanha a bolsa. Conta o dinheiro: — ao todo, 150 mil-réis, fora uns quebrados. Silene aparece:

— Mamãe, dá cem.

Balbucia:

— Cem?

Era um baque tremendo. Suspira: — "Não pode ser menos?". Decide, com um novo suspiro:

— Cem.

Volta à sala. Entrega os cem cruzeiros. Os homens saem. Por um momento, Silene chega a pensar em Tinhorão. Mas corrige: — "Não pode ser. Ele não sabe o nome de mamãe". Estavam ainda cercando a geladeira, num silêncio deslumbrado, quando alguém faz da porta, alegremente, a pergunta:

— Já chegou a geladeira?

Voltam-se, atônitas. Era o dr. Odorico. Entrava, risonho:

— Gostaram?

Pensava: — "A única mulher que devia assistir a *Les Amants* era Engraçadinha".

Ao sair do edifício na noite do crime, Bob e Cabeça de Ovo apanharam um lotação na rua das Laranjeiras. Tinham arrastado o cadáver do Cadelão pelas escadas. Iam deixá-lo entre um andar e outro. Súbito, o Bob que, dos dois, era o pensante, decide: — "Olha! para aumentar a confusão, vamos botar numa porta qualquer!". E, assim, arquejantes, fazem mais um esforço. Em seguida, depois de deixar o morto com a cabeça encostada na porta 606, desceram às carreiras os seis andares. Só embaixo é que, contidos, caminharam normalmente. Ninguém os vira. Finalmente, estavam no lotação. Cabeça de Ovo, mais imprudente e extrovertido, queria falar. Bob dá-lhe com o calcanhar nas canelas. No banco da frente, dois sujeitos conversam. Um deles dizia, com uma ferocidade jucunda:

— O Eduardo Portella.[59] Tem vinte e seis anos. Ou vinte e cinco. Devia ser um pivete literário. Mas é um Phocion Serpa! Nunca vi um sujeito tão Phocion Serpa[60] como o Eduardo Portella! — e insistia, com exultante certeza: — O Eduardo Portella é um Pedro Calmon[61] nato. E um magnífico reitor!

Essa conversa literária distraiu um pouco o Bob, embora jamais tivesse ouvido falar em Eduardo Portella. O sujeito da frente, na sua extroversão ululante prosseguia (os outros passageiros já olhavam):

— O Otto Lara tem razão. Você conhece o Otto? Diz o Otto que na ficção brasileira, o oceano é um pires de água, que uma formiguinha atravessa a pé.

Os dois literatos saltaram na cidade. Bob e Cabeça de Ovo continuaram até a Leopoldina. Lá, apanharam um táxi para Saenz Peña. O Bob cutuca o outro: — "Vamos ao cinema". Saltam no Olinda.[62] Bob baixa a voz:

— O filme é o nosso álibi, sua besta!

Cabeça de Ovo pasmou para essa inteligência que não esquecia um único detalhe. Ao comprar os ingressos e ao entrar, Bob bate com o cotovelo no outro: — "Olha e ri também". Explode, então, numa gargalhada feroz, que o fazia torcer-se, dobrar-se. Atônito, e sem entender, Cabeça de Ovo o acompanha com uma risada bem mais baixa. Lá dentro, é que Bob concede a explicação:

— A gargalhada foi outro álibi!

Por sorte, uma família conhecida, que ia entrando também, fora testemunha casual da falsa alegria. O filme era de mocinho, com tiro, tapa e flecha incendiária. Enquanto os apaches guinchavam na tela, Bob pensa no crime.

Depois da sessão, saíram os dois. Bob atravessa a rua. Na praça vira-se para o companheiro:

— Alguém tem que morrer.

— Quem?

E o outro, catando fósforos no bolso:

— O Leleco.

— Leleco?

Bob parte um fósforo entre os dedos:

— É o jeito.

Nesse momento, um rapaz moreno, com ar de nortista, segura o braço de Bob:

— Você é amigo do Cadelão?

Bob vira-se, assombrado. Era o Amado Ribeiro. O repórter estava caçando os amigos do morto.

Em Vaz Lobo, d. Araci e Iara saem um momento. Pouco depois, volta Iara. Chama Silene num canto:

— Escuta! Leleco está na esquina te esperando!

CAPÍTULO 76

Engraçadinha veio ao seu encontro, com um olhar varado de luz:

— Foi você?

Com uma brusca vontade de chorar, dr. Odorico não respondeu imediatamente. Vivia um desses momentos de alegria tumultuosa e sufocante. Sentiu realmente uma certa falta de ar e, por um momento, considerou a hipótese: — "Imagine, eu tendo aqui um enfarte!". Engraçadinha estava diante dele e com um rosto tão próximo (ó, que mulher bonita!) que o juiz via o beicinho vibrante.

Repetia, transfigurada:

— Foi você?

Dr. Odorico sorria vermelho. Que pena ter cinquenta e dois anos (cinquenta e dois!) e não quarenta e oito anos como vivia proclamando. E não perdoava à esposa o ter lhe esfregado na cara a verdadeira idade. No momento em que começava a amar, sentia-se espoliado em quatro anos de vida sexual. A partir dos quarenta, a vida é uma luta corpo a corpo com o tempo. Um quarto de hora faz falta! Mas Engraçadinha queria saber se tinha sido ele.

Teve de admitir, feliz:

— Parece.

E sentia, em todo o ser, um dilaceramento inefável. Naquele instante, a úlcera não podia faltar com as suas palpitações. Lá estava ela ativa, frenética como nunca. Com os olhos cheios de lágrimas, Engraçadinha balbuciou:

— Por que fez isso?

D. Araci, Iara e Silene estavam ali, a dois passos de ambos. Mas o juiz sentiu como se ele e Engraçadinha fossem o único casal da Terra. Curvando-se para a mulher amada, o juiz pensa em um soneto que lera, há anos, não sabia onde. Um dos versos era mais ou menos assim: — "Teus pés frios soam como idílios!". O poeta (salvo erro) chamava-se Lêdo Ivo. E súbito, teve a certeza: — exato, Lêdo Ivo, o poeta chama-se Lêdo Ivo![63] Repetiu, mentalmente: — "Teus pés frios soam como idílios!". Aquilo pareceu-lhe de uma beleza total.

Pergunta:

— Não gostou?

E ela:

— Demais!

Silene aproxima-se:

— Eu não disse, mamãe, que era alguém conhecido!

O juiz vira-se para a menina. Parecia-lhe incrível que uma garota de catorze anos (catorze anos!) deixasse de ser virgem com aquela frívola naturalidade. Amargurou-o que a filha de Engraçadinha fosse amoral, irresponsável como um bichinho de avenca ou como a própria avenca. Sempre com o verso do Lêdo Ivo na cabeça, baixa a voz:

— O Natal está próximo e eu resolvi dar um presente à família.

Perturbada, tem uma mesura de mocinha:

— Agradecida.

Ele, com a úlcera mais calma, uma cintilação no olhar, exulta:

— Está funcionando bem?

— Quer ver?

Diz, esfregando as mãos, radiante:

— Vamos lá.

D. Araci põe a mão no braço de Engraçadinha:

— Olha, já vou.

— Já?

Suspira:

— Leleco pode chegar e... Quer dizer que está combinado?

— Por uns dias.

— Deus te pague. Depois passo por aqui.

— Passa.

Silene vai acompanhá-las até o portão. Diante da geladeira, dr. Odorico murmura:

— Olha! É pra ti, só pra ti — e sublinha, com certa e desnecessária agressividade — pra mais ninguém.

Essa confissão cochichada o deixa arquejante. Engraçadinha ergue o rosto; a surpresa dá-lhe um rubor delicioso (aliás, surpresa em termos. Ela só podia deduzir que era sua a exclusividade da homenagem).

Balbucia, com involuntária afetação:

— Não precisava se incomodar...

Dr. Odorico fala tumultuosamente:

— Você merece muito mais! — pausa e completa: — Você merece tudo!

Enquanto Engraçadinha abre as portas da catedral branca, o juiz repete, mentalmente: — "Teus pés frios soam como idílios!". Precisava descobrir o resto do soneto. O Wilson Figueiredo talvez conhecesse o Lêdo Ivo. Imagina: — "O Wilson Figueiredo conhece todo o mundo!". Aberta a porta, uma luz a um tempo macia e espectral rompe da geladeira.

O juiz murmura:

— Bonito!

E ela, num sopro de voz:

— Uma beleza!

Vem, lá de dentro, um sopro gelado. E, naquele momento, lado a lado com o seu amor, dr. Odorico experimenta uma certa comichão parnasiana. Na sua mocidade, rabiscara os seus versinhos, seguindo a linha de um poeta então em voga, o Raul Machado.[64] Mas, em seguida, fazendo sua carreira, esterilizara-se da maneira mais irremediável e deprimente. Agora, pensava, numa amarga autocrítica: — "Eu também já fui inteligente". E repetia, numa inconsolável nostalgia: — "Também já fui um Otto Lara Resende. Mas o Judiciário empalha qualquer um. Nós, juízes, somos empalhados!".

Com uma tristeza sem motivo, Engraçadinha empurra a porta. Ele a olha na boca que se entreabre num sorriso muito leve. Por um movimento, a tentação de beijá-la, ali, junto à geladeira, foi delirante.

Engraçadinha vira-se:

— É mesmo! E o Tinhorão?

QUANDO IARA VEIO chamá-la, Silene vacila:

— O diabo é que mamãe não quer que eu saia. Espera! Volto já!

Iara fica no portão, enquanto Silene sobe a pequena escada e entra na sala. Mente para Engraçadinha:

— Mamãe, está na hora da Ema D'Ávila. Vou ver, sim?

Volta. Engraçadinha teve de explicar ao dr. Odorico que se tratava da Ema D'Ávila, da TV.[65] Lá na rua gostavam muito. O juiz concluía: — "Não convém beijar agora. Ela pode ligar as duas coisas, a audácia e a geladeira. É melhor esperar". E disse, com a úlcera em fogo:

— Eu prometo, Engraçadinha, prometo que nessas quarenta e oito horas. Quarenta e oito ou, no máximo, setenta e duas. Quarenta e oito. Nesses dois dias, resolvo o caso de Tinhorão. Já localizei o bicho e eu resolvo, pode crer: — eu resolvo.

NA VÉSPERA, AMADO Ribeiro não perdera tempo. Levara Maria Aparecida às Paineiras. Em seguida, passou, de novo, na rua General Glicério. O Cachorrinho Presidencial ganha mais uma cédula e cochicha: — "O Cadelão andava muito com o Bob e o Cabeça de Ovo, da Praça Saenz Peña". Amado Ribeiro toma o jipe e comanda:

— Voa pra Tijuca!

O jipe vara o tráfego. Na praça, Amado salta e manda o carro desaparecer. Encontra o guarda 1.081, na esquina do Carioca. Havia, entre o policial e o repórter, um vínculo eficacíssimo. Meses atrás, Amado conseguira a transferência do 1.081, da Penha para a Tijuca. Foi o vigilante que, pouco depois, sopra: — "Olha o Bob e o Cabeça de Ovo!". Amado Ribeiro não perde tempo. Adianta-se e põe a mão no Bob:

— É você mesmo!

Vira-se, pálido:

— Que piada é essa?

E o Amado, com um esgar de tira:

— Pode abrir o livro! Você fechou o Cadelão!

Ao lado, lívido, a vontade do Cabeça de Ovo é correr. Bob tem uma ginga insolente (recuperou-se):

— Comigo você tomou bonde errado!

O repórter espeta-lhe o dedo no peito:

— Escuta, ó meu chapa! Chega de conversa e vai logo vomitando!

Então, o Cabeça de Ovo, recuando ligeiramente, balbucia:

— Eu não fui! — e completa, quase chorando: — Eu só ajudei a carregar o corpo!

Bob pula:

— Seu cretino!

Rápido e exultante, Amado Ribeiro segura o rapaz pelo cinto:

— Como é? Quem foi? Diz ou te meto no pau de arara!

Cabeça de Ovo vira-se para o Bob: — "Mas não fomos nós!". E estende a mão crispada para o repórter:

— Foi o Leleco! — e aperta o braço de Bob: — Não foi o Leleco?

Desesperado, Bob desafia o repórter: — "Se você é da polícia, vamos ao distrito, pronto, vamos ao distrito. Ou, então, mostra os documentos!".

Súbito, o Amado Ribeiro deixa de falar e gingar como tira. Tem um riso interno, que o sacode:

— Meu chapa, eu sou da imprensa!

Cabeça de Ovo soluça:

— Não é da polícia? Você é da...

Seu medo é agora ódio. Chega a avançar para o repórter. Bob, com os olhos estrábicos de raiva, segura o Amado:

— Vou te quebrar, vou...

LELECO ESPERAVA SILENE na dobra da esquina. Vira-se para Iara: — "Cai fora!". Puxa a namorada:

— Chega aqui... Vem.

E ela, caminhando a seu lado:

— Você matou, hein, matou?

Param mais adiante. Silene olha, espantada, para o rapaz. Leleco fala por entre lágrimas:

— Escuta, eu vim aqui, porque... — pausa e continua: — Silene, eu matei um homem, mas olha: — eu tive razão, juro. Pela vida de minha mãe, que é a coisa que mais prezo...

Silene crispa-se, numa espécie de náusea:

— Matou?

Ele a segura pelo braço:

— Ou você morre comigo ou eu me mato sozinho.

CAPÍTULO 77

DR. ODORICO FEZ questão de esperar que chegassem todos os membros da família. Queria saborear até o fim, como quem chupa um sorvete de pauzinho, a alegria da família. E coisa curiosa! Aquela era uma rua de três ou quatro famílias abastadas; morava, lá, o Jack Camomila (o dos lotações), cuja mulher tinha joias de 150, 200 contos; raro era o telhado sem antenas de televisão. Pois bem: — e, no entanto, a geladeira modesta e, mesmo, humilde do dr. Odorico, causou uma certa sensação. A notícia correu mundo; houve o cochicho geral: — "Dona Engraçadinha ganhou uma geladeira!". Falou-se mesmo em Sheer Look. O gigantesco caminhão do Rei da Voz, entupindo a passagem, fora muito olhado.

Os outros iam chegando. O primeiro foi Zózimo. Desde a véspera, o dono da casa era outro homem. Fora ao trabalho com a alma mais leve, o lábio caído, um deslumbramento no olhar — como se estivesse vendo tudo pela primeira vez. E, lá, no emprego, perguntava a um e outro, com uma sensação de plenitude:

— Você viu aquele filme? *Les Amants*! Viu? Precisa ver! Vai ver!

Dizia isso, baixo, ao ouvido de cada um, fazendo sem querer um mistério comprometedor. Só pensava no episódio íntimo, entre ele e a esposa. Ele, de joelhos e... Agora chega em casa assoviando. Mas ao dar com a geladeira, espantosamente nova e branca, com uma leve trepidação de motor, o som morreu-lhe na boca.

Olha, coça a cabeça. Volta-se:

— Mas que é isso?

Dr. Odorico adianta-se:

— Um presentinho, que tomei a liberdade...

Engraçadinha sorria, novamente comovida:

— Não é linda?

Olhando o dono da casa, dr. Odorico suspira para si mesmo: — "Eis o meu rival!". E não conseguia esquecer o verso do Lêdo Ivo: — "Teus pés frios soam como idílios". Cada um que entrava fazia o mesmo. Vendo o impacto de todos — o juiz sentia-se feliz e realizado como um peixinho no seu aquário. Essa felicidade, que devia ser perfeita, irretocável, tinha um único defeito, ou seja: — ele, Odorico, não era o marido. Poderia vir a ser amante talvez, mas na hora de dormir, Engraçadinha viria mesmo deitar-se na cama conjugal, ao lado daquela besta.

Dr. Odorico esfregava as mãos, insistia:

— Quer dizer que gostaram?

O único que olhou a geladeira com um angustiado espanto foi Durval. Não entendia e perguntou, baixo e descontente, à Engraçadinha:

— Por que um presente tão caro?

Sem motivo, Engraçadinha enrubesceu:

— Natal.

E o filho, inquieto, com um sofrimento surdo e instintivo:

— Mas o Natal ainda está longe!

Dr. Odorico foi convidado para jantar lá, claro, e aceitou, tanto mais que Engraçadinha disse-lhe, sorrindo: — "Você é da família". Ela possuía o segredo desses pequeninos achados que lisonjeiam de uma maneira, digamos, mortal. E, mais tarde, depois do cafezinho, ele aproveita um momento em que os outros estão entretidos com a geladeira e baixa a voz, ofegante:

— Eu fiz uns versinhos para você. Queria lhe mostrar. Telefona amanhã, ao meio-dia. Telefona?

Olha para os lados e faz que sim com a cabeça. Experimentou tal euforia que a úlcera como que teve, lá dentro, verdadeiros arrancos.

Silene agarrou-o pelo braço:

— Escuta! Ninguém vai morrer e deixa de ser bobo!

Repetiu:

— Eu matei, Silene, eu matei! Fui obrigado porque...

Contou-lhe, impulsivamente, tudo. Explicava: "Ele me deu uma gravata e, então, eu. Se eu não matasse, Silene. Você imagina se eu não puxo o canivete e se...". Estavam debaixo da árvore, perdidos na sombra. Silene ainda olha para trás. Ninguém por perto. Abraça-se a ele.

Disse, quase boca com boca:

— Fez bem, sim. Era o papel.

— Você ainda gosta de mim?

Silene passa os dedos pelo seu rosto:

— Gosto. Muito.

— Mesmo sabendo que eu matei um homem?

A pequena aperta entre as mãos o rosto de Leleco:

— Agora é que eu estou gostando de você. Antes eu...

Ele completa:

— Antes você não gostava.

Vacila:

— Mais ou menos.

Aquilo deu-lhe uma raiva brusca:

— Escuta aqui! Se você não gostava de mim...

— Um pouco.

— "Um pouco" não é gostar. Se não gostava de mim, como é que foi ao Bar do Pepino? Explica! Lá, você tirou a roupa. Eu saí e, quando voltei, você estava pelada. Ou será que você faz isso com qualquer um? Responde. Diz a verdade! Você já fez isso com alguém?

— Nunca!

Teimou:

— Fez, sim! Eu pensei que fosse amor. Mas se não era amor...

Soluça:

— Era amor!

E ele, chorando também:

— Como é que uma mulher, uma menina? Você nem quinze anos tem. Como é que uma menina entrega a virgindade sem gostar? Se você não gostava antes, agora muito menos!

Foi violenta:

— Deixa de ser burro! Agora eu gosto! Gosto e... Leleco, olha: — hei de provar o seguinte. Não sei se antes gostava. Fui ao Bar do Pepino, não sei por que e escuta: — não interessa o Bar do Pepino. O que interessa é que eu gosto de você. Talvez já gostasse antes, quem sabe? Mas olha, presta atenção, Leleco. Deixa eu falar.

Com a garganta contraída, sopra: — "Meu amor!". Silene dá-lhe, no rosto, beijos curtos e rápidos:

— Você fez bem. Fez o que devia fazer. O único defeito que o homem não pode ter é esse. Se você topasse uma coisa dessas, eu não te queria ver nem pintado. Escuta, escuta. Deixa eu falar.

O abandono da menina era tão desesperado que ela experimentou uma selvagem alegria. Açulou-a: — "Fala! Fala!".

Respira fundo:

— Você não vai se matar coisa nenhuma. Te quero pra mim. E se for preciso — baixa a voz — você foge!

Recua:

— Sozinho?

Suspira, triste e feliz:

— Comigo!

Dr. Odorico volta para a cidade em pânico. Deixara escapar, por uma dessas leviandades fatais, a promessa dos versos. No lotação, pergunta a si mesmo: — "Que versos?". Noutros tempos, teria improvisado, de um dia para outro, um soneto, ao gosto de Raul Machado, Daltro Santos.[66] Suspira: — "Quando eu me lembro que já fui um Otto Lara Resende!". Fizera, sim, uma promessa imprudente e, pior, inexequível. Na Candelária, salta e recorre, novamente, ao telefone da casa de petisqueiras. Liga para o Wilson Figueiredo. Uma hipótese o trava: — "Se o Wilson Figueiredo me tratar friamente?". Liga, por fim. O Wilson Figueiredo atende. Pergunta com uma involuntária humildade:

— Pode falar agora ou tem muito serviço?

Do outro lado, o jornalista foi de uma efusão até exagerada:

— Estou com matéria em cima da mesa, meio atrasada, mas Vossa Excelência manda! E o que é que há de novo?

Essa exuberância fez ao juiz um bem tremendo. Respira: — "Bom menino, o Wilson! E tímido. Como eu, tímido como eu!". Explica, alegremente:

— Estou num beco sem saída. É uma dificuldade dos diabos. Nem sei. Imagina que eu prometi a uma senhora — uma senhora que eu conheço — prometi uns versos. Para amanhã. Um soneto, Wilson. E talvez você possa me ajudar.

Na redação, o Wilson fazia um afetuoso escândalo:

— Amando, meu caro juiz?

O outro ria, num deleite imenso:

— Propriamente, não. Não é amor. Digamos, atração. Já não sou criança. Fiz quarenta e oito. Mas você, Wilson, sabe de um soneto, não muito conhecido, que você soubesse de cor...

O jornalista foi taxativo:

— Sei!

Exultou: — "Ótimo!". E o Wilson:

— Aliás, um soneto formidável. Sabe de quem? Faz uma ideia! Do Otto!

— Otto Lara?

Wilson disse, por extenso: — "Otto Lara Resende, sim, senhor! Tem um soneto, não sabia? O Otto tem um soneto!". Numa satisfação que o alagava, o dr. Odorico pede lápis ao homem da caixa. Pigarreia: — "Quer ditar?". Wilson começa e acaba: — "E entrego o corpo lasso à fria cama". Dr. Odorico escreve. Silêncio. Pergunta:

— Que mais?

— Só.

A confusão do juiz foi uma dessas coisas dolorosas:

— Não tem mais nada?

Wilson disse, inapelável:

— Nada. Só isso. O soneto do Otto só tem a chave de ouro. O Otto só escreveu a chave de ouro.

O juiz faz uma pausa escandalizada. Insiste: — "Mas como?". O Wilson teve de explicar que a ideia do Otto Lara fora escrever um soneto de trás para diante. E tudo começava e tudo acabava na chave de ouro. Dr. Odorico tem a suspeita aguda de uma brincadeira deprimente. Pensa, já num princípio de humilhação: — "O Wilson está me tratando com pouco caso. E eu não mereço, que diabo!". O jornalista, porém, sugere:

— Mas escuta, meritíssimo! O senhor diz à dama, ouviu? Diz à rapariga...

Dr. Odorico acha delicioso o termo *rapariga*, com um toque à Júlio Dinis.[67] Começa a sorrir.

Leleco deixa Silene e passa em casa para voltar com d. Araci. Ia atravessando o portão, quando alguém o segura:

— Está preso.

CAPÍTULO 78

Na véspera, Amado Ribeiro fora quase agredido, na porta do Carioca. Bob chegou a abrir a mão para a bofetada:

— Te dou um tapa!

O repórter pula para trás:

— Tira a mão e calma, calminha!

Por cima do ombro do amigo, o Cabeça de Ovo estrebucha:

— Palhaço!

O descaro de Amado Ribeiro era empolgante:

— Rapaz, escuta! Escuta! Posso falar? Mas escuta! Olha: — ninguém bate na imprensa! Escuta, ó, Senhor! Sou eu que estou falando! Se a gente briga aqui, vocês estão em cana e aí como é que é? Eu, olha: — me soltam no mesmo instante, e você?

Os dois se entreolham. Cabeça de Ovo tem, novamente, a náusea do medo (sua vontade é correr, pular um muro, outro, depois outro, sumir). Rapazes da praça já se aproximavam. O próprio Bob está menos seguro e com um princípio de angústia. Com o seu persuasivo, irresistível cinismo profissional, Amado baixa a voz:

— Vamos entrar aí num lugar. Ali. Vamos lá. Vamos.

O próprio Bob dá a ideia:

— No Prato do Dia.

Pouco depois, entram lá e ocupam uma mesa dos fundos. Outra vez, por uma dessas inspirações gratuitas e irresponsáveis, Amado Ribeiro solta a mentira de efeito: — "Eu sou neto de índio, compreendeu? Neto de índio!". Dir-se-

-ia que esse falso parentesco dava-lhe um certo charme, uma espécie de magia. Depois de pedir uma pizza média (sem aliche), o Amado Ribeiro dispara a falar, baixo e sôfrego:

— Vamos conversar direitinho. Em primeiro lugar...

Bob interrompe: — "Olha que eu não confessei nada!". E pluraliza: — "Não confessamos nadinha!". O repórter admite: — "Claro! Claro!". Continua, alargando o colarinho:

— Mas como eu ia dizendo: — no Brasil, é a imprensa quem descobre os crimes. A imprensa, compreendeu? É preciso estar bem com o jornal. O resto não interessa. E, além disso, presta atenção: — eu posso ajudar vocês pra burro. E vocês também podem me ajudar. Elas por elas e uma mão lava outra.

Bob cata um cigarro:

— Eu não sei de nada. E se soubesse, olha: se soubesse não diria.

Vem o garçom com a pizza e o Amado Ribeiro pula:

— Vem cá, ó, meu chapa! Chega aqui um instante! Escuta: eu pedi sem aliche. Rapaz, pedi sem aliche! Volta. Leva, não quero. É o Brasil. Traz sem aliche. Por favor. Obrigado. É o Brasil.

O garçom leva o prato. Amado Ribeiro dramatiza: —"Está vendo o que é o Brasil? Eu pedi sem aliche!". Em seguida, volta ao crime:

— Bom. O negócio é o seguinte: — vocês não têm nada com o peixe, não mataram ninguém. Entendido?

Cabeça de Ovo ia responder, mas Bob atalha, brutalmente:

— Não dá palpite, não te mete, ora que mania! Deixa que eu respondo! — desafia o repórter: — E daí?

Amado Ribeiro está comendo azeitona. De vez em quando, baixa a cabeça para cuspir no pires o caroço. Faz a pergunta, à queima-roupa:

— Quem matou o Cadelão?

Responderam, ao mesmo tempo:

— Leleco!

Amado apanha outra azeitona, ao mesmo tempo que expele o caroço da anterior. Sem valorizar a própria curiosidade, indaga:

— Por que Leleco?

Bob enfia também o palito numa azeitona. Diz:

— Paixão.

O garçom vinha chegando. Amado exulta duplamente — pela pizza sem aliche e pela natureza do crime. Aprendera na reportagem que a pederastia pobre não dá nada. Mas o Cadelão era de uma das melhores famílias. Cortando a pizza ele já imagina, de olho rútilo e boca ávida: — "Vai ser um estouro!". Insiste:

— Mas paixão de quem por quem?

Bob vai contando:

— O Cadelão achava que o Leleco... Você conhece o Leleco? Ah, não conhece, é um sujeito nessas condições: — quando houve aquela trovoada. Encheu a Praça da Bandeira. O Leleco teve ataques. Chorava que eu fiquei besta. Por causa de uma trovoada. Dos dois, o Cadelão é que era o homem.

— E o motivo? Deve ter motivo. Um motivo. Qual?

Respondeu:

— Ciúme. Ou Leleco teve ciúme do Cadelão ou Cadelão do Leleco. Um dos dois.

No dia seguinte, tarde da noite, dr. Odorico falava no telefone com o Wilson Figueiredo. O Wilson insistia:

— Faz o seguinte: — leva à rapariga a chave de ouro.

— Levo. Que mais?

Continua:

— Diz que está fazendo um soneto de trás para diante. Ah, um momento! Um momentinho! Deixa eu falar aqui... — fala para uma pessoa da redação. — Põe isso na mesa do Hermano! Pode falar, meritíssimo! Ah, sim! Mas compreendeu? Cada dia o senhor leva um verso do soneto do Otto...

Dr. Odorico interrompe:

— Escuta, Wilson! Está certo. Mulher gosta de novidade, tal e coisa.

Wilson berra:

— A pequena vai delirar!

— E quem faz o resto do soneto? Quem? Para amanhã, já estou com a chave de ouro. Aliás, Wilson, dá tua opinião: — Você não acha meio forte o soneto do Otto? Fala em cama. E outra coisa: esse negócio de "corpo lasso". A pessoa inclusive é protestante, Wilson, protestante.

Ao lado do Wilson, na redação, o Hermano Alves arrasa um graúdo: — "Uma inteligência de Brucutu, numa cabeça de Spengler". Wilson quer despedir, fraternalmente, o juiz:

— Escuta, meritíssimo. Vai me desculpar, mas é que, olha: — estou com matéria pra burro em cima da mesa. Tenho que mandar pra oficina.

Aflito, dr. Odorico geme:

— Quer dizer que eu devo mostrar? Você acha? Posso deixar a cama? Não faz mal? Realmente, se eu tirar a cama, o que é que sobra da chave de ouro? De fato, muito bonito o soneto do Otto. Escuta, Wilson, e você acha mesmo — dá um palpite — que ela vai gostar?

O Wilson dá todas as garantias:

— Meritíssimo, pode entregar sem susto. Eu faço o resto do soneto. Até amanhã, meritíssimo. Telefona amanhã. Chau.

Só depois de desligar é que o dr. Odorico bate a cabeça: — "Ó, diabo! Não falei do Tinhorão! Me esqueci do Tinhorão!". Respira fundo: — "Falo amanhã!". Cumprimenta o homem da caixa:

— Passar bem.

O soneto do Otto, que levava no bolso, deu-lhe a sensação de uma arma.

Uns dez minutos depois de ter saído dr. Odorico, Zózimo vira-se para Engraçadinha:

— Tive uma ideia! Uma *big* ideia!

Vestia, já, a camisa rubro-negra sem mangas. Entre parênteses, fazia um calor bárbaro. E ele, rondando a geladeira, tinha um encanto de menino. Depois de Engraçadinha, era quem gostara mais do presente. Disse, doutoral, apontando com o dedo:

— A geladeira não deve ficar ali.

Engraçadinha não entende. Zózimo esfrega as mãos:

— A geladeira é o principal móvel do pobre.

Durval pula:

— Mas ó, papai, essa não, que é que há?

Engraçadinha ralha:

— Deixa teu pai falar. Vocês não deixam seu pai falar!

Zózimo inflama-se:

— Escuta. Engraçadinha, vê se eu não tenho razão. Durval, primeiro falo eu e depois você. Escuta, meu filho: — a geladeira deve ficar na sala. Mas evidente! Em casa de pobre, a geladeira deve ficar na sala, compreendeu? Na sala!

Engraçadinha diz, rapidamente:

— Também acho.

Durval levanta-se. Enfia as duas mãos nos bolsos, anda de um lado para outro:

— Esse negócio de geladeira não me entra. Afinal de contas, eu não entendo. Por que é que esse cara…

— Cara? Que cara?

Faz uma cara de nojo:

— Esse juiz! Sim, esse dr. Odorico! Dá um presente. Papai, geladeira custa dinheiro. E eu pergunto. Sim — tenho direito de perguntar: — Por quê?

Zózimo põe as mãos na cabeça: — "Meu filho, não seja espírito de porco!". Engraçadinha empertiga-se:

— Olha, Durval, você às vezes fala sem pensar. E nem deve chamar de "cara". Imaginem! Chama de "cara" um velho amigo. Amigo de Vitória, lá do Espírito Santo. Você nem tinha nascido e o dr. Odorico…

Durval quebra entre os dedos um palito de fósforo:

— Mamãe, se a vizinhança sabe...

A mãe exaltou-se:

— Cala a boca! Estou falando e você me interrompe? — muda de tom: — O dr. Odorico devia muitos favores a seu avô. Essa geladeira é uma retribuição. É fato ou não é, Zózimo? Diz pra teu filho. Minto?

O outro respondeu: — "Velho amigo!". Ele, Zózimo, continuava numa tremenda felicidade. A geladeira, ali, era uma presença viva, palpitante, encantada. Há uma pausa. E, então, erguendo a fronte, com certo fervor, Engraçadinha fala:

— E outra coisa, que te sirva de lição — sua mãe não fará nada que uma esposa não possa fazer.

Só quando fechou o Ao Prato do Dia é que Amado Ribeiro deixou Bob e Cabeça de Ovo. Durante uma hora de conversa, repetira várias vezes: — "Eu sou neto de índio!". Aprendera que essa mentira fazia um efeito inexplicável, mas altamente eficaz. Antes de sair, baixou a voz: — "Somos aliados!". Foi apanhar o jipe na esquina da Granado e berra para o chofer:

— Paineiras.

Antes de voltar ao jornal, para escrever a reportagem, contava passar duas horas de amor, num clima de montanha. E, ao mesmo tempo, pensava nesse crime marcado pelo homossexualismo. Conhecia a força social, política e econômica de certas pederastias brasileiras. Na montanha, passou uma hora ao lado de Maria Aparecida. Saiu, numa euforia tremenda:

— Que corpo, menino, que corpo!

Fez a matéria no jornal. Durante o dia só trabalhou no crime (passou no enterro do Cadelão). E, por fim, já de noite, esperou Leleco. Viu o rapaz e o abotoou:

— Você é o assassino!

Leleco faz uma cara de choro:

— Não! Não! Eu não matei! Juro!

CAPÍTULO 79

Antes de procurar o Leleco, Amado Ribeiro deu um pulo no distrito. Ria, sozinho: — "A besta do Piragibe deve estar subindo pelas paredes!". Chega lá e a primeira pessoa que viu foi o professor Petruscu. "Eis o assassino!" foi a sua exclamação interior. Pôs-se a examiná-lo e quase dizia: — pôs-se a farejá-lo. O velho (devia ter seus cinquenta e oito, sessenta anos) passara a noite em claro, fumando um cigarro atrás do outro. Devia estar com a alma negra de nicotina.

Era romeno e exagerava como um italiano de anedota:

— Raptaram a minha mulher! Levaram a minha mulher!

Havia no seu olhar, varando a miopia, a cintilação da insônia. O comissário Piragibe também não dormira um único instante. Tinham telefonado até da Presidência. Envolvido pela reportagem, entregara-se a essa tristeza doce, quase bovina do cansaço; não falava mais. Limitava-se a acompanhar com um olhar neutro, meio obtuso, o movimento do professor na delegacia. Petruscu não se sentara uma única vez. Entrara ali às quatro horas da manhã, aos berros: — "Minha mulher sumiu!". Na sua imaginação frenética, queria crer que o assassino do Cadelão também a matara e talvez com a mesma arma. E, súbito, ele estaca. Como quem vai puxar uma faca, uma pistola, enfia a mão no bolso. Arranca de lá, num gesto violento, um recorte de jornal. A reportagem arremessou-se. O próprio Piragibe espicha o pescoço, num movimento de curiosidade.

O professor lança um suspense:

— Estão vendo isso aqui?

Ergue, bem alto, o recorte. Piragibe põe de lado a fadiga e levanta o peito. Silêncio ávido. Num repelão triunfal, Petruscu exulta:

— É do Eurico Nogueira França!

Pasmo do comissário:

— Quem?

Na delegacia apinhada, há o fluxo e refluxo da reportagem. Ninguém ali percebeu a relação entre o crime e o nome citado. Eurico, que Eurico? Mas a relação fundamental devia existir. Com a saliva espumando nos dentes, o romeno explica o mistério do recorte:

— É a crítica, ouviu? Crítica do Eurico Nogueira França sobre o meu concerto.[68] Dei um concerto de violino. Saiu no *Correio da Manhã*. Com licença, vou ler um trechinho. Olha o que diz o Eurico Nogueira França. Olha. Sobre o meu concerto. Onde é que está? Ah, está aqui. Um momento, um momento. Diz o seguinte.

O recorte tremia-lhe nas mãos. Pigarreia. Naquele momento, esqueceu a mulher, que talvez já fosse cadáver. Era o artista. Na sua mocidade, andara numa falsa orquestra cigana. Desiludido, o comissário Piragibe olhava sem ver, novamente imerso numa meditação ardente e vazia. Amado Ribeiro só faltava cheirar a roupa do músico. Petruscu estava tão excitado (mordia-se de vaidade), que precisou segurar o papel com as duas mãos. Leu a metade e concluiu assim:

— ..."uma Fuga, ou um Fugato, um Fugato desenvolvido de um interesse empolgante".

O auditório estava numa dessas incompreensões totais. A princípio, julgou-se que Eurico Nogueira França estaria implicado. Ainda ofegante, Petruscu dobra e guarda o recorte no bolso. O Silva Júnior, da *Luta*, faz a pergunta atônita:

— E daí?

Explica:

— Eu fiz questão de ler. Um momento, um momento! Eu quis mostrar que eu não sou nenhum pé-rapado. Quando o Eurico Nogueira França, o Eurico entende. É formado, ah é! Mas onde é que eu estava? Ah, sim! Eu cheguei aqui no distrito e devia ser bem tratado. Minha mulher desaparece e eu sou maltratado. Afinal, eu não sou nenhum joão-ninguém. Na minha terra, o artista, ah, sim, lá consideram muito o artista! E eu disse ao comissário: — "Senhor comissário, querendo telefona para o Eurico Nogueira França, que me conhece, sabe quem eu sou. O senhor telefona!".

Piragibe rosna:

— Escuta, ó, professor! Não enche! Você já está enchendo. Vai ver se eu estou na esquina.

Então, na frente de todo o mundo, o professor começa a chorar.

Vê o Amado Ribeiro e atraca-se com o repórter:

— Quem sabe se a minha mulher está morta? Desapareceu, entende? Eu saí para visitar um amigo. Volto e não encontro mais a minha mulher. Sumiu. Vim aqui e...

Amado leva-o para um canto:

— Escuta aqui. Vem cá. Que negócio é esse? Tenho uma bomba pra ti.

O outro cicia: — "Bomba?". E o repórter:

— Olha. Esse negócio do Eurico Nogueira França é despistamento, máscara, percebeu? É show!

O sujeito torce a cara, como se não tivesse escutado:

— Como? Como? Despistamento?

E o outro, baixo e incisivo:

— Foi você que matou o Cadelão! Você! O assassino é você!

Estupefato, com o lábio branco, Petruscu não diz uma palavra.

Amado Ribeiro deixa a delegacia. Mais adiante apanha o jipe:

— Real Grandeza.

Ia espiar o velório do Cadelão. Foi pensando pelo caminho: — "O professor não matou ninguém".

Dr. Odorico chega em casa tarde da noite. Enfia a chave na fechadura e calculava, no seu otimismo: — "Minha mulher deve estar dormindo. Tomara". Mas ao entrar tem a surpresa: — ela o esperava, com *O Cruzeiro* no regaço. Com uma aguda contrariedade, pragueja: — "E mais essa!". Faz a pergunta inútil:

— Acordada?

Suspira:

— Sem sono.

Sorri para ele. Ergue-se (veste o quimono de dragões bordados). Parado, no meio da sala, dr. Odorico experimenta uma raiva brusca, uma espécie de ódio. Como todo o tímido, tinha, excepcionalmente, as suas cóleras totais. Já começavam as palpitações da úlcera. Pensa: — "Minha mulher que não se faça de tola, porque, eu, bom!". Ela caminhava, lentamente, na sua direção. Estendia-lhe as duas mãos e sorria-lhe, com um olhar turvo de volúpia.

Disse:

— Você não acha interessante?

E ele:

— Não entendi.

Novo suspiro:

— Estamos casados há vinte anos. Vinte anos! Mas acho que a nossa lua de mel começou hoje de tarde.

Esse carinho não desejado exasperou-o. Disse para si mesmo: — "Ah, não! É demais! E onde é que nós estamos!". Geralmente, nas maiores irritações, conseguia manter um mínimo de polidez. Mas a insistência da esposa acabou de enfurecê-lo.

Falou, duramente:

— Escuta. Vamos conversar. Senta.

Ele ficou de pé. Queria valorizar e, mesmo, dramatizar o que ia dizer. Inquieta e surpresa, Hermínia senta-se. Em vinte anos de casados, dr. Odorico foi, pela primeira vez, implacável:

— Aconteceu, hoje, de tarde, uma coisa que não devia acontecer. Sim, uma coisa que não podia acontecer.

Atônita, balbucia:

— E o que é que não podia acontecer?

Virou-se, vivamente:

— Ora, minha mulher! Eu não posso falar português claro! Num casal, deve haver respeito, acima de tudo: — respeito.

Levantou-se:

— Você está arrependido?

E ele:

— Arrependido, propriamente, não. Não se trata de arrependimento. Escuta: — eu não fiz por gosto. Eu fui tomado de surpresa. E se há um culpado, entre nós dois, desculpe, mas é você.

— Eu?

Continua, enfático:

— Sim, senhora! A insinuação clara, mas evidente, partiu de você. De momento, não me ocorreu que... Minha mulher, senta e escuta. Senta.

Obedeceu, desorientada. Ele tira o lenço e enxuga os lábios. Inflama-se, guardando o lenço:

— Um casal vive de respeito mútuo. E quando não há esse respeito, acaba tudo. De mais a mais, escuta, minha mulher, escuta: — de mais a mais, um homem não pode trazer para a casa, para o lar, a miséria dos alcouces. E o que aconteceu, esta tarde, foi uma abjeção.

Ergue-se, fora de si:

— Amor!

— Uma abjeção que teria seu lugar próprio num alcouce.

Desafiou o marido: — "Isso é demagogia!". Dr. Odorico, porém, foi até o fim (transpirava):

— Demagogia, não, senhora! E outra coisa. Minha mulher, escuta, deixa eu falar. Vocês, mulheres, gostam muito de interromper. Mas escuta: — antigamente, a esposa tinha um certo comportamento sexual. Era isso que a caracterizava. Eram os seus limites! Agora, não! Ela quer uma liberdade carnal que a põe — note bem — que a põe no mesmo nível das vagabundas.

Rápida, a mulher o segura pelo colete: — "Me chamou de vagabunda?". O ódio a desfigura. O marido desprende-se:

— Tira a mão, mulher! Ouve o resto. Tenha a segurança de que não mais acontecerá a miséria que hoje manchou esta casa. Você é esposa! Comporte-se como tal! A esposa tem limites implacáveis! Perfeitamente! Limites implacáveis!

Berrou:

— Desgraçado!

QUANDO AMADO CHEGOU em Real Grandeza, a rua estava inundada de carros. Vinham automóveis daqui, dali, e, no cruzamento, havia um espasmo de tráfego. As buzinas esganiçadas faziam, ali, uma insuportável angústia auditiva. Amado Ribeiro ia esbarrando nas coroas de luxo. Lá dentro, só via as grandes figuras, inclusive gente do Palácio. Queria entrar na câmara-ardente. Atrás de si, alguém cochichava:

— Olha o mulherio. Só dá busto artificial. Vivemos uma época sem seios.

Viu, lá, o caixão. Aproxima-se, projetando a cara. Contempla o assassinado. Cadelão jamais fora tão belo, com o perfil diáfano e gelado que os mortos têm. Nos lábios entreabertos, esse mínimo de ironia que se nota na boca de certas máscaras mortuárias. Pouco antes, ocorrera um incidente penosíssimo. Um repórter perguntara a alguém: "Quem é o pai do Cadelão?". Por infelicidade, o velho, que andava por perto, ouvira. Pôs-se a berrar, a dois passos do ataúde:

— Cadelão é um tiro na boca!

Alguém teve de segurá-lo: — "Não faça isso!". Era um ministro de Estado que o continha.

Desde o primeiro momento, Amado Ribeiro sentiu a fragilidade pânica de Leleco. — "Não aguenta dois trancos!" Era bem o ser que chora da trovoada. Não havia ninguém por perto. Junto à parede, o repórter o sacudiu duas ou três vezes. O rapaz soluça:

— Eu não matei! Eu não sou assassino!

Foi nesse momento que veio alguém e agride, pelas costas, o repórter.

CAPÍTULO 80

Era Silene. Trazia um recado de Engraçadinha para d. Araci. De longe, vira um sujeito batendo em Leleco. Correra, fora de si.

E, agora, agredia, pelas costas, o desconhecido, com tapas de suas mãos leves e frenéticas:

— Larga Leleco! Larga!

O repórter vira-se, e tão rapidamente que ia perdendo o equilíbrio. Agarra, solidamente, a menina pelos dois pulsos:

— Quieta! Quietinha!

Levou dois ou três pontapés na canela. Leleco teve que se atirar entre os dois:

— Da polícia, Silene! Polícia!

E, então, atônita, a menina já não se debate mais. Respira forte e fixa Amado Ribeiro com o seu olhar de espanto e medo. Na casa ao lado, alguém abre o rádio em todo o volume. Leleco arqueja:

— Minha noiva.

A menina, transida, faz a pergunta:

— O senhor é da polícia?

Amado Ribeiro olha um e outro. Acaba achando graça:

— Menina, não faça mais isso. Você podia se dar mal. Olha que eu já vi a polícia chutar a barriga de muita mulher grávida. E se eu te enfiasse a mão, agora? Hein, se te enfiasse a mão?

Leleco fala quase sem voz:

— O senhor não vai fazer isso. Silene, pede desculpas. Pede, Silene, pede.

Silene faz uma leve mesura:

— O senhor me desculpe.

Numa falsa ferocidade, Amado Ribeiro agarra o braço de Leleco:

— Escuta, meu chapa, chega de conversa! Vai ou não vomitar? Sei de tudo! O Bob e o Cabeça de Ovo...

Gemeu:

— Bob?

E o repórter:

— Pois é. O Bob e o Cabeça de Ovo. Contaram tudo. O assassino é você.

Silene agarra-se ao repórter:

— Mentira! Leleco não matou!

O *métier* dera a Amado Ribeiro uma dessas vidências límpidas e implacáveis. Julgava sentir, instantaneamente, num primeiro olhar, a culpa ou a inocência. "Dois anjinhos!", era o que pensava. Concluía, com uma certeza total: — "Mas ele matou!". — Empurra brutalmente a pequena, ao mesmo tempo que faz o comentário interior: — "Nessa, eu começava pelo dedo do pé".

Baixa a voz:

— Escuta você — e ela também: — ou você confessa ou... Foi você?

Olha Silene e responde:

— Não.

Amado Ribeiro parece decidido:

— Ah, não confessa? Não quer confessar? Os dois estão em cana! Vamos embora!

Põe a mão no braço do repórter:

— Ela, não!

Amado repete:

— Ela, sim! Olha aqui, seu animal! Ou você confessa. Acho bom você confessar. Mas, ou você confessa ou sabe o que é que vai acontecer? Escuta. Deixa eu falar. Nessas ocasiões, a polícia faz o seguinte: — prende a mãe, a mulher, a irmã do cara. Vai escutando. Põe a mãe, a mulher e a irmã do cara, nuas. Uma das piadas mais inofensivas é queimar o seio de cada uma com brasa de cigarro.

No seu desespero, balbucia:

— Minha mãe?

E o outro, duro:

— Tua mãe. E essa pequena. Nuas. Na tua frente e na frente de todo o mundo. Queres? Responde: — quem matou Cadelão?

Ergue o rosto:

— Eu.

Silêncio. E, então, Silene agarra-se ao repórter:

— Ele matou porque… O senhor não sabe? Queriam que ele fosse mulher de três! O senhor não acha que… Foi por isso! Não foi, Leleco? Diz pra ele! Não foi por isso?

Todo o seu desespero passara. Disse, com o olhar perdido:

— Eu matei Cadelão. Matei. Levei uma gravata. Matei com um canivete americano. Agora me prenda. Prenda. Pode me prender. Mas não leve nem mamãe, nem Silene, nem Iara. Já confessei. Pronto.

Amado passa na boca as costas da mão:

— Agora, meu chapa, que você já confessou, dê graças a Deus pelo seguinte: — eu não sou da polícia, entende? Não sou da polícia. E olha: — você deu uma bobeada, rapaz!

Num deslumbramento, Silene repetiu:

— Não é da polícia?

Amado pôs-lhe a mão no ombro:

— Deu bobeada porque você parece maluco. Então, o primeiro que chega você abre o bico? Você não matou ninguém. Pra todos os efeitos, você não matou ninguém. E outra coisa: — você está na minha mão. Só vai fazer o que eu disser.

HÁ QUATRO DIAS que, todas as manhãs, dr. Odorico telefonava para o juiz substituto: — "Aguenta a mão, que hoje eu não posso ir". O outro, que era um grave, baixava a voz pesada, e como que mugia no telefone: — "Que tal a pequena? Justifica?". Dr. Odorico fazia-se de vago: — "Serve". Não estava com cabeça, nem coração para resistir ao tédio das audiências. (Todo o Judiciário já sabia da paixão.)

Destratado pela mulher, chamou-a de "minha senhora":

— Será que as mulheres só pensam em sexo?

Ela esganiçou a voz:

— Eu tenho doze anos menos que você!

Dr. Odorico olha para trás, no pânico súbito da vizinhança: — "Fala baixo!". Reagiu, violenta: — "Estou na minha casa!". Com a úlcera em espasmos, ele imaginava que, no dia seguinte, todo o edifício estaria comentando, com um sarcasmo triunfante, a sua intimidade sexual. E, naquele momento, o fato de ter no bolso o soneto do Otto Lara (ou, pelo menos, a chave de ouro) serviu-lhe de uma espécie de sedativo. "E entrego o corpo lasso à cama fria" era o verso escasso e único. Como completar o soneto? Se o Wilson Figueiredo lhe faltasse, teria de recorrer ao Luís Costa, outro lírico da cabeça aos sapatos.[69] Discutindo com a mulher, ele passara quinze minutos sem pensar na geladeira. — "Não pago uma única prestação", disse para si mesmo.

A mulher fez-lhe a pergunta:

— Escuta, Odorico: — você quer se separar?

Diz, sôfrego:

— Quero!

Fez a volta da sala, repetindo (numa alegria feroz, que procurava disfarçar):

— É a solução! Graças a Deus, não temos filhos pra atrapalhar! É a solução!

Hermínia não diz nada. Ele acaba espantado com o silêncio da esposa. Vira-se, inquieto. A mulher perdera toda a agressividade. Perguntou:

— Você teria coragem, Odorico? Depois de vinte anos de casado, você teria... Fala! Você quer se separar de mim? Você não gosta mais de mim?

O juiz ia dar uma resposta impiedosa. Súbito, a mulher abre os braços e cai de joelhos. Aterrado, ele não fez um gesto quando a viu mergulhar o rosto nas duas mãos e soluçar com uma violência monstruosa. A úlcera, no duodeno, parecia dar pinotes. E o juiz não entendia mais nada. A incoerência daquelas lágrimas deixava-o confuso e dilacerado. — "Foi ela que quis, que propôs", era o seu espanto. Fala, afinal:

— Mas, levanta! Levanta!

Não era homem de ver ninguém chorar, muito menos uma mulher, e menos ainda a mulher que vivera a seu lado vinte anos. Podia ser uma víbora africana e era uma víbora africana. (Mas as víboras também são filhas de Deus. Que culpa tem uma lacraia de ser uma lacraia, se foi esta a sua involuntária forma terrena? E por que uma víbora não há de ser amada?) Ajudou-a a levantar-se. Já lhe parecia que uma mulher que chora assim, com tão fundo gemido, não será uma lacraia total.

Foi tão desesperadora a sua pena que se inclinou com um pouco de amor. Ela ainda estava fora de si:

— Eu não me separo, nem dou desquite! E se você deixar a casa...

Quis atalhar: — "Escuta, meu bem!". Ela, porém, insistia, numa alucinação: — "Se você me abandonar, antes das bodas de prata. Nós temos vinte anos de casados. Mas se você me abandonar antes, eu me atiro daquela janela". — Completou, violenta: — "Se quiser, abandona, mas depois de vinte e cinco anos e espera completar vinte e cinco anos!". O juiz surpreendeu-se a passar a mão pela cabeça da mulher:

— Não quero me separar. Você é que... Ou você pensa que é agradável para mim confessar que estou incapaz. Eu falei porque quis ser leal contigo...

Abraça-se ao marido (sua dor é mansa, quase terna):

— Eu não ligo pra sexo, não dou bola, juro. O que eu quero é fazer as bodas de prata...

Dr. Odorico deixa-se abraçar. Tem ainda mais compaixão porque ela é feia, sem curvas. — "Pode-se tratar a pontapés uma esposa bonita." Mas a dele era tão sem atrativos que, se quisesse trair, prevaricar, encontraria as dificuldades mais humilhantes. Finalmente, ele a levou para o quarto. Lembrou-se do que dissera, certa vez, o Otto Lara: — "Não se abandona nem uma namorada". Ao mesmo tempo, pensava em Engraçadinha. Decide: — "Se o Wilson Figueiredo não completar o soneto do Otto Lara, vou recorrer ao Luís Costa".

Sentiu-se gelar de dó quando viu a esposa repetir, com dilacerada humildade:

— Meu anjo, esse negócio de sexo eu nem ligo e tanto faz. O que eu quero é você. Boa noite.

Dr. Odorico teve vontade de apanhar as suas mãos e beijar uma e outra. Depois de mudar a roupa e apagar a luz, repetiu para si mesmo, uma vez: — "Não pago um tostão da geladeira!".

No dia seguinte, Amado Ribeiro atirava na cara do leitor a manchete:

PETRUSCU, O ASSASSINO DE CADELÃO

CAPÍTULO 81

Engraçadinha fecha a gaveta e vira-se para o marido:

— Escuta, Zózimo — e pergunta a uma das meninas: — onde está seu irmão?

— Banheiro.

Engraçadinha senta-se na cabeceira da mesa. Zózimo dobra o jornal (acabara de ler, na seção de esportes, um artigo contra o Hilton Santos).[70] A mulher começa:

— Bem. Hoje, eu tive que...

Para, porque Durval aparece. Fala para o rapaz:

— Vem ouvir também, meu filho. Senta. O negócio é o seguinte: — vocês sabem que nós devemos muitos favores a dona Araci. Sempre foi muito prestativa e...

Zózimo que, de vez em quando, olha para a geladeira, e parece lambê-la com a vista, Zózimo foi de uma larga efusão:

— Ah, dona Araci é fogo! Boa demais, cem por cento!

Engraçadinha anima-se:

— Pois é. No parto de Silene, se não fosse ela, eu nem sei...

Durval afunda-se na cadeira, estica as pernas e suspira:

— Dona Araci é legal. Só não topo é aquela mania do Ceguinho!

Engraçadinha continua:

— Dona Araci veio pedir pra Leleco dormir aqui uns dias...

Durval pula:

— Aqui?

— Aqui. Por uns dias, Durval. E eu disse que sim.

Durval ergue-se, estupefato. Anda de um lado para outro:

— Mas como é, mamãe? Aqui não tem lugar!

Doce, mas firme, disse:

— Escuta, meu filho! Durval, deixa eu falar, sim?

Zózimo intervém:

— Deixa tua mãe falar!

Durval senta-se: — "Essa, não!". No seu jeito macio, persuasivo e irredutível, Engraçadinha conta para os filhos:

— Eu não sei o que é que há com Leleco. Parece até que está ameaçado. Ele dorme na sala com você, meu filho, dorme. Leleco não é de cerimônia.

O filho ergue-se, novamente: — "Mamãe, aqui é uma casa de moças e Leleco é um homem, mamãe!". Atalha, vivamente: — "Um menino e olha, Durval, não seja assim: — podia ser meu filho!". Baixa a cabeça e cobre o rosto com uma das mãos. Está chorando.

Zózimo ergue-se (tinha também a lágrima fácil):

— Vocês deviam dar graças a Deus pela mãe que têm! Eu sei que é chato, desagradável, mas não faz mal. E é por isso — escuta, Durval! — é por isso que eu gosto de tua mãe e digo mais: — tua mãe não existe.

O filho respira fundo:

— Lavo as minhas mãos!

No dia seguinte, dr. Odorico saiu cedo de casa. (Tinha um milhão de coisas para fazer.) A mulher foi levá-lo até o portão. Baixa a voz, com sofrida humildade:

— Olha, eu queria ir a um cineminha. Se você puder, vem cedo, sim?

Pigarreia:

— Depende.

E ela, sôfrega:

— Se puder! E se não puder, paciência! Não faz mal!

Essa humildade, que parecia lambê-lo, era de uma pungência insuportável. Dali ele passou na casa do juiz substituto, dr. Eustáquio. Sempre achara que o casamento põe no sujeito uns grilhões de barbante, que não resistem a um pontapé. E, súbito, verificava que não, verificava que os grilhões são mesmo grilhões. Chega na casa do juiz Eustáquio e aconteceu uma coisa muito interessante. O colega faz-lhe, à queima-roupa, a pergunta:

— É verdade que você vai se separar?

Recua:

— Eu?

O outro falava como se já soubesse do miserável episódio da véspera. Pálido, dr. Odorico geme: — "Terra miserável! Aqui a calúnia anda solta!". O colega baixa a voz:

— Dizem que você tem uma paixão e…

Fora de si, o dr. Odorico interrompe:

— Deus me livre, Eustáquio! Essa gente, só a tiro! Posso estar apaixonado e daí? Não há a menor relação entre alhos e bugalhos. Amante é amante e esposa é esposa. E, além disso, escuta, Eustáquio: — eu acho uma indignidade abandonar uma esposa — toma respiração e ergue a voz: — Não se abandona nem uma namorada!

Erguia a frase do Otto Lara como um estandarte. O dr. Eustáquio, que era um pouco míope, esbugalhava os olhos. Aprendera a desconfiar dos veementes e a fúria do amigo pareceu-lhe meio suspeita. De mais a mais, sabia que aquele casal vivia engalfinhado. Certa feita, d. Hermínia arremessara no dr. Odorico um rádio de cabeceira. O juiz teve que se atirar no chão para não ser varrido pelo aparelho.

E, agora, em tom cavo, dizia:

— Pelo contrário! Eu me casei com uma santa! E uma coisa não impede a outra: — a esposa e a amante. Pode parecer cinismo, mas é o seguinte: — entre o desquite e a infidelidade, acho esta última muito mais generosa, humana, familiar e social. Palavra de honra!

Dr. Eustáquio ouvia com admiração tão evidente que o dr. Odorico põe-se a pensar: — "Cada sujeito tem um Otto Lara de sua preferência. Eu sou o Otto Lara do Eustáquio". Por fim, dr. Odorico fez o pedido:

— Vou ter um dia cheio. Queria que você aguentasse a mão — e baixa a voz: — Tenho que passar na Câmara e no Senado.

Dr. Eustáquio sabia das "amizades legislativas" (como dizia) do colega. Sob o incentivo daquela admiração, dr. Odorico faz a confidência:

— No Senado, vou falar com o louro-mouco.

Espanto do outro (dr. Eustáquio achava que o apelido é muito mais fidedigno, muito mais revelador que o nome):

— Quem é o louro-mouco?

Já o dr. Odorico caía em si. Tomado de um pânico profundo, punha as mãos na cabeça:

— Pelo amor de Deus, Eustáquio! Não me diz a ninguém que eu chamei o Lourival de louro-mouco! Pelo amor de Deus!

De olho aceso, lambendo os beiços, dr. Eustáquio exclama:

— Mas é o Lourival Fontes?[71]

E o dr. Odorico:

— É, mas que o Lourival não saiba! Se ele desconfiar que eu... É assim que nascem os ódios, Eustáquio! Escuta: — eu aprendi sabe o quê?

Tomado de uma misteriosa euforia verbal, falou mais do que devia:

— Você quer subir? Quer chegar a desembargador? A ministro? A fórmula é simples: — não faça restrição, nunca! A ninguém, compreendeu? A ninguém! Cada restrição é um inimigo! E olha, Eustáquio, toma nota: — Não há inimigo insignificante! Você entende? Qualquer inimigo é uma potência!

Dr. Eustáquio ouvira dizer que a política é arte de fazer amigos. Dr. Odorico nega com uma ferocidade jucunda:

— Mentira! O amigo não interessa! O amigo trai na primeira esquina! — e repetia, numa certeza fanática: — Na primeira esquina! Ao passo que o inimigo não trai nunca. O inimigo é o fiel, percebeu? O inimigo é o que vai cuspir na cova da gente!

Dr. Odorico faz uma pausa fremente. Tira o lenço e enxuga os lábios. — "Falei como o Otto Lara", diz para si mesmo. Vai concluir:

— E se o Lourival sabe que eu o chamei de louro-mouco... Parece pouco, mas aí é que está — acrescenta triunfante: — os grandes ódios nascem das subcausas.

A admiração do dr. Eustáquio vai acompanhar o colega até a porta. Mas o dr. Odorico resolve deslumbrá-lo com outras "amizades legislativas":

— E na Câmara vou conversar com o Hélio Ramos, do PR da Bahia. O Hélio é que vai me levar ao Neiva Moreira. Outro é o Almino Affonso, moço, mas uma capacidade! É a turma, compreendeu? da "Frente Nacionalista". O Almino é patriota pra burro e o Neiva, ah, o Neiva, outro: o Clidenor Freitas.[72] O que falta ao Brasil é patriotismo. O sujeito tem vergonha de ser patriota! Vergonha, veja você!

Dr. Eustáquio faz humor lúgubre:

— O sujeito só não tem vergonha de roubar!

Dr. Odorico despede-se com um aceno de dedos. Não disse, mas pensou: — "Onde há progresso, há ladrões". Parecia-lhe que o gatuno é uma fatalidade do desenvolvimento.

NA POLÍCIA, A reportagem do Amado Ribeiro foi um estouro. O delegado Miécimo olha a manchete. Os tipos garrafais o ofenderam como uma agressão gráfica. Pula da cadeira: — "Onde está o Piragibe?". Só faltou esfregar o jornal na cara do comissário. Espumava:

— Escuta, Piragibe! Isso aqui, está percebendo? Cala a boca! Isso aqui é pior do que xingar a mãe. Ouviu, Piragibe?

Piragibe já lera, claro. Mas relia, como se fosse um texto grego ou chinês. O delegado dava patadas no chão. Era um epilético frustrado. Nas suas exaltações, que eram frequentes, parecia estar na iminência de um ataque que, entretanto, não vinha nunca. A crise sempre adiada o deprimia mais que a própria doença. Piragibe deixou-se cair na cadeira.

— Outra vez, esse Amado Ribeiro! Outra vez! É ele e o Mário Morel![73] Só um tiro na cara!

Novamente no limite da loucura, Miécimo vociferava:

— Por isso é que o Amado Ribeiro! Esta besta do Amado Ribeiro! Ele diz, com razão, que, no Brasil, só a imprensa descobre o crime! Olha, Piragibe: — não trabalho mais com imbecis!

Piragibe recua:

— Mas assim você até ofende!

Salta:

— Pois é mesmo pra ofender! Não trabalho mais com você! Não trabalho e está acabado!

Piragibe sai, alucinado; decide: — "Hoje, mato o Amado Ribeiro! Ah, mato!". No mesmo instante, o delegado Miécimo liga para o gabinete: — "O

Piragibe não dá uma dentro! E eu já não aguento mais. Transfere o Piragibe para o vigésimo nono e põe o Rolinha aqui!".

Na cidade, antes de passar na Câmara, dr. Odorico entrega à Engraçadinha os versos do Otto Lara: — "Uns versinhos que eu fiz para você". Emocionada, ela apanha o papel. Lá estava:

— "E entrego o corpo lasso à fria cama".

CAPÍTULO 82

Engraçadinha ligou exatamente ao meio-dia. Dir-se-ia que ela estava ao lado do telefone, com um cronômetro implacável marcando cada minuto, cada segundo. Ao reconhecer-lhe a voz, dr. Odorico exultou. Era de opinião que não há virtude mais estimável e mais repousante do que a pontualidade.

Muito doce (uma voz de adolescente), ela dizia:

— É Odorico? Sou eu, Engraçadinha, ouviu?

E ele, grudado ao telefone, nervoso, já com dispneia:

— Engraçadinha? Olha: — como vai? Escuta, Engraçadinha, está escutando?

Na sua angústia, concluía: — "Ouve-se melhor São Paulo que Vaz Lobo". E exagerava para si mesmo: — "Vaz Lobo é pior que telefonema internacional". Gostaria de ter uma voz potente como a do Heron Domingues, uma voz a um tempo grave, nítida e passional.[74] Um simples "bom-dia" do Heron Domingues fazia o ouvinte tremer.

Continuou:

— Escuta, olha, Engraçadinha, escuta! Você pode dar um pulo na cidade? Como? Engraçadinha, estou perguntando...

Do outro lado, veio pedindo: — "Fala com a boca encostada no fone!". E ele, com uma sensação de fogo no rosto:

— Você pode encontrar-se comigo? Olha: — encontrar-se comigo na cidade? Está ouvindo? Aqui na cidade? Olha: — eu trouxe os versinhos.

Teve medo de que o soneto do Otto não fosse um motivo bastante forte. Aflito, improvisa outro:

— Vem, olha: — vem que nós passamos na Prolar. Está ouvindo? É o telefone. E agora? Está ouvindo bem? Melhor? Olha: — vem, que eu te apresento ao Benício. Ao Benício Ferreira Filho. Vem? Então, escuta: — você se encontra comigo...

— Onde?

E ele:

— Eu te espero na esquina, ouviu? Na esquina, olha: — de Uruguaiana com Sete de Setembro. Às duas horas. Duas horas!

Na despedida, deixou-se comover e disse, num transbordamento:

— Deus te abençoe!

Mas ao sair do telefone, exausto do esforço vocal e auditivo, com uma abundante transpiração, estava na dúvida. Já lhe parecia que o "Deus te abençoe", que lhe escapara com uma espontaneidade irresistível, soara meio inadequado. O diabo é que ao vê-la e ouvi-la experimentava uma dessas alegrias tumultuosas e, mesmo, sufocantes. Suspirou, sozinho: — "Sou casado, tive amantes, fiz as minhas bandalheiras". E, no entanto, eis a verdade: — Engraçadinha era a sua primeira namorada.

Caminhando para a esquina do encontro, ia pensando: — "Preciso arranjar, o quanto antes, um apartamento". Sim, um apartamento discreto, discretíssimo, residencial (fazia questão que fosse residencial). Imaginava um edifício, de preferência no Centro. Ou na Tijuca, Grajaú. E insistia, consigo mesmo: — "Com crianças no corredor, fazendo algazarra". Finalmente, chegou ao local do encontro e olha o relógio: — faltavam ainda quarenta minutos. Andando de um lado para outro, sonhou largamente: — "Em primeiro lugar, preciso me alimentar bem. É importante, a alimentação é importante. Horas certas nas refeições". Parado, diante da vitrina, olhava sem ver. Pensava: — "Tenho que arranjar esse apartamento!". E, súbito, sente a úlcera mais frenética do que nunca. Acabava de ver Engraçadinha, ao longe. Vinha de Ouvidor para Sete de Setembro. Em risco de ser atropelado, atravessa a rua, sem olhar para os lados. Um carro passa-lhe de raspão. O chofer ainda se vira, para xingá-lo:

— Palhação!

Nem ouviu. Repetia para si mesmo: — "É minha primeira namorada!". Inclinou-se para beijar-lhe a mão. Transeuntes viravam-se para olhar o velho elegante, de paletó ligeiramente cintado, e aquela senhora realmente bonita. Num enleio, que a embeleza, Engraçadinha pergunta:

— Esperou muito?

Ele podia dizer que a esperava há vinte anos. Caminharam, lentamente, lado a lado. Súbito, dr. Odorico estaca:

— Vamos fazer o seguinte: — que tal um sorvete ali, na Cavé?

Vacila: — "Sorvete?". Baixa a voz, com uma agoniada humildade:

— Está calor, não está? Sorvete ou... Você escolhe. Lá, a gente conversa melhor e... Quer?

Sorri:

— Aceito.

Atravessam a rua, logo que o sinal fechou. Engraçadinha pergunta se aquele sorvete, com um homem, se não seria uma imprudência ou, mesmo, uma leviandade. Ao lado, vibrante, numa felicidade dilacerada, ele decide: — "Tenho que me alimentar em horas certas". Achava que o estômago vazio, não só prejudica o hálito, como pode ocasionar contratempos, os mais desagradáveis. Por outro lado, reconhecia que devia resolver o quanto antes o problema do apartamento. Queria acreditar que o lugar ideal e de todo insuspeito seria Haddock Lobo. Ao sentar-se com Engraçadinha decidiu: — "Haddock Lobo ou Paulo de Frontin". Antes que aparecesse o garçom, tirava o verso:

— Escuta, olha. É o seguinte: — eu vou fazer, em sua homenagem — e frisou: — só para você, um soneto de trás para diante.

Ergue a cabeça, numa surpresa encantada:

— Como?

E ele, radiante com o efeito:

— Pois é. De trás para diante. Começo pelo fim. Cada dia faço um verso e entrego a você.

Fez um espanto de menina: — "Quer dizer que...". Sorriu, vermelho:

— Exatamente. Hoje, de manhã — eu faço versos pela manhã —, eu escrevi a chave de ouro que está aqui.

O garçom estava diante deles. Engraçadinha pediu sorvete de creme e ele um suco de laranja. Mas acrescentou:

— Escuta. Traz uns docinhos. Tem mil-folhas? Traz mil-folhas — e baixa a voz para Engraçadinha: — Aqui fazem muito bem.

Finalmente, Engraçadinha pôde ler o soneto do Otto Lara: — "E entrego o corpo lasso à fria cama". Leu e releu, sem dizer nada. Já o dr. Odorico (assustado) arrependia-se. Estava achando que realmente, para uma senhora honesta e, de mais a mais, protestante, havia, no soneto do Otto, inconveniências graves. Aquela "fria cama" somada ao "corpo lasso". Realmente, "lasso" de que e por quê? Os versos eram dum erotismo inequívoco, direto, talvez grosseiro. E já ia pedir desculpas, quando Engraçadinha ergueu o olhar:

— Bonito.

Amado Ribeiro ia sair. Num canto da redação, Carlos Renato[75] começava a escrever: — "A fidelidade facultativa...". Para. Escolhe palavras; e continua: —

"A fidelidade facultativa, admite-se. Mas a fidelidade imposta é abjeta". Mineirinho, o contínuo, berra:

— Amado Ribeiro!

O repórter volta da porta e atende. Logo abre o riso: — era o delegado Miécimo. Do outro lado da linha, Miécimo exagera, melífluo:

— Formidável tua reportagem, Amado! Formidável! Mas escuta: — Amado, eu precisava falar contigo agora, ouviu? Bater um papo. Agora! Um papinho. Vens?

Disse que ia. Deixa o telefone e apanha o táxi. Foi encontrar o Miécimo, com o comissário Rolinha, à sua espera. O delegado ergue-se:

— Vamos sair, Amado. O pessoal está no apartamento do Petruscu. Você não disse que era o assassino do Cadelão? O homem já está em cana.

Desceram. No automóvel o Miécimo vinha dizendo:

— Amado, eu quero trabalhar contigo nesse caso. Você tem uma razão, uma certa razão. Realmente, a imprensa, no Brasil, manda pra burro. Quer trabalhar com a gente? De comum acordo? Quer?

— Depende.

— Por quê?

Foi de um descaro total:

— Trabalho com você, se você me der exclusividade por um mês. Por um mês no seu distrito. Exclusividade batata. Por um mês, interessa?

Quando o delegado, o Rolinha e o Amado entraram no apartamento do professor, este arremessou-se. Abria os braços:

— Eu não matei ninguém! Escuta aqui. Eu não matei ninguém. Minha mulher sumiu e mandou dizer, agora, mandou dizer agora, pela vizinha, que estava bem e que... Doutor, eu queria que o senhor lesse. Onde é que está? Ah, está aqui...

Catou nos bolsos o recorte de jornal. Com o olho rútilo e uma efervescência de saliva nos dentes, passou ao delegado o artigo do Eurico Nogueira França. Surpreso, o delegado põe os óculos. Ao lado, o professor geme:

— É o artigo que o Eurico, que é, o senhor sabe, o maior crítico musical do Brasil. Pois é: — e o Eurico escreveu sobre o meu concerto, doutor. Eu sou um artista, não sou um assassino. Eu não matei o Cadelão, juro!

Há uma hora, a vizinha de baixo trouxera o recado de Maria Aparecida: — "Diz que eu não morri, mas que não volto!". Logo depois, a polícia invadiu-lhe a casa. Foi abotoado:

— Confessa ou não confessa?

Mostrou a um por um o artigo do Nogueira França. Batia na mesma tecla: — era artista e não assassino. E quando falou em advogado, levou o primeiro bofetão. Cai por cima das cadeiras, com as pernas ignobilmente abertas: — "Bico calado! Não fala! Cala a boca ou te arrebento!". O que sentiu não foi bem medo, nem humilhação, mas espanto. E quando entrou o delegado, com o Rolinha e o Amado, Petruscu quis acreditar na justiça de uma autoridade sobrenatural. O delegado lê por alto. Tira os óculos e os guarda no bolso do lenço. E, então, na cara do violinista, começa a rasgar o recorte. Petruscu ainda estendeu a mão torcida:

— Não faça isso!

Numa maldade sem paixão, Miécimo rasga ainda. Por fim, atira na cara do professor o papel picado, como confete. No seu espanto e na sua dor, Petruscu balbucia: — "O artigo de Nogueira França!". Olha para o chão como se quisesse apanhar o picadinho e reconstituir aquela glória impressa. Segurando o próprio queixo, num tom macio e impessoal, o olhar perdido, Miécimo pergunta: — "Você confessa ou não confessa?". O professor olha para uma cara, outra, ainda uma terceira; e recua:

— Eu não matei ninguém!

Miécimo vira-se para Rolinha:

— Vamos fazer o seguinte: — vamos levar esse cara pra Meriti. Lá, não tem habeas corpus, não tem advogado e...

Sem o artigo do Eurico Nogueira França no bolso, Petruscu sentia-se um ser incompleto, mutilado, indefeso. Deixou-se levar como uma criança atônita.

NA SORVETERIA, DR. Odorico pergunta a si mesmo: — "Será que ela já percebeu que está namorando? Que estamos namorando?".

CAPÍTULO 83

TRANSPIRANDO DE FELICIDADE, baixa a voz:

— Que tal esse doce?

Disse, radiante:

— Uma maravilha!

— "Parece uma menina", pensava o dr. Odorico. E não tirava os olhos de Engraçadinha. Naquele momento, ela deixara de ser a esposa, a mãe, a protestante. Ria, ou sorria, como uma colegial, uma garota do Pedro II ou do Instituto de Educação, fazendo gazeta. — "Ah, se ela quisesse, eu largava o Judiciário, largava tudo, e fugia no mesmo instante!" Ao mesmo tempo, pondera para si mesmo: — "O diabo é que, agora, ninguém foge mais!".

Novamente cochicha, como se fosse um segredo:

— Aqui, fazem uns doces ótimos!

Enxugando os lábios, com um pequenino guardanapo de papel, Engraçadinha concorda, gravemente. Foi então que, depois de olhar para os lados, dr. Odorico pigarreia:

— Escuta, Engraçadinha. Apenas uma pergunta, uma curiosidade. — Toma respiração e continua: — Você iria pra Brasília?

E ela:

— Brasília?

Anima-se:

— Pois é. Brasília. Você, o Zózimo, todos. Gostaria de ir? Estive lá e olha: — está uma beleza. De arrepiar, entendeu? Porque presta atenção: — o Zózimo já é funcionário e a transferência arranja-se, ouviu? Arranja-se. Tenho relações e estou disposto a queimar todos os cartuchos.

Engraçadinha sonha:

— Brasília.

Na ânsia de convencê-la, vai falando. Em dado momento, chama o garçom:

— Quer trazer outro copo d'água? Você também quer, Engraçadinha? Não? Um só. Mas, como eu ia dizendo: — malham o Juscelino, mas escuta. O Juscelino, Engraçadinha, é o maior presidente que o Brasil já teve, o maior!

Com um jeito hesitante de quem não entende de política, atalha:

— Eu gostava do Getúlio.

— Exato, exato. Eu também, mas escuta: — o Getúlio é diferente. Matou-se e eu sou dos que acham que o suicida sempre tem razão. Mas o Juscelino! O caso da carne é um primor. O Juscelino é tão genial que não sabia o preço da carne. Um belo dia, vê uma fila, uma fila imensa, que dava duas voltas no quarteirão. Ele pensou que fosse a fila do Metro. É o gênio, compreendeu? O preço da carne é um detalhe e o gênio passa por cima do detalhe.

Parou um pouco. Olha em torno, com irritação. E o copo d'água? Já estava com vontade de não dar gorjeta. Então, com uma curiosidade sonhadora, como se Brasília pertencesse a um outro mundo, Engraçadinha pergunta:

— Como é que é lá, hein?

Dr. Odorico começa a sentir uma certa insuficiência verbal:

— Bem. Brasília. Deixa eu te explicar. É inútil, Engraçadinha, é inútil. Vou fazer uma comparação. Não adianta. Só vendo. O sujeito tem que ir lá. Brasília é uma coisa tão formidável, mas tão que... E essa água gelada que não vem. Pra fazer Brasília só mesmo um presidente que confunde as filas da carne e do Metro e pensa que açougue é cinema.

A demora da água parecia-lhe, já, uma desfeita. De olho no garçom, que sumira, exalta sempre o Juscelino. Chamavam o presidente até de cafajeste. Dr. Odorico exaltou-se:

— Talvez. E daí? O gênio é cafajeste. Um cafajeste gigantesco. Miguel Ângelo é cafajeste e o Oswaldo Teixeira,[76] não. Nem o Elmano Cardim. Outro — Edmundo da Luz Pinto. Eu gosto muito do Edmundo da Luz Pinto, mas ele não é um cafajeste. Já o Juscelino, é. Um irresponsável genial. O Miguel Ângelo xingava até os papas. E a água gelada? Mas que é que há? Você está aí de testemunha, Engraçadinha. Há quanto tempo eu pedi?

Ela suspira, com delicada solidariedade: — "Demoram muito!". Dr. Odorico chama outro garçom:

— Escuta aqui. Vem cá. Eu pedi um copo d'água gelada — e exagerou: — Há meia hora estou aqui esperando!

— Vem já.

Foi duro:

— Vem já, não. O Brasil é a terra do "vem já". A casa precisa ter mais consideração. Que diabo!

E o garçom:

— Um momentinho.

Sentindo-se com a facilidade verbal de um Otto Lara, o juiz volta a Brasília:

— Sabe que o Judiciário vai pra lá, não sabe?

Faz espanto:

— Quer dizer que vamos perder um amigo?

Protesta, vivamente:

— Depende de vocês. Exclusivamente. Mais de você que dos outros. Se você quiser ir, olha: — eu arranjo a transferência de Zózimo. Arranjo. Tenho relações. Falo, hoje, com o louro-mouco. Desculpe: — é o apelido do Lourival. E falo também, olha, com o Neiva Moreira, da Frente Nacionalista. Escuta, Engraçadinha: — sem falsa modéstia, eu acho que você precisa de mim, assim como eu preciso de vocês. Nós precisamos um do outro, Engraçadinha, ou estou enganado?

Vem a água gelada. Engraçadinha olha-o, em silêncio. Ele pergunta, oferecendo o copo: — "Quer?". Faz que não, com a cabeça. Ele bebe a água de uma vez só, com uma sede brutal. Pousa o copo. Inclina-se:

— Você vai pra Brasília, Engraçadinha, vai?

Logo que o carro partiu, o professor, entre o delegado e o Amado Ribeiro, vira-se para a autoridade:

— Doutor, eu fui agredido! Agredido em minha própria casa!

Miécimo simula espanto:

— Mas não é possível!

Agarra-se ao delegado:

— Na minha idade, fui esbofeteado. O senhor compreende? Uma bofetada, na minha idade. Na minha idade, doutor!

Rolinha atalha:

— Escuta, professor: — sua mulher já contou tudo, já deu o serviço e...

Reage, feroz: — "Eu não matei ninguém e nem confesso nada!". Miécimo baixa a voz, numa doçura melíflua:

— Não confessa?

— Nunca!

Rolinha já ergue a mão: — "Ó, seu cachorro!". Rápido, Miécimo segura o braço do comissário:

— Eu não admito pancada! Tudo, menos pancada! E outra coisa: — o nosso professor vai confessar em Meriti. Não é, professor? Lá, confessa. Não confessa?

Fora de si, o outro estrebucha:

— Não matei ninguém! Sou inocente!

Até o fim da viagem não se falou mais do crime. Finalmente, chegam. Miécimo veio de braço com o acusado. Na sua excitação, Petruscu ia repetindo: — "O senhor, que é um homem de cultura...". Entram numa sala, que, imediatamente, o delegado manda fechar. Cercado de caras por todos os lados, Petruscu não sabe para onde se virar.

Com a máscara dura, inescrutável, Miécimo pergunta:

— Pela última vez: — vai confessar?

Olha em torno, antes de responder:

— Sou inocente, doutor!

Todos recuam lentamente. Miécimo diz, contraindo a boca:

— Tira a roupa!

— Por quê?

Miécimo aproxima-se e, cara a cara, berra:

— Tira a roupa!

Quase sem voz, pergunta: — "O paletó?". Outro berro:

— Tudo! Tira tudo! Vai tirando! Tudo! Fica nu!

Miécimo tem medo da própria violência. Diz para si mesmo: — "Vou ter o ataque!". Lembra-se do Moreira César que, em Canudos, em plena maturidade, já entrando na velhice, tivera a primeira crise brutal. Ao mesmo tempo que arranca o paletó do preso, pensa: — "Também vou ter meu primeiro ataque, depois de velho!".

Nu da cintura para cima, Petruscu geme:

— Basta?

— Eu disse tudo! Tudo! Não ouviu? Tudo!

O professor recua. Súbito, põe-se a gritar:

— O senhor não tem direito! Eu sou homem! Não se humilha um homem!

Miécimo derruba o professor com a primeira bofetada. Petruscu ergue-se e, por trás, o Rolinha dá-lhe uma rasteira. Cai e, ao tentar levantar-se, nova queda. Grita: — "Vou dizer ao Eurico! Ao Nogueira França!". O delegado, possesso, berra:

— O não me negues! Dá o não me negues!

Vem a palmatória. Petruscu ergue-se e apoia-se na parede, ao mesmo tempo que limpa com as costas da mão o sangue do lábio partido. Miécimo ri surdamente; e do seu riso pende uma espécie de baba elástica e bovina. Os ombros caídos, um passo pesado de escafandro, caminha lentamente para o professor. Petruscu soluça: — "Eurico, ó, Eurico, Eurico!". É um gemido a um tempo manso e profundo. Miécimo, com os maxilares vibrantes, diz:

— A mão! Dá a mão!

O professor tem uma última revolta. Berra: — "Chamem o Eurico Nogueira França!". Repete: — "Eurico! Eurico!". Parecia acreditar que o grito atirado de São João de Meriti viesse cair, finalmente, aos pés do crítico. Mas foi dominado por dois ou três. Chegou a dizer: — "Não se humilha um...". Recebe o primeiro bolo. Alucinado, retira a mão. Imediatamente, Miécimo bate com a palmatória no seu cotovelo. No quinto bolo, pedia:

— Pelo amor de Deus! Não me bata mais! Pelo amor de Deus!

Miécimo arqueja:

— Confessa ou não confessa?

Respondia, chorando: — "Sou inocente!". Suas mãos estão roxas e enormes. Miécimo vira-se para Amado Ribeiro: — "Toma, Amado! Toma o 'não me negues'! Bate também, bate, Amado! Outros repórteres batem, ajudam a polícia a bater! Ah, não quer? Paciência!". Volta-se para o preso. Então Petruscu ergue um olhar estrábico de pavor:

— Não precisa me bater! Eu confesso! Mas não me bata mais! Pelo amor de Deus!

Olhava as mãos monstruosas, como se não as reconhecesse.

Miécimo inclina-se:

— Foi você?

Parece tomado de insânia:

— Fui eu e olha: — eu digo o que vocês quiserem. O que é que vocês querem que eu diga? Mas não precisa me bater. Eu assino tudo, tudo, sim? Assino já!

Engraçadinha acabava de dizer que ia falar com Zózimo sobre Brasília. Dr. Odorico repetiu, comovido: — "Nós precisamos um do outro". Há uma pausa. Ele, que já pagara a despesa, suspira:

— Vamos? Passamos na Prolar. Eu te apresento ao Benício e...

Calou-se, subitamente. Por cima da mesa, Engraçadinha passava-lhe um papel:

— Olha, Odorico. Eu não devo aceitar o versinho, porque...

Devolvia-lhe o soneto do Otto Lara.

CAPÍTULO 84

Espantado, dr. Odorico senta-se, novamente:

— Não quer os versinhos? Você recusa, Engraçadinha?

Ela escolhia as palavras:

— Odorico, escuta: — não é bem recusar. Não se trata de, entende?

Gelado de angústia, pensa: — "Enxota, escorraça os meus versos!". Começa a falar, tumultuosamente:

— Eu lhe peço. É um pedido. Fique com a lembrança. É apenas uma lembrança. Eu acho sabe o quê? Com licença. Um momento. Eu acho, sinceramente, que você interpretou mal, não interpretou como devia e aliás...

No medo de perdê-la, apanha em cima da mesa a mão da mulher amada:

— Esses versinhos são uma homenagem. Delicada. E inocente, Engraçadinha! Homenagem inocente! É como se fosse, vamos fazer de conta: — uma flor que eu oferecesse a você. Você recusaria uma flor?

Agoniada, pergunta:

— E a minha situação?

Ele apanha o lenço e enxuga a testa. — "Ia tudo tão bem!", foi a sua revolta. Tinha vontade de chorar. Impulsivamente, faz confidências:

— Você não sabe, nem imagina. Mas olha — e baixa a voz: — eu não fui feliz no casamento. Desculpe de lhe falar assim, mas é que... entende? Eu acho que entre amigos não deve haver segredos. Mas o meu casamento, Engraçadinha! Não há entre mim e minha esposa, digamos: — não há uma certa compreensão. É como se eu vivesse só.

Ao mesmo tempo que fala, ele pensa: — "Já passou o efeito da geladeira. Ninguém se lembra mais da geladeira". Na fúria do seu despeito, repete para si mesmo: — "Não pago uma prestação! O Medina não vai ver de mim um vintém!".

Engraçadinha suspira:

— Olha, Odorico: — eu compreendo a sua intenção e agradeço. Mas não devo aceitar. Não fica bem.

Tudo o que ela está dizendo soa como um adeus delicado, mas claro. O juiz sente-se um despedido. — "Aceitou a geladeira e não aceita um verso", foi o seu lúgubre sarcasmo. Afinal de contas, todas as mulheres são iguais. — "Nenhuma escapa!" Súbito, dá-lhe uma espécie de raiva. Embora contido, foi duro:

— Dá o soneto, dá. Não quer, paciência. Eu levo de volta. Não faz mal.

Quer apanhar o papelzinho. Engraçadinha, porém, foge com a mão. Diz, vivamente:

— Eu quero! Aceito!

E ele, assombrado da incoerência:

— Aceita?

Respondeu, com jeito taciturno, erguendo o perfil, como se desafiasse não sei que misteriosos poderes:

— Você está certo e eu errada. Aceito.

Durante alguns momentos, olham-se apenas. Com a úlcera em dolorosa euforia, ele decide: — "Amanhã, vou tratar do apartamento. Um que tenha espelhos para a cama". Com um pouco de sonho no olhar, uma fina voluptuosidade na boca, Engraçadinha relê o soneto do Otto Lara.

Suspira:

— É lindinho.

Guarda o verso na bolsa. Está grave e triste. Pergunta:

— Vamos?

Para o juiz todo o episódio do soneto fora uma nítida concessão. Por outro lado, a incoerência de Engraçadinha parecia-lhe de uma intensa e delicada feminilidade. Ergueu-se e vem pensando que a mulher ou é contraditória ou, então, um macho mal-acabado. A mulher não pode ter caráter. Já na calçada, em cima do meio-fio, esperando o sinal — Engraçadinha diz-lhe, com uma admiração quase terna:

— Eu não sabia que você era poeta.

Ri, numa confusão deliciosa:

— Quem não é poeta, de vez em quando? Também faço os meus versinhos — e acrescenta, com uma fina intenção: — Dependendo da musa!

O sinal abre para os pedestres. Os dois são muito olhados. Dr. Odorico imagina: — "Todo mundo pensa ou que eu sou marido ou que eu sou amante". Atravessam a rua. Do outro lado, dr. Odorico explica:

— Há uma particularidade, que vai nos ajudar. É que o Benício torce pelo Fluminense. É tricolor doente.

— O Zózimo é Flamengo.

O juiz pigarreia:

— Flamengo? É, mas o Flamengo agora está por baixo. O Fluminense é que ganha de todo o mundo. Conclusão: — o Benício está por cima da carne-seca. E não há momento melhor pra se arrancar do Benício um aumento de ordenado. Aliás, é um sujeito formidável. Alegre, sempre alegre. A única sanidade mental do Brasil.

Olhava de esguelha Engraçadinha e imaginava um apartamento, com a cama diante do espelho.

Petruscu ainda chorava, quando abrem a porta e uma moreninha escura entra, ali, debaixo de pescoções. O professor arqueja, mas já não chora mais. Olha e espera. Um sujeito torce o braço da crioulinha. Ela se esganiça: — "Eu não roubei o relógio! Eu não roubei!". O investigador, em suspensórios, um vasto revólver na cinta, cospe no chão:

— Tira a roupa! Tira!

Só então Petruscu parece lembrar-se de que estava nu também. Nu e de sapatos. Instintivamente, cruza as mãos como uma folha de parreira. Pensa: — "É mulher e vai ficar nua". Mas, enquanto a espancarem, não se lembrarão dele. A morena despe-se. Desabotoa o sutiã nas costas. Resta a calcinha, de náilon esverdeado, que, ofegante, tira também. Com as mãos arrebentadas pela palmatória, engrossa a voz.

Começa a apanhar.

— Ai, minha mãe! Ai, minha mãezinha! Não, não!

Não podia retirar a mão, porque batiam, por baixo, no cotovelo. Súbito, Petruscu vê: — a morena apanhava e dos seus dois seios escorria leite. Ele olha com uma envenenada satisfação. Depois, enfiam, novamente, o vestido na presa e a levam. Petruscu ouve dizer: — "Xadrez!". A moça vai repetindo, com a voz pesada: — "Minha mãe, ó, minha mãe! Ai, minha mãe!". Petruscu já perdera o sentimento da própria identidade. Recebeu ordens de vestir-se. Soluça sem lágrimas. Rolinha o empurra:

— Está babando, seu porco?

Baixa a cabeça, ao mesmo tempo que passa a mão na boca. Miécimo puxa uma cadeira e senta-se diante dele:

— Bem. Como é? Conta. Como foi o negócio?

Já está de calça e começa a pôr a camisa. Tem um esgar de choro:

— Eu digo o que o senhor quiser, mas não sei, eu não...

Miécimo levanta-se:

— Escuta. Não foi você o assassino?

Geme:

— Fui, doutor, eu fui o assassino. Mas não sei como matei! Não me lembro! Mas eu assino, o que o senhor quiser, eu assino!

Miécimo dá-lhe uma bofetada:

— Seu romeno porco! Vagabundo! Está vendo, seu Amado Ribeiro? O cinismo! Rolinha! Põe esse cara no pau de arara!

Petruscu cai de joelhos, aos uivos:

— Fui eu, sim, doutor! Fui eu o assassino! Mas olha, doutor! Doutor, pelo amor de Deus!

Abraçava-se às pernas do delegado: — "O senhor é bonzinho! Doutor, eu conto!". Foi inventando, numa loucura de improvisação:

— Sabe como foi, doutor? — e repetia o título na esperança de adulá-lo. — Doutor, eu matei na escada. Foi. Na escada, doutor. Lá. Matei.

— Onde está a arma?

Olha em torno. Em seguida, baixa a vista, como se a procurasse pelo chão. Pensa: — "Digo o quê, meu Deus? Não sei de arma nenhuma!". Com a saliva a escorrer novamente, chora para o delegado:

— Doutor, vamos fazer o seguinte: — eu confirmo qualquer história. Qualquer uma — e encheu a sala com o seu medo feroz: — Tenha pena de mim! Não me bata mais!

Silencioso, Amado Ribeiro está pensando: — "Ah, se eu pudesse, arrancava o olho do Miécimo com o dedo em gancho". O delegado vem bater-lhe nas costas:

— Gostou, Amado?

O repórter enfia as duas mãos nos bolsos:

— Não te disse? Batata, meu caro delegado, batata! No Brasil, quem descobre os crimes é a imprensa!

D. ARACI SAÍRA pouco antes. Ia falar com o Ceguinho. Nem d. Araci, nem Engraçadinha conheciam toda a verdade. Sabiam, apenas, que alguém queria envolver Leleco num crime ou, talvez, matá-lo. Engraçadinha ainda sondou: — "Você não fez nada, Leleco?". Jurou: — "Sou inocente!". Iara ficou lá para fazer companhia ao irmão. Assim que Engraçadinha saiu, ele vira-se para a irmã:

— Iara, chispa e vai comprar jornal, anda!

Lendo uma fotonovela, diz:

— Não chateia, Leleco! Olha: — estou no fim. Deixa eu acabar. Você é chato!

Leleco ergue-se (tem uma dor atravessada na fronte):

— Se você não vai, eu vou, pronto!

Dá dois passos e estaca: — Silene aparecia na porta. Abandona a pasta e o jornal em cima do móvel. Lança-se nos braços do namorado. Antes, porém, do beijo, ele fala para a irmã:

— Cai fora! Anda, cai fora!

E quando a menina sai com a fotonovela, é que, puxando a blusa de Silene, no alto, beija e morde o seu ombro, passa para o pescoço e, finalmente, prende no dente o seu lábio inferior. Silene sente que a mão corre pelo seu corpo, crispa-se no seu quadril vibrante. Pede, quase sem voz:

— Morde mais um pouco!

Ela mesma abre a blusa. É beijada ainda no pescoço, no queixo, na orelha. Súbito, Leleco quer arrastá-la:

— Vem! Lá!

Geme:

— Não, Leleco, não!

Teima:

— No quarto!

E ela, ofegante:

— Pode vir gente!

NA PROLAR, DURVAL está examinando a conta de um cliente. Ouve um companheiro, o Assis, falar para outro:

— Olha que boa, rapaz!

Durval ergue a vista e foi como se recebesse, materialmente, um pé no peito: — era Engraçadinha. Com o Dr. Odorico ao lado, junto ao balcão, ela sorria para o filho. Durval sentiu que a mãe jamais fora tão absurdamente linda. — "Ninguém é mais bonita do que mamãe", pensou, com uma espécie de ódio. Percebeu que os companheiros a olhavam. Só de imaginar que aqueles cretinos pudessem desejá-la! Ergueu-se, lívido, e fez a volta do balcão.

Risonhamente, o juiz imagina: — "A primeira vez que Engraçadinha for ao apartamento, eu tomo Gerocaina H-3". Durval chega e, sem conceder-lhe um olhar, leva Engraçadinha pelo braço. Surpreso, o juiz não entende. Durval diz para a mãe, trincando os dentes:

— Vou quebrar a cara desse juiz! É agora!

CAPÍTULO 85

Tomou o táxi na porta do Serrador. Disse:

— Quer me levar em Vaz Lobo?

O chofer vira-se:

— Não ouvi.

— Vaz Lobo. Sabe onde é? Vaz Lobo?

O português responde, com um riso largo:

— Onde é, sei. Mas ó, madama! É Zona Sul!

Faz espanto:

— Zona Sul? Escuta: — não sou daqui. Cheguei de Vitória. Faz diferença?

Já o carro passava pelo Municipal, lado de Treze de Maio. O motorista, que era um gordo (quase sem pescoço, umas bochechas de certas máscaras de Carnaval), tem um riso fácil e bom:

— Diferença, faz. É bandeira dois, madama. Mas se a senhora não se incomoda, isso é lá com a senhora.

Era uma senhora bonita (ou bonitona). O próprio chofer, com o seu gosto voraz, o seu apetite enorme, geme para si mesmo: — "Linda rapariga!". Até o fim da viagem, a passageira não disse uma palavra. Tinha no olhar essa fixação do sonho e perdera a noção de tempo e lugar. Sobressaltou-se, quando o bovino pergunta:

— Que rua, madama?

— Ah, sim, a rua?

Abre a bolsa e procura. Exclama:

— Ih!

Remexe ainda na bolsa. Tira outros papéis e nada. Com um desapontamento cruel, respira fundo:

— Deixei no hotel. E agora, meu Deus! Que cabeça a minha! Escuta: — deixa eu ver como é o nome, deixa eu ver. Ah! Parece que é... Já sei: — Vasconcelos. Não, não é Vasconcelos.

Para um momento. Pergunta para si mesma:

— José Vasconcelos? Ah, não! José Vasconcelos é o artista.[77] Mas é Vasconcelos. Sabe de uma coisa? Vamos fazer o seguinte: — vamos perguntar. É melhor.

O chofer não sabia de nenhuma rua que tivesse Vasconcelos.

Chama um crioulo que ia passando:

— Ó, meu chapa! Vem cá! Conhece uma rua Vasconcelos não sei o quê? Sei lá! Vasconcelos, conhece?

O Fulano não conhecia. Perguntaram a um outro e, depois, a uma senhora grávida. A passageira explicava, na sua angústia:

— Eu vim de tão longe, meu Deus! Vim do Espírito Santo. Para falar com essa pessoa. E como é que eu fui esquecer esse endereço?

Finalmente, o carro encosta na frente de uma confeitaria. A passageira desce também. Dirige-se ao homem da caixa. O chofer está perguntando:

— Ó, patrício! Conhece uma rua, como é mesmo o nome, ó madama?

Ela começa:

— O senhor, por obséquio. Rua Vasconcelos. O resto não sei. Vasconcelos.

— Vasconcelos Graça?

E a senhora:

— Isso! Exatamente! Vasconcelos Graça! Obrigada! E o senhor conhece, por acaso, talvez conheça — uma família. A senhora chama-se Engraçadinha.

— Dona Engraçadinha? Uma senhora bonita?

— Bonita!

O gerente (ou dono), português rico, cabelos negros, pele branquíssima, a barba densa e azulada, disse tudo:

— Dona Engraçadinha compra aqui. Seu Zózimo. Conheço. As filhas, o filho, que é um rapagão. Se conheço. Não tem nem uma hora que a d. Engraçadinha passou por aqui. Uma hora ou nem isso. Uns quarenta minutos. Passou por aqui!

A senhora voltou para o carro e numa felicidade tão violenta que chegou a sentir uma pontada no coração. Tomou o táxi e não se conteve:

— Se eu lhe disser que há vinte anos. Há vinte anos que eu queria falar com essa pessoa. Vinte anos! E só agora é que, por acaso, me deram o endereço... — e repetia na obsessão do tempo: — Vinte anos.

Quando o carro parou, numa casa de esquina (tão velha e tão feia), ela voltou a sentir a mesma dor do lado esquerdo. Seria coração? Pede ao chofer para esperar: — "Um momentinho! Olha: talvez eu volte! Um momentinho!".

Aproxima-se, cerrando os dentes. Junto ao portão, bate palmas. Espera. Insiste. Nada ainda: — "Será que não tem ninguém?". Foi o seu pânico. E, fora de si, já ia entrar, quando surge uma mocinha na porta:

— Quem é?

A desconhecida empurra o portão e entra. Balbucia:

— Você é filha de Engraçadinha, não é?

Surpresa, a garota pergunta:

— Quer falar com mamãe?

E a outra, transfigurada:

— Eu sou Letícia. Sua prima! Prima de sua mãe. Letícia.

Desconcertada, Silene balbucia: — "Letícia?". E a prima:

— Sua mãe não está? Eu espero. Há vinte anos não vejo sua mãe. Nunca ouviu falar de mim? Letícia? Você é a Engraçadinha daquele tempo. Tão parecida! Ah, meu Deus, parece um sonho! Vinte anos! Seu nome é...

— Silene.

Disse, febril:

— Olha, Silene, eu vou esperar sua mãe. Vou despedir o chofer e volto.

Crispou a mão no braço do filho. Disse, baixo, com um mínimo de gestos, na sua violência contida:

— Escuta, Durval! Se você fizer alguma coisa, nunca mais. Olha que eu não estou brincando. Nunca mais falo com você. Escuta, Durval! Cala a boca! Nunca mais e olha: — você deixa de ser meu filho.

Ele falou baixo, também, com os lábios lívidos:

— Quem é esse sujeito para andar com a senhora? Anda com a senhora, por quê? Com que direito?

E a Engraçadinha:

— Eu não admito, nem aceito. Não admito suas observações. Veja como fala!

Falava de rosto erguido. Como, porém, sentia que todos ali a olhavam, mantinha, com esforço, uma naturalidade quase doce e mesmo risonha. Teve uma audácia de mãe que conhece e domina as contradições e fragilidades do filho:

— Agora, vá falar com o doutor Odorico. Vá, Durval.

Contrai a boca:

— Não.

E ela:

— Sou eu que estou mandando. Durval, olha que eu, bom! Venha Durval, eu estou mandando.

Quando o rapaz passara por ele, o dr. Odorico chegara a abrir a boca. Mas o "olá" morreu-lhe no lábio. Durval virava as costas e recusava, com um acinte brutal, o cumprimento. Na sua humilhação, encostou-se no balcão, com as pernas bambas. (E o pior foi a náusea do medo. Além de idade, era fisicamente um frágil total, ao passo que Durval tinha uma vitalidade ultrajante.) Teve de reconhecer: — "Se ele me dá um tapa, me desarma!". Imaginou-se agredido, expulso a pescoções, na frente de todos, inclusive da mulher amada. Por um momento, esqueceu-se de que era juiz, de que podia até requisitar a força policial. Repetia para si mesmo: — "Ah, um bofetão desse rapaz!". Súbito, crispa-se: — Durval vem ao seu encontro. Um pouco atrás, Engraçadinha.

O rapaz estende a mão:

— Como vai, doutor Odorico?

Instantaneamente, o juiz passa da angústia profunda para a euforia total:

— Ah, meu filho! Você está bem?

Batia-lhe nas costas pesadas. Pensa, no deslumbramento do pânico: — "Esse menino é um touro!". Mas já Durval, trincando os dentes, inclina-se: — "Com licença". Engraçadinha, ao lado, ouve apenas, com um sorriso muito tênue. Dr. Odorico segura o braço do rapaz:

— Escuta, Durval! Eu vim falar com o Benício, percebeu? E aquele aumentozinho. Agora, ouviu? É a hora! O Fluminense venceu e o Benício está todo eufórico.

Durval interrompe, sem olhá-lo: — "Seu Benício não está". O juiz vira-se para Engraçadinha: — "Não está, Engraçadinha, não está". Durval despede-se:

— Tenho que trabalhar. Com licença. A bênção, mamãe.

Disse, com involuntária tristeza:

— Deus te abençoe.

Dr. Odorico baixa a voz:

— Esperamos? Quer esperar ou...

E ela:

— Vamos.

Caminham, rente ao balcão. Radiante, ele curva-se para dizer:

— Seu filho, Engraçadinha, é um rapagão. Parece um artista de cinema.

Descontente consigo mesma, Engraçadinha não responde. Na calçada, vêm caminhando, lentamente, na direção da avenida. Dr. Odorico começa: — "Hoje, sem falta, falo com o Tinhorão. Falo e digo mais: — sou capaz de levar o Tinhorão e...". Param na esquina da avenida. Súbito, Engraçadinha ergue o rosto duro:

— Odorico, eu fiz mal. Não devia ter saído com você. Sabe como é esse pessoal. Fala e eu... De agora em diante, quando você quiser falar comigo, você faz o seguinte: — dá um pulo lá em casa, quando o meu marido estiver e...

O juiz repete, atônito: — "Quando o seu marido estiver?...". Olham-se. Então, dr. Odorico sente novamente a dor e a cólera da frustração.

Segura Engraçadinha pelo braço:

— Olha, Engraçadinha! Você fala como se eu fosse nem sei o quê. Pois fique sabendo, ouviu? Fique sabendo que eu a amo. Eu a amo, Engraçadinha. Amo. Faça o que você quiser, mas eu amo você!

CAPÍTULO 86

VIROU-SE, ATÔNITA:

— Odorico!

O juiz, com palpitações, falta de ar, teve ainda a sensação de que o chão lhe faltava e que um abismo súbito ia arrastá-lo. Continuou, fora de si:

— Amo-a! Ninguém manda nos próprios sentimentos! Amo-a!

E, ao mesmo tempo, pensava na reação da bem-amada. Admitiu até, entre outras, a hipótese de uma bofetada. Imagine ele, juiz, esbofeteado e... Crispada, Engraçadinha começa:

— Eu nunca pensei que, nem lhe dei esse direito. Lhe dei esse direito, Odorico? Não podia imaginar que você tivesse outras intenções. Pensei que, mas vejo que me enganei!

Ela começa a chorar. Depois de olhar para os lados — o casal já estava chamando atenção — o juiz, ofegante, puxa Engraçadinha pelo braço:

— Vamos sair daqui.

Quis resistir:

— Tira a mão.

E ele, entredentes, no pânico de um escândalo:

— Estão olhando, Engraçadinha. Chega aqui.

Ficam diante de uma vitrina, como se estivessem examinando o mostruário. Engraçadinha tira um lencinho da bolsa; assoa-se, ligeiramente. Ao lado, dr. Odorico está a um tempo arrependido e radiante. Arrependido da coragem e, simultaneamente, aliviado de uma angústia que o entalava. Uma audácia puxa outra. — "Vou até o fim", decidiu. Com uma abundância verbal que lembrava o Otto Lara, exaltou-se:

— Miserável mundo, Engraçadinha! — e repetiu, para gravar o efeito auditivo: — Miserável mundo, em que o amor ofende, o amor ultraja, o amor humilha! Se eu odiasse uma senhora casada, poderia anunciar este ódio, aos berros, em cada esquina. Nem o marido, nem o filho desta senhora pensariam em caçar-me a pauladas, no meio da rua. Mas eu amo.

Não é ódio, é amor. E já que é amor, sou obrigado a calar. Não posso nem confessar que amo.

Para, arquejante. Imaginava a impressão que podia ter o Otto, se estivesse ali. "O Otto havia de gostar", disse para si mesmo. Engraçadinha deixava-se envolver por essa veemência. O juiz fez ironia:

— E já que é amor, e não ódio. Já que é amor que eu sinto por si, você tem todo o direito, Engraçadinha. Sim, todo o direito de me desprezar, de me escorraçar. Todo o direito!

Ergueu o olhar, muito puro e muito lindo:

— Não é bem assim, Odorico. Você está sendo injusto. Não é bem assim. Eu sou casada, tenho filhos. Um filho homem. E não fica bem...

Interrompe, veemente:

— Escuta, Engraçadinha! Ah, não! Espera lá! Você não me entendeu. Você fala como se, por acaso, eu fosse, com perdão da palavra, um fauno, um sátiro. Pelo amor de Deus! O meu amor não exige, nem pede nada. Eu quero apenas ter o direito, veja bem: — apenas o direito de amá-la. E esse amor sem esperança basta, Engraçadinha. Entende agora? No meu amor, a matéria não entra. O físico fica de fora.

Fez a pergunta, sem olhá-lo:

— Amor espiritual?

E ele, impulsivamente:

— Só espiritual! Amor puro, Engraçadinha. Agora responda, olhando para mim: — você permite que eu a ame assim? Note bem: — sem esperança? Permite?

E, ao mesmo tempo que esperava a resposta, desejou-a como nunca.

Engraçadinha suspira, com o olhar perdido:

— Assim, está bem.

Numa felicidade mortal, ele já se despede:

— Escuta, Engraçadinha: — olha. Eu vou passar, agora, ouviu? Agora mesmo ali no Wilson Figueiredo. O Wilson é de toda a confiança. Pois bem: — ele vai me apresentar a esse Tinhorão. E te digo o seguinte: — ou esse Tinhorão casa ou vai pra cadeia. Pode ficar descansada. Ponho na cadeia o Tinhorão.

Despediram-se, ali. Em pé, na esquina de Sete de Setembro, dr. Odorico pensa: — "Hoje, mesmo. Ainda hoje, vou tratar do apartamento".

Naquele momento, começou a chover.

Leleco agarrou-a:

— No teu quarto!

Reagiu:

— Lá, não!

E ele, boca com boca:

— No quarto de tua mãe!

A menina não podia imaginar que o rapaz queria esquecer. Desde o momento do crime, ele só pensava em Cadelão. De noite, sonhava com o morto e só com o morto. Via-o no caixão, as duas mãos unidas como duas irmãs, duas gêmeas; os pés ligados, também; os cílios intensos, o perfil diáfano da morte. Um perfume de círios, de flores fanadas atravessava todo o sonho. Desejou Silene para esquecer o morto.

Puxou-a:

— Vem!

— E se chegar alguém?

Ali, não. Se fosse no Bar do Pepino. Ou em qualquer lugar, menos ali. Podia entrar a mãe, ou o pai, ou, ainda, o irmão. Se Durval a encontrasse no quarto, com Leleco. Se Durval a surpreendesse, lá, ele mataria os dois e, depois, se mataria. Quase chorando (não queria pensar mais no morto), Leleco soluça:

— É rápido!

Numa loucura dc mãos, arranca a blusa da menina. Pede, ainda:

— Tira tudo!

Silene ia para o quarto, quando bateram, lá fora. Rapidamente, apanhou a blusa. Dá o muxoxo:

— Não disse?

Ele arqueja:

— Vai e olha: — não demora!

Fica na sala, esperando. Ouviu uma voz de mulher, que não identificou. Ó, meu Deus! Imaginava os sapatos do morto, os sapatos de verniz do morto. Finalmente, Silene volta:

— Imagina! Uma prima de mamãe! Chegou do Espírito Santo! Bonitona!

— E eu? Bolas! Essa chata! Que peso! Logo agora!

Finalmente, aparece Letícia. Silene apresenta Leleco como "um afilhado de mamãe". Letícia senta-se e tirando a luva — luva de renda — suspira:

— Eu aceito um copo d'água. Quer arranjar?

A geladeira já está na sala. Depois de beber — "Agradecida" — Letícia suspira:

— Depois que sua mãe saiu de lá, eu me casei. Casei e, há coisa de seis meses, meu marido faleceu. Foi então que eu…

Subitamente, caiu a chuva. Na calçada da avenida, de frente para o *Jornal do Brasil*, Engraçadinha corre para debaixo da primeira marquise. De um lado e de outro, foi a mesma correria. Magicamente, começaram a aparecer guarda--chuvas por toda a parte. Água e vento. "E agora?", pensou Engraçadinha, desesperada. Teria de esperar uma estiagem. Se pudesse avisar a Durval! Gaiatos irresponsáveis, de calças já arregaçadas, davam gargalhadas debaixo da chuva. Meia hora depois, a cidade continuava perdida no aguaceiro.

Súbito, ouve uma voz, ao lado:

— Minha senhora, com licença.

Vira-se, assustada. Era um rapaz, vinte e oito, trinta anos, de peito largo, bem-vestido, uma pupila docemente azul. Inclinou-se diante dela, com uma simpatia discreta e nobre:

— Está sem condução, minha senhora?

Riu, nervosa (molhada no peito e nas costas, começava a ter frio):

— Justamente. Eu teria de apanhar o lotação na Candelária. A chuva me apanhou no meio do caminho. Só quando estiar.

Delicado e sóbrio, ele insiste:

— Meu carro está ali adiante. Se a senhora quiser, eu apanho o carro e terei muito prazer em levá-la até a Candelária.

— Não precisa se incomodar. Obrigada.

O rapaz teve um sorriso leve:

— Minha senhora, a chuva não vai passar tão cedo. A senhora já está molhada, vai se resfriar.

Ela acaba de sentir um pingo na ponta do nariz. Apanha o lencinho para enxugar o rosto. Suspira: — "Me molhei!". E ele, tenaz:

— Mas não custa, minha senhora. Daqui à Candelária é um pulo. Levo a senhora. Permite?

Tem um último escrúpulo. Por fim, responde:

— Aceito.

— Então, a senhora espera aqui, que eu volto já. Não demoro. Até já.

Engraçadinha pergunta a si mesma: — "Será que fiz mal?". Ao mesmo tempo, suspira: — "É uma distância pequena. Parece um rapaz educado". Enquanto trocavam palavras, ela observara a pele do desconhecido, sem uma espinha, uma mancha, de um moreno dourado de praia, uns dentes perfeitos e os lábios finos e meigos. (E, sobretudo, o azul violento do olhar.) Espera cinco, dez minutos. E, súbito, encosta no meio-fio um maravilhoso carro. Ouve a buzina. Reconhece o outro, chamando-a. Vacila ainda uma vez. Acaba correndo, ensopando os sapatos altos, os ombros, todo o vestido. Entra no automóvel, encharcada e ofegante. Ele está dizendo:

— Levanta o vidro! Levanta o vidro!

Batido pelo vento e pela chuva, o automóvel arranca. Engraçadinha abre, de novo, a bolsa: — enxuga o rosto, o pescoço, a nuca. Exclama: — "Que barbaridade!". No carro fechado, tem uma sensação de paz, de segurança. Vira-se para o rapaz:

— O senhor me deixa sabe onde?

Ele ri alto:

— Não! A senhora é minha convidada! Não vou levar a senhora para a Candelária. Considere-se raptada!

Naquele momento, Engraçadinha teve vontade de gritar.

CAPÍTULO 87

JUNTO AO TETO, a pequenina lâmpada ardia para o São Jorge. Lá fora, começava o temporal. Silene ergue-se:

— Ih! Tenho que apanhar a roupa!

E Letícia:

— Eu ajudo!

Virou-se:

— Não precisa.

A outra, porém, acompanha:

— Ajudo, sim.

Na cozinha, Silene tira os sapatos. Corre descalça para o pequeno quintal. Encharca-se de água. Recebe chuva no peito, no rosto, no pescoço. Gotas correm entre os seios. Ri, numa ágil e frenética infantilidade:

— Toma! Toma!

Vai passando a roupa que Letícia abre na cozinha. A mais velha deixa-se possuir por uma euforia quase dolorosa. Diz para si mesma: — "Como é linda!". Enquanto o trovão desaba do alto, Letícia grita:

— Vai se gripar!

A menina ergue o rosto, o busto. Tem chuva até nos dentes. Tirada da corda a última peça, abre os braços e fica, um momento, parada, numa alegria selvagem. Pequeninas gotas correm da orelha e morrem no ouvido.

Letícia chama:

— Menina, entra! Vem, menina!

Obedece, finalmente. Corre para o quarto. Letícia vai atrás nervosa. Entra e, rapidamente, fecha a porta à chave. Pergunta, depois de olhar em torno:

— Tira a roupa, anda! Tira a roupa! Escuta: — onde é que tem toalha?

— Ali.

Letícia vai apanhar e volta (sente-se febril):

— Eu te enxugo!

Espera, um instante, que Silene dispa-se completamente. Sôfrega, contraída, ordena:

— Tudo! Tira tudo! Está com vergonha, menina? Olha aqui: — pudor em demasia é defeito!

Incerta, Silene tem um vago escrúpulo:

— Pode deixar que eu mesma enxugo!

Estendia a mão para apanhar a toalha. Letícia, porém, disse que não, não, que absolutamente:

— Eu podia ser sua mãe. Vira, anda.

Silene dá-lhe então as costas. Antes de passar a toalha, Letícia olha as costas, cheias de gotas estilhaçadas; os quadris, as coxas, as pernas, o calcanhar róseo e perfeito.

Balbuciou, enquanto passava a toalha:

— Você tem um corpo que. Olha: — eu me criei junto com Engraçadinha. Muitas vezes, tomamos banho juntas. Engraçadinha sempre teve um corpo como eu nunca vi. Mas o seu, ah, como o seu! Escuta: — não é toda mulher que resiste ao maiô. Ah, não!

Ela queria dizer que a nudez é um perigo para a maioria das mulheres. Rara é aquela que pode ficar nua. Silene suspira, passando a mão pelos cabelos encharcados:

— O corpo de mamãe é muito bonito!

Letícia está agora de joelhos. Enxuga as pernas da menina (pede por tudo que não chegue ninguém). Do lado de fora, Leleco está sofrendo. Só deixa de pensar no morto quando sonha com a nudez de Silene. O desejo faz com que ele esqueça o crime. "Eu sou assassino", repete para si mesmo, até saturar-se: — "Sou assassino!".

No quarto, Letícia pede, com a garganta contraída:

— Vira! Vira de frente!

Apanhou na toalha o pé da pequena. Tudo, em Silene, é bem-feito, delicado, irretocável. Disse (como que em adoração):

— Teus pés são lindos!

Em grande velocidade, ele abre um riso forte e bonito:

— Teve medo?

Ainda crispada, ainda ofegante, respondeu:

— Um pouco!

— Ou muito?

Suspira:

— Quase gritei!

Fez um alegre escândalo:

— Por quê, meu Deus do céu? Quer dizer que eu… Antes de mais nada: — eu não sei o seu nome, nem a senhora o meu. Eu me chamo Luís Cláudio. E a senhora?

Engraçadinha olha pelo vidro e toma um susto:

— Já passamos a Candelária! O senhor está me levando para onde? Eu vou saltar. Para. Quer fazer o favor de parar? O senhor quer fazer o favor? Por obséquio!

E ele:

— Primeiro, o seu nome. Dei o meu. Agora o seu. Qual é o seu nome?

— Cavalheiro, o senhor já está passando dos limites. Não faça isso comigo! Eu sou uma senhora casada. Tenho filhas, um filho homem. O senhor para. Eu salto em qualquer lugar. Mas cavalheiro!

O outro não perde a naturalidade:

— Primeiro, o nome. Quero seu nome.

Aterrada, diz o primeiro que lhe vem à cabeça:

— Janet.

Ele repete, como quem saboreia:

— Janet. Nome gostoso, Janet. Escuta, Janet. Vamos fazer um pacto.

Desesperada, interrompe: — "O senhor quer me fazer o favor? O senhor para que eu salto, pronto!". Espiando pelo vidro, ela já não reconhece mais as casas, as ruas, as avenidas. O carro desenvolve uma velocidade mortal. Faz a pergunta pânica:

— Para onde o senhor me leva?

— Avenida Niemeyer.

Toma-se de um medo feroz: — "Mas o senhor está maluco? Cavalheiro, eu sou uma senhora de família. O senhor procura uma mais moça. Um broto. Procura um broto".

Ele não perdeu a calma:

— Janet, escuta, Janet! Eu estou tratando você bem. Não é exato? Muito bem. Estou respeitando você. Não estou?

Começou a chorar:

— Ou o senhor para ou eu abro a porta e me atiro.

Foi quase meigo:

— É uma ideia. Abra a porta, atire-se e boa viagem.

Empertiga-se:

— O senhor é muito cínico!

— E daí?

Silêncio. Engraçadinha está aterrada. Pelo vidro, só vê mataria: — "Cavalheiro, eu sou, inclusive, protestante. Protestante. Sabe o que é protestante?". Responde com outra pergunta:

— Janet, onde é que você mora?

Mente, furiosa:

— Tijuca.

E ele:

— Presta atenção. Eu te levo agora na Tijuca, já. Na Tijuca. Se você me der um beijo.

— O quê?

Sua vontade foi ter um ataque, ali. Ele faz troça:

— Janet, escuta. Eu disse um beijo. Sabe o que é beijo? Sabe. Você nunca foi beijada? Foi. Está fazendo essa cara por quê?

Berrou dentro do carro:

— Eu já disse que sou casada! E outra coisa! Parece que o senhor nunca viu uma mulher séria na sua vida. Pois fique sabendo que eu sou séria! O senhor pode pintar e bordar, que comigo, ouviu? Comigo o senhor não arranja nada!

Suspira:

— Paciência. Não quer, não serei eu que... Nem vou forçar nada. Mas quero só avisar uma coisa.

— Pelo amor de Deus!

Ele foi implacável:

— Janet, escuta. Deixa eu falar. Ouve. Das duas uma: — ou você. Escuta, Janet, não atrapalha. Ou você dá o beijo e eu te levo na Tijuca, agora. Ou você não dá o beijo e vamos passar a noite rodando. Escolhe.

Dr. Odorico estava, há cinco minutos, esperando uma folga do Wilson Figueiredo. Este acaba de mandar uma matéria para a oficina e volta-se para o juiz:

— E aquele caso? Do soneto do Otto? Está caprichando?

Dr. Odorico aproxima a cadeira (quer um diálogo cochichado):

— Pois é. Sobre isso, justamente. Entreguei, hoje, à dama, a chave de ouro. Parece que gostou. Primeiro, sabe como é. Fez aquele chiquezinho, mas é natural.

Wilson interrompe:

— Um momento. Deixa eu mandar esse aviso fúnebre pra oficina. Fala. Quer dizer que ela delirou?

Corrige:

— Em termos. Delirou em termos. Mas eu preciso, compreendeu. Amanhã, devo entregar o outro. E queria aquele favorzinho teu: — que você fizesse o verso. Tem que ser já. Escreve aí qualquer coisa.

Wilson coça a cabeça:

— Escuta, meritíssimo. Estou atolado. Olha: — está vendo? Tudo isso é matéria. A hora é imprópria pra burro. A hora pior.

Aflito (e humilhado), o juiz põe a mão no braço do jornalista: — "Wilson, e a minha situação? Estou num beco sem saída. Com que cara eu vou aparecer, hein, com que cara?". Súbito, o Wilson pula:

— Bolei uma ideia. O senhor conhece o Marcelo Tavares? Não conhece? Deve conhecer. O Marcelo Tavares, da Confederação Nacional da Indústria, advogado. Telefona ao Marcelo Tavares em meu nome. Um momento, meritíssimo. O Marcelo, que é uma grande figura, tem um livro de versos. É o único que tem esse livro. De um poeta mineiro, o Jésu de Miranda. Toma nota do título. O livro chama-se: — *As mil mulheres que eu amei.*[78] Um soneto para cada mulher.

Ao lado, um pouco assustado da exuberância numérica, dr. Odorico escrevia:

— *As mil mulheres que eu amei.*

O Wilson instigou:

— Mil sonetos! Verso que não acaba mais! Não há mais problema…

RODAM AINDA MEIA hora. O carro vara o aguaceiro. Finalmente, Luís Cláudio para. Apanha um cigarro e o acende:

— Estamos no mato. Você decide: — se quer me dar um beijo ou passar a noite comigo.

Silêncio. Engraçadinha diz, por fim:

— Dou esse beijo. Dou. Mas olha: — contra a minha vontade e achando que é uma indignidade, ouviu? Uma indignidade!

Luís Cláudio fica de frente:

— Pronto.

Crispada, aproxima o rosto e roça com os lábios a face do rapaz.

Ele faz, ali, um pequeno escândalo:

— Mas ó! É isso? Ah, não! Tem paciência. Eu disse beijo. Beijo de verdade. Na face não é nada. Beijo de verdade é na boca. Você é casada. Sabe que beijo mesmo é na boca. Vem, anda: — beija, me beija na boca.

Berrou:

— Nunca! Nem morta! Você tem que me matar primeiro!

CAPÍTULO 88

Terminou a tortura de Petruscu. Amado Ribeiro vai saindo com o delegado:

— Olha, Miécimo: — faz o seguinte. Aguenta a mão, que eu vou buscar a Maria Aparecida.

O outro bate-lhe nas costas:

— Traz essa vaca, que eu vou botar um diante do outro.

Começava a chuviscar. Amado trepa no jipe:

— Escuta! Olha a minha exclusividade!

A autoridade, em pé, na porta da delegacia, faz-lhe um aceno de dedos. No jipe, e já a cem, o chofer grita: — "Vem aí um toró brabo!". Uma hora depois, Amado Ribeiro salta nas Paineiras. Na entrada, cruza com Eduarda, a arrumadeira, uma portuguesa nova, que tinha sempre uma palpitação de seios. O repórter para e, já inquieto, com um surdo desejo, pergunta:

— Dona Maria Aparecida está embaixo ou em cima?

Com uma roseta viva em cada face, o riso farto, a rapariga cobre a cabeça com um pano fino:

— Está lá com o irmão.

Amado retrocede:

— Irmão?

A moça ergue a cabeça, no seu ardor de fêmea vibrante:

— Olha que é bonito como uma virgem!

Já estava chovendo forte. Com um xale ligeiro, que protege apenas a cabeça, Eduarda corre no aguaceiro. Amado Ribeiro amarra a cara. Com o seu clarividente cinismo profissional, não acredita nesse irmão súbito. Sobe, praguejando obscenidades. No andar de Maria Aparecida, cruza com um belo rapaz. Amado deduz: — "O irmão de araque!". Ao passar por ele, o outro baixa a cabeça e aperta o passo. Amado Ribeiro nem bate. Mete a mão no trinco e entra. Maria Aparecida, de costas para a porta, vira-se, assustada. Está com um quimono leve e lindo, os pés em chinelinhas de arminho (uma vizinha, na véspera, trouxera sua roupa).

O repórter fecha a porta com o calcanhar:

— Escuta aqui. Esse cara que eu encontrei no corredor...

Interrompe, vivamente:

— Meu primo!

Ri, pesadamente:

— Então, eu viro as costas e você põe um sujeito aqui dentro?

Bate o pé:

— Primo!

E ele, duro:

— Agora é primo, deixou de ser irmão? Vem cá!

Rápido e brutal, abre o quimono da outra. Diz, arquejante de raiva:

— Em cima da pele! Recebe os seus parentes nua! Despe-se para os primos!

Trêmula, fecha o quimono e recua. Quis ser insolente: — "Veja como fala!". Agarrou-a pelo pulso:

— Muito cínica! Você não me disse. Escuta! Cala a boca! Você não disse que eu era o primeiro, sua descarada?

Puxa o braço:

— Está me machucando!

Amado a empurra. Por um momento, de costas para ela, fica olhando a cama, o lençol puxado, um travesseiro no chão. Prendendo o quimono na altura dos seios, Maria Aparecida ergue a voz:

— Não fala assim comigo. Você não é nada meu! Quem é você? Nem meu pai, que era meu pai. Meu pai nunca gritou comigo!

O repórter estava sentado na cama. Levantou-se e veio espetar-lhe o dedo no peito:

— Não quero conversa! Tira esse quimono! Tira, põe a roupa, que vai sair comigo!

Tem um repelão:

— Então, sai, anda! Tinha graça, eu me despir na sua frente!

Amado ri, feroz:

— Que pudor é esse? Vocês, mulheres, são umas vigaristas! Desde quando você tem vergonha? Outro dia, você desfilou pra mim, e pelada, aqui mesmo!

Ela respira forte: — "Ah, se ódio matasse!". De costas para o repórter, deixa cair o quimono e, chorando, veste-se, furiosamente. Houve um momento em que teve de pedir:

— Quer abotoar aqui nas costas?

Amado inclina-se um pouco. Ela continua:

— E outra coisa: — o meu primo…

Berra:

— Deixa de ser mentirosa! Primo onde?

Vira-se, feito uma fúria:

— E daí? Pois não é primo, nunca foi primo e que é que você tem com a minha vida? Mania de se meter! É um rapaz que eu conheço, que gosta de mim há muito tempo!

Na sua irritação, vai pôr as meias. Senta-se na cama:

— Onde é que eu estava mesmo? Ah, sim. Esse rapaz é de opinião que. Ele me disse: — "Não dá palpites. Não há provas e…". De fato, eu não vi. Vi? Não vi.

Luís Cláudio inclina-se novamente. Pergunta, com uma voluptuosa obstinação:

— Você não está em meu poder? Está em meu poder. Prefere passar a noite comigo ou me dar um beijo na boca?

Soluça:

— Tenha pena! Ao menos isso: — pena!

Quis apanhar sua mão. Ela grita:

— Não me toque!

Luís Cláudio deixa passar um momento. Baixa a voz:

— E se eu lhe der a minha palavra de honra? Quer fazer um trato comigo? Deixa eu continuar! É o seguinte: — se eu lhe der a minha palavra de honra que a levo, ouviu? Depois do beijo, eu a levo, imediatamente. Levo-a para onde quiser.

Disse, ofegante:

— Leva?

— Palavra de honra.

Por um momento, Engraçadinha olha esse rosto tão belo e tão próximo.

Fala com a respiração curta, quase sem voz:

— Posso fazer isso, mas o senhor sabe? Não sabe que. Que é contra a minha vontade? — pausa e olha para o alto, ao mesmo tempo que fala apaixonadamente: — Deus sabe que eu não quero, que eu não desejo! Deus sabe! Sabe!

Ele aproxima o rosto, fecha os olhos. Engraçadinha vacila ainda. Por fim, roça com os lábios a boca do rapaz. Quer recuar, mas Luís Cláudio a agarra; trinca os dentes:

— Isso não é beijo! Não é nada!

Engraçadinha foge com a boca:

— Amo meu marido!

Com a mão, por trás, ele agarra seus cabelos e imobiliza o rosto:

— Eu quero um beijo assim!

Engraçadinha sente a boca ativa, devoradora. Os lábios que esmagam os seus. Pensa no momento em que, há muitos anos, ela se entregara a Sílvio, no divã da biblioteca. A boca de Sílvio, o hálito, a saliva de Sílvio. E, súbito, a mão de Luís corre dentro do decote. Novamente, Engraçadinha lembra-se da biblioteca (vinte anos) quando sua nudez se enroscara.

Terminam o beijo. Olham-se. Ele pergunta:

— Gostou?

Atônita, balbucia:

— Amo meu marido!

E ele, passando a mão pelos seus cabelos:

— Não foi tão simples? Eu te beijei, você me beijou. Simples. Você é a mesma. O beijo não mudou nada. Mudou?

Engraçadinha vira o rosto:

— Agora vamos.

Disse, quase sem mover os lábios:

— Ainda não.

Empertiga-se:

— Por quê?

Vacila:

— O beijo é apenas o princípio. Não é apenas o princípio? É apenas o princípio.

Encara-o:

— Que princípio?

Aproxima o rosto:

— Deixa eu te dizer baixinho. No ouvido. Chega pra cá. Baixinho.

Geme:

— Diz daí.

Ele, porém, passa o braço e a puxa para si:

— Assim. Está com frio? Coitadinha, está com frio. Mas escuta, olha.

— E sua promessa?

Luís Cláudio fala e o seu hálito faz-lhe cócegas na orelha:

— Primeiro, escuta. O beijo, presta atenção — o beijo é o começo. Você me beijou e eu te beijei, filhinha. Mas falta muito.

Transida, pergunta:

— O que é que você quer de mim?

E ele:

— Tudo.

Quer fugir com o corpo. Luís Cláudio a subjuga, ao mesmo tempo que a beija no pescoço. Engraçadinha grita:

— Não! Não!

Beija mais. Sua mão passa pelo corpo. Novamente, corre dentro do decote. Engraçadinha luta, esganiça a voz:

— Não quero! Eu gosto do meu marido! Está machucando! Não!

Luís Cláudio desce todo o decote:

— São lindos! Pequenos e lindos!

Ela está fora de si:

— Cão! Bandido! Me larga! Seu miserável! Não tiro! Ah, cão! Você... me paga... Paga. Ai!... Não deixo...

Ao mesmo tempo que luta, não lhe sai da cabeça a imagem do amor antigo: — os pés livres e nus, trançados no alto. Repete:

— Ó, seu cão! Ah, mise... miserável... Não, não quero...

A voz lhe foge. Súbito, enfia os dedos nos cabelos do rapaz. Está perdida, perdida:

— Querido, ah, querido. Vou morrer, querido. Amorzinho, amorzinho... Ah, querido, não, querido. Vidinha, ó, vidinha! Não faz assim. Não quero!

CAPÍTULO 89

Crescia a tempestade, lá fora. O Wilson Figueiredo correu para fechar a janela. Os trovões começavam na Praça Mauá, rolavam pelo asfalto e vinham espatifar-se contra o obelisco. E, por um momento, o juiz, junto à mesa de Wilson, teve uma espécie de alucinação auditiva. Parecia-lhe que velhas encharcadas davam gargalhadas cínicas nas ruas, esquinas e calçadas (— "Por que velhas?", eis o que perguntava a si mesmo). Instintivamente, e disfarçando, bateu as três pancadinhas na madeira. Qualquer temporal remexia todas as suas fragilidades. (Desde garoto tinha medo de ser incinerado, mais dia, menos dia, por uma faísca desgarrada.)

Com a úlcera aflita, põe a mão no braço do amigo:

— Escuta, Wilson, olha aqui.

O outro tem uma discretíssima impaciência funcional:

— Espia, meritíssimo. Está vendo? Tudo isso é matéria. Estou até aqui de serviço.

Dr. Odorico sente-se o chato irremediável. Balbucia, vermelho:

— Sei, sei. Compreendo. Mas olha: — eu queria apenas que você me apresentasse ao Tinhorão. Pode ser?

Wilson faz o esforço de um sorriso:

— Um momento. Deixa eu mandar essa matéria. Pronto. O Tinhorão? — e grita: — Chama o Tinhorão aí! O Tinhorão! Vai lá no café!

Dr. Odorico baixa a voz, numa gratidão exagerada: — "Você é um anjo!". Wilson apanha outra matéria:

— Eu gostaria de conversar com o senhor, mas é a hora, compreendeu? O diabo é a hora! Mas olha: — o Tinhorão daqui a pouco está aí!

Sente no juiz uma humildade sôfrega e tem uma pena aguda. Ao mesmo tempo que passa os olhos na matéria e põe vírgula aqui e ali, vai falando: — "O Tinhorão é um sujeito formidável!". Despacha a matéria e apanha uma outra: — "O Tinhorão estuda literatura cearense. Entende pra burro de literatura cearense. É uma autoridade mundial em literatura cearense!". Já a figura do Tinhorão adquiria, para o juiz, uma dimensão apaixonante. O Wilson faz um silêncio. Novamente, o dr. Odorico julga escutar na ventania as velhas em alarido, bruxas escorrendo da tempestade.

— "E esse Tinhorão que não vem!" é a sua praga interior. Ao lado, alguém fala alto, com uma certeza exultante. Dr. Odorico vira-se: — dois sujeitos discutem. Um deles, com uma voz cheia, abaritonada, está dizendo:

— Ah, eu gosto do Juscelino! Gosto! E sabe o que é que eu mais admiro no Juscelino? É que ele tem uma transigência genial com os ladrões! Não põe os ladrões na cadeia!

— Não exageremos!

O outro, com a sua caixa torácica de Paul Robeson, continuava, pomposamente:

— Escuta, deixa eu falar! O estadista que manda prender os ladrões é uma besta! Não se faz nada sem os ladrões! Nunca se roubou tanto no Brasil! E daí? Sem roubo não se tapa um buraco, não se abre uma rua!

Wilson Figueiredo já não ouvia, nem dizia mais nada. Concentrava-se agora, com uma exclusividade total, numa leitura importante. Era a opinião do jornal. Dr. Odorico prestava atenção à conversa política. O Fulano dizia, agora, que os ladrões são criadores de vida. E não é com escrúpulos que as sociedades fazem os seus Napoleões, os seus Pedros, os seus Ivans Terríveis. Juscelino fazia muitíssimo bem em pôr vários gatunos em funções históricas.

Um rapaz aparece junto à mesa:

— Que é que há, Wilson?

Dr. Odorico ergue-se. Wilson pergunta:

— Tinhorão, conhece o juiz Odorico Quintela?

O magistrado estende a mão: — "Prazer". Há no olhar do moço uma cintilação alegre: — "Quer falar comigo?".

E o juiz, grave, quase fúnebre:

— Queria uma palavrinha, em particular.

Engraçadinha está perdida, perdida. A tempestade queima no matagal os seus clarões. Como louca, ela risca com as unhas as costas nuas de Luís Cláudio.

Balbucia:

— Posso morder?

— Morde.

No seu desespero, vira a boca e morde na curva do ombro. Só para quando sente o gosto de sangue. Arqueja:

— Doeu?

E ele:

— Morde mais!

Maravilhada, olha, na carne, a marca dos seus dentes. Disse, num doce espanto:

— Tirou sangue!

Luís Cláudio passa o queixo no rosto de Engraçadinha. A sombra da barba queima a pele fina e macia. Ela repete, na sua obsessão: — "Vinte anos!". Há vinte anos mordera assim um outro homem. Súbito, Luís Cláudio ergue o peito:

— Vamos sair?

Assombro:

— Sem roupa?

Ri, junto ao seu ouvido:

— Nua!

Trinca os dentes, num prazer mortal:

— Está maluco?

Mente, febril: — "Nem meu marido nunca me viu nua. Completamente, não. Quando faço isso, suspendo o vestido, mas não tiro tudo".

Pede:

— É um momento. Rápido. Só um momento.

Beija-o no peito:

— Não quero! — e pediu, baixo: — Morde um pouquinho, morde!

— Lá fora!

Implora:

— Aqui. Nua, eu não vou!

Engraçadinha sente o peso do peito forte. Geme: — "Pode aparecer alguém!". Ele passa a mão por baixo e sente no antebraço a palpitação de suas costas:

— Escuta. Não há perigo.

— Tenho medo!

— Mas escuta. Deixa eu falar. Primeiro, escuta. Estamos fora da estrada. Escuta, Janet! Eu entrei por um atalho. Não passa ninguém por aqui. De mais a mais, olha a chuva. Querida, te juro. Escuta, Janet! A gente sai e entra logo. Um minuto. A gente se molha e volta. É rápido.

Luís Cláudio abre a porta e sai. Batido de chuva, chama:

— Vem!

Tentada, resiste. Se Zózimo, se Odorico, o filho, se as filhas a vissem assim! Sentada no carro, cruza as mãos sobre o peito. Atormentada do frio e da febre, balbucia:

— Eu vou, porque...

Luís Cláudio a puxa pelo braço:

— Vem!

Deixa-se levar. Lá fora, porém, corre para detrás do automóvel:

— Mas não olha! Você está olhando! Eu não quero que você olhe!

Ele tem o riso encharcado de chuva:

— Eu não olho! Vem, que eu não olho!

Veio. O que ela queria dizer é que, há vinte anos, não tinha um momento seu, um momento de vida própria. Suas orações caíam num vazio implacável. Vivera um momento com Sílvio, na biblioteca. E, agora, subitamente, tinha outro momento que ia passar também e que... Agarra-se a Luís Cláudio:

— Escuta! Estou aqui porque...

Luís Cláudio bebia a chuva na sua pele. Engraçadinha continua, ofegante:

— É um momento! Eu sei que depois, olha! Escuta!

Engraçadinha sentia-se duplamente adúltera: — traía Zózimo e o juiz. Dr. Odorico não era nada seu, nem mesmo um flerte. Ainda assim, teve de ambos, do marido e do juiz, uma pena desesperadora. (Sentia também que traía um terceiro: — o filho.) No meio da chuva, estava tentando viver (vivera tão pouco ou não vivera nada).

Crispa a mão no braço de Luís Cláudio:

— Sei que vou sofrer. Vou ter vergonha, remorso. Eu não devia estar aqui e estou.

Mas enquanto não vinha o desespero, queria viver até o fim o sonho da carne e da alma. Diz:

— Posso te fazer uma pergunta?

— Faz.

Vacila:

— Tenho vergonha!

— De mim?

— De ti.

Tudo lhe dá uma felicidade pânica. Gosta até de sentir os pés feridos nas pedrinhas. Luís Cláudio desprende-se. Corre. Mais adiante, estaca. Grita, de lá:

— Para!

Engraçadinha não entende. (Bonito se aparecesse alguém!) E ele:

— Fica assim, que eu quero te olhar! Assim!

As chamas da tempestade vão morrer atrás das ilhas. Engraçadinha dá um rompante de infantilidade: — "Tenho vergonha!". Vira-lhe as costas. Luís Cláudio atira o grito:

— Linda!

Agora, Engraçadinha experimenta uma brusca raiva de si mesma. Ela está novamente junto do ser amado (ou amado naquele momento). Ela prende entre as mãos aquele rosto vivo. (Gostaria de apanhar a água do chão para esfregar no próprio ventre.) Diz, rosto com rosto:

— Não tenho vergonha! Agora, não! Eu quero que me olhes muito! Olha! Pode olhar!

Ela própria recuou. Com uma graça instintiva, ergue a fronte, cruza as mãos na nuca. Pergunta, com uma voluptuosidade quase triste:

— Sou bonita?

Queria que Luís Cláudio guardasse a sua imagem para sempre. E quando ele a segurou, de novo, ela sente que vive agora para si mesma. É um momento tão pequeno, e passará tão depressa, que a mulher pode ousar tudo. Repete, fora de si:

— Coração, é um momento — um momento e nunca mais! Eu sei que nunca mais! Escuta, escuta! Sou eu que estou falando! Nunca mais te darei nada, nada! É o nosso momento! Pede, querido! Eu estou louca! Pede, enquanto estou louca! Olha como eu estou louca! Deixa eu te morder, deixa. Diz: — morder é tara?

Ri ainda no seu ouvido: — "Tara é não morder!". E, súbito, ele quer saber:

— Faz a pergunta. Não tinhas uma pergunta? Qual é a pergunta? Esconde o rosto no seu peito:

— Viste *Les Amants*?

O que houve depois? Perdeu a memória de si mesma. Nem sabia que estava deitada na terra encharcada. Deixou de ser ela mesma. Por um momento, foi um misterioso ser, feito de água, vento, planta.

CAPÍTULO 90

Quando ele quis entrar no automóvel, Engraçadinha cobriu-se, com um pudor selvagem:

— Saia! Saia!

Fez espanto:

— Deixa que eu te enxugo!

Curvada sobre si mesma, com um pedaço de pano sobre os seios, esperneou:

— Vai embora! Vai embora!

Por um momento, com uma surpresa divertida, Luís Cláudio a contempla. Disse, por fim:

— Chama, quando acabar! E olha: — enxuga com a minha camisa! Apanha a camisa! Pode enxugar!

Grita:

— Quer sair?

Luís Cláudio vem para fora. Em pé, na frente do carro, recebe toda a chuva, todo o vento. Passa um clarão a caminho das ilhas. Ele parece incendiar-se. No interior do automóvel, Engraçadinha enxuga-se, rapidamente; tem ódio de si mesma e dele. Finalmente, vestida, abre um pouco o vidro e chama:

— Pode vir!

Luís Cláudio corre. Engraçadinha foge para a extremidade do assento. Fica de costas, para que ele se vista. Luís Cláudio baixa a voz:

— Quer que eu enxugue teus cabelos?

Grita:

— Não me toque!

Engraçadinha abaixa a cabeça, cobre o rosto com uma das mãos. O outro, enfiando a camisa, vai falando: — "Talvez você se resfrie! Quando chegar em casa, olha". Abotoando a camisa, continua:

— Nós podemos passar numa farmácia e...

Corta, violenta:

— Estou rezando!

E ele, com uma ironia terna:

— Desculpe.

Engraçadinha, porém, para a oração no meio. Sente que é inútil continuar. (Gostaria de rezar com toda a paixão. Mas o que sente em si é um vazio de ódio, de amor, de tudo. Se ao menos pudesse amar! Se ao menos pudesse odiar!) Luís Cláudio inclina-se:

— Está com raiva de mim?

Volta-se:

— Por que é que o senhor é tão cínico?

Foi delicado, mas firme:

— Escuta! Um momento! Quer deixar eu falar? Janet, olha, Janet: — não exageremos!

Engraçadinha começa a chorar:

— O que o senhor fez, ouviu? O que o senhor fez foi uma indignidade! Um papel indigno de um homem! Eu sou uma senhora casada e o senhor se igualou a esses bandidos!

E ele:

— Continue! Continue!

Fora de si, gritava:

— Não adianta a sua ironia! O senhor é um debochado!

— Sou.

— E reconhece?

Respondeu, terno:

— Reconheço.

Tomou-se de verdadeira insânia:

— O senhor merecia um tiro!

Acende o cigarro:

— De acordo.

Essa polidez a um tempo persuasiva e cínica a enfureceu. Teve vontade de esbofeteá-lo. Canalha! Pensa: — "É forte, mas o Durval é mais forte! Se Durval sabe, ah, se o Durval desconfia!". Imaginou os dois numa luta de vida e de morte. E o pior é que ela continuava com a sensação de que também traíra o filho.

Geme:

— O senhor há de pagar! Não pense que...

Estaca. Dir-se-ia que alguém, uma voz secreta, mas nítida, está soprando: — "É mentira!". Engraçadinha tem uma súbita consciência de que é, sim, mentira, tudo mentira. Sente que é falsa a sua cólera, falso o seu ódio. Toda a sua violência é representada. Finge para ele e para si mesma. Imaginara que, depois do prazer, viria o desespero. Mas a volúpia extinguira-se no fundo do seu ser. Estava pronta, vestida, e não sofria ainda. — "O que é que há comigo, meu Deus do céu?" E como não conseguia sofrer, teve ódio de si mesma e dele.

Disse, de perfil para ele:

— Vamos?

Põe o motor para funcionar:

— Quer que eu deixe onde?

Responde, hirta:

— Tijuca.

O automóvel parte. Há, inicialmente, uma ondulação da carroceria. Viajam alguns momentos em silêncio. Ele tosse ligeiramente:

— Mas você não respondeu se está com raiva de mim.

Contrai a boca:

— O senhor tenha a bondade de não falar comigo! Faz favor!

Desta vez, Luís Cláudio cedeu a uma pequena irritação:

— Não faça assim porque... Escuta, meu bem. Sejamos honestos. De fato, fui eu que trouxe você. Devia levá-la à Candelária e mudei o caminho. Está certo. Mas depois você aderiu. Não aderiu? E outra coisa que eu não devia dizer, mas vou dizer porque... Responde: — não foi você que falou em *Les Amants*?

Saltou no assento:

— Olha aqui! Isso é outra indignidade sua! E se eu cedi, ouviu? Se eu cedi é porque... — começa a chorar. — Essa natureza miserável! Por isso é que acho o sexo uma porcaria! O senhor nunca teria o direito de alegar... Porcaria de sexo!

Mergulha o rosto nas duas mãos (sofria enfim! Que delícia chorar! "Não sou sem-vergonha! Estou chorando! Graças a Deus tenho sentimento!"). Luís Cláudio deixa passar uns cinco minutos. Pergunta:

— Você não quer falar mais comigo?

Passa a mão no nariz:

— Nunca mais!

Admite:

— Faz bem.

Afastam-se da mesa do Wilson. Dr. Odorico pensa: — "Preciso ser hábil. Não posso assustar o pássaro!". Ao mesmo tempo, continuava com o problema da ventania. Como o Otto Lara Resende, era um apavorado nato diante das tempestades. (Certas ventanias davam-lhe vontade de chorar.) Passa o braço em torno de Tinhorão, com uma discreta autoridade paternal:

— Aqui tem um lugar, onde se possa... Entende, não entende? Um lugar conspirativo... — riu.

— No café.

Subindo a escada, devagar (olha o coração). O juiz pensa em Engraçadinha debaixo do toró. Para um momento; explica:

— Já não sou criança.

(O coração está meio alterado.) Chega ofegante. O Tinhorão vai na frente: — "Por aqui!". Finalmente, instalam-se numa mesa. Dr. Odorico olha em torno, surpreso; faz para si o comentário escandalizado: — "O negócio aqui é meio sujo!". Enquanto o garçom vai trazer uma média, pão e manteiga para o Tinhorão e água tônica para o juiz, este começa:

— Meu filho, o negócio é o seguinte. Você é novo. Que idade você tem? Pois é: — muito novo. Eu também já fui moço e nessa idade...

Tinhorão acha meio estranho, quase espectral, esse juiz que, de repente, invade sua vida, em plena tempestade. Todavia, sua capacidade de espanto é mínima. E, de resto, aquela ventania lança no café uns trêmulos de último ato do *Rigoletto*. Espera o resto. Súbito, dr. Odorico faz, cavo, a pergunta:

— O amigo conhece uma menina. Chama-se Silene.

O rapaz pula:

— Silene? Muito! Ficou de telefonar! Não telefonou!

Para o juiz, a exuberância de Tinhorão parece suspeita e desagradável. O rapaz continuava:

— Eu disse: — "Telefona!". Dei o número e não telefonou. Gozado: — não telefonou! E olha: — eu arranjei pra Silene ser capa do *Cruzeiro*! Vai sair na capa do *Cruzeiro*!

O espanto do juiz foi sincero e profundo:

— Do *Cruzeiro*?

— Ou da *Manchete*!

Dr. Odorico começava a achar o Tinhorão uma surpresa ininterrupta. Pigarreia: — "Quer dizer que o amigo...". Foi taxativo:

— O Accioly me pediu. O Accioly é o diretor do *Cruzeiro*. O Acioli encontrou-se comigo e me pediu, compreendeu? Quer que eu arranje umas caras bonitas pra capa. Eu disse: — "arranjo". E a Silene é uma das capas. E não telefonou! Aliás eu conheço o Justino, da *Manchete*. Também conheço o Justino, o Accioly!

Atônito, dr. Odorico contempla o Tinhorão. A úlcera começa a reagir contra tamanho cinismo. Ele pensa: — "Esse rapaz é um perigo!". Todavia, resolveu ser hábil:

— Meu filho, você permite que eu lhe dê um conselho? O conselho da idade? Presta atenção: — o justo, o correto nesses casos. Em se tratando de uma menina de família. O justo é que o homem frequente a casa da moça, entende?

Tinhorão ergue-se, como se já quisesse partir:

— Claro! Vamos lá! O senhor tem o endereço? Vamos lá!

Engraçadinha ia ficar na Praça Saenz Peña. De lá, tomaria a condução definitiva. Quando dobram a Granado, ele pergunta:

— Você vai me dar um beijo por despedida?

Teve ódio desse homem:

— O senhor é um canalha!

Ele encosta no meio-fio da praça. Para. Puxa Engraçadinha e a vira. Começou um beijo na boca.

CAPÍTULO 91

Resistiu, esperneou. Deu-lhe, com a mão livre, um tapa na orelha; e, por fim, cravou as unhas na sua nuca. Quis fugir com o rosto, negar-lhe a boca, gritar. Mas ele dominou, brutalmente, essa fragilidade pânica. Com o beijo violento, Luís Cláudio abria e molhava a boca cerrada.

Ela sentiu que estava prestes a abandonar-se. Lutou ainda. Mas era uma voluptuosa resistência, que exasperava o desejo de ambos. Súbito, Engraçadinha teve um selvagem abandono. Dá a boca e, numa frenética agilidade de dedos, abre dois botões na camisa de Luís Cláudio e põe a mão em cima do peito vivo.

E quando se desprenderam, Engraçadinha diz, ofegante:

— Foi a última vez!

Ele a segura pelos dois braços:

— Olha pra mim!

Repete:

— Nunca mais!

Agora Luís Cláudio apanha entre as mãos o seu rosto. Engraçadinha sente que toda a volúpia é triste. O rapaz está dizendo:

— Vou te dar meu telefone.

Interrompe:

— Escuta. Deixa eu falar. Olha, meu amor. Eu te chamo de meu amor, porque é a última vez.

— Nós apenas começamos.

Disse, violenta:

— É a última vez! Escuta: — eu sou casada, tenho um filho homem, e meu marido não merece.

Enquanto Engraçadinha fala, Luís Cláudio apanha as suas duas mãos e beija uma e outra, com um casto desejo. Ergue o rosto:

— Querida, te dou o meu telefone!

E ela:

— Deixa eu falar. Preciso falar muito. Eu quero dizer uma porção de coisas. Há vinte anos. Mas isso é uma bobagem, que nem interessa. Há vinte anos que eu não sabia o que era prazer. Só agora é que, depois de tanto tempo — só agora e contigo! Adorei a chuva. Você não gostou da chuva? Não sei por quê, francamente não sei. Por que é que todo o mundo faz questão de quarto, de cama, de portas fechadas? Foi tão bom, não foi? A gente se amar na chuva?

Para um momento. Tem a garganta gelada de prazer. Luís Cláudio diz, simplesmente:

— Linda!

Engraçadinha está prestes a chorar:

— Meu amor. Te chamo pela última vez de meu amor. Escuta: — não adianta você dar o telefone. Mas escuta: — não adianta. Você não vai me ver nunca mais. Sou uma senhora casada. E olha: — fiz o que fiz porque era uma última vez. E se houve o que houve — deixa eu falar. Se houve o que houve foi a natureza. É a natureza. Nós mulheres, afinal de contas, mas te juro: — meu marido não merece e foi a última vez!

Ele apanha novamente as mãos de Engraçadinha:

— Agora sou eu que falo. Não, senhora, sou eu que falo! Vamos fazer o seguinte: — você me telefona!

Ergue o rosto duro:

— Juro que... Eu seria a última das mulheres. A última! Se telefonasse pra você!

O outro continua:

— Não faz mal. O meu telefone é esse: — dois três, cinco três, quatro sete. Segura.

Apanha o papelzinho. Repete, com uma doçura triste:

— Dois três, cinco três, quatro sete.

Sem consciência do que fazia, põe o número na bolsa. Luís Cláudio continua:

— Isso é do Cerimonial. Cerimonial do Itamaraty.

Pergunta, vivamente: — "Você trabalha lá, é?". Era um detalhe mínimo, que a encantou. Diz, ainda, numa surpresa ingênua: — "No Itamaraty?". Um clarão torna lunar o interior do carro. E, então, ele vai explicando:

— De uma maneira geral, olha: — o Itamaraty é um negócio meio triste. Mas o Cerimonial ainda é pior.

Para reter Engraçadinha e diverti-la, apresentou uma imagem talvez distorcida do Cerimonial. Descreveu-lhe uma série de altos funcionários espectrais, uns sujeitos de colete preto, calças de vinco impecável, gravatas geniais. O Cerimonial era um viveiro borbulhante de bobos. E, por fim, Luís Cláudio ri:

— Como eu trabalho lá, começo a desconfiar também que sou um bobo, também sou um cretino.

Luís Cláudio afirma que se o Miguel Ângelo fosse trabalhar no Cerimonial havia de acabar um débil mental do SAM. Essa violência jucunda a encantou. O rapaz concluía:

— Você liga e manda chamar Luís Cláudio. Luís Cláudio Fróis. Basta Luís Cláudio.

Engraçadinha empertigou-se:

— Já te disse que não telefono. Não é brincadeira. Não telefono e não há hipótese. Quero que Deus me cegue se... Mas escuta: — já que não vou te ver nunca mais, eu queria fazer um agrado, o último. Se doer, você avisa. Sim! Deixa!

Ele não fez um gesto, nem disse uma palavra. Engraçadinha, com seus dedos leves, desabotoa e abre a camisa de Luís Cláudio. Inclina a cabeça sobre o busto do rapaz e prende nos dentes o bloco do peito forte. A princípio, mordeu de leve; em seguida, com mais força e uma espécie de raiva lasciva. Só parou quando sente o filete de sangue. Ergue o rosto, olha-o. Antes de sair, mente, ainda: — "Aquilo que te disse, é verdade. Meu marido nunca me viu nua. Nós fazemos no escuro. De luz apagada". E, então, sem uma palavra de adeus, ela abre a porta e abandona o carro. Veio caminhando na chuva. Sentia na própria saliva o sangue de Luís Cláudio.

AMADO RIBEIRO EMPURRA Maria Aparecida para dentro do jipe. Com sua experiência brutal de repórter, achava o seguinte: — há momentos em que a mulher, ainda a mais fina, só atende ao tapa. Viajavam os três na frente: — Amado, a pequena e o motorista. Ele veio dizendo:

— Olha aqui. Não tem nem ovo. Você vai confirmar.

Intimidada pergunta:

— Eu digo o quê?

Esbraveja:

— Escuta! O que é que nós combinamos? Não combinamos? Você parece que come, Maria Aparecida!

Começa:

— Bem. Eu vou dizer que meu marido é o assassino. Mas eu não vi.

Bufa:

— Deixa de ser burra! Não entra nesses detalhes. Criatura, fala só o que nós combinamos.

Uma hora depois, saltam na delegacia, debaixo da tempestade. A cidade era um pântano total. Amado Ribeiro entra em triunfo, com a esposa do Petruscu. Faz um gesto largo:

— Está aqui a testemunha-bomba!

Miécimo aproxima-se, sem paletó, em suspensórios, o revólver pesando no cinto. Respira fundo. (Não se esquece que Moreira César, epiléptico frustrado até então, veio ter seu primeiro ataque nas vésperas de Canudos.) Coça a cabeça:

— Quer dizer que... vamos sentar. Senta, minha senhora.

Manda trazer o Petruscu.

A verdade é que Maria Aparecida tem mais medo do repórter que da polícia. Mas quando Petruscu apareceu e viu a mulher, explodiu em soluços:

— Olha as minhas mãos! As minhas mãos!

Maria Aparecida, que estava sentada, ergueu-se, lentamente. Perguntou, atônita:

— Te bateram? Você apanhou?

Rolinha agarra o desgraçado e o leva aos empurrões:

— Senta aí! Senta aí e nem mais um pio ou te arrebento! Gringo safado!

Petruscu trinca o choro nos dentes. A mulher é que, fora de si, começa a berrar: — "Isso é uma covardia! Isso é...". Rápido, Miécimo a segura pelo pulso e torce-lhe o braço. Maria Aparecida aderna. Geme, estrábica de terror. Sentindo que pode ter o seu primeiro ataque epilético, Miécimo estraçalha as palavras:

— Você também, sua! Nem mais uma palavra ou apanha já! Você, seu marido! Apanha todo o mundo!

Balbucia: — "Mas eu sou uma senhora!". E ele, com uma fixação de louco no olhar: — "Senhora o quê, sua vaca!". A poucos metros, Amado Ribeiro olha apenas, com um tédio meio gaiato. Faz do seu *métier* uma lúgubre diversão. Nada altera o seu descaro que tem alguma coisa de gigantesco. Marido e mulher estão agora frente a frente. Miécimo faz uma pergunta e Maria Aparecida começa:

— Eu não vi nada, de forma que... Não vi nada. Não posso afirmar porque não vi e...

Amado Ribeiro interrompe: — "Bem, Miécimo. Já vou, compreendeu? Está na minha hora e já vou". O delegado vira-se, agressivo: — "E não assiste à acareação? Você faz a onda e cai fora?". O outro foi de um cinismo persuasivo, quase doce:

— Escuta, Miécimo. Você é polícia e eu sou repórter. Você não tem nada comigo, nem eu com você. E, além disso, essa mulher aí é uma vigarista. Vigarista. Chau e olha: — no Brasil é a imprensa que descobre os crimes!

Levanta a gola do paletó e sai na chuva. Mais adiante, apanha o jipe. O cinismo era, nele, uma espécie de euforia, contínua e implacável. Parte para o jornal e já levava a manchete na cabeça: — "LELECO, O VERDADEIRO ASSASSINO!"

CHOVE AINDA. Os mesmos trovões, os mesmos relâmpagos. Letícia desejaria que a tempestade não passasse nunca. Silene veste-se. A outra faz um esforço para ser natural (começa a sofrer). Sorri:

— Olha. Vou te dar um presente, ouviu?

Vira-se:

— Pra mim?

Letícia senta-se na cama (sua alegria é angústia):

— É. Um presente. Eu vi na vitrina da Sloper. Passei por lá, hoje. E vi na vitrina. Não é a Sloper? É, sim. Fica na esquina da rua do Ouvidor. É a Sloper. E eu vi, lá, uma calcinha que é um amor.

Descalça, com todo o frescor da chuva, pergunta:

— De náilon?

E Letícia, feliz:

— Uma gracinha! Só você vendo. Você vai gostar. Tipo biquíni. Olha: — toda furadinha. Você quer?

Disse, sentada:

— Ah, quero!

Letícia apanha a mão de Silene e a põe sobre um seio:

— Olha como o meu coração está batendo!

CAPÍTULO 92

NUMA AMARGA PERPLEXIDADE, dr. Odorico olhava para o Tinhorão. De uma maneira geral, desconfiava dos extrovertidos.

E o rapaz parecia o menos misterioso dos seres. Ninguém mais transparente. Na pupila cândida e doce, estava toda a sua alma. Por outro lado, a larga e cálida simpatia de Tinhorão dava o que pensar. O juiz aprendera que os simpáticos, via de regra, são irresponsáveis.

Tinhorão repetia:

— O senhor dá o endereço! Eu vou lá!

O juiz já não sabia se esse abandono era espontaneidade ou cálculo. Fosse como fosse, o rapaz prometia ir, o que era uma concessão grave: — "Mordeu a isca", deduz. Tira um cigarro:

— Essa menina é como se fosse, digamos, minha filha. Entende? Milha filha. Eu me dou com toda a família e…

Não tirava os olhos do rapaz. Queria acreditar que aquela ingenuidade era de uma clara premeditação. Continua:

— E essa pequena — baixa a voz — essa pequena é menor. Tem catorze anos e não parece! Felizmente, para esses casos, a lei é severa!

A insinuação está no ar, viva. Lá fora, um trovão cai em pleno asfalto. O juiz trança os dedos. Já começa a sentir um pouco a dispneia do medo. Tinhorão enche a boca:

— Considero essa pequena, a Silene. Considero a Silene uma das garotas e digo com sinceridade: — uma das garotas mais bonitas do Rio de Janeiro.

Dr. Odorico está espantado: — "Esse rapaz não esconde nada! Diz tudo!". De fato, Tinhorão entorna a alma em tudo o que diz, em tudo o que faz. E, então, o juiz dá a última palavra:

— Quer tomar nota? Do endereço? Escreve aí.

O Tinhorão vira-se para o homem do café:

— Ó, meu chapa! Quer arranjar uma caneta? Uma caneta-tinteiro. Tem?

— Lápis?

Estende a mão:

— Serve.

Dr. Odorico dita:

— Rua Vasconcelos. É. Vasconcelos Graça. Tomou nota? Vasconcelos, sim.

Tinhorão devolve o lápis. Feliz da própria habilidade, o juiz baixa a voz:

— Podemos contar, amanhã, com a sua presença? Amanhã? Olha aqui, faz o seguinte: — aparece depois do jantar. Umas oito horas. Estarei lá e eu apresento.

Levantam-se os dois. Tinhorão, de pupila ainda mais doce e ainda mais intensa, ri:

— Se quiser, olha: — podemos ir juntos. Tenho um automóvel, um calhambeque. A gente se encontra e vamos juntos.

O juiz recebe, de pé atrás, essa cordialidade abundante. Por um momento, teve vontade de exprobar-lhe tanta simpatia: — "Rapaz, você peca por exagero! Não seja tão simpático!". Ao mesmo tempo, pensava: — "Esse Tinhorão deve conhecer todos os *rendez-vous* do Rio de Janeiro. Deve saber de lugares onde...". Pensava no apartamento para onde levaria Engraçadinha. Despediu-se do rapaz, que ia acabar o *copy desk*. E desceu para o terceiro andar. Repetia para si mesmo:

— Ou o Tinhorão casa ou vai pra cadeia!

Zózimo era o último a sair do emprego. E já fechava o escritório (era o subcontador), quando desaba o aguaceiro. Vai olhar na janela. Pergunta a si mesmo:

— E agora?

Saíra de casa com um tempo fabuloso: — céu sem uma nuvem, um azul violento, inverossímil. Nem trouxera guarda-chuva. Coça a cabeça: — "Tenho que esperar!". E veio sentar-se perto da janela. De vez em quando, um relâmpago inundava de luar todo o escritório. Ele começou a pensar na noite em que, semibêbado, caíra de joelhos diante de Engraçadinha. Pela primeira vez (em vinte anos) ele vira a esposa nua. Caíra de joelhos, sim. Engraçadinha conhecera, naquela noite, um prazer que não desejava e... súbito, alguém pergunta:

— Dá licença?

Volta-se, espantado: — era Maria da Penha. Zózimo ergue-se, tumultuosamente (e ia derrubando a cadeira). Com um começo de angústia, diz: — "Você tomou um banho de desaparecimento!". Mas logo se arrepende do tom íntimo, quase terno. Maria da Penha, de lábios grossos, um olhar de azul diáfano, pintara os cabelos de um ouro ardente. Sua cabeleira dava realmente uma sensação de fogo. Pergunta:

— Posso me sentar?

E ela mesma puxava a cadeira. Sentou-se, cruzou as pernas e apanhou um cigarro na bolsa. Pede: — "Tem fósforos?". Procura instintivamente: — "Não tenho". Mas a garota exclama: — "O meu está aqui". Acende o cigarro:

— Por que é que você desapareceu? Não telefonou mais?

Respira fundo. Começa a escolher as palavras:

— Escuta, Maria. Olha aqui: eu nunca te prometi nada, prometi?

— Não.

E ele:

— Te disse: sou casado. Avisei. Fui leal contigo e...

Desesperada, ela olha em torno. Procura um cinzeiro. Como não tem nenhum por perto, larga o cigarro e o pisa, com raiva. De minuto a minuto, um clarão atravessa os vidros e parece transformar um e outro em misteriosas figuras lunares. Ela não quer chorar:

— Zózimo, eu também não pedi, nem exijo nada. Fala. Eu te pedi alguma coisa? Dinheiro, diz. Te pedi dinheiro? Eu só queria e só quero você. Você, pronto, você!

Sabe que vai magoá-la. Com uma pena irritada, tenta ser bom:

— Maria, eu amo minha mulher. Deixa eu falar, sim? Amo minha mulher. Naquele dia, espera, meu anjo. Naquele dia, eu estava meio alto. Tinha bebido e...

A outra interrompe, com violência:

— Te peço tão pouco! — começa a chorar: — O que é que eu te peço? Quase nada. Não te peço nem amor. O que eu quero de você é que de vez em quando... É feio para mim dizer isso, mas. Quero que, de vez em quando, você passe lá no apartamento. Mesmo sem amor, não importa.

Zózimo ergue-se. Anda de um lado para outro. "Foi o toró que me prendeu aqui!". Vem sentar-se novamente:

— Olha, Maria da Penha. Presta atenção. Escuta. Havia entre mim e minha mulher uma certa situação. Um mal-entendido, ouviu? Mas naquela noite em que eu estive contigo e depois fui para casa. Aconteceu uma coisa que mudou tudo. Agora, eu tenho a impressão que, desta vez, parece que eu e minha mulher...

Maria da Penha grita:

— Ela não gosta de ti! Você pensa que ela gosta de ti, como eu, pensa? Deixa de ser burro! Você só me procura bêbado! Mas eu gosto de ti como ninguém. Gosto tanto que vim aqui me humilhar. Escuta, Zózimo! Não tem ninguém. Fecha tudo e aqui mesmo! Aqui!

— Não!

Chora:

— Querido, dá a tua mão um momento. Dá.

Apanha a mão de Zózimo e, rápida, a põe dentro do decote:

— Você disse, não disse? Que o meu seio era bonito? Deixa a mão. Um pouquinho só. Você não disse que, hoje em dia, era raro um seio bonito?

Ele tira a mão, com violência. Maria da Penha ergue-se. Agarra-se a ele:

— Aqui mesmo, Zózimo. Fecha a porta.

Desprende-se:

— Eu não faço isso com a minha mulher!

A outra tem um riso áspero:

— Escuta, Zózimo! Naquele dia, ouviu? Você me contou que...

Agarrou-a pelos pulsos:

— Não fala de minha mulher!

Liberta-se, em desespero. Recua para o fundo do escritório. Ele corre para fechar a porta. E Maria da Penha, encostada à parede, num despeito ordinário:

— Você me disse que sua mulher traía antes do casamento! Nega, se tem coragem. Traía com o tal Sílvio! Você me disse, Zózimo! Disse!

Cego de ódio, voltou da porta. Perseguiu-a dentro do escritório. Com frenética agilidade, Maria da Penha pulava as cadeiras, as mesas. Esganiçava os berros:

— Quem traiu uma vez, trai sempre!

Por fim, alcançou-a. Deu a primeira bofetada. Ela caiu por cima das cadeiras, de pernas abertas. Levanta-se e corre. Foi derrubada outra vez. Zózimo está por cima; suas mãos se fecham sobre o pescoço da mulher.

QUANDO ENGRAÇADINHA APARECEU e viu Letícia, parou na porta, estupefata. Silene corre:

— Vai tirar a roupa, mamãe!

Engraçadinha não se mexe:

— Você?

E a outra:

— Vai mudar a roupa, Engraçadinha! Vem!

Fora de si, Engraçadinha passa. Está ensopada. Letícia e Silene a acompanham. No quarto, Engraçadinha vira-se para Silene:

— Sai, minha filha, sai!

Leleco voltou a ler o jornal. No quarto, Engraçadinha encara Letícia:

— Você está pensando que vai me ver nua?

A outra recua:

— Mas que é isso?

E ela:

— Se há uma pessoa que não pode me ver nua — nunca! — é você! Saia!

CAPÍTULO 93

APERTAVA O PESCOÇO de Maria da Penha. A cara de asfixia tornou as bochechas hediondas e a língua cínica de uma máscara carnavalesca. Zózimo pensa: — "Está morrendo! Estou matando!". Teve medo, asco das próprias mãos. Abre os dedos. Estupefato, levanta-se. Em pé, com as mãos retorcidas, não tira os olhos da menina. Deitada, o vestido no meio das coxas, um filete de saliva, um olhar de agonia, ela respira forte. Ele tem a praga interior: — "A chuva que me prendeu!". Foi até a janela, olhar pelo vidro o temporal. Só então, gemendo, Maria da Penha senta-se no chão. Passa na boca as costas da mão. Sem se virar — espiando a enchente na rua — Zózimo fala:

— Levanta!

Está de costas. Lembra-se de Engraçadinha em pé e ele de joelhos. Ao mesmo tempo, imagina que Maria da Penha já se levantou. Ouve a sua voz:

— Zózimo.

Continua de costas. Ela aproxima-se. Fala (ofegante):

— Já vou.

Silêncio. Embaixo, na rua, moleques de umbigo de fora passam na enchente. Maria da Penha fala (baixo e sôfrega) atrás do seu ombro:

— Escuta, Zózimo.

Disse, sempre de costas:

— Vai.

Ela continua:

— Eu sei que você voltará.

— Nunca.

Teima, sem excitação, com uma certeza a um tempo doce e fanática:

— Você voltará, Zózimo, voltará, eu sei — e repetiu, quase sem voz: — Voltará bêbado. Olha, Zózimo, você quando bebe…

— Não!

E ela:

— Quando bebe, você aprende o caminho lá de casa. Bêbado, você é meu. Já vou e…

Vira-se, bruscamente:

— Eu jurei. Espera. Ouve o resto — e trincava os dentes. — Eu jurei à minha mulher, jurei, Maria da Penha, que não beberia — nunca mais, ouviu? Nunca mais. Jurei e… Olha, Maria da Penha: — houve entre mim e minha mulher…

Cala-se. Não podia dizer-lhe: — "Eu a vi nua. Jamais uma mulher ficou tão nua para um homem". Maria da Penha ia sair:

— Eu te espero. Todas as noites, estarei em casa. Esperando você. Telefona antes. E, se não quiseres, não telefona. Vai sem telefonar. Adeus.

Novamente, de costas, junto à janela, Zózimo nem a viu sair.

Letícia recuou:

— Mas que é isso? É assim que você me recebe?

Disse, violenta:

— Letícia, olha! Eu saí de Vitória, sabe por quê? Quis fugir de tudo! Não escrevi para ninguém, escrevi? Escrevi pra você? Todos vocês morreram pra mim!

Quis segurar o braço da prima:

— Eu me casei, Engraçadinha!

A outra foge com o corpo:

— Deixa eu continuar. Aquilo que houve entre nós duas...

Desesperada, Engraçadinha interrompe:

— Não houve nada!

Falavam baixo e apaixonadamente. Engraçadinha está enxugando o cabelo encharcado:

— Não houve nada porque eu... Ora, Letícia! Eu é que... Não foi? Eu não quis e... Quer sair, quer? Para eu me vestir?

Letícia começa a chorar:

— Quer dizer que você pensou, claro! Pensou que eu queria ver você despida?

Engraçadinha passa o pano na nuca. Já tirou os sapatos e senta-se numa extremidade da cama. Diz, enquanto enxuga as pernas e os pés:

— Sai um momento! Sai, Letícia!

Letícia encaminha-se para a porta. Põe a mão no trinco e vira-se, um instante, para dizer:

— Preciso muito conversar contigo. E quero que você se convença de uma coisa: — eu sou outra. Compreendeu? Outra, Engraçadinha!

Letícia abandona o quarto. Quando entra na sala, Leleco está com a mão crispada na coxa de Silene.

A RIGOR, DR. ODORICO não teria mais nada que fazer na redação. Conseguira que o Tinhorão mordesse a isca. Se ele fosse a Vaz Lobo estaria comprometido e caracterizada a sua responsabilidade. — "Fui hábil! Fui hábil!" era o que o juiz admitia para si mesmo. Podia sair. Mas recrudescia nele o pavor da tempestade. Um trovão, ainda que longínquo e desgarrado, fazia-o sentir-se um bicho. Despediu-se do Tinhorão e continuava, lá, errante por entre as mesas. Houve um momento em que Wilson Figueiredo passou e o viu. Retrocede:

— Ainda está aí, meritíssimo?

Responde, numa infelicidade total:

— É a chuva! É a chuva!

O Wilson teve um gesto largo:

— Escuta! Vem cá! O Hermano Alves deixou, esqueceu o guarda-chuva! Eu empresto o guarda-chuva do Hermano!

O juiz recuou, num pânico quase imoral:

— Obrigado! Eu espero! Eu espero!

Decidiu, de si para si: — "Não saio daqui nem a tiro!". Enquanto existisse um relâmpago, um trovão, permaneceria ali, inarredável. Explica, esfregando as mãos, com o olho rútilo:

— Não há pressa! Não há pressa!

E para que o Wilson não percebesse o pavor, começou a falar, abundantemente. O assunto mais à mão era Brasília; ao mesmo tempo, ocorreu-lhe o nome de Corção, o Gustavo Corção. Misturou Corção e Brasília:

— Você tem lido o Corção sobre Brasília? Leia, Wilson! Vale a pena! Digo-lhe mais!

Acompanhou o Wilson até a mesa de trabalho e ia falando:

— Dizem que o Corção é inteligente. Esse negócio de inteligência é meio relativo. Um sujeito inteligente jamais seria contra Brasília. O Corção finge inteligência!

Wilson senta-se. E o juiz usa o Corção para distrair-se da própria pusilanimidade cósmica:

— De mais a mais, o Corção tem uma acidez de alma que... Ele arrota no leitor. Eu não gosto de usar essa palavra, mas o artigo do Corção é um arroto.

Novo estouro lá fora. Dr. Odorico continua agarrado ao Corção para esquecer a tempestade:

— Outra coisa, Wilson. Hoje, o Corção é contra Brasília. No princípio do século, seria contra a vacina e a favor da varíola! Contra o Oswaldo Cruz e pela febre amarela!

Violentíssimo clarão. A úlcera como que solta faíscas. Ele faz a pausa do medo. Toma respiração e continua:

— Um espírito que é contra Brasília, que nega Brasília... O Corção incompatibilizou-se com a época... Eu não conheço o Corção, a não ser de nome e de acidez. Mas posso jurar — e baixa a voz, na sua malícia cochichada: — posso jurar que o Corção ainda usa urinol!

Neste momento, aparece o Tinhorão e faz um risonho escândalo:

— Ainda não foi, meritíssimo?

Balbucia, na vergonha do próprio medo:

— É o tempo! O tempo!

Tinhorão foi de uma simpatia empolgante:

— Quer uma carona? Eu dou uma carona! Vamos! Levo o senhor no meu calhambeque! Mora onde? Eu levo!

Dr. Odorico ergue-se, numa gratidão feroz:

— Aceito! Muito obrigado, aceito! Meu caro Wilson, o meu abraço! Sempre seu!

À sombra do Tinhorão, o juiz desceu as escadas, numa violenta felicidade.

Amado Ribeiro sai da polícia e pula no jipe. Abre a camisa. O carrinho chispa, aos trancos, furando a ventania. Ele berra:

— Vaz Lobo!

Põe a cabeça para fora do carro, para receber água na cara. Uns quarenta minutos depois, salta na casa de Leleco. Bate. Ninguém. Pergunta no vizinho. Soube que a mãe do rapaz devia estar na casa de d. Engraçadinha. Pouco depois, aparecia lá. Viu luz e foi entrando. Aparece na porta da sala e viu, junto à geladeira, apanhando água gelada, o criminoso. Engraçadinha ergue-se e pergunta:

— Deseja alguma coisa?

E ele, limpando os sapatos no tapete de arame:

— Minha senhora, eu queria falar, ali, com o Leleco.

— Tenha a bondade.

Amado Ribeiro entra. De relance, já percebeu que aquela era uma família de mulheres lindas. Lívido, Leleco vem ao encontro do repórter. Silene não se mexe. Sente a ameaça. Engraçadinha puxa uma cadeira:

— Mas sente-se.

Amado obedece. Pensa de Engraçadinha: — "Mas que boa! Eu pegava isso e...". Matilde e Guida saem do quarto e estacam diante do desconhecido. Iara vem da vizinha. Amado começou:

— Escuta, Leleco. Olha aqui.

Fazia questão que todos, ali, escutassem. Falou claro e alto:

— Amanhã, no meu jornal, eu vou dizer que o assassino é você.

Engraçadinha vira-se, atônita: — "Assassino?". Ninguém, na família, entendia nada. Surpreso e descontente, o repórter foi implacável:

— Ou a senhora não sabe que o Leleco matou o Cadelão?

Capítulo 94

Engraçadinha arremessou-se, como se fosse agredir Amado Ribeiro:

— Leleco, assassino? O senhor está maluco?

Ele perdeu a paciência:

— Escuta, minha senhora!

Guida puxava Engraçadinha:

— Calma, mamãe, calma!

E ela, com a voz nítida e vibrante:

— Bem se vê que o senhor não conhece o Leleco! Se o senhor conhecesse! Escuta, senhor — Como é seu nome?

— Amado. Amado Ribeiro.

Engraçadinha vira-se para um, para outro e até para Letícia, que via Leleco pela primeira vez. Na sua angústia, pedia o testemunho de todos:

— Senhor Amado Ribeiro, o senhor quer ver uma coisa? Olha! O Leleco é como se fosse o meu filho. O senhor pode perguntar aqui.

Amado passa o lenço no pescoço, na nuca. Precisava voltar para o jornal e fazer a reportagem. Estava perdendo tempo e... Quis interromper:

— Minha senhora, olha aqui!

Ela teve um repelão:

— O senhor pergunta. Pode perguntar. Vocês acham — acham que o Leleco é capaz de matar...

O repórter ergueu-se:

— Um momento! Deixa eu falar, minha senhora, deixa eu falar? Escuta. Eu estou querendo ajudar esse menino. Minha senhora, um momento! Estou querendo ajudar, mas se a senhora insiste, lavo as minhas mãos e...

Gritou:

— Leleco não é assassino!

Novamente, Guida a segurou pelo braço. Soprou: — "Mamãe, calma!". Então, Amado Ribeiro falou alto também:

— Das duas uma. Ou a família confia em mim. Confia em mim e faz o que eu mando. Ou então, não adianta. Se não confia em mim, não adianta.

Guida baixa a voz:

— Seu Amado, mamãe está exaltada! O senhor não repara. Sim?

Silene deslizara, parara junto de Leleco. Crispava a mão no seu braço. O rapaz sentia uma dor atravessando o pescoço. Amado virava-se para Engraçadinha:

— Minha senhora, vou ter que dar a notícia porque é meu dever. Não posso ser "furado". Ó, minha senhora! Escuta. A senhora quer ver como foi o Leleco? Quer? Vem cá, Leleco, chega aqui!

Silene quer barrar a passagem do namorado. Pedia:

— Não confessa nada!

Muito pálido, a boca contraída, o rapaz afasta Silene. Está diante de Amado. Novamente, o repórter passa o lenço no pescoço. Olha para a geladeira e inclina-se para Guida: — "Quer me arranjar um copo d'água gelada, por favor? Um copo d'água?". Enquanto a moça abre a geladeira, ele puxa Leleco:

— Você matou, não matou Cadelão?

Era o Amado que perguntava. Mas foi para Engraçadinha que Leleco respondeu, com um olhar de louco:

— Matei, dona Engraçadinha, matei!

Atônita, recua ligeiramente. Repetiu: — "Matou?". Amado Ribeiro tirava um cigarro:

— Viu, minha senhora? Matou!

Silene mergulha o rosto nas duas mãos e chora forte, chora alto. Letícia vem, por trás, e pousa a mão na sua cabeça: — "Escuta, meu bem!". A menina soluçava: — "Leleco não é assassino! É mentira!". Engraçadinha apertou a cabeça entre as mãos. Não conseguiu entender. Criara Leleco; ele sempre fora assim, desde menino, de uma selvagem fragilidade. Nascera marcado para ser destruído e não para destruir. Sentou-se, enquanto Amado Ribeiro, num exagero de sede, entornava de uma vez a água gelada. Devolve o copo à Guida (menina de uma graça quase imperceptível) e cochicha:

— Quer trazer outro?

O repórter estava achando que Guida nascera expressamente para dar de beber a quem tem sede. (Achou graça na própria observação.) Engraçadinha senta-se, enquanto as lágrimas caem. Pensa em si mesma, na chuva. Ela se entregara a um conhecido de quarenta minutos. Leleco já era assassino e ela estava nua. Leleco, assassino, enquanto ela deixava-se despir por um desconhecido.

Leleco repetia:

— Eu matei porque... Dona Engraçadinha, ele queria me fazer de mulher. Entende? Queriam me fazer de mulher. Eram três. Depois, dois saíram e ficou um. Tive que matar.

Falou para Engraçadinha e, em seguida, para Silene, Amado, Guida e a própria Letícia. Na sua obsessão, martelava:

— Tive que matar!

Amado começa a falar:

— Minha senhora, ele fez muito bem. Isso é o que se chama — no duro, minha senhora, batata! — legítima defesa da honra. Escuta, amanhã. Ouve, Leleco. Amanhã, minha senhora, eu venho aqui buscar Leleco.

Engraçadinha pensava: — entregara-se a um desconhecido, esquecida de que sua filha estaria talvez grávida. Sua filha deixara de ser virgem e ela mordia, num peito de homem, o biquinho vermelho. Ao mesmo tempo, torturava-a a sensação de que traíra o filho. O marido e, também, o filho. Olhando sem ver, decidia, para si mesma: — "Não telefono para o Cerimonial!". Tomou-se de ódio por esse desconhecido que a possuíra, primeiro no interior do carro e, depois, na chuva.

Amado acabava:

— Amanhã, o juiz leva o Leleco à polícia. Olha. Tenho que ir, licença. Combinado, Leleco?

Letícia chamou:

— Quer vir aqui um instantinho, Engraçadinha?

Levanta-se. Ao passar por Leleco, para um momento e, rapidamente, com uma espécie de ternura envergonhada, curva-se para beijá-lo na fronte. Vai para o quarto. Letícia fica em pé, enquanto Engraçadinha senta-se na cama. Lembrava-se de Luís Cláudio (tinha uma boca de dentes lindos, gengivas sadias e translúcidas).

Letícia começa, com uma grave ternura:

— Engraçadinha, olha. Eu quero mostrar que, embora você tenha me recebido com quatro pedras na mão...

Irritou-se:

— Vamos mudar de assunto.

E a outra, vivamente:

— Mas eu quero provar que você foi injusta! Escuta. Primeiro, responde: — você gosta muito desse rapaz?

Disse:

— Como se fosse meu filho. Eu mesma não sabia que gostava tanto.

Ergue-se, chorando: — "Letícia, esse menino não resiste. Esse menino morre. Você vai ver: — ele vai se matar. Ele é um espírito fraco! E não resiste!". Letícia continua, com certo fervor:

— O que eu queria dizer é o seguinte. O advogado de Leleco — ele precisa de um bom advogado — eu pago. Engraçadinha, naturalmente você, mas olha. Nós já tínhamos dinheiro. E eu me casei com um homem de posses. Pago o advogado. Você deixa que eu ajude? Ajude vocês?

Vacila:

— Naturalmente, você...

Apanha as mãos de Engraçadinha:

— Olha para mim. Quero que você leia no meu olhar. Eu conversei com um psicanalista. Há pouco tempo, compreendeu? Sabe o que ele me disse? Disse que uma mulher nova, sem vida sexual, pode sentir-se atraída por outra mulher. Sem que com isso... O psicanalista disse a mim que isso era normal e que... Eu me casei e sou hoje uma mulher normalíssima...

As duas se olham. Engraçadinha suspira:

— Estou confusa.

E a outra:

— Eu posso, afinal, não só ajudar esse rapaz, mas... E suas filhas, Engraçadinha? Eu queria ajudar suas filhas...

Depois de andar meia hora, dentro da tempestade, no automóvel do jornalista, dr. Odorico sentia-se um território ocupado por Tinhorão. Era como se o rapaz estivesse maciçamente instalado em cada metro quadrado de sua vida. E concluía, a um só tempo fascinado e temeroso: — "Só um irresponsável pode ser tão simpático!". Ao chegarem na altura do Catete, o Tinhorão para o carro para afirmar, com uma dessas certezas inapeláveis:

— Mulher não tem pena de homem. Pra dormir, não!

Dr. Odorico, que era um homem varado de dúvidas, tinha medo dos afirmativos. Pigarreou: — "Nem todas". O outro deu uma réplica triunfal:

— Todas!

Quando o carro parou na porta do edifício onde o juiz morava, havia entre os dois, um muito mais velho e o outro quase um garoto, uma dessas intimidades súbitas e incoercíveis. Tinhorão passara toda a viagem a dizer palavrões horrorosos e acontecera, então, o seguinte: — a pornografia degelara os limites, as cerimônias. E já para descer, dr. Odorico fez, ousadamente, a pergunta:

— Escuta, Tinhorão. Eu queria te perguntar. Por acaso, você conhece um lugar...

O outro antecipa-se:

— Conheço. Geralmente, a minha alcova é o automóvel. Mas conheço um. Conheço um lugar que...

— Discreto?

Foi taxativo:

— Eu me responsabilizo. Um apartamento, onde a dona mora. Residência, percebeu? Não há perigo de batida policial. Quinhentas pratas e outra coisa: — a dona é mãe de uma garota de oito anos e um guri de dois...

Dr. Odorico fez um discreto escândalo: — "Crianças em *rendez-vous*?".

Mais tarde, estava toda a família na sala. Letícia repetia:

— Eu contrato o melhor advogado! Contrato, ouviu?

— Deus a abençoe!

D. Araci, que já chegara do Ceguinho, ergueu-se: senta-se e repete, numa gratidão atônita:

— Deus a abençoe.

CAPÍTULO 95

Voltara tarde do Ceguinho. O médium vidente, que era realmente cego (tinha uma mancha roxa e diáfana no lugar de cada pupila), o médium morava em Del Castilho. Sua casa, numa avenida, não tinha água nunca. D. Araci teve de esperar seis horas. E, finalmente, quando sentou-se diante do Ceguinho, disse, baixo, numa espécie de febre:

— É sobre meu filho. Meu filho. Eu estive aqui — e repetia: — Meu filho.

O Ceguinho pousa o olhar morto. Há uma angústia entre os dois.

Inclinando-se um pouco, d. Araci começa:

— Eu queria saber se...

O outro se antecipa:

— É inocente. Seu filho é inocente.

Nova pausa. Ele põe a mão na cabeça de d. Araci. Diz, com um mínimo de voz:

— Vejo um caixão.

D. Araci começa a tremer:

— Mas é... De quem?

E ele:

— Um caixão. Ali. Um caixão.

Apontava o fundo da sala, como se lá estivesse, fisicamente, um ataúde não sei de quem. D. Araci ia fazer uma outra pergunta, mas alguém bate, de leve, nas suas costas. Vira-se. Era a sobrinha do Ceguinho (uma crioulinha nova, magra, pele e osso, que tinha uma bronquite nata). Sussurra para d. Araci:

— Acabou.

Ao lado, estava um prato fundo, cheio de cédulas e pratinhas. (Vinham Cadillacs de Copacabana para consultar o Ceguinho.) Fora de si, d. Araci tira da bolsa cem mil-réis e larga no prato. Sai, dali, desesperada e radiante. Desesperada porque havia um caixão e... Perguntava a si mesma: — "Será de Leleco?". E, ao mesmo tempo, levava uma certeza feroz de inocência. Assim que d. Araci saiu, a crioulinha vira-se para os que esperavam. Disse, sem olhar ninguém, e com um desinteresse a um só tempo doce e obtuso:

— Outro.

NA CASA DE Engraçadinha, d. Araci chegou molhadíssima. Quiseram que mudasse a roupa. Teimou: — "Não! Não quero! Não precisa!". Engraçadinha ralhou, baixo:

— Você vai se resfriar!

Mas ela não se convenceu. A saúde parecia-lhe um detalhe mínimo e vil. O Ceguinho vira um caixão. Desejou para si mesma: — "Tomara que seja o meu. Não de Leleco. Meu". Disse, atormentada de febre:

— O Ceguinho que não erra. Até agora, não errou uma única vez. E duvido, compreendeu? Duvido!

Engraçadinha sussurra:

— Senta.

Reagiu:

— Quero ficar em pé. Pelo amor de Deus, Engraçadinha, não insiste. Está bem, está bem! Fica quieta! Mas o Ceguinho, olha! O Ceguinho disse que o Leleco é inocente! Está ouvindo, meu filho? O Ceguinho me disse, a mim, ouviu? Antes que eu perguntasse, disse que você estava inocente!

Leleco ergueu-se:

— Mamãe, escuta, mamãe!

Zózimo vira-se para Guida. Sopra: — "Faz um café bem quente, para d. Araci, faz". A menina levanta-se e passa para a cozinha. Letícia sorri para Silene, com um olhar de doçura viva.

No meio da sala, d. Araci agarra Leleco pelos dois braços:

— Você é inocente, Leleco!

O filho perde a cabeça:

— Mamãe, olha pra mim, mamãe! Eu fui obrigado!

Repete:

— É inocente! Inocente!

E ele:

— Fui obrigado a matar!

D. Araci desprende-se:

— O Ceguinho! Mas escuta, Leleco! O Ceguinho que. Vem até senador consultar o Ceguinho. Leleco, o Ceguinho me disse que você era inocente!

O rapaz chora:

— Mamãe, eu matei!

Nesse momento, Guida aparece com a bandeja:

— Dona Araci, a senhora aceita um cafezinho? Aceita, não aceita? Um cafezinho? Feito agora?

No seu dilaceramento, d. Araci já não entende mais nada. Perguntou: — "Café?". Olha as caras que a cercam. Disse, com brusca docilidade:

— Um cafezinho, aceito.

Sentou-se e bebeu, sem mexer, o café muito quente. Leleco, em pé, sente-se muito olhado. Pensa: — "Olham porque eu sou assassino!". Via olhos por toda a parte. D. Araci agita-se, novamente: — "Leleco! Se te perguntarem, na polícia, nega, meu filho, nega, ouviu?". Diz isso e baixa a cabeça. Começa um choro manso de velório.

Às DEZ DA manhã, o dr. Odorico já ia sair de casa, quando bate o telefone. A mulher atende. O juiz pergunta, da saleta:

— Comigo?

A mulher fala com a pessoa:

— Quem quer falar com ele? O quê? Não estou ouvindo. Quer repetir? Engraçadinha? Um momento.

Ao ouvir falar em Engraçadinha, o juiz finge uma pequena tosse e enfia a cabeça. Espantada, a esposa tapa o fone com a mão:

— Voz de mulher. Diz que é uma tal Engraçadinha não-sei-o-quê.

Dr. Odorico abre os braços num falso escândalo:

— Mas ora! Diz que eu não estou! Trote, mulher, trote! Ninguém se chama Engraçadinha. Piada! Desliga!

Disfarçava sua confusão com agressividade. A outra despacha: — "Não está!". Bate com o telefone e vira-se para o marido com uma suspeita aguda: — "Já não estou gostando!". Foi duro também:

— Não está gostando de quê? Raciocina, criatura! Isso não é nem nome! Você conhece alguma Engraçadinha?

Teimou: — "Não parecia trote". Olhou-a de alto a baixo e fez a ameaça:

— Escuta, mulher! Ou você muda de gênio ou não teremos bodas de prata!

Virou-lhe as costas, feliz da própria violência. A esposa veio atrás:

— Escuta!

Disse, da porta:

— Não quero conversa!

Saiu, porém, impressionadíssimo. Via diante de si duas hipóteses e ambas alarmantes: — ou era mesmo Engraçadinha e ele não podia entender a ingenuidade atroz; ou era trote e, nesse caso, o romance secretíssimo caíra na boca do mundo. Fosse como fosse, admitiu para si mesmo, com uma satisfação lúgubre: — "É. Acho que não chegaremos às bodas de prata".

Antes de ir para a cidade, resolveu passar no largo do Machado. Entrou no café de sempre para comprar cigarros e trocar dinheiro. Viu, ao longe, o Carlinhos de Oliveira, o crítico. Pensa: — "O Carlinhos é um centauro de Rimbaud e Berilo Neves".[79] Foi, então, que ouviu, perto, alguém anunciar:

— O Juscelino vai receber o Eisenhower com o berro nacional: — "Me dá um dinheiro aí!".[80]

O dr. Odorico, que esperava o troco, volta-se e vê, junto ao balcão do café, uma rapaziada. E quem falava, entornando açúcar na xicrinha, era o Carlos Renato, da ZN. Riu todo o mundo, porque a única miséria que acha graça em si mesma é a brasileira. Sim, há, por vezes, em nossa miséria, um cinismo épico. Dizia ainda o Carlos Renato: — "Um povo que conserva, no subdesenvolvimento, um humor gigantesco, é miserável, mas não derrotado".

Esperando o troco, dr. Odorico não perdia uma palavra daqueles meninos. No grupo, via, ainda, duas outras amizades preciosas: — o Luís Costa e o Otto Lara. Alguém perguntava ao Otto:

— Que tal o Israel Pinheiro?[81]

O Otto mexia a xícara. Falou sério, quase agressivo:

— O Israel, olha! O Israel ainda quer fazer seis cidades!

Há um silêncio. Ninguém ri mais. O Otto toma uma certa distância da xícara, esquece o café:

— O Israel é uma força da natureza! O Israel chove, venta, faz sol, anoitece!

Por sua vez, o Carlos Renato insistia na exaltação da piada. Era piada que derretia as santas cóleras do povo. Junto ao cigarreiro, dr. Odorico espera ainda o troco. Dera uma nota de quinhentos, que andava de mão em mão. (Ninguém tinha troco.) Agora quem estava com a palavra era o Otto. Seu brilho foi uma agressão para os circunstantes. O juiz acaba recebendo o troco e precipita-se. Bate no ombro do Luís Costa. E respira, a plenos pulmões, com as ventas dilatadas, o ar das Novas Gerações. Abraçado por um e por outro, pensa: — "Só um jovem pode me ensinar o que fazer com Engraçadinha!". Cochicha para o Otto a sua solidariedade:

— Você falou bem sobre o Israel. É aquilo mesmo! Uma força da natureza. Também acho, também acho!

Mentira. Até então não achava nada. O Otto é que lhe dava uma versão inesperada e gigantesca do Israel Pinheiro. O Otto já ia saindo e o juiz trava o braço do Luís Costa:

— Escuta, Luís. Queria uma palavrinha tua.

O jornalista, que vinha de uma dieta feroz, estava mais fino e mais triste. Todavia, foi de uma cálida efusão:

— Vossa Excelência manda!

Procuraram uma mesa. Olhando-o, o Juiz convencia-se de que a dieta espiritualiza a cara dos jovens e dá-lhes uma pungência de Werther. Dr. Odorico começa:

— Estou em dificuldades. E queria uma mãozinha tua.

Contou-lhe, sucintamente, tudo: — o soneto de amor, do qual só existia a chave de ouro. Prometera a uma senhora dar-lhe um verso por dia: — "Você podia fazer esse favor? Eu sei que você faz, com um pé nas costas, sonetos, às dúzias". Luís Costa achou uma delícia aquele soneto que começava pelo fim. Enquanto dr. Odorico recitava a chave de ouro, o jornalista (e poeta) apanhava a caneta-tinteiro:

— Vamos lá.

O dr. Odorico confia na abundância verbal do Luís.

E justiça se lhe faça: — o outro foi de uma instantaneidade magistral. Bateu com os dedos no mármore, numa contagem sumária, e foi escrevendo. Acabou e leu: — "Em meu sonho de lúbricos delírios. Entrego o corpo lasso à fria cama".

Perguntava:

— Que tal, serve?

O juiz, que apanhara o papel, lia e relia:

— Lindo. Muito bonito. Mas escuta: — esse negócio aqui: — "lúbricos delírios" — não é meio atrevido, hein? Você não acha que pode, talvez, chocar? Olha que é uma senhora honesta, compreendeu? Honestíssima e, de mais a mais, casada. Mas se você acha que. Acha? Está bom assim mesmo? Ótimo. Obrigado, Luís. Você é um anjo.

Nessa mesma manhã, Engraçadinha acordou, como sempre, às cinco e pouco. Abre a porta do quarto e dá com Durval, que vinha chegando. O primeiro impulso de Engraçadinha foi de fuga. Ia entrar de novo. (Continuava com a sensação de que, na véspera, traíra o filho.) Mas conteve-se e pergunta, sôfrega:

— São horas, meu filho?

Falava baixo, porque Leleco dormia na sala, em cima de um cobertor. Durval abre o colarinho. Engraçadinha pensa, com surdo sofrimento: — "Se ele soubesse que eu ontem...". Súbito, balbucia: — "Durval, você bebeu?". Ele respira fundo:

— Bebi, mamãe. Estou bêbado. Bêbado.

Sopra no rosto materno para que Engraçadinha sentisse o hálito violento de álcool. Ela tomou-se de pena e também de medo. ("Eu devia me sentir uma prostituta!") Suplica, baixo:

— Vem dormir, Durval, vem!

Agarrou-a por um braço:

— Mamãe, eu mato esse juiz! Dou um tiro! Mato, mamãe!

CAPÍTULO 96

Engraçadinha levou-o para o quintal:

— Vem cá. Vem. Vamos conversar direitinho.

Durval repetiu, na sua obsessão:

— Estou bêbado, mamãe. E a senhora sabe por quê, não sabe?

Agarrou-o pelos dois braços. Disse, doce, mas firme:

— Olha pra mim e responde: — você acha que eu, que sua mãe, responde! Acha que sua mãe pode fazer um ato que, cometer uma indignidade?

Nunca fora tão parecido com o Sílvio. Ele arquejava:

— Mamãe, escuta. Presta atenção — e continua, com a língua pesada: — vocês podem usar essa geladeira. Todos aqui podem usar essa geladeira. Eu não. Eu não uso. Não ponho a mão nessa geladeira. Não ponho porque...

Quer sacudi-lo:

— Durval, não diz bobagem. Você sabe o que aconteceu com Leleco? Já sabe? Não sabe?

Agarra-se ao filho. Este quer desvencilhar-se: — "Não interessa Leleco...".

Andara a noite toda na tempestade. De vez em quando, parava num balcão para tomar uma batida. E partia, de novo, repetindo para si mesmo: — "O juiz está dando em cima de mamãe. Está dando em cima". Houve um momento em que, no meio de uma rua escura, bêbado, atolado, soltou, de repente, um grito. Teve, debaixo da chuva, a sensação de que outro gritara e não ele e então correu, chorando, como se fugisse do próprio grito. Mais tarde, na sua fixação de ébrio, decidia: — "Essa geladeira não existe. Para mim, não existe. Não ponho a mão nessa geladeira". Beberia água da bica, mas... E, agora, Engraçadinha argumentava, perdida de ternura e de vergonha:

— Que criancice! Você parece criança! Que é que tem a geladeira, ora? Escuta, Durval! O importante é que Leleco, ouviu? Leleco matou um homem. Precisamos, ouve, Durval…

O rapaz veio sentar no pequeno degrau da cozinha. Começava a chorar: — "Mamãe, não quero que a senhora…". Inclinou-se e dizia:

— Chega pra lá. Chega, meu filho.

Sentou-se ao lado do rapaz:

— Durval, eu te juro! Olha pra mim. Não há mulher mais pura que tua mãe. Duvido! Eu juro que…

Súbito, para. Lembrava-se da véspera, do seu abandono selvagem, de sua nudez na tempestade. Passa a mão nos cabelos do filho. Ele chorava como uma criança:

— A senhora quer me ver morto como nunca, hein? A senhora nunca…

Apertou a cabeça do filho de encontro ao seio. Teve vontade de chamá-lo, não de Durval, mas de Sílvio. Nunca fora tão Sílvio, na sua beleza desesperada.

Ao chegar na porta do foro criminal, viu um advogado conhecido, o Palhares. Chamou-o a um canto. Faz-lhe em segredo a pergunta inesperada:

— O que é que você acha do Israel Pinheiro?

O Palhares tira um pigarro:

— Bem…

Dr. Odorico tapa-lhe a boca:

— O Israel Pinheiro é uma força da natureza. Entende? Uma força da natureza!

O outro tosse ligeiramente: — "Mas a imprensa espinafra…".

Dr. Odorico cassou-lhe a palavra:

— Ora, a imprensa! — e riu, com largo sarcasmo. — Meu caro Palhares, a imprensa é analfabeta. Espinafra o Israel, como espinafrou o Rio Branco, a vacina obrigatória, o Oswaldo Cruz.

— Mas o *Correio da Manhã*…

Novamente, o juiz o interrompe. Recua um pouco e ergue a voz:

— Acredite no que lhe estou dizendo! O Israel…

Deixara para o fim o grande efeito:

— O Israel é uma força da natureza! Venta, chove, anoitece. Chove, entendeu?

Humilhado por esse brilho surpreendente, o Palhares balbucia:

— Bonito!

Dr. Odorico estende-lhe a mão, com uma modéstia triunfal:

— Passar bem, meu caro Palhares! Até mais ver!

Entrou no foro e pensava em esmagar também o juiz substituto com a frase do Otto Lara. Mas quando chega na vara, o dr. Eustáquio atira-se, aflito:

— Olha! Teve aí uma dona te procurando!

Pálido, pergunta:

— Era como?

E o outro, com uma salivação intensa:

— Parecida sabe com quem? Aquela artista. Como é mesmo o nome daquela artista? Aquela que... Olha! Trabalhou no *E o vento levou*... Vivien Leigh! Vivien Leigh!

Dr. Odorico dá um passo atrás:

— Mas que azar! Há muito tempo? Deixou recado?

Subitamente, descobria a semelhança entre as duas: — entre Engraçadinha e a estrela. Parecidíssimas! O olhar, a boca, o nariz, o queixo. O dr. Eustáquio insistia:

— É a Vivien Leigh daquele tempo. Agora a Vivien Leigh está meio borocoxô! Mas naquele tempo!

Andando de um lado para outro, furioso e maravilhado, o juiz não se perdoava de ter chegado tarde. Via, agora, que o telefonema, que lhe parecera falso, não era falso coisa nenhuma. Fora a própria! — "Que imprudência!", exclamou para si mesmo. Mas estava disposto a abençoar qualquer imprudência, qualquer leviandade do ser amado. Excitado, pensa: — "Estou vendo que as minhas bodas de prata vão fracassar!". Na obsessão de Engraçadinha, queria acreditar que as bodas de prata são, via de regra, uma festa cínica, que finge comemorar um amor enterrado.

O juiz substituto sopra o vaticínio otimista:

— Deve voltar.

Esfrega as mãos, com o olhar faiscante:

— Tomara!

Engraçadinha deixara o filho dormindo. Depois de chorar, ele, com uma docilidade súbita de bêbado, abandonou-se. As meninas acordaram e Durval pôde deitar-se na cama de Silene. Em seguida, uma das filhas falou, da casa de d. Araci, para a Prolar avisando: — "Durval mandou avisar que está doente e não vai hoje". Quase às dez horas, Engraçadinha saiu com Silene. Estava combinado que dr. Odorico acompanharia Leleco à polícia. O rapaz ficou esperando que, da cidade, ela o chamasse.

Antes de tomar o lotação, telefonou para a residência do juiz. Não estava. Teve uma dúvida: — "Será que eu fiz mal?". Sabia que, normalmente, qualquer esposa recebe, com uma pulga atrás da orelha, um telefonema feminino. Ao mesmo tempo, o seu desespero não admitia muitos escrúpulos. Na cidade, corre para o foro. Dr. Odorico ainda não chegara. Decide consigo mesma: — "Volto depois". Apanha Silene, que a esperava na porta, e descem a rua São José.

Súbito, Engraçadinha toma coragem:

— Escuta, minha filha, olha aqui. Eu não quis que você fosse ao colégio porque...

Estaca. Pergunta a si mesma se vale a pena prosseguir. Silene arrisca:

— É sobre Leleco?

Suspira:

— Não. É outra coisa. Minha filha, há pessoas que acham o seguinte: — que uma mãe não deve dizer tudo a uma filha. Penso de modo diferente.

Silene não entendeu ainda. Engraçadinha continua: — Eu acho que, afinal, a maior amiga de uma filha é a própria mãe. Não deve haver segredos entre as duas.

Pausa. Silene, com um pé atrás, diz:

— Também acho.

Chegaram ao fim da rua São José. Entram numa leiteria do largo da Carioca. Sentam-se. Engraçadinha estava enervada de falar em pé e andando. Enquanto o garçom vai e vem, Engraçadinha toma respiração:

— Minha filha, é o seguinte: — você é criança...

Lembra-se, subitamente, que a filha já conhecia o amor e muda de tom e de raciocínio:

— Eu sei que, hoje, aprende-se muito depressa. No meu tempo, era diferente. Mas há coisas que uma menina ainda não sabe e, compreende? O que eu queria é prevenir você sobre Letícia.

Pausa. Silene pergunta:

— Por que, mamãe?

E Engraçadinha:

— Ontem, eu vi Letícia falando baixo com você. Falando baixinho, cochichando e eu não gostei, minha filha, não gostei. Ela é uma senhora e você uma menina. Por que segredinho?

No seu espanto, balbucia:

— Que mal há, mamãe?

Engraçadinha escolhe palavras:

— Letícia é uma dessas mulheres que, você entende? — e disse a verdade, duramente: — Letícia gosta de mulher. Diz que não, mas eu sei. Certas coisas, enxergo longe. E não quero — Deus me livre! — não quero que ela pense que você...

CAPÍTULO 97

Fez espanto:

— Gosta de mulher?

Engraçadinha ralha, quase sem mover os lábios:

— Fala baixo!

Olha, em torno, assustada. E teve medo que o garçom, que estava um pouco atrás, junto a uma mesa vazia, pudesse ter escutado. No seu espanto, e inclinando-se, pergunta:

— Mas como é, mamãe? A Letícia que... Não estou entendendo.

Entendera, sim. Pensava: — "No colégio houve um caso assim". Lembrava-se de que ela mesma, certa vez, vira duas coleguinhas beijando-se na boca. Fora um escândalo que a diretoria tivera de abafar. E, agora, Silene insistia:

— Mas isso é batata ou...

Engraçadinha enxugava os lábios com o guardanapinho de papel:

— Se eu estou dizendo, é porque é.

Por um momento, Silene não sabe o que dizer, o que pensar. Engraçadinha vira-se para o garçom:

— Quer pagar aqui?

Quando o homem sai, para apanhar o troco, Silene baixa a voz:

— Mamãe, mas a Letícia não vai ajudar Leleco?

O garçom apareceu com o troco. Engraçadinha conta e deixa, em cima da bandejinha, uma cédula de dois cruzeiros. O homem recolhe a gorjeta. Engraçadinha, que ia levantar-se, resolve ficar mais um pouco. Começa:

— Olha. Vai ajudar e está certo. Mas nada tem a ver uma coisa com outra, evidente, ora essa! Ajuda e daí? Mas o que eu não quero. Escuta, Silene, o que eu não quero, presta atenção: — não quero que você, por exemplo, saia com ela. Não quero, entendeu?

Balbucia:

— E se ela convidar?

— Você evita, percebeu? Evita. Silene, eu sei o que eu estou dizendo. Sei. E agora vamos. Vamos, que Odorico já deve ter chegado.

Levantam-se. Saindo da leiteria, Silene diz para si mesma: — "Imagine se mamãe sabe que Letícia me viu nuazinha, que me enxugou". Entram na rua São José e esperam o sinal, para atravessar a avenida. Em cima do meio-fio, enquanto vem da esplanada uma golfada de carros. Silene imagina: — "Por isso é que ela elogiou tanto o meu corpo. Logo vi!". Atravessam, finalmente.

Engraçadinha vai dizendo:

— Se ela te convidar, já sabe. Você diz o seguinte: — que vai falar comigo. Ouviu, Silene? Porque, olha: — eu vi a Letícia te olhar de um jeito que eu não gostei. Não gostei nada!

Entrando no foro, ao lado de Engraçadinha, Silene ligava uma coisa e outra. Na véspera, houve um momento em que, de fato, Letícia soprara ao seu ouvido: — "Qual é o teu manequim?". Respondeu, baixo também: — "Quarenta e quatro". Engraçadinha vira o cochicho e decidira: — "Tenho que avisar Silene. Não vou admitir que...".

Quando chegam à sala do juiz, Engraçadinha vira-se para a filha:

— Olha, minha filha. Espera aqui. Tenho que falar umas coisas com Odorico e...

Ao vê-la, dr. Odorico arremessou-se, vermelhíssimo:

— Quanta honra!

A úlcera vibrou como nunca. A poucos passos, o dr. Eustáquio erguia-se e, mesmo, perfilava-se. Diz para si mesmo: — "É escritinha a Vivien Leigh, não a atual, mas a de *E o vento levou*!". Já o dr. Odorico o chamava:

— Chega aqui, Eustáquio!

O outro abotoa-se, gravemente, e vem (com uma certa vergonha da própria barriga). Por um momento, chega a pensar em beijar-lhe a mão. Mas era uma natureza tímida, que vivia de repressões. (Fez mais esta.) Dr. Odorico engrossava a voz:

— Este é o juiz substituto, Engraçadinha.

E ela, com um rubor muito lindo:

— Satisfação.

O dr. Eustáquio afasta-se. E, então, dr. Odorico limpa a voz:

— Eu soube que...

Disse, agoniada:

— Telefonei pra sua casa. Você já tinha saído e...

Perguntou, com o olho vivo:

— Alguma novidade?

Levou-o para perto da janela. Começou:

— É o Leleco, aquele rapaz. Como se fosse meu filho. Vim aqui porque...

Antecipou-se:

— Você sabe ou não sabe? Que eu. Olha, Engraçadinha: — o que você quiser! — e repetia, arquejante de amor: — o que você quiser! Pois não, pois não! Levo à polícia, levo, claro! De fato, lá baixam o pau! São uns inconscientes!

Aperta o braço magro do juiz:

— Odorico, não deixe que maltratem o Leleco!

Deu um repelão feroz:

— Ai de quem! Absolutamente! Ninguém encosta a mão no menino!

Ela respira fundo. E, então, o juiz, com uma humildade sôfrega, sussurra:

— Olha, Engraçadinha, olha. Estou aqui com o versinho. Fiz hoje, compreendeu?

Olha para os lados e, numa angústia deliciosa, passa-lhe o papelzinho.

NA VÉSPERA, ANTES de sair, Letícia deixara, na mão de Silene, um papelzinho. Dizia:

— Telefona. Esse número. Precisamos conversar.

E, pela manhã, antes de sair com a mãe, Silene correra para a casa de d. Araci. De lá, disca para o número do papelzinho. Atendem:

— Hotel Serrador. Bom dia.

Fala, baixo:

— Eu queria falar com o quarto...

Lê, novamente, o papel:

— Quarto número...

Espera. Vem a voz de Letícia:

— Pronto!

— Como vai?

E Letícia:

— Silene? Tua mãe sabe que você está telefonando?

— Não disse a ninguém.

Letícia exulta:

— Pois é! Segredo! Segredo porque, olha: — eu quero fazer uma surpresa pra tua mãe. Depois te explico. Mas olha! Silene, está me ouvindo?

— Fala!

Letícia dá risada no telefone:

— Se você me visse, ouviu? Está escutando? Se isso fosse televisão, você ia me ver, sabe como? Saí do banheiro para atender — ria: — Estou pelada! Ouviu? Sua voz está sumindo! Estou pelada. Saí do chuveiro e... Peladinha!

Silene interrompe:

— Letícia! Escuta: — eu não posso me demorar, e aquilo?

Letícia baixa a voz:

— Você pode vir?

— Depende. Só vendo. Depende de mamãe. Vou sair com mamãe. Mas se eu puder, eu vou!

Letícia fala, com uma espécie de febre:

— Está ouvindo? Eu vou sair agora. Passo na Sloper para comprar teu presentinho. Depois, está escutando, Silene? O telefone está ruim, não está? Olha: — depois eu volto para o hotel e não saio mais. Eu te espero.

— Se eu puder — depende de mamãe — se eu puder, vou, sim.

E a outra:

— Um beijo. Estou te mandando um beijo. Tua voz fugiu outra vez! Silene? Um beijo!

Engraçadinha contava que o Leleco matara porque... Dr. Odorico ouvia, grave e, mesmo, fúnebre. De vez em quando, valorizava as passagens com uma exclamação: — "Imagine!", "Ora veja!". Da mesa, o juiz substituto atirava, de vez em quando, um olhar para Engraçadinha. Estava mais convencido do que nunca que era igualzinha à Vivien Leigh (não a atual, mas a Vivien Leigh em seguida à primeira noite com Clark Gable). Quando Engraçadinha acabou, dr. Odorico vibrava:

— Vou te dizer o seguinte. Eu sou um juiz, mas se eu tivesse um filho e meu filho matasse. Se matasse por esse motivo, dou-lhe minha palavra: — eu diria: — "Muito bem, meu filho!".

Engraçadinha, que chorava discretamente, apanhou o lencinho no bolso e assoou-se. Dr. Odorico pigarreia. Passa, vivamente, de um polo a outro:

— Mas gostou mesmo do versinho?

Suspira:

— Muito.

Era preciso, porém, chamar Leleco. Engraçadinha sai um momento para falar com Silene:

— Minha filha pode ir. Vai pra casa. Tudo bem. Vai. Vai pra casa. Eu fico. Vai direitinho.

Beija a menina e volta. A felicidade chegava a doer no juiz. Repetia para si mesmo: — "É a Vivien Leigh! É a própria! E o Tinhorão tem que me arranjar esse apartamento!". Ao mesmo tempo, estava disposto a desvencilhar-se dos seus escrúpulos de velho e recorrer ao mais moço. (Queria acreditar que a experiência sexual do Tinhorão estava mais atualizada.) Engraçadinha aparece e pede:

— O catálogo. Eu queria telefonar. Pode me ceder o catálogo?

O juiz substituto apanha tumultuosamente uma lista. Engraçadinha agradece. E, então, dr. Odorico quis fazer alarde de discrição. Puxa o dr. Eustáquio e os dois afastam-se ostensivamente. Engraçadinha procura o telefone do ministério das Relações Exteriores. Perdera o telefone de Luís Cláudio.

A PRÓPRIA LETÍCIA ABRIU a porta:

— Que alegria! Entra, entra!

E Silene:

— Vim chispada. Mamãe não sabe.

Febril de felicidade, Letícia pergunta:

— Está calor, não está? Não prefere tirar a roupa? Tira! Fica à vontade! Eu também tiro!

CAPÍTULO 98

A MÃO DE LETÍCIA descia do ombro para o braço. Silene recua:

— Letícia, você não disse que queria falar sobre o Leleco?

Está parada e atônita. Ouve as palavras de Engraçadinha: — "Gosta de mulher". Tem medo. Olha em torno. Letícia pensa: — "Preciso ter calma". Muda de tom. Gira sobre si mesma, numa espécie de pirueta e diz a primeira coisa que lhe vem à cabeça: — "Gostei desse hotel. É bom".

Senta-se na cama para levantar-se em seguida:

— Ah, o presente! Escuta: — já converso contigo sobre o Leleco. Quero te mostrar o presente. Vem cá.

Um pouco sôfrega, Silene balbucia:

— Estou com um pouquinho de pressa!

Letícia desfaz o nó do barbante dourado:

— Não sei se você vai gostar, não sei. Eu acho um amor. Uma belezinha.

Tira a calcinha, minúscula, transparente, elástica. Pergunta, baixo, sem desfitá-la:

— Que tal?

Respondeu, num sopro:

— Linda!

E Letícia, ofegante de alegria:

— Olha: — eu vi uma porção, até que escolhi esta. Não é um sonho? Você gostou?

Apanha a calcinha pelas duas extremidades:

— Muito!

Na sua naturalidade afetada, disse:

— Tira a tua e põe esta. Põe.

Vacila:

— Aqui?

Fez um terno escândalo:

— Mas ó, Silene! Até que, francamente! Vergonha de mim? Vê lá!

Silene sorri, vermelha. Na véspera, despira-se para Letícia, deixara-se enxugar, da cabeça aos pés. Mas não sabia que... Agora, no hotel, parecia estar ouvindo a voz de Engraçadinha: — "Gosta de mulher". Letícia diz para si mesma: — "Desconfia". Silene explica:

— Não é vergonha propriamente...

Sentiu na menina um certo abandono e fez alegremente a ameaça:

— Tira ou fico zangada!

O riso vem:

— Mas não olha! Não olha!

Letícia ri também (com certa angústia):

— Para uma mulher, nada é mais importante que a calcinha. E você, olha: — eu não quis dizer nada. Mas olha: — as tuas são bem — você me desculpe — são tão pobrezinhas! Agora põe, põe! Deixa eu ver! Levanta a saia, minha filha! Ah, menina! Menina! Mostra só um pouquinho. Eu quero ver! Linda, e como fica bem em você!

Silene olha em torno:

— Acha? Eu queria ver no espelho!

— Vem, vem!

Diante do espelho, ergue a saia. Tem uma espécie de vertigem:

— Que beleza!

Letícia fala, numa febre:

— Eu te arranjo outras! E escuta: — vai com esta.

Vira-se:

— E a minha?

— Fica comigo. Mando lavar e te devolvo outro dia. E outra coisa, Silene. Eu agora, depois que fiquei viúva — estou muito só. Não tenho ninguém. Minha vida é tão triste e eu, olha... Para mim, será uma felicidade ajudar vocês. Ah, outra coisa: — desde ontem eu estou pra te perguntar. Você gosta de Leleco? Gosta?

— Eu?

Apanha a mão de Silene:

— Gosta?

Baixa os olhos:

— Mais ou menos.

E ela:

— Vocês não têm nada e eu sou rica. Leleco depende de mim. Um processo custa dinheiro e, nessa terra, sabe como é. Vou arranjar o melhor advogado. O melhor! E, até, dois. Tenho dinheiro, Silene! E uma menina como você não é para andar de lotação. Vaz Lobo não foi feito pra você. Você, olha! Te falo com pureza d'alma! Você merece!

JÁ SABIA o telefone da mesa do Itamaraty. Mas não queria falar dali para o Luís Cláudio. Discou para d. Araci, chamando Leleco e dizia:

— Vem com teu filho. Eu te espero aqui. Mas vem já. De táxi, claro!

Desliga e ergue-se. Dr. Odorico vem risonho ao seu encontro. Acompanha--o o juiz substituto (mais do que nunca sente a humilhação do barrigudo). Engraçadinha está dizendo:

— Escuta, Odorico. Eu vou dar um pulinho ali adiante. Tenho que fazer uma compra. Volto já. Não demoro. Espera que eu volto.

Disse e repetiu: — "Espero, espero!". Engraçadinha sai. Fora há poucos minutos que, de repente, decidira telefonar. Sabia, desde já, que ia ter, em seguida, um arrependimento mortal. E perguntava a si mesma por que essa brusca e desesperadora nostalgia. Pensou: — "Eu ouço a voz e desligo". Começa a procurar um telefone. Entra num armazém:

— Dá licença de falar no telefone?

— Ali.

Um homem estava falando. Engraçadinha espera. Por um momento, teve a tentação de fugir. Pensava: — "Durval tem ciúmes de mim como um namorado". Sentia que o maior traído da véspera fora, não o marido, mas o filho. O sujeito do telefone ria alto:

— Tem lido as memórias do Gilberto Amado?[82] Escuta! É uma falsificação! O Gilberto não apresenta um pulha, um canalha! Em toda a República, ele não vê um presidente patife, um ministro sem-vergonha, um sábio que seja nobre e limpamente um cavalo de vinte e oito patas! No seu mural, falta o excremento. Não enxerga uma prostituta na família brasileira: o Gilberto faz relações públicas com o passado. Reabilita e promove uma série de cretinos retrospectivos — e repetia: — É o Proust das relações públicas.

Finalmente, o desconhecido despedia-se, ruidosamente: — "Mas telefona. Chau!". Sôfrega, Engraçadinha pôde apanhar o telefone. E, súbito, enquanto discava, imagina: — "E se ele não estiver?". A simples hipótese deu-lhe um sofrimento agudo. Do outro lado a telefonista atende. Crispada, pede: — "Por obséquio. Cerimonial, sim?". Espera um pouco. Voz de homem. Com a garganta gelada, diz:

— Eu queria falar com Luís Cláudio Fróis.

Nova espera. Pensa: — "Eu não presto". Não se lembrava de Zózimo. Era como se fosse adúltera, não do marido, mas do filho. Escuta a voz de Luís Cláudio:

— Pronto.

Muda, teve uma contração de estômago. Decide: — "Não direi nada". Ficaria ouvindo só. Ele insiste: — "Alô? Alô?". Ela pensa em desligar. Mas acaba falando:

— Quem fala?

E ele: — "Janet?". O simples fato de ter sido reconhecida, imediatamente, fez-lhe um bem desesperador. Respira fundo: — "Sou eu". Não sabia o que dizer em seguida. Luís Cláudio prosseguia com a voz a um tempo doce e viril:

— Escuta, meu bem. Nós estamos aqui preparando a recepção do Eisenhower. Está divertido. Só se discute sobre colete preto, colete branco, fraque, casaca, calça listrada. Mas olha: — faz o seguinte...

Tudo o que ele dissesse, Engraçadinha acharia lindo. Numa tristeza deliciosa, teve vontade de chorar. Luís Cláudio continuou:

— Deixa acabar essa reunião. Mas você vai telefonar agora para o direto. Telefona para o direto. Toma nota. Apanha o lápis e toma nota. Posso dizer? Dois três, oito três, oito um. Tomou nota? Dois três, oito três, oito um. É o direto. Você telefona!

— Telefono.

Saiu, de lá, fora de si. O homem da caixa teve que chamá-la: — "Três cruzeiros". Abriu a bolsa, desorientada: — "Desculpe". Deu cinco e não esperou o troco. Foi, a pé, até quase a Candelária e voltou. Quando aparece no foro, já estavam, lá, à sua espera, d. Araci, Leleco, Amado Ribeiro e, naturalmente, dr. Odorico. Este pensou, ao vê-la: — "A geladeira foi o maior golpe da minha vida". Amado Ribeiro orientava Leleco:

— Não tenha medo do Miécimo. O Miécimo não é de nada.

D. Araci perguntava, a um e outro: — "Meu filho vai confessar?". Dr. Odorico explicou.

— Minha senhora, eu estou lá. O Leleco presta o depoimento e, depois, é posto em liberdade. Não há nada e eu fico até o fim.

Com um olhar de louco, Leleco aperta o braço do juiz:

— E se eu fugir? Eu preferia fugir. Tenho que me apresentar? — e repetia, na sua fixação: — E se eu fugir?

Amado Ribeiro agarra-o:

— Pra quê, rapaz? Você vai ser posto em liberdade! Vamos embora! Dr. Odorico, vamos?

O juiz baixa a voz:

— Você vai, Engraçadinha? Quer vir? Fica? Ah, compreendo!

Ela suspirava: — "Estou muito nervosa. É melhor não!". Dr. Odorico preferiu não insistir:

— Então, fica combinado. Hoje, sem falta, eu levo o Tinhorão. Levo, sem falta. Gostou então do versinho?

Letícia vira-se para Silene:

— Você vai almoçar comigo.

— É tarde.

E a outra:

— Tarde nada. Cedo. Almoça, sim, senhora. Depois, olha: — você vai de táxi. Toma banho e almoça.

Vira-se:

— Banho?

Deu-lhe o braço:

— Olha o calor que está fazendo. Você está suada. Faz bem. Toma banho. Refresca. Vem.

CAPÍTULO 99

Numa alegria que a transfigura, vai na frente:

— Vem cá, vem! Chega aqui!

Está na porta do banheiro. Silene dá alguns passos e estaca:

— Escuta, Letícia! Mas eu não quero tomar banho!

E a outra:

— Sei, mas olha: — Vem ver! Vem!

Disse, com surda irritação:

— Está na hora! Outro dia!

Numa naturalidade febril, Letícia entra no banheiro:

— O chuveiro aqui é muito bom. Forte. Frio e quente.

Silene aparece na porta. Pensa: — "Quer me ver nua. Se eu tirar a roupa, me agarra". Começa a ter medo (e, ao mesmo tempo, uma angustiada curiosidade). Letícia abre o chuveiro:

— Põe a mão! Põe!

Com um pouco de angústia, obedece:

— Fria!

E Letícia:

— Vê agora!

Disse:

— Quente!

A outra explicava o óbvio:

— Gradua-se, ouviu? E fica morninha! Escuta, Silene. Tira a roupa!

Recua:

— Não posso, Letícia! — E respirava fundo: — Outro dia!

Letícia crispa a mão no seu braço. Diz a si mesma: — "Tem medo. Desconfia. É sonsa". A menina sorri, mas o seu lábio inferior treme. "Está nervosa", pensa Letícia. Com a voz leve, macia, quer convencê-la:

— Não demora nada. Eu tomo outro banho para te fazer companhia. Tomo contigo. Sou muito mais velha do que você e não tenho nenhuma vergonha de ti. Olha: na tua idade, quantas vezes eu e tua mãe tomamos banho juntas! Você está fazendo um bicho de sete cabeças e à toa!

Balbucia, com uma cintilação no olhar:

— Hoje, não!

Letícia decide: — "Não vou insistir". Diz, contida:

— Então, eu tomo. Um instantinho. Tomo banho e depois a gente desce.

Começa a abrir o vestido atrás. Silene recua:

— Espero lá fora!

— Fica. Que é que há? Te disse que eu não tenho vergonha de ti. É um minuto, Silene! E, depois, vamos almoçar. Faço questão de almoçar contigo. Faço questão.

DEPOIS QUE OS outros partiram, levando Leleco, Engraçadinha vem caminhando, a pé, na direção da Candelária. Pensa, atravessando a rua: — "Eu não ligo pra Leleco, nem pra Silene. Só penso em Luís Cláudio". Gostaria de ter pena do rapaz; e, ao mesmo tempo, daria tudo para chorar pela filha. Mas só pensava no desconhecido: — "Ele me deu uma carona e eu me entreguei!".

Ia passando por uma banca, quando viu, num jornal, exposto, o título:

LELECO, O VERDADEIRO ASSASSINO!

Espantada, comprou o jornal. E, ali mesmo, quis ler. Era uma reportagem imensa de Amado Ribeiro. Em pé, e com certa angústia, tentou a leitura. Só no meio da reportagem é que, subitamente, percebeu que não estava entendendo nada. Dir-se-ia que aquele era um texto chinês. Lia e não assimilava uma frase, uma palavra, uma vírgula. Quis reler e sentia-se cada vez mais distante do crime, de Leleco, da virgindade da filha. Parecia ter, diante de si, não uma página de jornal, mas a imagem da própria nudez molhada e dentro de um violento clarão lunar.

Largou o jornal e caminhou como uma sonâmbula. Desesperou-se porque não sofria. — "Eu penso nele, só nele. Vou telefonar agora." Viu um telefone público. E, então, já transfigurada, foi até a caixa:

— Por obséquio, o senhor podia me ceder uma pratinha de dois cruzeiros?

Se o homem negasse a moeda, teria caído em desespero. O Fulano olhou aquela senhora bonita e fez o troco. Recebeu a pratinha e sorriu para o português com uma gratidão quase terna:

— Agradecida.

Ao mesmo tempo que discava, sofria com a possibilidade de linha ocupada. Quando ouviu o ruído de chamada, respirou e sorriu, numa aguda felicidade. Ligava, desta vez, para o direto. Atendem e ela sorri, como se a pessoa pudesse ver.

— O senhor, por gentileza, podia me chamar o Luís Cláudio?

Na sua impaciência, sentia o estômago gelado. Do outro lado, Luís Cláudio apanha o telefone. Pergunta, alegremente:

— Você?

E ela:

— Sabia que era eu?

Luís Cláudio ria:

— Adivinhei. Escuta: — estou acabando. Agora está no fim. Com esse negócio do Eisenhower, o Cerimonial está histérico.

No telefone, parecia uma menina. Ele continuou. De fato, o Cerimonial estava aflitíssimo. Os sujeitos falavam entre si num assanhamento e num alarido de galinhas de desenho animado. O rapaz baixava a voz, numa alegre indignação:

— Sabe lá o que é ver uns marmanjos, uns barbados discutindo se põem colete branco, colete preto? Tem mais. A gravata branca da casaca tem que estar por cima do colarinho. Quem usa por baixo é garçom. Eu não aguento mais. Te juro que não aguento mais.

E, súbito, baixa a voz:

— Você está onde?

— Por quê?

— Diz.

Vacila. Suspira:

— Aqui na rua Primeiro de Março.

— Você me espera?

Nervosa, reage:

— Não, não! Não posso! Escuta, Luís Cláudio, escuta. Eu falo com você, mas só pelo telefone. Pessoalmente, não — e repetia numa excitação sem motivo: — Pessoalmente, não. Foi só aquela vez. Escuta, escuta! Você sabe que eu. Não sabe? Deus me livre e nem é bom falar!

Ele ri:

— Meu coração, escuta. Olha: — vamos fazer o seguinte. Eu passo de automóvel e te vejo. Não falo contigo. Te vejo e pronto. Não paro. Reduzo a velocidade, te olho e vou-me embora. Não falo contigo. Ok?

Hesitava ainda:

— Se você me promete...

— Te juro.

E ela:

— Bem. Mas olha: — você olha, só. Não para. Eu estou, está escutando? Estou na porta da catedral.

— Não me demoro. Até já.

Desligou. Vinha tão feliz que, ao passar pelo homem da caixa, sorriu-lhe docemente. O sujeito abre o cumprimento: — "Passar bem, minha senhora". Andando na direção da Catedral, ela queria pensar na filha — na virgindade perdida da filha; e no sofrimento de Leleco. Naquele momento, o rapaz estaria na polícia, confessando: — "Eu matei! Eu matei!".

Cada flash parecia doer, materialmente, em Leleco, como uma chicotada. Na sua fragilidade pânica, virava-se para o fotógrafo e tinha vontade de gritar: — "Parem com essa luz! Parem com essa luz!". Na delegacia apinhada, ele repetia:

— Eu matei! — pausa e continua arquejante: — Eu matei porque queriam me fazer de mulher.

Antes de começar o depoimento, dr. Odorico chamara Miécimo de lado: — "Escuta aqui! Eu me interesso por esse rapaz como se fosse filho meu. Miécimo, presta atenção: — você é responsável, entende? Responsável...".

O outro interrompe:

— Mas doutor Odorico! O senhor me conhece! Sabe que eu sou contra o espancamento. Eu não torturo! Nunca, até hoje, eu dei uma bolacha num preso! Eu não bato! Acho que é um crime e não bato, doutor Odorico!

O juiz olhava para o delegado com uma sensação de deslumbramento: — "Como é cínico! Vá ser cínico assim no...". E, então, o Amado Ribeiro, que ouvia, de lado, atalha:

— Ô, Miécimo! Você se lembra daquela vez? Aqui mesmo. Sim, aqui mesmo. E você deu um chute na barriga daquela preta grávida?

O delegado abre os braços:

— Eu? Em mulher grávida? Isso é piada! Doutor Odorico, isso é piada! O Amado tem essa mania!

Com uma touca de borracha, para não molhar os cabelos, Letícia ensaboava-se debaixo do chuveiro. Silene olhava com um tênue sorriso, um enleio muito leve. A outra dizia:

— Pode olhar. Olha. Eu não tenho vergonha de ti. Tão natural!

E pensava no que lhe dissera, certa vez, um psicanalista. Dissera que, naquela idade, o organismo do homem ou da mulher ainda não escolheu o sexo. Vacila entre um e outro.

Depois, enxugando-se, Letícia faz-lhe a pergunta:

— Tenho o corpo feio?

— Bonito!

— Acha?

Passa por ela. Bate-lhe, de leve, na face. Suspira: — "Você é um amor!". Vão para o quarto. E, lá, Letícia perfuma os braços, os seios. Súbito, vai abrir uma gaveta:

— Olha o que eu guardei. Olha.

Era um lança-perfume. Pergunta: — "Gosta de cheirar?". Ela própria acrescenta: — "Quem não gosta? Cheira um pouco!".

CAPÍTULO 100

Diante da Catedral, Engraçadinha esperou uns dez minutos. Súbito, o rabo de peixe encosta, rente ao meio-fio. Era Luís Cláudio.

Sorria:

— Janet!

Recua, ligeiramente. Olha em torno, no pânico de ser vista. O rapaz empurra a porta e a deixa aberta:

— Vem!

Desesperada, aproxima-se. Diz, sôfrega:

— Aqui, não! Vai!

Transeuntes viram-se para vê-los. Ele segura a mão de Engraçadinha:

— Entra!

Balbucia:

— Não posso! Larga! Não posso!

E ele:

— Está fazendo escândalo! Chamando atenção! Entra!

Perde a cabeça; acaba entrando. Luís Cláudio arranca. Tira um fino vertiginoso de um táxi que dobrava a esquina da rua Sete. Pede:

— Vê se a porta está fechada. Está?

— Está!

E ele, sem se virar:

— Linda!

A velocidade dava-lhe uma espécie de embriaguez, de selvagem alegria. Ao lado, Engraçadinha ia num silêncio atônito. Só quando entraram na avenida Beira-Mar, é que ela se virou:

— Isso não se faz! Você prometeu e olha! Estou zangada. Não se faz. Não pensei que você. Foi a última vez, ouviu? A última! Você só pensa em você e não quer saber se eu sou casada, se eu tenho responsabilidade!

Luís Cláudio interrompe, alegremente:

— Já sei o que você vai dizer. Que tem filho homem, que... Quero um beijo teu!

Foge para junto da porta:

— Fica quieto!

— Escuta, escuta! É um beijo só!

Diz e repete:

— Não, senhor! Nada disso! Tira essa mão. Não quero, já disse! Tira a mão! Luís Cláudio, eu brigo com você. Não estou brincando.

Ele, que a acariciara na curva do quadril, sonha agora, erguendo a voz:

— Olha, Janet! Estou farto do Cerimonial! Cheio do Itamaraty! Janet, você não sabe o que é aquilo! Nem você, nem ninguém sabe o que é o Cerimonial!

Engraçadinha grita:

— Volta! Ou você volta ou para e eu salto!

Como se não a ouvisse, ele continua. Seu rosto toma a expressão de um tédio cruel. — "Aquela gente não vive, finge que está vivendo. Todo o Itamaraty é uma lúgubre imitação de vida. Até os contínuos, até os contínuos! Lá os valores eternos são um vinco genial, a cor exata do colete, a gravata por baixo ou por cima do colarinho". Súbito, Luís Cláudio vira-se para Engraçadinha:

— Depois de três dias de Cerimonial, eu mereço, acho que mereço — um beijo. Não mereço?

Pula no assento:

— Aqui? Você parece que não pensa! Quer me beijar com todo o mundo vendo?

Luís Cláudio diminui a marcha:

— Meu bem, olha! Eu não vou te beijar na frente de todo o mundo. Claro. Vamos fazer o seguinte: — presta atenção. A gente dá um pulo na Urca. O Arpoador é longe...

— Olha a hora!

Continua:

— Pois é, Arpoador, não. Vamos à Urca, que é logo ali e... Lá eu quero um beijo. Mais um beijo. Estou farto do Cerimonial. Olha, Janet: — eu te beijei e não senti teu céu da boca. Hoje, eu quero beijar e sentir o céu da tua boca...

Cruza os braços, num arrepio:

— Você fala e eu estou sentindo...

— Diz.

Suspira:

— Já estou sentindo cócega no céu da boca.

NA DELEGACIA, ALGUÉM cutuca o Amado Ribeiro. O repórter vira-se e faz um alegre escândalo:

— Olá, Phocion!

Era o grande advogado criminal do momento. Estava vestido da maneira mais inesperada e, mesmo, escandalosa. Ao meio-dia, com um sol de fender edifícios, o Phocion andava de coletes, polainas, colarinho duro, *pince-nez* e bengala. Havia qualquer coisa de espectral na sua figura (ele fazia questão de ter, em relação aos demais, uma dessemelhança agressiva). Amado bate-lhe nas costas:

— Colete, com esse calor, meu caro Phocion?

O outro enxuga o suor oleoso:

— É preciso, é preciso! — e rosna, ao ouvido do jornalista: — Um pouco de ridículo, bem dosado, é útil na profissão. Um advogado tem que ser um pouco de opereta, um pouco de ópera bufa, para impressionar a besta do cliente.

E, então, a um canto da delegacia, enquanto prossegue o depoimento do Leleco, Amado dá o conselho:

— Pega esse caso, Phocion! Está pra ti!

O criminalista bufa de calor: — "Se você soubesse como eu abomino esse colete!". E muda de tom:

— Bem. Eu li por alto. Não estou bem enfronhado.

Amado argumenta: — "Escuta, Phocion. Eu sei que você é maluco ou por dinheiro ou por publicidade". Alagado, o advogado passa o lenço no pescoço; reage:

— Não exageremos! Não exageremos!

Amado pousa a mão no seu ombro:

— Phocion, eu te conheço! Espera lá! Eu te conheço e olha: — eu te dou um mês — ou mais — de cobertura. Ponho até o endereço do teu escritório. É um crime bom, um crime bacana!

O criminalista está de pé atrás:

— Amado, você sabe que eu sou macaco velho. Aprendi a ter medo de todo o crime que tenha pederastia.

Estava sendo sincero. Poucas coisas o Phocion levava a sério no Brasil; uma delas era a Standard Oil;[83] e, outra, a força de certas pederastias bem-sucedidas e fulgurantes:

— O pederasta envolve interesses, escrúpulos, pudores e reações tremendas. Amado, eu teu confesso: — sou advogado, não sou herói. O advogado é o anti-herói — e ri com uma ferocidade jucunda. — Se eu fosse herói não andava vestido assim. Esse ridículo é esforço, é premeditação, é sacrifício!

O repórter não dá o braço a torcer:

— E a publicidade, Phocion? Publicidade pra burro!

Phocion, meio estrangulado pelo colarinho, geme:

— Vamos fazer o seguinte: — leva o rapaz no escritório, veremos. De beiço, não faço. Alguma coisa tenho que levar. E deixa eu ir. Espeto esse negócio de pederastia.

Amado acompanha-o até a porta. Phocion vai dizendo:

— Eles estão infiltrados em toda a parte. Nunca o homem foi tão pouco homem e nunca a mulher foi tão pouco mulher.

PÁLIDA, SILENE SENTE a tentação. Letícia ensopa o lenço de éter:

— Cheira! Um pouquinho! Cheira! Só um pouquinho!

Aquela nudez, que a perseguia, exaspera Silene. Foge:

— Põe a roupa!

A outra estende o lenço:

— Cheira!

Letícia não entende o medo selvagem. Na obsessão do nu, Silene pula a cama e sai do outro lado. Repete, com fúria:

— Põe a roupa! Primeiro, põe a roupa!

Ofegante, Letícia pergunta:

— Parece que tem medo de mim, por quê?

Disse, apenas:

— Veste, anda, veste.

Sem desfitá-la, Letícia põe o lança-perfume em cima da cama. Pensa, com desespero: — "Ela quer. Eu sei que ela quer. Finge que não, mas quer". Em silêncio, apanha o quimono e, por um momento, parece sentir a nostalgia da própria nudez.

Vestida, sorri (com sacrifício):

— Vem agora.

Silene faz, lentamente, a volta da cama. Letícia encharca, novamente, o lenço:

— Toma e experimenta.

Estende a mão. Está dilacerada de voluptuosidade. Balbucia:

— Vou cheirar só um pouquinho.

Encosta o automóvel. Passa o braço em torno de Engraçadinha:

— Chega pra cá. Chega. Assim.

Pede, num sopro:

— Meu bem, olha a hora. Não posso me demorar. Moro longe.

E ele:

— Respira em mim. Quero sentir o gosto de tua boca.

Engraçadinha soluça:

— Teu beijo me perde. Mas escuta. Por que é que hoje? Fala! Por que é que hoje você cismou com o céu da boca? Olha como eu estou: — toda arrepiada. Querido, não, não. É bom demais! Querido, você me põe louca. Não, amor! Aqui não! Aqui não pode! Só o beijo, amor, só o beijo! Você prometeu, querido, você prometeu!

Capítulo 101

Engraçadinha foge com o rosto:

— No céu da boca, não! Não faz assim! Meu bem, eu não aguento! Não, Luís, não!

Agarrou-a pelos dois braços:

— Vem cá! Escuta, Janet, olha! Escuta!

Cai com os ombros, esconde a cabeça:

— Pelo amor de Deus, Luís! Olha, deixa eu falar! Eu não aguento! Filhinho, escuta!

Agora ele apanha o rosto de Engraçadinha entre as mãos:

— Uma vez só!

Ofegante, resiste:

— Meu bem, não está em mim. Se você fizer isso outra vez, sou capaz de gritar. Eu grito. E responde: — você quer que eu grite? Que eu dê escândalo? E, além disso, aqui não. No claro, não, Luís! Está claro! Meu filhinho!

Puxa Engraçadinha para si. Ela está com o ouvido no seu coração forte. Baixa a voz:

— Querida, eu vou viajar.

Ergue o rosto:

— Você?

E ele:

— Parto amanhã.

Engraçadinha começou a sofrer:

— Para onde?

Luís Cláudio apanha um cigarro e acende o isqueiro:

— É esse negócio do Eisenhower. Uma turma do Itamaraty vai a Brasília e eu estou no meio. Vou também e, amanhã, bem cedinho, estarei voando.

Numa tristeza atônita, balbucia:

— De avião?

— Quadrimotor.

Cruza os braços, varada de arrepios:

— Tenho medo! Tenho medo!

Atira fora o cigarro. Recosta-se e, de perfil para ela, fala, com um mínimo de voz:

— Já voei não sei quantas vezes. Mas olha: — estou com medo, um certo medo. Não sei, mas estou sentindo uma espécie de... Ou é porque te achei? Escuta, olha pra mim: — sabe que eu gosto de ti?

Agarra-o, desesperada:

— Você fala como se fosse a última vez! Estou achando você meio triste. Querido! Não vai acontecer nada!

Luís passa a mão por trás de sua cabeça e a agarra pelos cabelos:

— Quem sabe?

Instintivamente, ela procura uma madeira para bater as três pancadinhas:

— Olha! Não vai acontecer nada! — muda, bruscamente de tom: — Mas se você… Luís! Se por acaso você tem algum pressentimento. Escuta, deixa eu falar: — se você acha que, então não vá, meu amor, não vá!

O rapaz fixa o olhar duro. Ela passa os dedos pelo seu rosto:

— Adia a viagem! Diz que está doente! Arranja uma desculpa! Se você estivesse doente, você não ia, ia?

Novamente, Luís Cláudio a puxa para si:

— Tenho que ir. Preciso ir. Dei a minha palavra. Afinal de contas, avião é o que há de mais normal. Criança de peito viaja de avião. Mas em todo o caso, há uma possibilidade em mil e… Escuta. Já que há essa possibilidade, que é irrisória, mas existe: — eu queria te fazer um carinho.

Repete:

— Carinho?

Encosta a boca no seu ouvido:

— Aquele.

Recua:

— Mas aqui? Aqui, não, meu bem!

Trinca os dentes:

— Aqui!

E ela, com um olhar de febre:

— Se passa alguém! Pode passar alguém! Outro dia, sim? Outro dia! Eu te juro que… Aqui, não pode! E está claro! Olha o sol, filhinho, olha o sol!

— Aqui! No *Les Amants* os dois estavam no barco! Entraram, não sei por quê! Não precisavam entrar! Ouve, meu amor: — o automóvel é o barco! O nosso barco! Eu posso morrer e…

Abandona-se, ofegante:

— Gosto tanto que… Tenho medo de gritar! Querido, tenho medo de gritar!

AMADO RIBEIRO DEIXA o Phocion e volta. Puxa o dr. Odorico:

— Meritíssimo, chega aqui um instantinho!

Afastam-se do bolo da reportagem. Amado cochicha:

— Abre o olho, doutor, abre o olho!

Essa intimidade agressiva deu-lhe uma certa irritação. Não gostava do repórter (mas tinha-lhe medo). Sentia, no Amado Ribeiro, um descaro gigantesco. Curva-se inquieto:

— Por quê?

Amado pigarreia e cospe no chão da delegacia:

— Aquilo que eu lhe contei é batata, percebeu? O Miécimo chutou a barriga da preta por dois motivos: — porque era preta e porque estava grávida!

O juiz reage:

— Ninguém faz isso, ô, Amado!

O repórter ri, numa certeza triunfal:

— Ou o senhor ignora que o policial batata gosta de chutar barriga de mulher grávida? É um traço, entendeu? Uma característica vocacional! Aquele que não tem essa tendência é um inepto, um relapso!

Dr. Odorico teve a suspeita de uma blague cruel. Embora delicadamente, protestou:

— O amigo está fazendo uma caricatura. A nossa polícia é das melhores! Há autoridades dignas! Humanas!

Neste momento, o delegado Miécimo olha, de sua mesa, o juiz e o repórter. Deduz, na sua fúria contida: — "Estão falando de mim!". E pensa: — "O Piragibe tem razão. Dois sujeitos que precisavam levar um tiro na cara! O Amado Ribeiro e o Mário Morel!".

Quando o juiz olha o relógio, toma um susto: — tarde! Vira-se para o Amado Ribeiro:

— Escuta, Amado, olha: — toma conta do menino que eu tenho que ir. E, depois, já sabe: — você apanha o Leleco e leva lá naquele bar. Onde a mãe está esperando.

De fato, d. Araci ficara numa sorveteria próxima. O repórter bate nas costas do juiz: — "Eu garanto a zona. Pode deixar". Antes de sair, dr. Odorico fez um aceno de dedos para Miécimo. O delegado ergue-se e aperta as duas mãos num cumprimento de pugilista. Na primeira esquina, o magistrado embarca num táxi.

Vinte minutos depois, salta na esquina de Sete de Setembro. Alguém, que vinha passando, retrocede para saudá-lo:

— Meritíssimo!

Vira-se. Era o Nelsinho Sena Neto, rapaz grandalhão, de uma larga e agressiva simpatia humana. Sua vitalidade deprimia e humilhava os conhecidos. Sufocou o juiz no seu abraço voraz. Meio triturado, dr. Odorico geme:

— Nelsinho, olha! Preciso muito falar contigo!

Ao vê-lo, tivera um desses lampejos fatais e decide, impulsivamente: — "Vai ser o meu orientador sexual!". O Nelsinho estava, porém, com pressa e explica:

— Tenho uma pequena me esperando, mas olha: vamos fazer o seguinte... À meia-noite, hoje, na Sorrento! Ceia comigo! Está convidado! Na Sorrento. Ok? Chau, que...

Partiu, levando a sua fúria vital. E, então, satisfeito do encontro (uma coincidência), o juiz pôde ir ao encontro do Tinhorão, que já o esperava na porta do *Jornal do Brasil*, debaixo do relógio. O jornalista arremessou-se:

— Arranjei! Está arranjado!

Dr. Odorico parece espantado. Tinhorão explica, em voz alta, chamando a atenção:

— O apartamento! Arranjei o apartamento!

O juiz recua:

— Já?

Vibra:

— Um apartamento, que só falta falar! Ambiente meio d'annunziano. Tem uns biombos pretos, com uns arabescos dourados. Negócio meio fúnebre, mas de alta sensualidade! Quinhentas pratas!

Maravilhado, dr. Odorico já imaginava Engraçadinha atrás do biombo, tirando a roupa. Num gesto enfático, Tinhorão arranca algo do bolso:

— Toma!

Era a chave. Dr. Odorico recua como se aquilo fosse uma arma carregada. Esbugalha-se: — "Chave?". Tinhorão exulta:

— Por minha conta, eu combinei tudo. Disse que o meritíssimo ia lá amanhã, às quatro horas. Das quatro às seis.

O juiz está lívido. Quase soluçou:

— Você fez isso, ó Tinhorão! Pelo amor de Deus! Escuta, Tinhorão! Não me faça uma coisa dessas! Olha aqui: — essa pessoa, deixa eu falar. Essa pessoa, por quem eu sinto uma forte atração, é uma senhora, escuta, Tinhorão! Uma senhora honestíssima! Honestíssima! Nunca pensou, jamais, nem por sombra, em prevaricar! E casada! Casada, percebeu?

O espantado agora era o jornalista.

— O senhor ainda não cantou?

Ao ouvir falar em "cantar", dr. Odorico quase disse um palavrão:

— Rapaz, olha essa linguagem! De mais a mais, a senhora é protestante! Ninguém "canta" uma protestante! Escuta, Tinhorão. Naturalmente que essa dama... O que há é o seguinte: — eu fiz algumas despesas. Uma vez que ela admitiu essas despesas, há um certo compromisso. Há. Mas é uma coisa muito velada e que exige certo tato. Honestíssima, senhora honestíssima! Temos que dar tempo ao tempo!

Cruelmente divertido, o Tinhorão dá-lhe a notícia, à queima-roupa:

— Mas é que eu adiantei as quinhentas pratas, que o senhor vai me reembolsar.

Em pé, junto à cama, Silene mergulha o rosto no lenço encharcado de éter. Ao mesmo tempo, Letícia passa o lança-perfume na nuca, no ouvido, nas costas, entre os seios da menina. Silene sente-se um ser maravilhosamente gelado. Súbito, a garota rola em convulsões sobre a cama. Abre a boca, mas a outra cai, sobre ela, tapa-lhe o grito. Letícia soluça:

— Minha! Minha!

CAPÍTULO 102

Disse, num sopro:

— Não ouvi.

Mentira. Ouvira, sim. Mas não queria acreditar que o Tinhorão tivesse a audácia, o atrevimento de… O rapaz repete, com uma cínica crueldade:

— Perfeitamente, o senhor me deve quinhentas pratas!

Na sua fúria sarcástica, o juiz pergunta:

— Devo então pagar uma dívida que eu não fiz?

Doce e inapelável, Tinhorão sorria:

— Quinhentas pratas, meritíssimo!

Dr. Odorico estrebucha. Agarra-o pelo braço:

— Escuta, Tinhorão! Você se precipitou. Tinhorão, eu apenas perguntei se você conhecia um apartamento. Mas olha: — quem deve marcar o dia e a hora dos meus pecados sou eu mesmo!

O jornalista interrompe:

— Um momento. Doutor Odorico, agora não há mais remédio. E eu estou duro, doutor Odorico. Estou na maior pinda, entende? Na maior pinda de todos os tempos!

Indignado, o juiz avança dois passos, retrocede outros tantos. Aquele era um dos mais amargos dissabores de sua vida. Estava tão afrontado que fez, inclusive, confissões imprudentes:

— Já não sou criança. Tenho idade. Não sou um mocinho como você, que está em plena forma. Só eu sei o dia e a hora das minhas excitações e dos meus desejos. Você há de ser velho um dia.

Súbito, dr. Odorico percebe que estava fazendo, ali, de graça, uma autoflagelação. Enfureceu-se ainda mais. Encara o jornalista. Jamais a pupila do rapaz fora tão doce e tão cândida. O juiz pragueja, interiormente: — "Deflorador! Irresponsável!". Súbito, tem uma inspiração:

— E a dona desse apartamento? Quinhentos cruzeiros por uma hora!

— Duas.

Retifica:

— Ou duas. Ponho essa miserável na cadeia!

Tinhorão recua.

— Mas é uma flor! Uma cambaxirra!

Fez um amargo escândalo:

— Você chama uma cafetina de flor, de cambaxirra? Não! Tem paciência! Essa, não! Discordo!

Tinhorão acha uma graça imensa:

— Não exageremos! Doutor, a cafetina administra. Apenas administra. De mais a mais, não é cafetina, nem aqui, nem na Cochinchina. Tem um apartamento, aluga o apartamento.

E o juiz, na réplica triunfante:

— A casais! Aluga a casais! É um comércio infame. Ponho na cadeia! Ela que se faça de tola, que eu ponho na cadeia. Ou devolve o dinheiro... Toma, Tinhorão, toma os teus quinhentos cruzeiros.

Entrega a cédula, que o Tinhorão embolsa. Dr. Odorico respira forte (a úlcera dá palpitações furiosas). Baixa a voz:

— Amanhã vou lá. Dá o endereço. Vou lá e... Esse dinheiro tem que ser devolvido, ah, tem!

Vão caminhando e o Tinhorão, já reembolsado, começa:

— Calma, doutor! O senhor vai gostar da "Árvore de Natal", compreendeu?

Dr. Odorico estaca: — "Árvore de Natal?". O outro teve de explicar:

— A "Árvore de Natal" é a dona do apartamento.

Mas o juiz continuava sem entender o nome. Soube, então, que a chamavam assim porque era uma figura feérica de joias. Havia, nela, mil cintilações de brincos, colares, pingentes, argolas, anéis, pulseiras, o diabo. E mesmo seus vestidos, a partir das primeiras horas da manhã, tinham um frenético assanhamento de lantejoulas.

UM AUTOMÓVEL VINHA, ao longe. Engraçadinha baixa a cabeça!

— Vem gente!

Deixam passar o carro. E ela, dilacerada, suspira:

— Não te disse? Aqui, não! Vamos embora!

Pergunta:

— Queres ir ao meu apartamento?

Estremece:

— E a hora?

— Mas escuta! A gente passa, olha, Janet, olha! Passa lá uns quarenta minutos, no máximo. Quarenta minutos e depois te levo. Ainda é cedo. Te levo em casa, te deixo perto de casa.

— Só quarenta minutos?

— Juro.

Vacila. Disse, por fim:

— Olha. Vou, porque você vai viajar e eu tenho muito medo de avião. Mas já sabe: — não posso me demorar. Ouviu? Tem que ser rápido...

Arranca, de novo. E, então, numa tristeza que a embelezava, Engraçadinha fez a pergunta:

— Escuta: — você acha que, em certos momentos. Você me entende? Eu falo demais? Ou é assim mesmo?

Vira-se:

— Não entendi.

Ela não sabe como explicar. E, ao mesmo tempo, sente uma brusca vergonha. Sorri, no seu enleio:

— Meu bem, é que... Eu tenho uns vinte anos de casada. Eu me casei menina e...

Enquanto Luís Cláudio guia, Engraçadinha recosta a cabeça no seu ombro. Continua. Disse que, noite após noite, ela se deixava possuir em silêncio, muda, tão muda! Na hora do amor conjugal, jamais o marido ouvira uma palavra sua. E, agora, no carro, suspira:

— Eu não falava, porque não tinha nada o que dizer.

Pausa. Mais adiante, quando atravessavam o túnel do Pasmado, Engraçadinha sopra no seu ouvido:

— Eu aceitava o meu marido. Aceitava. Mas te juro. Juro pela vida dos meus filhos, está ouvindo? Juro que eu fui, sempre, a esposa mais fria do mundo. Eu te disse que meu marido nunca me viu nua. Disse? Mas com você...

Pergunta:

— Gosta de mim?

E ela:

— Com você é diferente. Com você, eu sinto vontade de falar. Preciso falar. Acho que se eu não falasse. Você entende? As outras são assim?

Guiando com uma só mão, Luís Cláudio passa o braço em torno de Engraçadinha:

— Escuta, Janet.

Diz:

— Não sou Janet.

E ele:

— Como?

Vira o rosto para o ser amado:

— Eu sou Engraçadinha.

Repetiu como se saboreasse aquele nome:

— Engraçadinha.

Agarrou-se ao rapaz:

— Te disse a verdade, porque. Olha. Não quero ser Janet, quero ser eu mesma. Quero que você ame Engraçadinha e não Janet.

Luís Cláudio repete:

— Engraçadinha.

Ela fala no seu ouvido:

— Escuta, mas não olha pra mim que eu tenho vergonha. Até este momento, você é quem faz carinho. Eu recebo. Só recebo.

Ri:

— Você já mordeu o meu peito. Sabe que sangrou?

— Coitadinho! Mas escuta! Hoje, como você vai viajar eu também quero fazer um carinho e... Eu te prometo que não vou ter mais vergonha.

MERGULHOU NO DELÍRIO. Conheceu misteriosas volúpias geladas. Ouvia o próprio riso. — "Sou eu que estou rindo." O riso estilhaçado. E, depois, sua nudez multiplicada nos espelhos.

Desperta. Letícia inclina-se sobre o seu rosto:

— Silene. Está me vendo? Sou eu, Silene.

Senta-se na cama. Olham-se. Silene põe uma mão em cada seio:

— Minha roupa.

Letícia passa-lhe a blusa. Silene, de costas para ela, faz a pergunta:

— O que é que você fez comigo?

Suspira:

— Nada.

Repete:

— O que é que você fez comigo?

Aproxima-se, lentamente (dá-lhe a calcinha):

— Quer saber, quer?

A pequena perde a cabeça:

— Bem que a mamãe disse. Mamãe tinha me avisado. Eu não pensei, mas…

Rápida, Letícia a segura pelo pulso:

— Tua mãe disse o quê? O que é que tua mãe avisou? Nem tua mãe, ouviu? Nem ninguém! Eu duvido!

Súbito, cai de joelhos. Abraçada às pernas de Silene, soluçava:

— Se você fugir de mim, eu te mato, ou me mato! Ó, Silene!

CAPÍTULO 103

Quando o juiz viu o carro do Tinhorão, teve uma dúvida honesta, quase indignada. Recua meio metro e aponta:

— Esse carro! Esse carro!

O outro parece lamber com a vista a lata velha:

— Que tal?

O juiz não queria acreditar. De olho aceso, anda circularmente. Coça a cabeça, pasmo:

— Vem cá, Tinhorão! Já não estou entendendo mais nada. Você acha que isso aguenta até Vaz Lobo? Aguenta, Tinhorão?

E o outro, com a sua clara pupila:

— Que piada é essa, meritíssimo? Duvida? Já fui com esse carro a Teresópolis!

Olhando os pneus, a decadência da carroçaria, a ferrugem fatal, o juiz não se contém:

— Outra coisa. Você me desculpe, mas é uma curiosidade. Você me diz que seu *rendez-vous* é o carro. Mas escuta: — as pequenas não estranham esse *rendez-vous*?

Riu, numa vaidade feliz:

— Mas se elas gostam! Preferem!

Dr. Odorico faz a volta e ocupa o assento, ao lado do chofer.

Geme, realmente escandalizado com o interior do veículo:

— A gente vive aprendendo!

Numa graça meio triste, exagera, para si mesmo: — "Aqui dentro deve ter até ratazana!". Na direção, o jornalista torce a chave. Houve, ali, um solavanco alarmante que ameaçou o carro de desintegração. Mas, enfim, partiram. E, então, o juiz quis mudar de assunto. O episódio do apartamento ainda o entalava. Subitamente começou:

— Tinhorão, sabe que eu não aguento mais a humildade do Sobral Pinto?[84]

O rapaz chegou a tomar um susto:

— Sobral o quê?

E o juiz limpando um pigarrinho:

— Pinto, Sobral Pinto. Grande homem, não há dúvida.

— O Sobral?

— Exato — o Sobral. Grande homem, mas tudo tem um limite. Menos as cartas do Sobral. Já reparou que as cartas do Sobral são ilimitadas? São. Um simples *post scriptum* do Sobral é do tamanho de *E o vento levou*...

O motor do carro começou a pipocar. O juiz, porém, vendeu seu peixe até o fim:

— O que eu queria dizer era o seguinte: — o Sobral tem a humildade mais ululante do Brasil. Mais ululante e mais agressiva. Tudo o que acontece, já sabe. Vem o Sobral e esfrega a humildade na cara da nação.

Tinhorão insinua:

— Boa figura.

E o juiz:

— De acordo. Ótima. Mas que diabo! Eu acho que o Sobral...

Para um pouco e elabora uma nova imagem:

— Sabe o que faz o Sobral? Empunha a humildade como um estandarte e só falta fazer evoluções de rancho.

Avisa à Engraçadinha:

— Uma esquina antes do meu edifício, eu paro e você salta.

E ela:

— Salto. Vou sozinha?

— Convém, meu anjo. É bom. Você deve entrar e sair sozinha.

Chega-se para o rapaz:

— Querido, não te esqueças. Sou Engraçadinha e não Janet. Olha: — me chama de Engraçadinha: — respira fundo e completa, recostando a cabeça no seu ombro: — Senão eu tenho ciúmes dessa Janet.

Entram na rua onde ele morava. Uma esquina antes do edifício, Luís Cláudio encosta: — "Décimo segundo andar, apartamento mil e dois". Baixa a voz:

— Deus te abençoe.

Engraçadinha fez o caminho lentamente. Repetia, no medo pueril de um lapso: — "Décimo segundo andar, mil e dois". Desde que entrara no carro, experimentava a sensação constante de que a luz a atravessava. Quando passa pelo *hall* do edifício, dizia para si mesma, um pouco atônita: — "Eu não tenho direito de ser tão feliz".

Durante vinte anos, deixara-se possuir sem dizer jamais uma palavra. Veio, no elevador, com dois sujeitos. Um deles enche a voz:

— O Guimarães Rosa é pura excitação verbal. O sujeito é ouvinte do seu texto e não leitor. Mas a partir da trigésima página, sentimos um irremediável tédio auditivo. *Grande Sertão: veredas* torna-se uma audição para surdos.

Os dois desconhecidos iam para o último andar, que era o décimo quarto. Engraçadinha saltou no décimo segundo. A porta do 1.002 estava entreaberta. Corre e empurra. Luís Cláudio abre os braços:

— Minha carícia!

No elevador, o mesmo indivíduo insiste:

— Guimarães Rosa pode ser um gênio. Mas é a maior monotonia verbal de todos os tempos. Dirá você que é um problema de acomodação auditiva. Mas, das duas, uma: ou o sujeito aceita o Guimarães Rosa e repudia os outros; ou prefere os outros e chuta o Guimarães Rosa.

EM PÉ, JUNTO à porta, cicia:

— Posso te fazer uma pergunta?

— Faz.

Ela, com uma vergonha muito doce:

— Tenho um corpo bonito?

Apanha entre as mãos o rosto de Engraçadinha:

— Duvida?

— Responde.

Traz Engraçadinha pela mão:

— Senta aqui no meu colo. Escuta: — há anos, ouviu? Há anos que eu não vejo um seio bonito.

Recua a cabeça:

— Mentira!

Ele a beija, de leve, no pescoço:

— Juro e olha. Tão difícil, no mundo inteiro, um seio bonito. E o teu é lindo! Não sei como pode existir, não sei. Uma coisinha tão linda. Te digo mais. Escuta, escuta: — sabe que teu seio é tão bonito que até perturba um pouco o meu desejo?

Abraça-se a ele:
— Nunca ninguém me falou assim! É a primeira vez e... Juro que é a primeira vez...
Curva-se:
— Janet!
Desprende-se, atônita. Recua diante dele:
— Não sou Janet!
Levanta-se:
— Engraçadinha!
Ela se lança nos seus braços:
— Perdoa, meu amor! Há tanto tempo que eu não amava! Há tanto tempo que eu não tinha ciúmes!
Estão abraçados:
— Engraçadinha, olha!
E ela, passando os dedos no seu rosto como uma cega encantada:
— Deixa eu falar! Escuta, eu te disse que...
— Vem!
— Um momentinho! Eu te disse que ia te fazer um carinho... Um carinho que eu nunca fiz e que eu condeno nos outros. Um carinho que...
— Faz.
Esconde o rosto:
— Mas tenho medo.
— De quê?
— Vergonha!
Dá-lhe bruscamente um beijo na orelha e pergunta:
— ...Se eu fizer esse carinho, você não vai pensar que... Te juro que não fiz com ninguém nunca... E que...
Puxou-a:
— Engraçadinha, olha para mim, olha! Entre homem e mulher, vira o rosto para mim! Entre homem e mulher não há perversão possível. Agora, vem! Não há perversão...
Subitamente, carregou-a no colo. Ela chora:
— Diz que meu seio é bonito. Diz, querido, ah, querido!
Sentia-se perdida para sempre. Nem sentiu quando Luís Cláudio liga o rádio de cabeceira e abriu o volume. Ele a chamava ora de Janet, ora de Engraçadinha. Quando a beijou no ventre ela pensou que a mulher não devia sobreviver a certas carícias. Súbito, crispa a mão no braço de Luís Cláudio. Faz o apelo:
— Agora, deixa eu ir um pouquinho por cima. Deixa!

CAPÍTULO 104

Diante do espelho, Engraçadinha retocava a pintura dos lábios; pouco atrás, Luís Cláudio faz o nó da gravata.

Com o batom suspenso, pergunta:

— Gostou?

Olhava-o pelo espelho. Luís Cláudio aproxima-se. Inclina-se para beijá-la na orelha:

— Estou apavorado!

Vira-se:

— Por quê?

E ele:

— Acho que vou me apaixonar.

Guarda o batom:

— Eu já estou apaixonada.

Ergue-se. O rapaz põe as duas mãos nos seus quadris:

— Você é corajosa?

Desvia o olhar:

— Covarde.

Quis beijá-lo, mas lembra-se que iria marcá-lo de batom. Passa a mão na sombra áspera e quente de sua barba:

— Querido! Até hoje, eu não sei como tive coragem de vir até aqui. Eu juro. Olha pra mim: — juro que nunca. Tenho vinte anos de casada e nunca, ouviu? Nunca traí meu marido. Eu não tive um amante, juro! Você acredita? Responde: — acredita, eu não tive um amante. Você é o primeiro.

Disse:

— Eu sei, eu sei!

E ela, depois de olhá-lo, com brusco desespero:

— Você diz que sim, mas não acredita. Escuta: — e outra coisa. Você me achou — responde a verdade! — Você me achou muito experiente, experiente demais? Achou?

Ria:

— Você, meu bem...

— Eu não tenho experiência nenhuma. Nenhuma. Fiz coisas que... É porque era você... Nem meu marido, ouviu? Luís, olha: — eu sempre fui ignorante em amor. Eu não sabia nada. Nem tive amantes, nunca!

— Bobinha.

Então, segurando-a pelos dois braços, fê-la calar-se:

— Agora sou eu que falo. Escuta: — eu te perguntei se és corajosa. És?

— Depende.

Calca o cigarro no fundo do cinzeiro:

— Vamos fugir?

Repete, espantada:

— Fugir?

Fez Engraçadinha sentar-se no seu colo, novamente. Ela cruza os braços, num súbito frio. Aquilo estava na cabeça: — "Fugir". Luís Cláudio baixa a voz.

— Fugir, sim. Fugir simplesmente. É tão simples fugir!

Para ele a fuga era de uma simplicidade terrível. Repetia: — "Deixar tudo e fugir". Engraçadinha sente um arrepio violento que se irradia por todo o seu ser. Tem um espanto:

— Mas eu sou casada!

— Deixa eu falar.

E ela:

— Tenho filhos!

Ergue a voz:

— Olha! Sei que, hoje, os amantes não fogem. Ninguém foge. Mas olha: — sabe para onde a gente podia fugir?

Levantou-se:

— Luís, ouve, Luís! Eu tenho um filho homem. Se ele souber que... Deixa eu falar, Luís. Se ele souber que eu tenho um amante. Deus me livre e guarde, mas se souber, sabe o que ele faz? Ele me mata ou te mata e, depois, se suicida. Já te contei que Durval tem ciúmes de mim como um namorado? Tem!

Trouxe Engraçadinha para seu colo:

— Podíamos ir para Brasília.

— Brasília?

E ele:

— Presta atenção. Não chora, Engraçadinha. Está chorando por quê? Lá, eu tenho amigos. Escuta. Enxuga as lágrimas. Toma o meu lenço e enxuga.

Assoa-se no lenço de Luís Cláudio:

— Fala.

Ele toma as suas mãos:

— Clóvis Peixoto, esse meu amigo, que é uma flor, ele podia ajudar. Quando eu estive lá, no mês passado, ele arranjou um jipe e... Largo o Itamaraty, largo tudo. Você vem comigo. Arranjo um emprego braçal. Ouviste? Braçal!

Há um silêncio. Olham-se. Luís Cláudio começa a sofrer:

— Você não pode ser de dois. Você compreende? Compreende, Engraçadinha? Escuta! Você acha que pode ser de dois? Não pode ter um marido e um amante.

Letícia a segura pelo braço:

— Você almoça comigo.

— Nunca!

— Deixa de ser boba. Almoça e olha.

Desprende-se:

— Letícia, eu conto à mamãe que...

Baixa a voz, numa sôfrega humildade:

— Silene, faça o que você quiser. Mas isso não impede que... Almoçamos e eu te conto umas coisas. Há coisas que você precisa saber. Leleco vai precisar de dinheiro. Não vai?

A menina vacila. Letícia insiste:

— Sim?

Suspira:

— Almoço, mas é a última vez!

— Vem, anda, vem.

Almoçaram no próprio hotel. Com um mínimo de voz, Letícia não para de falar:

— Vocês não vivem. Isso não é vida. Fala! Isso é vida? Meninas bonitas, que têm tudo para viver e não vivem. Moram numa casa que francamente... Você com apresentação, bem-vestida, já imaginou?

Silene apanha uma azeitona com um palito:

— Papai ganha muito pouco!

Inclina-se, vivamente:

— Mas claro! Quer dizer que... Você vai se estragar por quê? Olha, Silene. Eu tenho uma ideia. Uma porção de ideias. Você quer ser rica? Quer ser rica? Rica de verdade?

Ergue o olhar:

— Rica?

Umedece o lábio com a língua. A outra continua:

— Você casa com Leleco. Gosta dele? Casa com ele, pronto. E aí nós três...

Balbuciou:

— Nós três?

Disse, com certo desespero:

— Sim, nós três. Você quer ser rica? Leleco não tem onde cair morto. Nós três, por que não? E você não teria dever nenhum. Comigo, não. Escuta, criatura, raciocina! Vocês morariam comigo, porque não têm dinheiro. Ou não é? Tudo que é meu. Eu sou rica, muito rica. Tudo que é meu passará a ser teu. Queres?

Custa a responder:

— Depende.

A outra disse a última palavra:

— Eu não tocarei na sua vida. Você poderá ter marido, está ouvindo? Escuta o resto.

Lentamente, sem desfitá-la, com um olhar duro, completou:

— Poderá ter marido e poderá ter amantes.

ATÉ A CIDADE, viajaram em silêncio. Só ao passarem pelo monumento aos pracinhas é que, subitamente, Engraçadinha fez a reflexão em voz alta:

— E se me virem contigo de automóvel?

Respondeu, com outra pergunta:

— Vamos fugir?

— E meu marido? Meus filhos? Não amo meu marido, mas tenho pena. Se você soubesse a pena que eu tenho de meu marido. E nem quero que meu filho… Meu filho se mataria.

Vira-se para Engraçadinha, com surdo sofrimento:

— E eu? Você fala dos seus filhos. E eu? Pensa em todos e não pensa em mim. Eu só penso em ti. Escuta, Engraçadinha: — eu disse que ia me apaixonar. Menti. Já estou apaixonado.

Dobraram a rua México. Por um momento, Engraçadinha encostou a cabeça no seu ombro:

— Te amo.

De perfil para ela, sonha:

— Não sei se você vai ou não. Mas, amanhã, quando eu chegar em Brasília, vou tratar de arranjar um lugar para nós dois. E se você não for, eu estarei, lá, te esperando, sempre…

QUANDO ENGRAÇADINHA CHEGOU em casa, encontrou Leleco, Amado Ribeiro, o dr. Odorico e Silene. Letícia chegou pouco depois. Entra, faz um cumprimento geral e chama Engraçadinha. Vão para o quarto. Engraçadinha está impaciente: — "Que é?". Disse, simplesmente:

— Te vi, ainda agora, com teu amante.

CAPÍTULO 105

Engraçadinha diz, num sopro de voz:

— Não ouvi.

E a outra, muito doce:

— Te vi com teu amante. Eu. Você com seu amante. Ainda não ouviu? Engraçadinha, eu vi você com o seu amante.

Rosto a rosto, desafia:

— Sua mentirosa!

E Letícia, com uma falsa doçura:

— Negas?

— Nego!

Segurou-a pelo braço:

— Olha para mim. Assim. Responde: — queres que te diga onde e como?

Puxa o braço:

— Escuta, Letícia! Eu conheço você. Você gosta de mulher, Letícia! Gosta e...

Para, desesperada. Letícia ergue o rosto:

— Vi, escuta, Engraçadinha. Vi você com um homem no carro.

Tem medo:

— Era um amigo.

— Que mais?

Improvisou, febrilmente:

— Um amigo que. O Zózimo conhece. Um amigo.

Tiritava diante de Letícia. Repetia, fora de si: — "Um amigo". E diria, outras vezes, numa fixação que a enfurecia: — "Amigo, amigo". E pensava: — "Letícia não acredita numa palavra do que eu estou dizendo!". Ainda assim, continuou:

— Eu estava esperando a condução. Ele passou, me viu. Deu uma carona.

Parecia mentir para si mesma. E quando finalmente Engraçadinha saturou-se da própria imaginação, Letícia trinca os dentes:

— Posso falar? Então, escuta. Não era amigo.

— Amigo.

E a outra:

— Amante. Tão amante, escuta, Engraçadinha! Tão amante que, na cara de todo o mundo, você recostava a cabeça. Recostava a cabeça no ombro desse rapaz. Ou minto? Diz na minha cara: é mentira?

Aterrada, Engraçadinha lembrava-se de que, por um momento, colara o corpo ao dele e... O automóvel passava pela Loja do Artigo do Dia, embaixo do jornal luminoso. O tráfego entrava, ali, num espasmo medonho. Cinco horas da tarde. E Engraçadinha não entendia o impudor do próprio abandono.

Violenta, mas em voz baixa, a outra dizia:

— Eu procurava um táxi e vi. Ninguém me contou, eu vi! Engraçadinha com um amante! Bonito rapaz, lindo! Agora, Engraçadinha, escuta. Fala pra mim: — é mentira?

Perdeu a cabeça:

— Letícia, olha! A única pessoa no mundo que não pode falar de mim. Não pode falar de ninguém. É você. Eu não admito que você...

Pergunta, melíflua:

— Tens ou não tens um amante?

Falava apaixonadamente, mas sem elevar a voz:

— Letícia, eu sei aonde você quer chegar. Sei. Eu vi como você olhou para minha filha. Mas se você, olhe o que eu estou avisando. Se você tiver a audácia, o atrevimento, eu...

Agarrou-a com violência:

— Você fará o quê?

Começa a chorar:

— Eu mato...

A outra exaltou-se também (controlando a voz para não ser ouvida):

— Cala a boca! Cala a boca ou... Você quer que eu vá lá fora, agora mesmo. E diga a seu filho, à própria Silene, diga ao juiz, que você, hoje...

Nesse momento, batem na porta:

— Mamãe, quer vir aqui, um instantinho?

Era Durval. Engraçadinha faz um esforço sobre si mesma: Sorri, entre lágrimas, como se o filho a pudesse ver:

— Já vou, meu filho.

As duas olham-se, em silêncio. Antes de sair e passando a mão nas lágrimas, Engraçadinha diz, sem violência e quase doce:

— Ai de você, Letícia, ai de você se tocar num cabelo de minha filha. Se minha filha há de se prostituir que, seja com um homem e não com...

Assim que Engraçadinha abandona a sala com Letícia, Silene vira-se para o juiz:

— Quer me dar uma palavrinha, doutor Odorico?

Tinhorão chegara, ali, e logo tomara conta do ambiente. Nascera com o dom das intimidades instantâneas. Na casa de Engraçadinha, foi, desde o primeiro momento, um íntimo de tudo, das pessoas, dos móveis e até do São Jorge. Ao ver Silene, arremessou-se:

— E a nossa capa do *Cruzeiro*? Precisamos tirar as fotografias! Ainda hoje, o Accioly me perguntou: — "Como é? Você traz ou não traz a menina?". Precisamos ir lá!

Atônita, Silene balbucia:

— Não sei se posso e...

Quando chega Engraçadinha, Tinhorão sopra para o juiz, num radiante escândalo: — "A mãe é melhor do que a filha". Dr. Odorico empertigou-se, pessoalmente tocado. Fez um esgar de nojo, como se o jornalista fosse um fauno e tivesse pés e cheiro de bode. Reage: — "Contenha-se, Tinhorão, contenha-se!". Mas o rapaz era inexpugnável aos apelos dessa natureza. E insistia, ao ouvido do juiz:

— A mãe também dava uma boa capa pra *O Cruzeiro*!

Esse desejo indiscriminado irritou, de vez, dr. Odorico. Virou-lhe as costas e foi-se colocar na outra extremidade da sala. Foi então que, na ausência de Engraçadinha e Letícia, Silene trouxe o juiz para a cozinha:

— Escuta, doutor Odorico, eu menti.

O outro balbucia:

— Mentiu?

Não estava entendendo nada. Inclina-se para a menina (está surpreso e descontente). Silene fala depressa:

— Não foi Tinhorão. Eu disse que foi, mas... Foi Leleco. Entende? Foi Leleco.

Era demais para a credulidade do juiz. Dando voltinhas em torno da garota, e sem altear a voz, lamentou-se abundantemente:

— Eu, um juiz! Uma menina de doze anos. Catorze, não é catorze? Uma menina de catorze anos. E faz de mim gato e sapato. De catorze anos!

Não disse, mas pensou: — "Hoje em dia, uma menina de onze anos é mais corrupta do que um Nero!". Ele próprio teve consciência do exagero amargo. Encara Silene:

— Em que é que ficamos? E se não for também o Leleco? Se foi outro? Aqui, entre nós, que ninguém nos ouve: — eu preferia que fosse o Tinhorão. Pelo menos, justiça se lhe faça: — ele não matou ninguém. Pode ter outros defeitos, mas não é assassino.

Na varandinha, Leleco pergunta ao Amado Ribeiro:

— Você acha que...

O repórter disse tudo:

— Olha, rapaz! Você quer saber a verdade? No duro, no duro? A verdade batata? Você está num mato sem cachorro. Pelo seguinte: se você matasse uma mulher. Escuta, escuta! Se fosse um caso de amor normal... Mas você foi mexer com quê? Meu chapa, no Brasil a pederastia é uma potência. A besta do Phocion tem razão!

— Mas eu não podia…

Calou-se, porque Durval aparecia. O rapaz teria admitido a presença do Amado, do Tinhorão, de qualquer outro. Mas contraiu-se ao ver o juiz. Ao mesmo tempo, o dr. Odorico pensa: — "Esse menino me odeia!". Durval dardejara-lhe, de passagem, um olhar de extrema malignidade. Lívido, o rapaz vai chamar Engraçadinha. E quando as duas aparecem, Amado Ribeiro lança a ideia:

— O advogado deve ser o Phocion.

Dr. Odorico faz espanto: — "O Jacarandá branco?". Amado Ribeiro tem um riso largo e insolente:

— Mas doutor Odorico! Qualquer advogado é um jacarandá. Ministro, juiz, desembargador, tudo é jacarandá. Ou não é?

O juiz rosna. O repórter não lhe dá atenção:

— Vamos ao que interessa. O advogado é quase tão voraz como o psicanalista e o anestesista. O Phocion quer dinheiro. Há dinheiro?

Silêncio. Embora uma coisa não tivesse a menor relação com a outra, o juiz ratifica para si mesmo: — "Não pago ao Medina um tostão da geladeira". Decide também: — "Amanhã, vou arrancar os quinhentos cruzeiros da 'Árvore de Natal'". Letícia, que estava sentada, ergue-se. Disse, sóbria e incisiva:

— Há dinheiro. Eu me responsabilizo por todas as despesas.

DURVAL ESTÁ COM Engraçadinha, na pequenina área:

— Mamãe, eu avisei. Eu disse à senhora, não disse?

— Escuta, Durval! Deixa de ser criança!

E ele:

— Hoje, eu arrebento esse juiz!

CAPÍTULO 106

ACHOU QUE PODIA dominá-lo, outra vez. Disse, crispando a mão no seu braço forte:

— Durval, você parece que não pensa, que não raciocina!

E ele:

— Mamãe, olha. Na Prolar, o que a senhora fez comigo, mamãe! A senhora pediu e eu...

— Durval!

Continuou, fora de si:

— Naquele dia, eu, como um boboca, nem sei o que me deu — obedeci. Mas hoje, mamãe! Esse velho teve a audácia de... É um sem-vergonha, mamãe! Deu a geladeira porque, e eu...

Olhou o filho com uma curiosidade nova e sofrida. Havia qualquer coisa de pungente e desesperador nessa beleza de homem. — "Como se pode ser tão bonito!", pensava. Agarrou-o pelos dois braços:

— Olha para mim.

Respira fundo:

— Estou olhando!

Súbito, Engraçadinha sente medo. Pela primeira vez, medo do filho e... Houve um silêncio. (Sua vontade era fugir desse olhar.) Começa, ofegante:

— Escuta, Durval. Essa mania de... — para, desviando a vista. Deixa passar um momento e ergue novamente o olhar: — Você duvida de sua mãe?

Silêncio. Repete:

— Duvida?

— Por quê?

Engraçadinha sente as entranhas geladas. Ele sempre fora um menino nas suas mãos; ela sempre dominara as suas fragilidades. Subitamente, o desconhecia. Deixara de ser o menino incerto, perdido, e seu rosto era uma máscara hirta de ódio. Pergunta:

— Você duvida? Duvida de sua mãe?

Engraçadinha sentia-se no limite do grito. Disse para si mesma: — "Se ele não responder, eu vou gritar, meu Deus, eu vou gritar!". O rapaz foi implacável:

— Mamãe, a senhora jura. Eu nunca na minha vida, nunca, mamãe, duvidei da senhora. Achava que qualquer uma podia trair, menos a senhora. Eu achava, mamãe, que a senhora...

Com a boca contraída, Engraçadinha pensa: — "Será que ele me viu também? Será que todo o Rio de Janeiro me viu — com a cabeça recostada?". E já lhe parecia que uma cidade inteira, que todos os olhos de uma cidade estavam na esquina de São José com avenida.

Durval continuava, baixo e febril:

— Mamãe, a senhora vai me jurar. A senhora está diferente, mamãe. Eu sinto que a senhora está diferente. Preciso da sua palavra. A senhora jura...

Cerra os dentes:

— Juro!

— Jura que nunca...

Respondia, desatinada (embora prendendo a voz):

— Juro!

— Jura pela minha vida. Pela minha vida, mamãe! A senhora quer me ver morto como não fez, até agora, nada que uma esposa não possa fazer?

A voz lhe fugia:

— Juro!

Teve uma última dúvida:

— A senhora é, como eu penso, a mulher mais decente do mundo?

— Sou!

Ao mesmo tempo, pensava: — "Fala, como se soubesse! Mas ele não sabe! Ninguém sabe! Só a Letícia sabe!". Súbito, o rapaz curva-se. Apanha as mãos de Engraçadinha e beija a palma de uma e outra:

— Mamãe, eu cheguei a pensar que... Mas vejo que... Escuta, mamãe: — a senhora me deu a maior felicidade de minha vida...

E, então, Engraçadinha baixa a voz:

— Mas o juiz...

Corta:

— Ah, não, mamãe! Esse vai apanhar! Apanha, mamãe, não tem nem castigo!

— Durval, vem cá!

Ele entrou na sala. Fora de si, Engraçadinha corre:

— Durval!

Seu medo era que, ali mesmo, o rapaz agredisse o juiz. Mas Durval atravessou a sala, sem olhar para ninguém. Deixou atrás de si um furioso e geral:

— Boa noite!

Dr. Odorico, que percebeu o rompante, resmunga, para si mesmo: — "Animal!". Tomava-se de ódio contra o rapaz. E odiava também o Amado Ribeiro (não perdoava ao repórter o ultraje ao Judiciário).

TUDO RESOLVIDO. O dr. Phocion, que o juiz chamava de "Jacarandá branco", ia ser o advogado de Leleco. O Tinhorão ficara ao lado do repórter:

— O que dá, no Brasil, é jacarandá por toda a parte. A nossa ficção é feita por jacarandás. Aliás, está certo.

Tinhorão só via uma saída para a ficção do Brasil: — apelar para a boçalidade genial, homérica, miguelangesca de todos nós e de cada um de nós. — "Ser boçal, mas fidedigno", parecia-lhe a única solução literária e vital do brasileiro. Repetia: — "Sejamos jacarandás do estilo".

Ao ver Engraçadinha, dr. Odorico precipita-se. Baixa a voz: — "Há uma novidade e...". Ela, numa infelicidade total (e muito pálida), pede: — "Chega aqui". Encaminhou-se para a varandinha, seguida do juiz. Alguém na sala estava dizendo:

— O Guimarães Rosa quer que todo o mundo faça pirâmide e não biscoito. Mas o que é a obra do Guimarães Rosa senão uma pirâmide de confeitaria?

Exausta de sofrer, suspira:

— Queria lhe pedir um favorzinho.

Inclinou-se, felicíssimo:

— Pois não.

Longe de Luís Cláudio, tudo lhe parecia sem sentido. Era como se ela estivesse vivendo uma falsa vida. Começava a odiar os pequenos deveres e as pequenas ocupações. Sorri para o juiz, com sacrifício:

— Queria adiar nossa conversa para amanhã.

Diz, vivamente:

— Mas surgiu um fato novo! Um fato da maior gravidade! — e insistia, baixo e cavo: — Um fato que exige providências imediatas!

Foi delicada, mas inflexível:

— Odorico, escuta. Estou sem cabeça para nada. Por favor, sim? Amanhã e olha: — eu passo lá, ao meio-dia.

Controlou-se:

— Está bem. Amanhã. Quer dizer que... Mas escuta: — sentindo alguma coisa?

Com surda irritação, suspira:

— Nada. Dor de cabeça, mas... Vai, Odorico, vai.

Com um agudo sentimento de frustração, ele caminha na frente. Na sala, faz o convite risonho:

— Vamos, Tinhorão?

Pouco antes, aparecera Guida. E o jornalista instalara-se com a moça, num canto, aos cochichos. Tinhorão contava que um dos seus carros mais recentes mergulhara num galinheiro, aliás o galinheiro de uma única galinha. Guida não entende. O outro teve de explicar: — "Deixei o carro no alto de uma ladeira. De repente, ele arranca sozinho, trepa, rola e desaba no tal galinheiro". Este assassino da galinha solitária ainda lhe pesava na consciência. Dr. Odorico insiste:

— Vai, Tinhorão?

Respondeu, num cordial descaro: — "Fico". O Amado Ribeiro contava não sei o que a Silene. Indignado, dr. Odorico deduz: "Todo o mundo tem o sexo na cabeça!". E até Leleco o irritou:— "Cantam a pequena na cara dele!". Finalmente, o juiz despede-se:

— Bem. Até mais ver.

E a sua humilhação foi ainda mais aguda porque Engraçadinha não o acompanhou até a porta. Assim que o juiz saiu, ela encaminha-se para o quarto. Crispa-se, ao sentir que Letícia vem atrás. No quarto, desespera-se: — "Vê se me deixa em paz!". Quis adiar o sacrifício:

— Te falo amanhã. Passo no hotel. Te falo amanhã.

Letícia disse, simplesmente:

— Teu silêncio pelo meu silêncio!

Recua e encosta-se na parede; balbucia: — "Mas não é possível! Criatura, você tem coragem de. Sabendo que eu sou a mãe de...". Baixo e violenta, corta:

— Você não ama? Não tem esse homem?

— Mas eu sou mulher e ele é homem! Homem, percebeu? Posso amar um homem! Não posso amar um homem? Não é meu marido, mas é um homem!

Durval saíra, desesperado. Entra, um momento, no bar. Pede, rouco de angústia: — "Manda uma batida!". Gostou de queimar a garganta. Pousa o cálice, paga e vem para a esquina. Uma menina da vizinhança (bonitinha, mas enjoativa) surge no portão para olhá-lo. Uma meia hora depois, aparece dr. Odorico. Ia passar quando Durval o segura:

— Vem cá! Chega aqui!

Balbucia:

— Olá.

Durval aperta mais o braço frágil do juiz com a sua mão potente. Dr. Odorico quer resistir: — "Mas que é isso?". Durval começa:

— Seu velho indecente! Sujo! Olha aqui, seu cachorro!

Capítulo 107

Quis desprender-se. Mas estava solidamente seguro. Durval trinca os dentes:

— Velho sujo!

E o juiz, estrábico de terror:

— Que é isso, menino?

Na euforia da força e do ódio, o rapaz deu-lhe umas sacudidelas:

— Escuta! Olha, escuta!

Arqueja:

— Eu podia ser seu pai!

Mais um safanão:

— Não fala! Cala a boca!

Sopra, com boca de choro:

— Mas eu não fiz nada!

E o rapaz, abrindo o peito largo e sólido:

— Se você puser outra vez os pés na minha casa...

Vinha, perto, uma senhora, com uma criança pela mão. Era uma conhecida. Durval disfarça. A Fulana sorri, de passagem:

— Dona Engraçadinha vai bem?

— Navegando.

Segurando o juiz pelos dois braços, Durval continua:

— Se você aparecer. Olha! Se aparecer...

Geme:

— Há um mal-entendido!

Ao mesmo tempo, pensava: — "Se ele não me largar, eu choro!". O outro tinha uma cintilação dura no olhar:

— Quando me encontrar baixe os olhos e atravesse a rua! Senão já sabe!

Teve a sensação de que Durval ia esmigalhar os ossos dos seus braços. Disse, rouco:

— Sou um velho!

Caíam-lhe as lágrimas (tão grossas e tão vivas! Que bem lhe fez esse pranto de velho e de fraco!). Súbito, foi arrebatado, suspenso. Era Durval que o arrancava do solo e o mantinha, no alto, pedalando o ar. Pensou que ia ser arremessado contra o muro:

— Se olhar novamente pra minha mãe, eu te mato! Da próxima vez, te mato!

Soluça:

— Pelo amor de Deus!

Pôs o juiz no chão. Enxota-o:

— Cai fora! Cai fora!

Cambaleante, a vista turva, as pernas bambas, atira-se para a frente. Mais algumas sacudidelas e teria se desintegrado como o carro do Tinhorão. Sua vontade era correr, gritando. Levava consigo um medo último e feroz: — "E se ele corre atrás de mim?". Estava tão fraco (e tão velho) que precisava caminhar rente à parede, raspando as grades, o muro. Chorava ainda. Mais adiante, virou-se um momento, para ver se o outro ficara para trás. Viu, a distância, a figura enorme, maciça, do inimigo. Graças a Deus, não o seguia, graças a

Deus! E o medo deu-lhe forças para alargar as passadas. Sentia em si, depois dos safanões, uma dessas velhices súbitas e totais. Naqueles poucos momentos, perdera até a noção da própria identidade. Foi só quando se meteu num táxi é que, subitamente, pôde reconstituir um pouco de si mesmo.

Disse ou, por outra, soluçou para o chofer:

— Cidade!

O motorista olha, com suspeita, esse passageiro esbaforido. Dr. Odorico respira fundo. Já não existia a ameaça direta e física. E, por alguns segundos, experimentou a alegria selvagem do homem salvo. Sofrera, porém, um massacre emocional. E teve que apanhar o lenço, às pressas, enfiá-lo na boca, para tapar o choro. Por mais estranho que pareça, só agora, na segurança de um táxi, é que se lembrou da condição de juiz. Repetia para convencer-se a si mesmo: — "Sou juiz!".

A cena não lhe saía da cabeça. Ele próprio sentia na sua pusilanimidade uma certa grandeza, uma certa plenitude. — "Eu, um velho, um juiz!" Apanhara uns petelecos, ele que, no bolso, trazia uma carteirinha — carteirinha que lhe dava poderes para requisitar força policial! Mas já lhe parecia que, mesmo para chamar a radiopatrulha, é preciso um pouquinho que seja de base física. Ao passo que ele, fisicamente, ele... Suas pernas eram fininhas, uns bambus, pernas e coxas. As canelas quase transparentes na sua fragilidade; um tórax mínimo de falso tísico. Admitiu para si mesmo: — "Ninguém sabe o que é o medo! Só eu!". Que importava a carteirinha no bolso, se o medo o travava — o grande medo?

Fez o resto da viagem numa meditação ardente e vazia. Foi ao passar pela esquina da rua Sete com Uruguaiana que dr. Odorico fez a si mesmo a pergunta:

— E agora? Com que cara vou olhar para Engraçadinha?

Depois de levar uns petelecos do filho, como desejar (simplesmente desejar) Engraçadinha?

Na casa de Engraçadinha, Tinhorão já contara toda a sua vida para Guida. Ele próprio não sabia o que era real ou folclórico na sua biografia. De mais a mais, tinha nojo físico da veracidade. Quase de saída, faz o convite:

— Quer ver um instantinho o meu carro?

(As fixações do Tinhorão ou eram as suas mulheres ou os seus carros.) Ele, que insinuava em tudo uma ironiazinha, falava agora com uma ardente seriedade:

— Meu carro é mil vezes melhor que o Cadillac.

Dizia isso com uma unção que a impressionou. Saíram os dois. E, lá, diante da espectral lata velha, Tinhorão perguntava: — "Tenho ou não tenho razão?". Guida ria:

— Estou com a minha cara no chão!

O jornalista não se deu por achado:

— Te digo. A lata velha tem a humanidade de uma cachorra prenha.

Guida desce do meio-fio. Passa a mão, de leve, no para-lama, numa inconsciente carícia:

— Estou gostando do teu carro!

Letícia faz uma boca sardônica:

— Você acha bonito ter amante?

Ergue o rosto:

— Eu não disse que tinha amante, disse? Não disse! Ou disse?

— Disse! Confessou!

Engraçadinha aperta a cabeça entre as mãos. Já não sabe mais o que pensar, o que dizer. Desafia:

— Pois tenho amante. Tenho. Eu não quis, não procurei. Aconteceu.

— Cínica!

Deixou-se insultar. E, por um momento, esquece a presença de Letícia. Parece falar para si mesma:

— Eu sei que não está certo, que não é direito. Sei. Devia me sentir culpada e queria me sentir culpada. Eu daria tudo pra me sentir culpada. Digo mais: — quando eu estou com ele, devia me sentir uma prostituta. Afinal, uma mulher casada, com filhos, não tem o direito... Mas ao lado dele, eu me sinto bem, tão bem! Eu me sinto mais decente. É como se o amante fosse o certo e o marido o pecado. Já não entendo mais nada. Estou tão confusa!

Letícia insinua:

— Você acha que seu filho pensaria assim?

Ao entrar na Sorrento, quase à meia-noite, dr. Odorico cruza com Mauritônio Meira.[85] O colunista alarga o riso nordestino:

— Meritíssimo!

Dr. Odorico passa, acenando com os dedos. Dado a melancolias, a depressões, invejava o riso contínuo, inestancável, do Mauritônio. — "Que sanidade!", era o despeito agudo do magistrado. Dr. Odorico descobre, numa mesa dos fundos, o Nelsinho Sena Neto, que muitos chamavam de Senador. Era outro que parecia entornar o riso de um cântaro inesgotável. Ao ver o juiz, arremessou-se. Quer arrastar o meritíssimo para a mesa. Dr. Odorico fez pé firme: — "Assunto particular!". E, então, o Nelsinho faz um espanto risonho:

— De pileque, meritíssimo?

Sentira o bafo de álcool. O juiz dá um risinho no ouvido do outro:

— Menino, já viu o Judiciário bêbado?

Nelsinho pede licença para pagar a despesa. Era um mão aberta irrecuperável. E, no entanto, ao que se dizia, não tinha de seu, de próprio, um tostão. Seria, digamos, um "Rockefeller de tanga", mas de uma tanga eufórica, suntuária, esbanjadora. (Um gênio para fazer dívidas.) Todavia, esse realizado levava uma única frustração. Ainda não conseguira bater ou sequer igualar o recorde de Jorge Jabour.[86] Este dera, certa vez, uma gorjeta de 150 mil cruzeiros. Não poder imitá-lo era a vergonha do Nelsinho. Depois de pagar a conta com uma abundância de rei Farouk, o Senador veio apanhar o dr. Odorico. Deu-lhe o braço e iam saindo. Os garçons faziam rapapés: — "Senador! Senador!". Lá fora, o juiz tem um novo risinho:

— Primeiro, deixa eu te explicar. Bebi, sim. Hoje, o Judiciário está bêbado. Mas olha: — tomei umas cachacinhas com segundas intenções. Pra me confessar a ti.

— Quanta honra!

Atravessam a avenida. Dr. Odorico vai dizendo: — "Só os bêbados se confessam. Eu, se fosse carola, enchia a cara antes do confessionário. Pra contar tudo na batata". Não acreditava na sinceridade dos sóbrios, dos lúcidos. E acrescenta, num lampejo inesperado: — "A confissão católica é, para a alma feminina, como um toque ginecológico, sem luva".

Sentam-se num banco da praia, de frente para a Ilha Rasa. O Nelsinho está numa curiosidade total: — "Mas qual é o drama?". E o juiz, já com vontade de chorar:

— Hoje, fizeram uma com o Judiciário! Veja você. Um garotão. Sujeito bonito, que devia estar cheio de mulheres e não tem mulher nenhuma. Deu uns petelecos no Judiciário! Uns safanões!

O outro deduz: — "Por causa de mulher?". A vontade do juiz é de chorar imediatamente:

— Mulher. Mas olha, Nelsinho, é uma senhora, ouviu? Honestíssima! — e repetia, num repelão: — Honestíssima! O menino é filho dessa pessoa. Mas escuta, Nelsinho! Juro. Você acredita em mim, Nelsinho? Tenho sido de uma discrição! De mais a mais, fiz despesas. Gastei do meu bolso. Do meu bolso, Nelsinho! E, apesar disso, o rapaz, que é um Tarzan. Me desfeiteia como se eu fosse um borra-botas! Está prestando atenção? Um dos três Poderes, Nelsinho, um dos três Poderes! O que é que eu devo fazer, Nelsinho? Diz. O sujeito é duzentas vezes mais forte do que eu! Devo fazer o quê?

Letícia segura o braço de Engraçadinha:

— Você é boa mãe?

— Por quê?

— Gosta de sua filha? Quer salvar sua filha?

Disse, sôfrega: — "Quero! Eu te agradeceria de joelhos, Letícia!".

Silêncio. As duas se olham. Letícia diz: — "Depende de ti". Espanto: — "De mim?". E a outra, lentamente:

— Escolhe. Ou sua filha ou você.

Engraçadinha recua:

— Ou eu?

CAPÍTULO 108

Letícia quer agarrá-la. Fora de si, Engraçadinha desprende-se:

— Eu não ouvi direito! Não é possível! Escuta, Letícia! Você disse que ou minha filha ou…

Teve no olhar um lampejo frio:

— Disse! Ou você ou sua filha! Uma das duas! E prefiro você! Prefiro…

— Demônio!

Engraçadinha recua. Balbucia ainda: — "Está louca!". Súbito, Letícia começa a chorar:

— Escuta! Deixa eu falar, Engraçadinha! O que interessa é o amor, o amor que eu sinto. Amor que… Muito maior que o teu! Eu faria tudo por ti, tudo. Mais do que você faria por esse homem. Responde. Olha para mim: — você largaria tudo pelo seu amante?

Disse, encostada à parede: — "Como?". E a outra, rouca e ofegante:

— Você largaria seu marido, seus filhos, sua casa por um amante? Teu amor é normal. Ele homem e você mulher. Quero saber e responde. Você deixaria tudo pelo seu amante?

Custou a responder:

— Não.

A outra exulta:

— É esse o teu amor normal?

Na sua euforia, aperta o braço de Engraçadinha. Com um riso surdo e feroz, disse o resto. Disse que o amor normal vive de pequeninos, de miseráveis escrúpulos, pudores, egoísmos e limites. Está cara a cara com a prima:

— Pois eu largaria tudo! Ouviste bem: — tudo!

Essa violência fazia Engraçadinha crispar-se de medo e de ódio. Foi falando e rindo:

— Queres morrer comigo? Agora, neste minuto? Eu morreria contigo, já. Você é normal. Mas olha: — uma coisa te digo. Se eu fosse você, teria vergonha...

Chorava. O que queria dizer é que Engraçadinha devia ter vergonha da normalidade e invejar a tara que... Engraçadinha ia dar uma resposta, quando batem, novamente:

— Engraçadinha?

Era Zózimo. Ela passa a mão nas lágrimas:

— Já vou.

Mas o marido, do lado de fora, queria apenas saber se podia tirar o jantar. Responde:

— Tira. Pode ir tirando.

O rosto de Letícia era uma máscara parada, inescrutável. Engraçadinha vira-se para a prima:

— Escuta. Aqui não podemos conversar. Passo no hotel, amanhã.

Disse, com ardente humildade:

— Olha. Não se esqueça do seguinte: — eu nunca mais olharia para Silene. Deixa eu falar. Silene seria para mim — está ouvindo? — sagrada. E, além disso, você continuaria a sua vida e... teria esse ou outros amantes, entende?

Respira fundo:

— Basta, Letícia!

Depois que viu o juiz sumir, lá longe, Durval volta para casa. Pouco adiante, encontra Janet, Iara e d. Araci. (Esta chegava de uma nova consulta com o Ceguinho.) Janet tinha sempre a impressão de que o via pela primeira vez. ("Como é lindo!", pensou.) Disse, transida de alegria:

— Vim te ver, já que você não dá bola!

D. Araci despedia-se, sôfrega:

— Escuta, vocês vão me dar licença, que eu vou ver meu filho. Até já. Vem, Iara.

O simples fato de olhá-lo fazia-lhe um bem desesperador. Suspira:

— Ah, Durval! Você não toma emenda. Prometeu que telefonava e quedê?

Mentiu: — "Serviço, muito serviço". Caminharam, lentamente, pela calçada; e quando a moça ia falar em Leleco, o rapaz antecipou-se, tumultuosamente:

— Imagina tu. Acabei de dar uns tabefes agora num cara.

Toma um susto: — "Brigou?". Enfia as duas mãos nos bolsos:

— Não chegou a ser briga. O cara é um velho. Um velho sem-vergonha. E se meteu a besta, já sabe! Comigo não tem esse negócio. Pode ser velho, mas folgou, rebento!

Janet para um momento: — "Mas velho, Durval?". Não entendia que ele, um forte bom, um gigante manso, pudesse agredir um sujeito que... Pergunta: — "Mas finalmente. O que foi que ele fez?".

E o rapaz, excitado:

— Olha, Janet. Você me conhece. Eu não brigo. Tenho horror de brigas. Mas não mexam com minha mãe ou com minhas irmãs. Porque eu não respondo por mim. E o velho se meteu a besta com mamãe. Logo com quem?

— Com dona Engraçadinha?

Subitamente, compreendia tudo. Sabia a adoração de Durval por Engraçadinha. Com o implacável senso comum feminino, quis aconselhá-lo: — "Não liga, Durval. Não dá bola!". Andaram mais alguns passos. Durval baixa a voz. Falou como se sonhasse:

— Às vezes, eu penso. No dia em que mamãe morrer. Não sei, escuta: — não sei como um filho pode perder a mãe e continuar vivendo. Eu quero morrer antes de mamãe. Ou, então, morrer ao mesmo tempo. Não, não. Quero morrer antes.

A seu lado, Janet pensa: — "Eu não existo. Nem as irmãs existem. Só a mãe dele existe".

SENTADO NO BANCO da praia (o mar começava a ventar), o juiz insistia:

— Eu não sou nenhum atleta. Um tabefe desse rapaz me mata. Dá uma opinião: — o que é que eu faço?

Tinha, ao fazer a pergunta, uma carinha de choro (estava para chorar a qualquer momento). Nelsinho foi de uma sucinta ferocidade:

— Dá-lhe um tiro!

Passa a mão na boca: — "Tiro?". A despeito da embriaguez, ou semiembriaguez, teve uma fina malícia: — "Não é próprio do Judiciário dar tiros a esmo!". Solta um risinho que logo recolhe. Agarra o braço do Nelsinho. (Precisava chorar o quanto antes. Tinha a impressão de que as lágrimas iam aliviá-lo.) Chora, finalmente: — "Nelsinho, um velho, eu sou velho! Tenho cinquenta e dois, não quarenta e oito, mas cinquenta e dois anos! E vem um rapaz...". Continua:

— Subi na vida com sacrifício. Sabe onde eu nasci? Em Mimoso do Sul, lá no Espírito Santo. Já ouviu falar em Mimoso do Sul? Não ouviu. Você conhece mal e porcamente o Espírito Santo. Pois bem: — eu nasci lá. E outra coisa, que eu te conto, porque estou bêbado. Minha família, ouviu? Minha mãe não era casada. Nem conheci meu pai... Deixa pra lá. Não interessa meu pai.

Já o Nelsinho queria arrastar o juiz:

— Vamos pra casa, meritíssimo!

Dr. Odorico resiste:

— Você acha que eu estou bêbado? Mas escuta. Sabe por que eu sou juiz? Porque nunca me ofendi. O segredo de tudo é não se ofender. Não se ofenda, Nelsinho, nunca! Só uma vez me ofendi. Pela primeira vez, me ofendi: — hoje!

Novamente, Nelsinho quer arrastá-lo.

— Dá o desprezo.

Resiste, ainda, numa teimosia meio bovina:

— Sou um velho e... Um velho, Nelsinho. Todo o dia minha mulher me atira a idade na cara! Mas que é que eu faço, Nelsinho, o que é que eu faço?

Nelsinho atira longe o cigarro:

— Atraca a mãe do rapaz! É a vingança!

O juiz estrebucha:

— Mas é honestíssima! Senhora honestíssima! E eu estou desmoralizado! Apanhei e não reagi. Mulher não gosta de covarde, de derrotado. Além disso, se eu conseguir. Se ela for a um apartamento. Posso ficar nervoso e... Entende?

Nelsinho foi de um otimismo total: — "Por que nervoso? O senhor vai naturalmente, como se...". Dr. Odorico protesta:

— Você não sabe. Olha, Nelsinho, você não sabe. E eu bebi pra te contar a minha intimidade sexual. Ultimamente, as minhas necessidades são muito espaçadas. Às vezes, passa um mês, dois, três, sem que... Nem me lembro...

Nelsinho bate-lhe nas costas: — "Impressão!". O juiz arqueja:

— Escuta! Eu queria levar comigo um remédio, um vidrinho no bolso. Na hora, se, por acaso, fosse preciso, eu... — E soluçava, atracado ao amigo: — Você sabe de um remédio?

O outro foi vago: — "Arranjo. Pode deixar". Vinha um táxi, que Nelsinho manda parar. Puxa o magistrado. Dr. Odorico, chorando, entra no carro. Foi resmungando, por toda a viagem: — "Eu nasci em Mimoso do Sul... E minha mãe era amigada...".

NA HORA DE dormir, quando Engraçadinha entrou no quarto das filhas, Matilde perguntava à Silene:

— Onde você arranjou isso?

Engraçadinha teve tempo de ver a calcinha leve, minúscula, um sonho. Atônita, faz um gesto: — "Vem cá". Leva a menina pela mão. Só na pequenina área é que, no seu desespero, pergunta:

— Quem te deu isso? Fala! Quem?

A princípio resiste: — "Ora, mamãe!". E acrescenta: — "Ninguém!". Engraçadinha contrai a boca: — "Diz a verdade! A verdade! Ou diz ou...". Começava a odiar essa menina. Ao mesmo tempo, pensa com um sofrimento intolerável que também fora assim. Naquela idade, rompia, do fundo do seu ser, uma contínua e mortal voluptuosidade. Fora de si, sacode a filha. Silene tem medo; balbucia:

— Foi Letícia!

Engraçadinha disse apenas, com um olhar perdido (parecia falar para si mesma):

— Eu vou matar Letícia!

CAPÍTULO 109

Não dormiu um único segundo. Ao lado, de barriga para cima, camisa rubro-negra (sem mangas), Zózimo tinha um sono total, de menino, de anjo. — "Não sofre", deduz Engraçadinha. De ponta a ponta da vigília, ela repetiu para si mesma: — "Letícia deve morrer". E já a via, deitada, as mãos unidas, o diáfano perfil das mortas, os cabelos gelados.

Levantou-se mais cedo. Abriu um pouco a janela e viu sumir, no alto, a última estrela da noite. Ao mesmo tempo, pensou em Luís Cláudio. Sentiu-se, então, no limite do sonho. Pouco depois, deixava o quarto. Quando Zózimo levantou-se, Engraçadinha estava fazendo o café. Pela primeira vez, ela achava um certo encanto nas pequenas ocupações da manhã.

Na sua camisa rubro-negra, ele escovava os dentes, em pé, na porta da cozinha. O dentifrício escorria-lhe como uma baba. Perguntou:

— Tudo azul?

Virou-se, um momento:

— Mais ou menos.

Não podia dizer-lhe: — "Tua filha deixou de ser virgem". Tampouco diria: — "Há uma mulher apaixonada por tua filha e por tua esposa". Nem iria confessar o amante. Com cara de sono, Zózimo ainda fazia espuma com a velha escova. De costas para ele, Engraçadinha começa:

— Zózimo, diz uma coisa — pausa e faz a pergunta: — Eu não tenho sido boa esposa, tenho?

Fez espanto:

— Por quê?

Suspira:

— Tenho a impressão que, como esposa, não sei — mas acho que fracassei.

O marido passa a mão na boca. Tem um riso largo:

— Que piada é essa? Escuta, você, que diabo! Eu acho você a melhor esposa do mundo, que é que há? Acho, dou-lhe a minha palavra! Ou você duvida?

Novo suspiro:

— Você é um anjo.

Ela ouvira alguém dizer, certa vez: — "Num casal, há sempre um infiel. É preciso trair para não ser traído". Pouco depois, Engraçadinha trouxe um cafezinho fresco, para o marido. Disse, então, com uma tristeza leve:

— Zózimo, olha aqui. Se algum dia, eu fiz alguma coisa que... — completa, vivamente: — Eu queria que você me desculpasse!

E dizia para si mesma: — "Talvez seja hoje o dia da minha morte". Olhava para tudo como se o fizesse pela última vez.

CERCA DAS DEZ horas, o Nelsinho Sena veio para a cidade. Desceu com o Meireles, de táxi. Este esbravejava:

— O Juscelino dá confiança demais à juventude, corteja a juventude. Mas escuta cá: — o que é o jovem? O jovem ou é um Rimbaud ou um débil mental, digno do SAM.

Nelsinho Sena estava pensando no juiz. Deixava o Meireles falar e nem prestava atenção à grandiloquência que viajava a seu lado. Na hora de saltar, o Meireles deu a última tirada:

— O inimigo de Brasília é um cavalo mal informado: — não sabe que está de quatro.

Desce o amigo e Nelsinho parte para o foro. Justamente, o dr. Odorico vinha chegando também. Há o abraço na calçada. O juiz arrisca a pergunta inquieta:

— Escuta, aqui, Nelsinho — ontem, eu falei demais, não falei?

Toda a sua timidez estava em efervescência. O outro, com a sua extroversão contundente e avassaladora, disse tudo:

— Doutor Odorico, o senhor não falou demais. O senhor falou como devia falar sempre, entendeu? E sabe por que é que eu estou aqui?

O magistrado olha em torno, agoniado:

— Fala baixo! Fala baixo!

E Nelsinho, baixo, mas taxativo:

— Eu estou aqui, porque, ontem, percebeu? Ontem, o senhor me encheu as medidas. Pela primeira vez, eu fiquei besta consigo.

A úlcera do juiz dava pinotes. Puxa o Nelsinho: — "Vamos subir?". No caminho, o outro ia dizendo:

— O senhor contou coisas lapidares! Por exemplo: — um detalhe genial, sabe qual foi? Quando o senhor disse que tinha nascido em Mimoso do Sul. Já imaginou o que é o sujeito nascer em Mimoso do Sul?

Dr. Odorico olhava o rapaz, de esguelha, com uma suspeita de pilhéria cruel. Súbito, Nelsinho o agarra, puxa-o para si, diz-lhe ao ouvido:

— Ah, outra coisa que me conquistou. Quando o senhor contou aquele troço sobre a sua família.

Dr. Odorico recua, num pânico profundo:

— E que foi que eu disse?

Estavam no corredor. Nelsinho atrai o juiz para uma janela:

— O senhor disse que sua mãe não era casada e que...

Dr. Odorico estava lívido. Crispa a mão no braço de Nelsinho:

— Pelo amor de Deus, Nelsinho, escuta. Eu te peço a maior reserva. Tenho inimigos, concorrentes. E se alguém sabe...

Nelsinho exulta:

— Achei isso lindo! Esse detalhe é um primor, uma perfeição!

Geme:

— E o ridículo?

Embora moderando a voz, Nelsinho passou-lhe um pito jucundo e triunfal:

— Esse preconceito contra o ridículo! É um equívoco obtuso e milenar! Pois se o bom, o gostoso, o sublime é o ridículo! Aqui entre nós, eu achava o senhor meio borocoxô. Mas, ontem, eu... Nem dormi direito pensando na nossa conversa. Vim aqui para lhe perguntar: — quer conquistar a dama?

Passavam advogados, funcionários, partes. De vez em quando, dr. Odorico precisava retribuir um cumprimento. Nelsinho tinha o dom de confundi-lo, desorganizá-lo. Aquele elogio ao ridículo pareceu-lhe suspeito e improcedente. Nelsinho empacava no seu ponto de vista: — "Só o imbecil não é ridículo!".

Queria convencer ao dr. Odorico de que, na véspera, ele fora de um "ridículo épico". Ao saber que "a dama" estava para chegar, esfrega as mãos, numa satisfação gratuita e profunda:

— Eu tenho a chave da conquista. É simples. O senhor faz o seguinte, presta atenção. Fala com a dama tal e qual falou comigo. Entende? Os pontos fundamentais são os seguintes: — o local do nascimento: — Mimoso do Sul é um achado; a mãe eternamente solteira, outro detalhe ótimo, e os sopapos que o filho lhe deu. O senhor diz isso — no mesmo tom de ontem — e a dama está no papo.

Novamente, o juiz desconfia de uma sórdida pilhéria. (Continua sem entender mais nada.) Nelsinho, porém, insiste: — "Não é com escrúpulos, pudores e dúvidas, que se conquista uma mulher". Súbito, o magistrado faz a pergunta pânica:

— E se essa senhora concordar? Eu não tenho o tal remédio. E vale a pena, assim desprevenido? Você não sabe de um estimulante — de preferência pastilha? — E explicou: — Pastilha toma-se até sem água. Conhece alguma? Não devo me expor a um contratempo e...

Outra preocupação do juiz era o apartamento. Nelsinho foi taxativo:

— Aqui mesmo. Por que apartamento? Aqui. O senhor vai para a sua sala...

— Tem o escrevente!

Riu:

— Chuta o escrevente. Quando a dama chegar, fecha a porta, entendeu? Fecha a porta e já sabe.

O juiz estava apavorado:

— Em cima dos processos?

— Mas claro! E por que não? Em cima dos processos! Não se incomode com o desrespeito. Chuta o escrevente!

Dr. Odorico arqueja. O fato de ser, como ele próprio dizia, "em cima dos processos", era a um só tempo estimulante e deprimente. Sente a úlcera em brasa. Baixa a voz, num apelo:

— E a pastilha? Se eu tivesse uma pastilha para uma eventualidade, ouviu? Para uma eventualidade!

Parou na porta:

— Dá licença?

Ergueu-se. Com as pernas bambas, a úlcera em fogo, precipitou-se:

— Entre. Vamos entrar.

E ela, suspirando:

— Quase não vinha.

Dr. Odorico começava a sofrer. Sem uma pastilha (ou um vidrinho) no bolso, sentia-se um desamparado, um vencido. E, subitamente, convencia-se de que o Nelsinho era um louco furioso. Toda a apologia do ridículo era pura e feroz insanidade. Enquanto Engraçadinha sentava-se, ele pensa: — "O Nelsinho devia estar amarrado num pé de mesa, e bebendo água numa cuia de queijo Palmira". Ao mesmo tempo, decide: — "É linda demais para mim. Eu sou velho e magro!". Imaginou-se nu e de sapatos, com as suas canelas espectrais. Pensa: — "Desisto e não pago um tostão ao Medina!". A renúncia fez-lhe um bem imenso. E, então, Engraçadinha faz a pergunta:

— O que é que você tinha para me dizer?

Dr. Odorico estava pensando no Medina. Especulava: — "Um sujeito que fez o Presépio da Cinelândia é vivo demais para cobrar a um juiz". E, súbito, acontece o imprevisível. Ele, que achava inexequível, acima das suas forças terrenas, fechar a porta, levantou-se e foi fazer esta impossibilidade. E, assim, trancou-se com Engraçadinha. Muito surpreso (e alarmado) da própria coragem, voltou. Imaginou que ela devia ter percebido a sua dispneia emocional. Todavia, Engraçadinha parecia meio alada e não teve nenhuma reação. Ele senta-se e ouve uma voz longínqua: — "Em cima dos processos". O ato de fechar a porta era, porém, o limite de sua audácia. Há um silêncio. De repente, o juiz levanta-se, aproxima-se e a agarra. Tudo aconteceu numa alucinação. De surpresa, deu-lhe um selvagem beijo na boca.

CAPÍTULO 110

Engraçadinha ergueu-se tão rapidamente que derrubou a cadeira. Recuou diante do juiz:

— Odorico!

Com uma brutal dispneia (a úlcera dava arrancos) o juiz estendia-lhe as duas mãos crispadas:

— Perdão!

Curva-se para apanhar a cadeira e já lhe parecia que ia ter um enfarte imediatamente. (Por mais curioso que pareça, desejou o enfarte como uma saída, como uma solução.) Estava indignado com o Nelsinho. Pôs toda a culpa, maciçamente, sobre o amigo. — "O Nelsinho é maluco! Irresponsável!" Ao mesmo tempo estava radiante com a própria audácia. Era o único e solitário atrevimento em toda a sua história de tímido, de frustrado. Engraçadinha, ofegante, erguia o rosto:

— Vou-me embora!

Na dor de perdê-la (não viveria sem esse amor), ia talvez atirar-se aos seus pés. Súbito, batem na porta. Engraçadinha, que já dera dois ou três passos, estaca. Descobre, só então, que estava trancada com o juiz. Pensa: — "Onde é que eu ando com a minha cabeça!". Vira-se para o dr. Odorico. Este abençoou um imprevisto que vinha distraí-los de um episódio intolerável. Pôs o dedo na boca, pedindo silêncio. Do lado de fora, estavam dois repórteres: — o Amado Ribeiro e o José Carlos Rêgo.[87] Em seguida veio o Ariel Wainer.[88] Amado insiste; e rosna para o José Carlos:

— Tem que ter alguém. Aquele cara disse que o Odorico já tinha chegado.

Batia de novo. José Carlos punha-se de cócoras e espiava no buraco da fechadura. Levanta-se, de olho rútilo: — "Mulher, rapaz!". O Amado foi de uma cumplicidade gratuita e esplêndida:

— Se é mulher, vamos fazer a pista. O homem está nas últimas e deve aproveitar.

Ariel fazia um discreto escândalo: — "Mas aqui?". Descendo as escadas, o Amado Ribeiro fala alto:

— A cama é um preconceito!

SEM RUMOR, DR. Odorico aproxima-se da porta. Percebe que os outros se afastam. Volta, então. Engraçadinha senta-se e começa a chorar. Por um momento, o juiz não sabe o que dizer e o que fazer. Vê, em silêncio, que ela abre a bolsa e apanha o lencinho. Naquela ocasião (ou em qualquer outra) tudo o que Engraçadinha fizesse, ele acharia perfeito e irretocável. O gesto da bem-amada, assoando-se ligeiramente, pareceu-lhe de um prosaísmo inefável. Súbito, lembra-se dos conselhos do Nelsinho: — "A mulher paga pra ter pena!". Segundo o rapaz, muitas começam pela piedade e acabam no erotismo mais deslavado. Curva-se para Engraçadinha e arqueja:

— Ontem, eu fui agredido pelo seu filho.

Deu-lhe a notícia e espiou o efeito. Engraçadinha ergue o rosto, vivamente:

— Agredido?

Notou o impacto e, impulsivamente, tratou de tirar partido. Exagerou, ou por outra: — nem precisou exagerar. O simples, o fato era em si mesmo ignominioso. Perguntava: — "Mas Durval?". O juiz comoveu-se a valer:

— Seu filho! Eu que, afinal de contas, podia ser pai, ou avô. Avô, não digo. Pai. E na minha idade, Engraçadinha! Pela primeira vez, eu chorei! Não me pejo de dizer que...

Na hora de falar "pejo" ia pronunciando péjo. Fazendo voltas em torno da cadeira da bem-amada, queria chorar outra vez:

— Eu podia, sim, podia! Podia requisitar força policial. Mas claro que, sendo seu filho, nunca! E escuta: — se eu chamasse a polícia, você já imaginou? Lá batem, Engraçadinha. O sujeito que apanha na polícia, quando sai é um trapo, deixou de ser homem e... Eu não faria isso com seu filho!

Pausa. Arqueja: — "Compreende por que eu a beijei?". Engraçadinha baixa a cabeça, põe a mão na boca, para não rebentar em soluços. Ele agora já não praguejava mais contra o Nelsinho. Pelo contrário: queria acreditar que, em matéria de psicologia feminina, o rapaz tinha um clarividente *métier*. Nelsinho ensinara: — "Qualquer mulher é suburbana. A grã-fina mais besta é chorona como uma moradora do Encantado e Del Castilho". Todos os pudores do juiz sumiram na voragem de uma confissão total:

— A vida não tem sido boa comigo! Tenho sofrido o diabo! E vou te dizer uma coisa. Olha, Engraçadinha: — eu nasci em Mimoso do Sul, que ninguém conhece. E minha mãe não era casada, entende? Não era casada!

Tiritava como que acometido de febre palustre. Percebia, no olhar de Engraçadinha, uma doçura nova e linda. Disse, num arranco:

— Meu êxito é uma ilusão. Qualquer êxito é uma ilusão. O êxito só faz Pedros Calmons. E o único problema da vida é não ser Pedro Calmon. Eu daria tudo, agora, já, para ter um beijo, um beijo não roubado, um beijo, Engraçadinha, e não roubado!

Chorava. Gostaria de dizer ainda: — "Fracassei como juiz também. Eu queria ser como o Aguiar Dias,[89] que não tem medo de nada. O Aguiar Dias dá murros em faca de ponta. Ser juiz é dar murros em faca de ponta!". Todavia, calou-se. Puxou uma cadeira e, ofegante, põe a mão em cima da úlcera.

Engraçadinha olhava para o juiz com uma curiosidade nova. Ele próprio estava espantadíssimo consigo mesmo. (Era a primeira vez em que, em toda a sua vida, repudiava o êxito.) Olhavam-se em silêncio.

E, então, Engraçadinha levanta-se. Aproxima-se. A princípio, ele chegou a pensar numa agressão. Ela inclina-se e pergunta:

— É tão importante assim um beijo dado e não roubado?

Geme:

— Engraçadinha!

Com uma feminina delicadeza, apanha o rosto do juiz entre as mãos. Beija-o numa face e, depois, na outra. Suspira:

— Adeus.

Sai lentamente, sem se voltar. Durante uns dez, quinze minutos, dr. Odorico não sai do lugar. Dir-se-ia que desabara sobre ele um edifício, com todos os andares. Por fim, levanta-se. Fora de si, atira-se para o telefone e liga para o Nelsinho. Despejou tudo:

— Você é um gênio! Um gênio!

— Funcionou tudo direitinho? E foi mesmo em cima dos processos?

Explicou:

— Não chegou a tanto, ou por outra. O caso é que fiz a choradeira e...

Nelsinho exultava: — "Mulher é dos extremos! Tanto gosta do Napoleão como do vira-lata!". Dr. Odorico reconhecia, numa vaidade triunfal:

— Eu sou o vira-lata!

Amado Ribeiro invade o escritório do advogado Phocion como um gângster:

— Vamos conversar, Phocion!

Meio assustado, pigarreia:

— Senta, Amado! E como vai essa figura?

Amado puxa a cadeira e baixa a voz: — "Manda a tua datilógrafa sair, manda, que eu vou dizer uns palavrões!". Phocion balbucia: — "Sair, por quê?". Começa: — "Deve haver algum mal-entendido!...". O colarinho duro (que ele abomina) começa a asfixiá-lo. Vira-se para a menina:

— Dona Mirtes, dá uma voltinha, dá, que eu tenho aqui um assunto que...

A datilógrafa levanta-se e abandona a sala. Há na sua blusa uma palpitação forte de seios. Amado entrou, como ele próprio diria mais tarde, "de sola":

— Escuta, Phocion! Eu sabia que você era um sujo, mas você está batendo todos os recordes! Te viram, ontem. Escuta, Phocion: — te viram, ontem, num *big* carro com a mãe do Cadelão! Você está querendo levar dos dois lados, mas olha!

Phocion passa o lenço na nuca e, em seguida, por todo o rosto:

— Calminha, Amado, calminha e escuta: — eu ia te telefonar. De fato, eu estive...

O outro interrompe, brutalmente: — "Faço a tua caveira!". Phocion abre os braços:

— Não é nada disso! Deixa eu falar!

Levantou-se e foi fechar a porta. Voltou e recomeça:

— Amado, vamos pôr as cartas na mesa. Você é vivo e eu sou vivo. Dois bicudos não se beijam. Escuta, Amado, escuta! Estive, sim, com a mãe do Cadelão. É a melhor mulher do mundo. E surgiu um negócio que pode dar muito dinheiro. Estás ouvindo? Como precisamos de cobertura jornalística, você leva o teu, entende?

Justificou-se: — "Não sou o primeiro advogado que...". Insiste: — "Continuo com o Leleco, como o principal advogado do Leleco, mas sabe como é". Amado levantou-se:

— Phocion, toma nota: — não há de ser um marmanjo como você que vai me comprar. Eu só me vendo à mulher e por carinho. Isso é uma. Outra: — estou dando em cima de uma irmã, prima ou coisa que o valha do Leleco. Não posso me sujar perante a família.

O outro pedia pelo amor de Deus: — "Não se exalte!". Amado disse o resto:

— Das duas uma: — ou você banca o honesto pela primeira vez na vida ou eu liquido você, em três tempos!

DR. ODORICO DIRIGE-SE ao balcão:

— Eu queria falar com o seu Medina.

— Ainda não veio. Só com ele?

— O gerente, por obséquio.

O juiz seguiu o caixeiro. Vivia o seu grande momento. Conseguira dois beijos, um roubado e outro dado. Não precisara nenhuma pastilha. E, na sua idade, e com os imprevistos da sua idade, havia no beijo a segurança ideal. O Nelsinho era um gênio!

O gerente inclina-se diante do dr. Odorico: — "Às suas ordens". E o juiz, com o ser iluminado:

— Eu comprei, há dias, uma geladeira, aqui. Queria pagar três prestações. O senhor quer ver pra mim? Odorico Quintela. Eu sou o juiz Odorico Quintela. Juiz, perfeitamente.

A PRÓPRIA LETÍCIA ABRIU a porta:

— Entra, entra!

Engraçadinha passa. Ficam em pé, um momento, caladas. Letícia disse, com súbito fervor:

— Ó, querida!

Fugiu com o corpo:

— Não me toque!

CAPÍTULO 111

LETÍCIA SENTIU MORRER toda a euforia. Pergunta:

— Você tem nojo do meu amor?

Respondeu, hirta:

— Não chama isso de amor!

A outra perdeu a cabeça:

— Escuta, sua cretina, escuta! Você pensa que seu marido, seu filho, seu amante gostam de você como eu? Queres que eu faça o quê? Queres uma prova? Eu te dou uma prova! Mas escuta!

Aperta o braço de Engraçadinha:

— Não vira o rosto! Não fecha os olhos! Olha pra mim, Engraçadinha! E não faz esse ar de nojo, não faz, Engraçadinha! Eu não sou uma leprosa! Olha pra mim, anda! Não me desafie!

A boca cerrada, Engraçadinha escondia o rosto. Então, a outra a sacode pelos dois braços, com frenética energia: — "Vira pra mim!". Parece morder as palavras:

— Eu tenho uma tara, e teu filho? Fala! E teu filho? Se a minha é tara, e teu filho?

Esganiçava a voz: — "E teu filho?".

Engraçadinha ergue, lentamente, o rosto:

— Meu filho?

Tem um riso feroz:

— Teu filho, sim! Sujeito bonito, lindo! Podia ter todas as mulheres e não tem nenhuma, por quê? Responde! Olha pra mim e responde! É porque ele só pensa em ti, não é?

Berra:

— Bruxa!

E a outra:

— É ou não é?

Engraçadinha cobre o rosto com a mão e chora. Sôfrega, a outra baixa a voz:

— Quero de ti um momento, um instante, e nada mais. Escuta, Engraçadinha! Um instante, apenas um instante. Depois, te juro. Queres que eu te jure? Te juro que fujo, desapareço, vou viajar.

Engraçadinha pensa que Luís Cláudio também pedira um momento. (Ela vivera esse momento, por entre clarões selvagens.) Letícia contrai a boca:

— Mas se você recusar. Se você me negar isso, eu vou, juro, vou agora, neste minuto, vou à Prolar e conto a teu filho. Digo a teu filho, escuta!

Agarra a prima:

— A meu filho, não!

— Digo a teu filho que tu tens um amante! Digo, juro! Vou à Prolar e digo! Ele vai saber, Engraçadinha!

Engraçadinha soluça:

— Se meu filho souber, ele morre! Ele se mata aos meus pés! Meu filho não resiste! Se meu marido souber, me perdoa! Meu filho, não! Durval não saberia perdoar. Olha, Letícia! Meu filho não pode saber! Meu marido perdoaria mil vezes e meu filho, não!

Engraçadinha vai sentar-se na cama. Mergulha o rosto nas duas mãos. Contida, Letícia deixa passar um momento; fala, quase sem voz:

— Então, olha. Eu saio de tua vida, saio, se você fizer uma coisa. Eu fico de longe, olha: — daqui. Fico daqui e você dali.

Apontava para o fundo do quarto. Continua, respirando forte:

— E você tira a roupa. É um instante. Eu quero te ver nua, mas olha...

Recua:

— Pra quê?

Letícia tem a sensação de que a febre sobe para os cabelos:

— Quero só ver e não te toco. Te olho de longe! Juro que fico de longe. Daqui. Só para olhar um pouquinho. Um minutinho, só. Se fizeres isso, escuta: — teu filho estará salvo, teu filho não será destruído e eu partirei. Sim, Engraçadinha? E não é tara, é amor.

Pausa. Engraçadinha pensa: — "Eu não tenho coragem de matá-la". Ergue-se:

— Adeus.

Como uma louca, Letícia passa-lhe na frente. Coloca-se diante da porta. Fala, na sua ânsia:

— Então, mostra um seio. Pronto. Basta um seio. Eu olho, só um seio. Pelo menos, isso! Só! Não custa, Engraçadinha, olha: — você puxa um pouco o decote, abre um pouco o decote. Só. Eu te deixarei ir, juro!

Novo silêncio. E, então, Engraçadinha, sem desfitá-la, sobe com a mão até o peito. Puxa o decote. O seio salta. Letícia diz para si mesma: — "Se eu pudesse beijar!". Sussurra, crispada:

— Seio de virgem.

Súbito, atira-se para a frente. Engraçadinha desprende-se, num movimento frenético e inesperado. Letícia está rouca: — "Tira o vestido!". Engraçadinha corre, abre a porta e sai. Desliza pelo corredor, rente à parede. Em vez de esperar o elevador, prefere a escada. Desce dois andares e só, então, para. Encosta-se à parede e tem vontade de morrer. Ao abrir a porta, para escapar, ouvira Letícia:

— Teu filho vai saber!

Entrou numa *bonbonnière*. Pediu à mocinha da caixa (uma judia): — "Dá licença de telefonar?". Disca para Luís Cláudio. Ele estava fora, em Brasília. Mas a simples tentativa era uma pequena delícia. Ia ouvir o telefone chamar, inutilmente. Teria uma breve e delirante esperança. E, depois, desligaria, sorrindo, de passagem, para a judia (uma moça quase triste, de olhar perdidamente azul). O telefone chama e, súbito, atendem. Julga desfalecer de felicidade:

— Luís?

Era ele. Por um momento, Engraçadinha teve vontade de rir e de chorar. A voz morria no fundo do ser. Luís Cláudio dizia, febrilmente:

— Coração! Escuta! Que bom você ter telefonado! Não fui pra Brasília! Agora mesmo, eu ia sair pra Vaz Lobo. Está ouvindo? Ia procurar falar contigo de qualquer maneira!

Ria agora e chorava. (A moça da caixa virou-se com uma moderada curiosidade.)

— Meu bem, não estou ouvindo! Olha! Deixa passar o bonde. Repete. O que é que você disse? Ah, sim! Estou ouvindo!

Não fora para Brasília. Apareceu no aeroporto, de blusa azul. E, lá, diante dos companheiros do Cerimonial, enfiou as duas mãos nos bolsos. Tinha um cigarro no canto da boca como um fadista. Anunciou, com um descaro total:

— Não vou.

Foi avidamente cercado. E, então, envolvido pelo Cerimonial, explica, atirando fora o cigarro e apanhando outro:

— Não vou pelo seguinte. Vocês deixam eu falar? Pelo seguinte: — eu estive pensando. O que é que eu tenho com a recepção do Eisenhower? O que é que eu tenho com o próprio Eisenhower?

Houve um apelo geral: — "Não brinca! Fala sério!". Continuou:

— Estou falando sério, seriíssimo! Nunca falei tão sério! E, além disso, não uso mais colete preto!

O chefe o segurou pelo braço:

— Luís, vem cá! Está quase na hora e...

Foi taxativo:

— Não vou! Estou informado de que cada um de nós é depositário de uma alma imortal. E o colete preto ofende, irrita e humilha a minha eternidade. Portanto, chau, boa viagem!

Acenou com os dedos e já se afastava. Uns três correram:

— Vem cá. Você bebeu?

Para, um momento:

— Nem água da bica. É um ponto de vista. Acho a minha alma imortal incompatível com o Itamaraty. E já contei pra todo o mundo. O Jorginho Guinle, a Norminha,[90] já sabem. Não há Eisenhower que me obrigue a pôr colete preto.

O Nelsinho Sena Neto não resistiu. Apareceu, lá no foro, levando o Otto Lara Resende. Queria fazer uma colheita de detalhes e no próprio local. O juiz era, digamos assim, um ser rútilo. Recebeu o Otto com um "olá" triunfal de um realizado. O Nelsinho, sequioso, olhava para as pilhas de processo e baixa a voz: — "Foi mesmo em cima dos autos!". Confirmou, exagerando a modéstia:

— Em cima dos autos!

Nelsinho cutuca o Otto Lara: — "Toma nota, que o detalhe é digno de Miguel Ângelo!". Ainda o Nelsinho baixa a voz: — "Tenho um questionário à Zola, para o meritíssimo responder". Dr. Odorico esfregava as mãos (o lábio tremia-lhe): — "Às ordens! Vamos ao questionário, vamos ao Zola!". Nelsinho pergunta: — "A dama ficou pelada?". O juiz faz um gesto que abrange todo o foro:

— Peladinha. Peladinha e sabe como é. O melhor, vocês não sabem. Eu me julgava muito mais velho. Mas correspondi, não decepcionei.

Vira-se para o Otto Lara: — "Você se lembra que eu até quis fazer psicanálise?". Explica ao Nelsinho:

— O Otto teve uma piada muito boa. Fina. Disse que o psicanalista é "uma comadre bem paga". Aliás, exploram muito. O Otto tem razão. A angústia pobre não tem vez. O barnabé não pode ser neurótico.

E essa obrigação, imposta ao analisado, de financiar largamente a própria angústia, parecia ao juiz um lúgubre escândalo. Dr. Odorico ajunta:

— Afinal de contas, só os ladrões é que podem ter angústia. Mas quem rouba é um realizado. O larápio tem uma sanidade de passarinho.

Na Prolar, Durval estava falando com o Hilton. Quando deixa o outro, vê, no balcão, acenando, Letícia. Aproxima-se, de mão estendida:

— Como vai?

Ela olha em torno. Baixa a voz:

— Durval, você pode sair um momentinho? Preciso falar contigo, um assunto de vida e de morte. É sobre Engraçadinha.

Capítulo 112

Ao fazer a curva do Morro da Viúva, a toda a velocidade, Luís Cláudio viu o Abdias do Nascimento,[91] num poste de ônibus. Parou um pouco adiante e chamava, aos berros:

— Abdias! Abdias!

Deu também uma frenética buzinada. O Abdias era um negro de rara e contundente vaidade racial. Parecia ter prazer de enfiar a cor na cara de todo o mundo. Na fronte erguida e ousada, e na máscara astuta e lasciva, havia algo de imperador Jones. Luís Cláudio conhecia-o de bate-papos nas madrugadas bêbadas. Nas suas cóleras, o Abdias mudava até fisicamente e como que adquiria a larga e maciça caixa torácica de um Paul Robeson. A distância, viu e reconheceu o Luís Cláudio. Aquilo caía-lhe do céu. Corre e, feliz, senta-se ao lado do branco bonito. Arrancam e o Luís Cláudio atira-lhe a notícia: — "Estou livre!". Ri, feroz.

— O Itamaraty estava sentado na minha alma! O Estado me pagava pra ser cretino! Acabou!

Abdias solta um pouco do riso grosso e racial:

— Vamos comemorar!

Luís Cláudio não podia. Naquele momento, não. Engraçadinha o esperava na Cinelândia. E, na sua euforia, instiga o outro: — "Fala, Abdias, fala!". E olhava, de esguelha, o companheiro. O que o impressionava no Abdias era o olhar de negro acuado, prestes a ser caçado a pauladas. O vento parecia dar tapas na cara de ambos. Excitados pela velocidade, começaram a falar alto. Abdias encheu a voz:

— O Brasil vive uma fase ginecológica!

Explicou: — o desenvolvimento traz um medonho estímulo erótico. Nunca o brasileiro foi tão obsceno. E insistia: — "É uma obscenidade histórica!". Fez ali uma generalização implacável. As mulheres, dos doze aos quarenta e cinco, emanam uma ativa voluptuosidade. É um problema de constatação visual: — os quadris femininos vibram mais e há um desejo surdo e geral fazendo crispar as nádegas até de meninas. Parecia-lhe nítida e taxativa a relação entre o sexo e a epopeia industrial.

Abdias pergunta:

— Você não acha que o meu raciocínio é batata?

Luís Cláudio exulta:

— Batata! E o que faz o romance brasileiro, que não vê isso? A nossa ficção é cega para o cio nacional! Por exemplo: não há, na obra do Guimarães Rosa, uma só curra!

O carro passa pela Mesbla e, felizmente, encontra o sinal aberto.

Antes, porém, de dobrar o Odeon, Luís Cláudio para:

— Abdias, olha. Tem uma dama me esperando, ali adiante. Salta aqui.

O outro pergunta, com a mão no trinco:

— Amando?

Teve um riso total:

— Amor no duro! Amor de folhetim da Vecchi![92] Olha, Abdias, vai!

Salta:

— Obrigado e...

O rapaz chama:

— Escuta, Abdias! Estando com o Guerreiro Ramos,[93] dá lembranças. Diz a ele que chutei o Cerimonial. E que, na vida, o importante é fracassar. E você também, Abdias: — não se esqueça de fracassar.

Acena e parte. Abdias vai a pé. Tem um pouco essa frustração cândida do negro que os brancos ainda não mataram a pauladas. (Com o uniforme exato, de listras douradas, seria o próprio "imperador Jones".) Luís Cláudio segue até o Pathezinho. Engraçadinha está lá. Muito olhada, passa pela frente do carro e vem sentar-se ao lado do rapaz. Está numa angústia radiante:

— Meu bem, vamos sair daqui! Pelo amor de Deus, vamos!

Pelo espelhinho, ele olha se vem algum carro. Engraçadinha cobre a metade do rosto com uma das mãos.

Durval baixa a voz:

— Um momentinho, Letícia.

E ela, vibrante, mas contida:

— Durval, olha. Eu estou com um pouquinho de pressa.

O rapaz foi até a última mesa. Inclina-se:

— Seu Hilton, eu precisava sair um instante. Mas não demoro. É pertinho.

O outro examinava uns documentos:

— Não demora.

Apanha o paletó e vai ao encontro de Letícia, que já o esperava voltar na porta. Ela teve a ideia:

— Que tal se a gente fosse, ali, na Cavé?

Caminharam, lentamente, na direção da Uruguaiana. Durval arrisca: — "Alguma novidade?". Está com um princípio de angústia. Com uma tristeza muito leve, quase imperceptível, Letícia responde (não consegue sorrir):

— Mais ou menos. É sobre tua mãe. Ela esteve comigo, mas não sabe de nada.

Instintivamente, apanha o braço de Letícia:

— Você está me assustando.

Letícia não responde. (Novamente, sente a febre subir do fundo do ser.) Era hora de movimento na Cavé. Duas senhoras deixam uma mesa dos fundos. Durval precipita-se e toma o lugar. Sentam-se. Letícia começa:

— Vou falar rápido porque. O que é que você toma? Eu quero, deixa eu ver. Qualquer coisa. Traz suco de laranja. Sem gelo. Ou por outra: — gelado. Traz gelado.

O garçom afasta-se. Durval escolhera, ao acaso, um sorvete de abacaxi. E, então, Letícia fala (com arrepios intensos e constantes):

— Ainda tenho que passar no tabelião. Mas, como eu ia dizendo: — vou viajar. Vou viajar e não sei quando volto, nem se volto. Depende. Talvez não volte nunca mais. Olha, Durval: — eu quero deixar tudo providenciado, inclusive a defesa de Leleco. Agora presta atenção. Eu trouxe, aqui, um cheque, para depositar, na Prolar, em nome de Engraçadinha. Ela não sabe.

— Em nome de... mamãe?

Param um momento, porque o garçom vem servi-los. Letícia não tocara no suco de laranja. Abre a bolsa:

— Toma. Está aqui o cheque.

Durval apanha e, maquinalmente, lê a quantia. Estupefato, relê: — "Cinco milhões de cruzeiros!". Letícia contrai a boca para prender um riso nervoso:

— Meu bem, não faça comentários. Olha. Eu deposito na Prolar, porque assim, compreende? Engraçadinha pode tirar, imediatamente.

Durval relê ainda: — "Cinco milhões, Letícia?". A vontade do rapaz é explodir em soluços, ali, em plena Cavé. Letícia quer sorrir:

— Querido, eu não tenho ninguém. Estou só no mundo. E Engraçadinha foi a pessoa que eu... Você é muito novo, Durval, e talvez... Mas olha — haja o que houver, tua mãe é uma santa. E outra coisa. Já estive no tabelião e, aliás, vou passar por lá, daqui a pouco. Vê que horas são, no teu relógio? Ah, sim. Ainda disponho de tempo. Escuta, Durval. Depois você fala. E nem precisa agradecer. Tua mãe é minha herdeira.

— Letícia!

Continuou, cerrando as mãos por debaixo da mesa:

— A qualquer momento, eu posso morrer. Posso, claro. Não sou eterna e basta um atropelamento para que...

Ela falava com o lúcido fervor de quem conhece o próprio destino. Finalmente, antes de se levantar, disse:

— Eu queria te pedir um favorzinho. Essa carta aqui. Você, quando chegar em casa, hoje, entrega à Engraçadinha. Assim que chegar, você entrega. Diz que, ou por outra: — não diz nada. E agora, vamos. Eu passo na Prolar para depositar. Escuta: — vê se a Prolar te dá uma comissão pelo depósito...

Primeiro, Luís Cláudio queria levá-la para uma praia misteriosa, que, segundo ele, teria dálias selvagens. Depois, corrigiu: — não eram dálias, mas pitangueiras. Engraçadinha reage: — "Nem brinca! Eu tenho hora de chegar!". Insiste: — "Lá não vai ninguém. Você pode entrar n'água nuazinha!." E ela:

— Banho de mar, sem molhar os cabelos, ah, não! Prefiro teu apartamento!

O desejo fazia do rosto de ambos uma máscara taciturna e cruel. Só quando já se aproximavam do apartamento é que, bruscamente, disse:

— Me viram contigo.

— Quem?

O carro dobrava uma rua. Engraçadinha chora de ódio:

— Uma miserável, uma bruxa me viu e quer fazer chantagem, a desgraçada! Mas olha! Vamos mudar de assunto! Hoje, eu quero ser feliz e vou ser feliz! Enquanto eu estiver contigo, eu...

Pensa: — "É a última vez! Ele não sabe que é a última vez! Querido, é a última vez!". Luís Cláudio com a mão livre a puxa para si: — "Você sabe que conta comigo e que...". Interrompe:

— Meu bem. Fala de mim e de ti. Fala de nós. Quando a gente chegar no apartamento, eu queria. Nem sei o que queria. Quero tanta coisa. Você tem outras? Tem, sim. Não fala. Hoje, eu quero esquecer tudo.

E, pouco depois, quando entram no apartamento, Engraçadinha se lança nos seus braços. Beija e é beijada. Pede: — "Morde um pouco. Morde. Um pouquinho. Se doer, não faz mal. Mas não marca. Pode marcar". Hirta de volúpia, diz e repete:

— Ó, como é bom! Como é bom!

Luís Cláudio desprende-se, ofegante:

— Agora quero te ver. Toda. Quero te olhar. Tira tudo.

Ela se desabotoa, com uma espécie de cólera. Pensa: — "Se Letícia morresse! Se essa miserável morresse!". Luís Cláudio contempla, atônito, aquela nudez ereta e vibrante. Aproxima-se, lentamente. Engraçadinha apanha seu rosto entre as mãos: — "As outras têm o corpo mais bonito?". E, súbito, soluça:

— Quero ser amada como se nunca mais...

Luís Cláudio baixa o olhar:

— Como teu seio é lindo! — a voz lhe foge: — Lindo como o seio que nunca foi beijado!

E ela, perdida:

— Esquece tudo. Esquece. Eu quero esquecer tudo. Mas tenho medo de gritar. Se eu gritar, tapa minha boca.

Foi agarrada, levada, numa espécie de rapto brutal. Houve um momento em que ela gritou. Luís Cláudio fechou-lhe a boca com um beijo. O grito morreu no fundo do ser.

QUANDO ENGRAÇADINHA CHEGOU em casa, Durval já a esperava. Ela estava exausta de prazer, saturada de sonho. O filho estendeu-lhe um envelope fechado. Um pouco febril disse apenas: — "Da Letícia". Engraçadinha abre ao mesmo tempo que fala para si mesma: — "Essa bruxa!". Começa a ler:

"Engraçadinha: — Quem te fala é uma morta. Eu já morri. Quando leres esta carta, estarei entre os mortos. Vai parecer desastre e tu dirás que foi desastre. Ninguém desconfiará de um atropelamento. *Darling*: — só te peço uma coisa: — acredita no meu amor. É amor e não tara. Na hora de morrer, eu não mentiria. É amor, *darling*, só amor. Para sempre. Já morri e é amor. *I love you, I love you, I love you* — Letícia."

Ao lado, excitadíssimo, o filho está falando em cheque, em herança, em depósito. Engraçadinha não ouve nada.

Aproxima-se lentamente da janela. Olha a noite. No alto, uma estrela brilhou mais clara.

Notas

1. John Barrymore (1882-1942), ator estadunidense reconhecido como grande intérprete de obras de Shakespeare no teatro. Também fez elogiados trabalhos no cinema mudo e falado. Seu perfil marcante lhe rendeu a alcunha de "O grande perfil".

2. Relativo ao Partido Social Democrático (PSD), fundado em 1945 e extinto em 1965, pela ditadura militar (1984-1985). O partido tinha viés pró-getulista, em oposição à União Democrática Nacional (UDN), fortemente antigetulista e cujo líder mais célebre foi Carlos Lacerda (1914-1977).

3. *A nossa vida sexual. Guia e conselheiro para todos com respostas a todas as questões* era um manual de felicidade conjugal para jovens casais escrito pelo médico alemão Fritz Kahn (1888-1968), conhecido por seus trabalhos ilustrativos sobre a fisiologia humana e por obras de educação sexual. Lançado no Brasil em 1940, o título figurou, por anos, como um dos mais vendidos da editora Civilização Brasileira. Nele, o autor defende ser saudável o sexo apenas entre pessoas legitimamente casadas, como meio de fortalecer o amor; orienta sobre práticas sexuais higienistas; estabelece papéis para homens e mulheres; e rejeita práticas consideradas "desviantes", como a homossexualidade e outras liberdades sexuais.

4. Jackson de Figueiredo (1891-1928) foi um advogado, professor de literatura, jornalista e político nordestino. Tinha uma postura em tudo anticlerical, mas converteu-se ao catolicismo em 1918, sob influência de Tristão de Ataíde, pseudônimo de Alceu de Amoroso Lima (1893-1983). A partir de então, passou a ser um católico fervoroso e anticomunista, fundando um centro que reunia leigos para a divulgação da doutrina. É autor do romance póstumo *Aevum* (1932).

5. André Gustavo Paulo de Frontin (1860-1933), engenheiro e político, titulado Conde de Frontin, com intenso trabalho na antiga Capital Federal, Rio de Janeiro. Epitácio Pessoa (1865-1942), diplomata, jurista, procurador-geral da República e presidente do Brasil entre 1919-1922.

6. Republicano mineiro, Delfim Moreira da Costa Ribeiro (1868-1920) presidiu o Brasil entre novembro de 1918 e julho de 1919, assumindo o lugar de Rodrigues Alves, que, eleito para um novo mandato, não chegou a tomar posse, vitimado pela gripe espanhola. Segundo as leis de então, Delfim repassou o cargo a Epitácio Pessoa e voltou a ser vice. Morreu nesta função, não se sabe se de sífilis, esclerose ou alzheimer — daí a sua fama de "louco". Em notícia de 2 de julho de 1920, dia seguinte à sua morte, o *Estado de S. Paulo* afirma não ser o defunto dono de "qualidades brilhantes". O governo federal decretou luto nacional de oito dias; Epitácio Pessoa determinou que fosse enviado a Santa Rita do Sapucay, em Minas Gerais, cidade onde falecera Delfim, "o maior contingente possível de forças do Exército". Ironicamente, embora tendo sido um presidente pouco significativo — a mesma insignificância que o narrador afere à tia Ceci —, ganhou funeral de grande chefe de Estado.

7. Na tentativa de controlar a varíola, é sancionada a Lei da Vacina Obrigatória, em 31 de outubro de 1904. A campanha de vacinação se deu sob as orientações do sanitarista Oswaldo Cruz; no entanto, sem ações eficazes de informação e com os rumores — que duraram anos — de que a dose seria aplicada nas partes íntimas das mulheres, eclode, no Rio de Janeiro, o episódio conhecido como a Revolta da Vacina, um motim popular contido violentamente. Para saber mais sobre a questão, indica-se a leitura de *A Revolta da Vacina: Mentes insanas em corpos rebeldes*, do historiador Nicolau Sevcenko (São Paulo: Editora Unesp, 2018).

8. José Eduardo Macedo Soares (1882-1967), também conhecido por J.E., foi um jornalista, defensor do movimento tenentista da década de 1920 e fundador do *Diário Carioca* (1928), pai da arquiteta e urbanista Lota de Macedo Soares. Segundo Cecília Costa, autora de *Diário Carioca: o jornal que mudou a imprensa brasileira* (Biblioteca Nacional, 2012), a homossexualidade de J.E. ganhou ecos através do jornal *A Noite*, de Geraldo Rocha (ex-sócio de Irineu Marinho): a maledicência divulgada dava conta de que Macedo Soares teria se apaixonado pelo neto do barão de Amparo, Horácio de Carvalho, que esteve à frente do *Diário Carioca* até seu fechamento, em 1965. Horácio foi casado com Lily Lamb, que anos depois se tornou a viúva de Roberto Marinho.

9. Benedito Valadares (1892-1973) foi um jornalista e político mineiro, governador de Minas Gerais entre 1934 e 1945, nomeado por Getúlio Vargas. Mais tarde, foi Valadares quem nomeou Juscelino Kubitschek como chefe da Casa Civil do governo de Minas e, anos depois, para a prefeitura de Belo Horizonte, na década de 1940, alavancando a carreira política do futuro presidente do Brasil.

10. Encouraçado *Aquidabã*, uma das principais embarcações da Armada Imperial Brasileira. Teve uma vida célebre: seus canhões foram utilizados na tomada do poder pelos republicanos, em 1889; em 1893, na Revolta da Armada, teve como comandante o almirante Custódio de Melo, um dos líderes da rebelião contra o governo de Floriano Peixoto. Em janeiro de 1906, quando se encontrava fundeado na baía de Jacuecanga (Angra dos Reis), o *Aquidabã* sofreu uma grande explosão; partiu-se ao meio e afundou. Das 310 pessoas a bordo, 212 morreram.

11. Adolphe Jean Menjou (1890-1963) foi um ator estadunidense que estrelou filmes mudos e falados.

12. Manuel Pedro Villaboim (1867-1937), magistrado e político recifense radicado em São Paulo, também foi diretor do jornal *Correio Paulistano.*

13. Os jornalistas e escritores Wilson Figueiredo (1924) e Otto Lara Resende (1922-1992) foram amigos íntimos de Nelson Rodrigues, que costumava transformar pessoas de suas relações em personagens de peças, crônicas e romances. Mas nenhum outro nome figurou tanto nas obras de Nelson quanto Lara Resende, que, segundo se confirma na biografia de Nelson Rodrigues, *O anjo pornográfico*, escrita por Ruy Castro (São Paulo: Companhia das Letras, 1992), não gostava nem um pouco disso: via a atitude como gozação. Sua mais conhecida aparição numa obra rodrigueana se deu na peça *Otto Lara Resende ou Bonitinha, mas ordinária*, de 1962. Lara Resende não assistiu ao espetáculo e ainda escreveu: "Entre ficar indiferente e matar Nelson Rodrigues, preferi o primeiro" (*Diário de Minas*, 16 dez. 1962).

Quanto a Wilson Figueiredo, uma observação: embora ele tenha nascido no Espírito Santo, foi ainda bebê viver em Minas Gerais — daí provavelmente vem a afirmação do narrador, de que dr. Odorico cumprimenta "dois rapazes de Minas". Outra hipótese talvez resida em Rubem Braga — capixaba —, que chamava de "mineiro do litoral" os nascidos no Espírito Santo.

14. Juraci Montenegro Magalhães (1905-2001), militar e político cearense radicado na Bahia. Udenista, foi três vezes governador do estado baiano. Carlos Lacerda (1914-1977), jornalista e político, foi um dos mais veementes líderes da UDN e inimigo número um de Getúlio Vargas. Em 1959, Lacerda passa a articular, dentro do partido, a candidatura do ex-governador de São Paulo, Jânio Quadros, à presidência da República, nas eleições de 1960. Jânio, propalado apartidário, era franco detrator da candidatura de Juraci Magalhães. Como se sabe, Jânio levou a disputa interna e, em 1961, foi eleito presidente do Brasil, renunciando poucos meses depois.

15. *Les Amants* (*Os amantes*) é um filme francês de 1958, dirigido por Louis Malle e protagonizado por Jeanne Moreau. A obra enfrentou a censura em muitos países, inclusive no Brasil, onde estreou apenas nos anos 1960. Conta a história bovaryana de uma mulher de 30 anos, casada e entediada, que mantém relações extraconjugais. A caminho de um jantar, ela recebe a carona de um homem (interpretado por Jean Marc Bory), que acaba se tornando seu novo amante. Há uma cena de sexo oral entre os atores, não explícita, apenas insinuada pelas feições de Jeanne — a primeira cena do gênero no cinema. Por causa do filme, Malle recebeu ameaça de excomunhão da Igreja Católica.

16. Série de TV norte-americana produzida entre 1954 e 1959, que fez grande sucesso no Brasil. Nela, o garoto Rusty (Lee Aaker) e seu cão Rin-Tin-Tin são adotados por tropas no Forte Apache, Arizona, e ajudam a manter a ordem da localidade.

17. Uma das mais tradicionais salas de cinema cariocas, o Cinematographo Pathé teve suas portas abertas na Praça Floriano, na Cinelândia, de 1907 a 1999, com cerca de mil lugares. Primeiro cinema a utilizar a linguagem do *art déco* no Rio de Janeiro, o Cine Pathé, ou Pathezinho, foi construído no contexto das inúmeras reformas urbanas empreendidas pelo prefeito Pereira Passos, na tentativa de "civilizar" o Rio de Janeiro, então Capital Federal. Entre elas, está a abertura da avenida Central (hoje avenida Rio Branco) e a expulsão de moradores, forçados a ocupar as periferias e os morros da cidade. Seu primeiro proprietário foi o famoso fotógrafo Marc Ferrez (1843-1923) e seus filhos, que firmaram um contrato com a Maison Pathé-Frères, de Paris, para a importação de filmes e equipamentos. Como virou costume, hoje o local é ocupado por uma igreja evangélica.

18. Carlos Lemos (1929-2015), jornalista, foi, ao lado dos colegas Odylo Costa Filho e Alberto Dines e do artista plástico Amilcar de Castro, um dos responsáveis pela reforma gráfica que revolucionou o *Jornal do Brasil* no fim dos anos 1950 e que fez escola na imprensa de todo o Brasil.

19. Raul Paranhos Pederneiras (1874-1953), chargista, professor e teatrólogo carioca, foi o fundador da Sociedade Brasileira de Autores Teatrais (SBAT). Entre seus trabalhos, estão a criação de ilustrações sobre a Revolta da Vacina para a *Revista da Semana*, ligada ao *Jornal do Brasil*, e as caricaturas das "Cenas da vida carioca", uma sátira aos costumes da classe média carioca. Na década de 1910, foi diretor artístico da revista *Fon-Fon* ao lado do também caricaturista, ilustrador, litógrafo e pintor Calixto Cordeiro (1877-1957). Anos antes, os dois amigos fundaram juntos a revista *O Tagarela*.

20. Instituto de Previdência e Assistência dos Servidores do Estado, criado por Getúlio Vargas em 1941, em substituição às antigas caixas de aposentadoria e pensão criadas nos anos 1920. Foi extinto em 1977.

21. Paulo Mendes Campos (1922-1991), mais um entre os "rapazes de Minas". Foi cronista, poeta, tradutor e jornalista. No *Diário Carioca* de José Eduardo Macedo Soares, manteve uma coluna diária chamada "Primeiro Plano". Por um curto período nos anos 1940, foi funcionário do Ipase.

22. Thomas Hezikiah Mix, ou Tom Mix (1880-1940), ator estadunidense e grande estrela dos filmes de faroeste do cinema mudo.

23. Pierre Loti (1850-1923), pseudônimo de Louis Marie Julien Viaud, foi um escritor francês e oficial da Marinha de seu país. Parte de sua obra literária é autobiográfica e está inspirada nas viagens que fez ao redor do mundo como marinheiro.

24. Corriam os anos do governo de Juscelino Kubitschek (1956-1961) e a reforma agrária já estava na pauta das vertentes nacionalistas da política brasileira, que se dividiam, basicamente, em duas: o nacional-desenvolvimentismo, de caráter liberal, e o nacionalismo econômico, defendido pelas esquerdas. Entre alguns políticos estava difundida a expectativa de que a reforma agrária só se daria por meio de uma revolução. Quanto ao posicionamento político de Nelson Rodrigues, sabe-se que era antimarxista, antiesquerda. Não injustamente vinculado à direita, seu pensamento apresentava-se sobretudo como contrário às ideologias de modo geral. Na peça *Toda nudez será castigada*, de 1965, por exemplo, um de seus personagens diz: "Só um canalha precisa de uma ideologia que o justifique e absolva".

25. O jornalista José Alves Pinheiro Júnior (1934) trabalhou, entre outros veículos, no *Jornal do Brasil* e no *Última Hora*, jornal fundado por Samuel Wainer (1910-1980) em 1951, no qual Nelson Rodrigues assinava a coluna "A vida como ela é..." e onde originalmente publicou, como folhetim, os capítulos de *Asfalto selvagem*.

26. Ib Teixeira (1939), jornalista e político. Elegeu-se deputado pelo antigo Partido Trabalhista Brasileiro (PTB); foi cassado pela ditadura militar e voltou ao jornalismo, especializando-se no estudo sobre violência urbana. No jornal *Última Hora*, no qual era colega de Nelson Rodrigues, assinava a coluna "Esse Rio aflito".

27. Raimundo Pessoa, jornalista, foi copidesque dos jornais *Última Hora* e *O Globo*, sendo muito próximo de Nelson Rodrigues. (Não foi possível identificar suas datas de nascimento e possível morte.)

28. Hedy Lamarr (1914-2000) foi uma atriz austríaca radicada nos Estados Unidos. Durante a Segunda Guerra, colaborou na invenção de um sistema de comunicação secreto, sem cabos e de longa distância, que servia para detectar torpedos nazistas. Esse sistema foi a base para a criação da rede *wi-fi*.

29. Paul Robeson (1898-1976), ator, cantor, atleta e ativista estadunidense dos diretos humanos. Foi o primeiro ator negro a interpretar o *Otelo*, de Shakespeare, na Broadway. Ao longo deste romance, Nelson Rodrigues irá utilizar características de Robeson para descrever vários personagens.

30. Arnaldo de Castro Nogueira (1920-2006) foi um jornalista e político paulista que legislou no Rio de Janeiro. Foi eleito vereador pela UDN em 1955 e reelegeu-se em 1958, apoiando a candidatura de Jânio Quadros à presidência da República. Também ocupou o cargo de diretor-geral da Rádio Nacional do Rio de Janeiro e apresentou, por anos, o programa de entrevistas *Falando francamente*, na TV Tupi.

31. Henrique Teixeira Lott (1894-1984), marechal que concorreu às eleições à presidência da República em 1960, vencidas por Jânio Quadros. Anos antes, em 1955, quando foram eleitos Juscelino Kubitschek e João Goulart para presidente e vice-presidente, algumas alas militares e civis francamente antigetulistas, lideradas por Carlos Lacerda, Carlos Luz e Café Filho, tentaram impedir a posse de ambos. Mas Lott, que era ministro da Guerra, determinou que a Constituição fosse cumprida. Então começou uma longa conspiração para a derrubada de Lott, mas Nereu Ramos, que presidiu o país até a tomada de posse da chapa Juscelino/Goulart, reconduziu o então general à pasta. Assim, o golpe militar foi adiado em nove anos, até 1964, quando não foi mais evitado. O golpismo era, portanto, algo que pairava no ar naqueles tempos.

32. Augusto Frederico Schmidt (1906-1965), poeta carioca e empresário, um dos principais representantes da segunda geração do Modernismo brasileiro. Ocupou o cargo de embaixador e conselheiro financeiro no governo de Juscelino Kubitschek. Em 1930, fundou a Schmidt Editora, que publicou grandes nomes da literatura brasileira; entre eles, Lúcio Cardoso, Graciliano Ramos, Rachel de Queiroz e Jorge Amado. Elmano Cardim (1891-1979), jornalista e escritor. Edmundo da Luz Pinto (1898-1963), advogado, escritor, diplomata e político, contrário ao Estado Novo de Getúlio Vargas.

33. José Ramos Tinhorão (1928), jornalista, historiador marxista, crítico e pesquisador musical, autor de uma série de livros sobre a história da música popular brasileira. Famoso por ser implacável e ácido em suas críticas, coleciona embates com grandes nomes da MPB e da academia.

34. Tristão de Ataíde, pseudônimo de Alceu Amoroso Lima (1893-1983), escritor, crítico literário, professor e um dos mais respeitados líderes católicos do país, sendo um dos fundadores da Pontifícia Universidade Católica (PUC) do Rio de Janeiro. Muito escreveu sobre o Modernismo brasileiro e, como articulista do *Jornal do Brasil*, posicionou-se contrariamente à ditadura militar.

35. Refere-se à revolução boliviana de 1952, chamada Revolução Nacional, liderada pelo Movimento Nacionalista Revolucionário (MNR). Importante fato político e social do país, a revolução distribuiu terras e adotou o sufrágio universal, dando direito de voto à maioria indígena-camponesa e às mulheres, entre outras medidas. Foi derrotada em 1964, quando militares tomam o poder.

36. O Disco foi a maior rede de supermercados do Rio de Janeiro até 1980.

37. Antonio Pinto Accioly Neto (1906-2001), jornalista, foi diretor da revista ilustrada *O Cruzeiro*, o maior sucesso editorial dos anos 1950 e 1960, célebre por suas inovações gráficas e grandes reportagens.

38. Justino Martins (1917-1983), jornalista, primeiro correspondente e depois diretor da revista *Manchete*.

39. Hélio Pellegrino (1924-1988), outro dos "rapazes de Minas", médico, psicanalista e escritor, também amigo de Nelson Rodrigues. Militou contra a ditadura militar e ajudou a fundar, em 1980, o Partido dos Trabalhadores (PT).

40. José Sette Câmara Filho (1920-2002), advogado, diplomata e político, foi o primeiro governador provisório do estado da Guanabara, criado em 1960. Também atuou como assessor político de Juscelino Kubitschek e chefiou a missão brasileira permanente na Organização das Nações Unidas (ONU). Foi um dos diretores do *Jornal do Brasil*.

41. Gustavo Corção Braga (1896-1978), engenheiro, jornalista, ensaísta e escritor. Conservador, converteu-se ao catolicismo por influência de Alceu Amoroso Lima.

42. Hermano Alves (1927-2010), jornalista e político. Trabalhou no *Correio da Manhã* e no *Jornal do Brasil*, onde assinava a coluna "Rondó". Contrário à ditadura militar, teve seus direitos políticos cassados e partiu para o exílio depois de instaurado o Ato Institucional nº 5 (AI-5), em 1968.

43. José Carlos de Oliveira (1934-1986), além de crítico literário, também cronista, era conhecido nos círculos boêmios como Carlinhos Oliveira. A maior parte de suas crônicas foi publicada no *Jornal do Brasil*.

44. Aroldo Wall (1929-1994), jornalista e crítico de cinema. Foi diretor da Associação Brasileira de Imprensa (ABI) e esteve à frente da Agência de Notícias United Press (UPI) no Brasil e da Agência Informativa Latino-Americana — Prensa Latina, fundada por Gabriel García Márquez em 1959. Trabalhou com Nelson Rodrigues no jornal *Última Hora*. Por causa da ditadura militar, exilou-se em Cuba, onde morreu.

45. Waldir dos Santos Braga, repórter fotográfico conhecido como Estrela, e José Miguel, chefe dos contínuos, ambos jornalistas do *Última Hora*. (Não foi possível identificar as datas de nascimento e possível morte de ambos.)

46. Luís Santos, também repórter fotográfico do *Última Hora*. (Não foi possível identificar as datas de nascimento e possível morte.)

47. Amado Ribeiro (1929-1992), grande repórter da editoria de Polícia do jornal *Última Hora*. Ribeiro também surge como personagem na peça *O beijo no asfalto* (1960): é o repórter que registra o atropelamento e o consequente beijo entre dois homens e instiga o delegado Cunha a efetuar a prisão de um deles, Arandir, e a explorar o suposto flagra de uma relação homossexual no jornal. No livro *A Última Hora como ela era*, o autor, o jornalista Pinheiro Júnior, revela que o colega Amado Ribeiro não gostava nada das participações involuntárias e pensou em processar Nelson Rodrigues.

48. Agnaldo de Freitas, jornalista, cobria para o *Última Hora* as atividades da Câmara Federal no Rio de Janeiro, antes da transferência para Brasília. Era irmão do craque botafoguense Heleno de Freitas. (Não foi possível identificar suas datas de nascimento e possível morte.)

49. Paulo Reis Aghiarian, fotógrafo, "mestre da imagem em movimento e do flagrante de rua", nas palavras do jornalista e colega Pinheiro Júnior, com quem trabalhou no jornal *Última Hora*. (Não foi possível identificar a data de nascimento; morreu, provavelmente, em 1980.)

50. Alfredo Moreira Júnior (1907-1998), conhecido como Zezé Moreira, e Manuel Agustín Fleitas Solich (1900-1984), paraguaio, ambos técnicos de futebol.

51. Abraham Medina (1916-1995), empresário judeu, produtor cultural e empresário, dono da rede de lojas Rei da Voz, que vendia sobretudo eletrodomésticos e discos, pioneira no comércio de geladeiras. Nos anos 1950, patrocinou programas de rádio e televisão e artistas, como Francisco Alves, seu amigo e cuja alcunha "O Rei da Voz" deu nome à cadeia de lojas.

52. Serviço de Assistência ao Menor (SAM), criado em 1942. Tratava-se de uma instituição pública para correção de adolescentes infratores, espécie de reformatório.

53. *Luta Democrática* foi um jornal carioca diário fundado em 1954 por Natalício Tenório Cavalcanti de Albuquerque e Hugo Baldessarini, antigetulistas e ligados à UDN. O periódico costumava adotar um tom sensacionalista, com fotos e manchetes apelativas e ambíguas.

54. Arnaldo Guinle (1884-1963), dirigente esportivo do Fluminense Football Club e fundador do Iate Clube do Rio de Janeiro. Foi importante incentivador do profissionalismo no esporte carioca.

55. Provavelmente o empresário e construtor Antonio Sanchez Galdeano (1916-2011).

56. Nádia Maria (1931-2000), Ronald Golias (1929-2005), Chico Anysio (1931-2012), Jorge Loredo (1925-2015) e Maria Di Carlo (1935-1996), atores comediantes de rádio e TV.

57. Sebastião Pais de Almeida (1912-1975), advogado, empresário e político, fundador da Companhia de Vidros do Brasil (Covibra). Foi também diretor do Banco do Brasil e ministro da Fazenda, nomeado por Juscelino Kubitschek.

58. Mesmo efetivada a posse de Juscelino Kubitschek e João Goulart, os mais ferrenhos antigetulistas não desistiram: oficiais da aeronáutica instalaram-se na base área de Jacareacanga, sul do Pará, e se rebelaram. Depois de 19 dias, a rebelião foi controlada e os envolvidos, anistiados. O tempo passou, mas os ânimos continuavam acirrados. Em 1959, eclode uma nova conspiração, conhecida como a Revolta de Aragarças, com a participação dos líderes da Revolta de Jacareacanga. Ocupando cinco aviões (um deles sequestrado), os militares rumaram para Aragarças, em Goiás, e pretendiam bombardear os palácios das Laranjeiras e do Catete, no Rio. Os revoltosos não conseguiram realizar o plano de mais um golpe militar e fugiram para outros países da América Latina.

59. Eduardo Portella (1932-2017), professor, crítico e escritor. Depois de ter integrado o gabinete civil de Juscelino Kubitschek, foi ministro da Educação no governo militar de João Figueiredo e importante nome da abertura política. Fundou a editora Tempo Brasileiro, principal divulgadora das obras do filósofo alemão Jürgen Habermas no Brasil.

60. Phocion Serpa (1892-1967), poeta e biógrafo, autor de importantes ensaios biográficos, como os dos médicos Oswaldo Cruz e Miguel Couto e do monarquista Visconde de Taunay.

61. Pedro Calmon (1902-1985), ensaísta, biógrafo, professor, historiador e político, foi ministro da Educação e Saúde no governo do presidente Eurico Gaspar Dutra. É autor de biografias da princesa Isabel, do padre Anchieta e do poeta Castro Alves.

62. O Cine Olinda, localizado na Praça Saenz Peña, no bairro da Tijuca (Rio de Janeiro), foi inaugurado em 1940 como o maior cinema do Brasil: chegou a ter 3.500 lugares. Foi demolido em 1972 e, no lugar, ergueu-se um shopping.

63. Lêdo Ivo (1924-2012), jornalista, escritor e poeta representante da Geração de 45.

64. Raul Machado (1891-1954), poeta e jurista paraibano.

65. Ema D'Ávila de Camillis (1916-1985), atriz comediante de rádio e televisão, estrela do programa de TV *Vila dos D'Ávila*, ao lado do irmão Walter D'Ávila.

66. Miguel Daltro Santos (1879-1953), poeta, teatrólogo, historiador e professor.

67. Joaquim Guilherme Gomes Coelho (1839-1871), médico, escritor, teatrólogo e ensaísta português que costumava adotar muitos pseudônimos literários, sendo "Júlio Dinis" o mais conhecido.

68. Eurico Nogueira França (1913-1992), crítico e musicólogo. Foi colaborador da *Revista Brasileira de Música*, alcançando o cargo de redator-chefe, e crítico de música dos jornais *Correio da Manhã* e *Última Hora* e da revista *Manchete*.

69. Luís Costa, repórter do *Última Hora*. No jornal, assinava a coluna "O dia do presidente". Foi Costa quem deu a Samuel Wainer a notícia do suicídio de Getúlio Vargas, na primeira hora do acontecido, em 24 de agosto de 1954. Era ele o encarregado de cobrir tudo o que se passava no Palácio do Catete. (Não foi possível identificar suas datas de nascimento e possível morte.)

70. Hilton Santos (1889-1982), dirigente esportivo. Era o presidente do Clube de Regatas do Flamengo no momento em que se passa o romance.

71. Lourival Fontes (1899-1967), jornalista, advogado e político com simpatia pelo fascismo de Mussolini, comandou o setor de propaganda do governo Getúlio Vargas entre 1934 e 1942. Ocupou também o Gabinete Civil da Presidência da

República no pleito de 1951, vencido por Getúlio. Em 1954 foi eleito senador por Sergipe e exerceu o mandato entre 1955 e 1963.

72. Hélio Ramos (1925-1995), engenheiro; José Guimarães Neiva Moreira (1917--2012), jornalista; Almino Affonso (1929), advogado; e Clidenor de Freitas Santos (1913-2000), médico; eram todos deputados federais na época em que se passa o romance.

73. Mário Morel (1937-2014), jornalista, reconhecido pelas reportagens que fez sobre corrupção policial. Trabalhou no *Última Hora* e, na TV, criou o programa de entrevistas *Sem Censura* (TVE), cujo formato foi adotado por outras emissoras.

74. Heron Domingues (1924-1974), jornalista com longa carreira no rádio, foi pioneiro na apresentação de programas televisivos, estreando na TV Tupi, em 1961.

75. Carlos Renato de Castro, jornalista, assinava a coluna "Luzes da cidade" no jornal *Última Hora*, cobrindo, ao lado da ex-Miss Leda Rahl, eventos sociais nos subúrbios cariocas da Zona Norte da cidade. Amigo e discípulo de Nelson Rodrigues no modo de escrever, chegou a atuar como ator em uma de suas peças. (Não foi possível identificar suas datas de nascimento e possível morte.)

76. Oswaldo Teixeira (1905-1974), pintor, professor, crítico e historiador de arte. Declaradamente antimodernista, defendia o academicismo como única maneira de se formar um artista. Na época em que se passa o romance, era diretor do Museu Nacional de Belas Artes (MNBA), no Rio de Janeiro.

77. José Vasconcellos (1926-2011), radialista, humorista, ator e produtor, estreou o primeiro programa televisivo de humor, em 1952, na TV Tupi. É, também, um dos pioneiros do gênero *stand up comedy* no país.

78. Jesú de Miranda (1910-1979), poeta e militar, participante das revoluções de 1930 e 1932. Segundo coluna do jornalista e escritor Humberto Werneck para *O Estado de S. Paulo* ("O defunto que fracassou", caderno Cultura, 09 abr. 2019), o livro ao qual se refere o personagem de Wilson Figueiredo é uma edição ampliada, em 1951, de *As 100 mulheres que amei*, de 1946. E, na verdade, tinha o título de *As 1001 mulheres que amei*. Virou personagem do romance de Fernando Sabino (outro dos "rapazes de Minas"), *O grande mentecapto*, de 1979.

79. Berilo Neves (1899-1974), jornalista, crítico e autor de histórias de ficção científica.

80. Em fevereiro de 1960, o presidente dos Estados Unidos Dwight Eisenhower veio ao Brasil para lançar a pedra fundamental da embaixada do país em Brasília. Durante a visita, o Brasil conseguiria apoio à proposta de Juscelino de articular a Operação Pan-Americana (OPA), que buscava ampliar a ajuda estadunidense à América Latina. Na mesma época, acontecia a assinatura do acordo comercial entre Cuba e União Soviética.

81. Israel Pinheiro da Silva (1896-1973), engenheiro, primeiro prefeito de Brasília, foi um dos responsáveis por sua construção. Quando houve a tentativa de se impedir a posse de Juscelino Kubitschek à presidência, Pinheiro foi figura importante no apoio ao conterrâneo. Consequentemente, ficou à frente da Companhia Urbanizadora da Nova Capital (Novacap), que realizou a edificação e a construção de rodovias de acesso à cidade. Mais tarde, chegou ao governo de Minas Gerais.

82. Gilberto Amado (1887-1969), advogado, diplomata, escritor e político, colaborador do *Jornal do Commercio*. Era primo de Jorge Amado. Em 1915, assassinou o poeta Aníbal Teófilo, em meio a uma discussão, mas foi absolvido.

83. Standard Oil Company (1870-1911) foi a maior companhia na produção e distribuição de petróleo da época. No Brasil, era representada pela Esso Brasileira de Petróleo, patrocinadora do mais importante radiojornal e telejornal do país entre as décadas de 1940 e 1960, o *Repórter Esso*.

84. Heráclito Fontoura Sobral Pinto (1893-1991), importante jurista e defensor dos direitos humanos. Teve papel fundamental na ditadura do Estado Novo de Getúlio Vargas (1937-1945) e na ditadura militar (1964-1985), advogando em defesa de presos políticos. Ser católico fervoroso não o impediu de assumir a defesa do comunista Luiz Carlos Prestes, preso em 1935. Outra atuação sua — neste caso, na defesa do alemão Harry Berger, severamente torturado pela polícia do Estado Novo — ficou igualmente célebre e é estudada em cursos de Direito: Sobral Pinto evocou a Lei de Proteção aos Animais. Em mais uma demonstração de firmeza, recusou a indicação do presidente Juscelino Kubitschek ao Superior Tribunal Federal (STF), pois não quis que o ato fosse vinculado à defesa que fizera da legalidade da posse do político mineiro. Sua vida está contada no documentário *Sobral: o homem que não tinha preço* (2013), de Paula Fiúza.

85. Mauritônio Meira (1930-2005), jornalista e contista nascido no Maranhão. No jornal *Última Hora*, foi repórter policial, repórter internacional e chegou a chefe de redação. No *Jornal do Brasil*, escrevia uma coluna diária.

86. Jorge Jabour (1905-1970), médico e empresário, cumpriu um mandato de deputado estadual pela UDN.

87. José Carlos Rêgo (1935-2006), jornalista e estudioso do samba como dança. Foi repórter carnavalesco do jornal *Diário Carioca*. No *Última Hora*, atuou na editoria policial.

88. Ariel Wainer (1933-1984), jornalista, repórter do *Última Hora* e sobrinho de seu fundador, Samuel Wainer. Viveu alguns anos em Israel e, na volta ao Brasil, trabalhou no Ministério da Educação (MEC).

89. José de Aguiar Dias (1906-1996), advogado, jornalista, magistrado, jurista e professor. Em 1960, tornou-se desembargador do Tribunal de Justiça do Estado da Guanabara.

90. Jorge Guinle (1916-2004), conhecido como Jorginho Guinle, playboy e herdeiro, confessamente avesso ao trabalho. Sua família foi dona do hotel de luxo Copacabana Palace, fundado em 1923.

91. Abdias do Nascimento (1914-2011), ator, dramaturgo, escritor, professor e ativista. Grande nome da cultura negra no Brasil, indicado ao prêmio Nobel da Paz em 2010. É um dos responsáveis pela fundação do Museu da Arte Negra (MAN), do Instituto de Pesquisas e Estudos Afro-Brasileiros (Ipeafro) e do Teatro Experimental Negro, que existiu até 1968, quando, por causa da perseguição política da ditadura militar, ele deixa o país e passa mais de dez anos exilado. Teve atuação em vários movimentos afros internacionais e, na volta do exílio, ajudou a fundar o Partido Democrático Trabalhista (PDT), sigla pela qual se elegeu senador da República, em 1997.

92. A Editora Vecchi foi uma casa editorial brasileira fundada em 1913 por uma família de italianos. Publicava livros, sobretudo romances ditos "para mulheres", e revistas de histórias em quadrinhos; entre elas, a estadunidense *Mad* (que anos depois passou a ser publicada pela editora Record). Fechou suas portas em 1983, depois de uma grande crise financeira.

93. Alberto Guerreiro Ramos (1915-1982), sociólogo e professor, importante estudioso das questões raciais no Brasil. Perseguido pelo regime militar, foi obrigado a sair do país e exilou-se nos Estados Unidos, onde foi convidado a lecionar na University of Southern California. Colaborou em vários veículos de imprensa, incluindo o jornal *Última Hora*.

Este livro foi impresso pela Lis Gráfica, em 2021, para a HarperCollins Brasil. A fonte do miolo é Minion Pro. O papel do miolo é pólen soft 70g/m^2, e o da capa é cartão 250g/m^2.